Anonymos

Die Reiter Regimenter der k.k.oesterreichischen Armee

Historische Skizzen, chronologisch geordnete Bruchstuecke

Anonymos

Die Reiter Regimenter der k.k.oesterreichischen Armee

Historische Skizzen, chronologisch geordnete Bruchstuecke

Inktank publishing, 2018

www.inktank-publishing.com

ISBN/EAN: 9783750102026

Die

REITER-REGIMENTER

der

k. k. österreichischen Armee.

III. Band.

Die Uhlanen.

Historische Skizzen, chronologisch geordnete Bruchstücke
Regimenterweise bearbeitet

von

einem ehemaligen Cavallerie-Offizier.

Wien 1863.

F. B. Geitler's Verlagsbuchhandlung

Stadt, Habsburgergasse Nr. 1, früher obere Bräunerstrasse Nr. 1134.

Die Uhlanen.

Die ursprünglichen Uhlanen, waren eine tartarische national bewaffnete Truppe im polnischen Heere. Durch die sächsischen Churfürsten, welche Polens Thron bestiegen, kam diese Truppe zum erstenmal nach Deutschland, und zwar nach Sachsen und Churhessen. Einer dieser ersten Uhlanen, Namens Abratimovicz, starb 1747 in Dresden. König August III. von Polen liess über seinem Grabe in der Königs-Brückenstrasse eine Statue im Uhlanenkostümo errichten, die aber schon längst verschwunden ist.

In Frankreich errichtete Napoleon 1807 die ersten Lanciers nach polnischem Muster. Jetzt ist diese ursprünglich tartarische mit bewimpelten Lanzen bewaffnete Truppengattung in den meisten europäischen Armeen eingeführt, so hat z. B. Russland 20, Preussen 2 Garde- 8 Linien- nebst 8 Landwehr-Regimenter, England 4, Frankreich 8 und Belgien 2 Lanciers- oder Uhlanen-Regimenter.

In Preussen gehören die Uhlanen zur schweren, in Frankreich zur mittleren Cavallerie (Cavallerie de Ligne).

In Oesterreich sind die Uhlanen eine Einführung Kaiser Joseph II. Mit Allerhöchstem Handschreiben vom 21. Oktober 1784 ordnete dieser Monarch die Errichtung eines „Uhlanenpulks von 300 Towarschiken und 300 Pozdonon" anfänglich auf Kriegsdauer an, bestimmte jedoch schon am 5. November jenes Jahres, dass hieraus 2 förmliche Divisionen polnischer Reiterei, — „die in Friedenszeiten allenfalls auch als National-Corps beibehalten werden kann" zu organisiren seien.

Diese Truppe hatte an Stärke und innerer Einrichtung der Abtheilungen, sowie an Löhnung und Service den Husaren gleich zu sein, und bezüglich der Adjustirung sagen die hofkriegsräthlichen Verordnungen von 1784: „Die Monturung soll so sein, wie die von den Knechten der polnischen Garde, jedoch ohne Raumnadel, die Offiziere ohne Epaulettes, die Montur bestehe in polnischen Mützen, Leibel mit Aermeln, darüber ein polnisches Röckel, für die Mannschaft Czismen, für die Offiziere aber polnische Stiefel, statt der Mäntel, Roquelors wie bei der deutschen Cavallerie, Kurtka oder Röckel mit Aermeln lichtblau mit gelbem Tuch egalisirt, Czapka oder Mütze von gelbem

1

Tuch, Hosen lichtblau." Bewaffnet wurde der Gemeine mit einer Lanze, 2 Pistolen, die zur Pferdeausrüstung gehörten, und einem Säbel. Die Lanzen waren mit Fähnlcins von Taffet zu versehen, damit mit selben der Wind leichter spielt, und sie besser in Bewegung setzt, auch sollten sie so gerichtet werden, „dass sie nach Bedarf leicht von der Lanze abgenommen werden können, wo sie dann in einem Futteral unter der Cartouche zu verwahren sind." Wegen der Completirung dieser Truppe aber, ward verordnet, „dass die Werbung in Galizien, in der Bukowina und besonders aus dem republikanischen Polen veranstaltet werde, — auch zu einer jeden der 4 Escadrons 60 Mann, nämlich der dritte Theil, und in Allem 240 Mann von galizischen Landeskindern, die sich theils bei Cavallerie- und Infanterie-Regimentern als verlässliche Leute ausgezeichnet haben, welche zum Cavalleriedienst verlangen, und mit Pferden umzugehen wissen, gewählt werden sollen. Das Handgeld für conscribirte Galizier wurde auf 3 fl., für Ausländer und Polen auf 10 Gulden bestimmt. Der Bedarf an Pferden wurde mit 370 Remonten, 100 Pferden von Erdödy-Hussaren (jetzt Nr. 9) und der Rest von den andern in Galizien garnisonirenden Hussaren-Regimentern gedeckt. Anfangs war Tarnow, kurz darauf Brünn zum Sammel- und Aufstellungsplatz dieses Uhlanencorps bestimmt, jedoch schon 1785 wurde es nach Wien gezogen, und in der Josephstädter- und Leopoldstädter-Caserne bequartirt. Hier wurde mit Eifer die Organisirung betrieben.

Zum Commandanten des Uhlanen-Corps wurde der Chevalier von Hotze, Oberstlieutenant von Czartoryski-Cürassier (1801 reducirt) bestimmt. Derselbe war ein geborner Schweizer aus Zürch, welcher aus herzoglich würtembergischen, in k. russische und aus diesen 1779 in k. österreichische Dienste getreten war. Ihm wurde der Major Fürst Joseph Poniatowski vom 2. Carabinier-Regiment (jetzt Cürassier Nr. 1), dann sämmtliche Stabsparteien beigegeben, die Ober- und Unteroffiziere aber theils von der galizischen Garde, theils von den in Galizien gelegenen Hussaren- und Chevauxlegers-Regimentern genommen.

Schon 1785 wurde noch eine dritte Division Uhlanen aufgestellt, 1787 wurde das Uhlanen-Corps escadronsweise den Chevauxlegers-Regimentern zugetheilt und rückte im Frühjahr von Wien zu den betreffenden Regimentern ab. Der Commandant Oberstlieutenant Chevalier Friedrich Hotze kam als zweiter Oberst zu Hohenzollern-Cürassier Nr. 8, Major Fürst Poniatowski als Oberstlieutenant zu Modena-Chevauxlegers. Ersterer war der später bekannte in der Campagne 1799 gebliebene FML., letzterer ist der am 18. Oktober bei Leipzig in den Fluthen der Elster ertrunkene französische Marschall.

Bei der Eintheilung der drei Divisionen in die Chevauxlegers-Regimenter erhielten selbe weisse Kurtka und Leibeln, jedoch nach polnischem Schnitt mit Klappen und Aufschlägen von der

Egalisirungsfarbe ihrer Chevauxlegers-Regimenter, nur die blauen ungarischen Hosen wurden beibehalten, bei jedem Chevauxlegers-Regiment noch eine Uhlanen-Escadron errichtet, und dieselben mussten an der Grenze Polens eigene Werbkommanden aufstellen.

Die Uhlanen-Divisionen von Kaiser- und Richecourt-Chevauxlegers (jetzt Uhlanen Nr. 6 und 7) erhielten später weisse Hosen, während bei allen übrigen die blauen blieben. Die Czapkas aller Divisionen blieben bei der Mannschaft gelb, nur die Offiziere erhielten sie damals von weissem Tuche.

Jede dieser Uhlanen-Divisionen, die bei ihren Chevauxlegers-Regimentern die 2. Majors-Division formirten, bestand aus 2 Rittmeistern, 2 Ober- und Unterlieutenants, 2 Wachtmeistern, 6 Corporalen und 340 Gemeinen.

Im Herbste 1787 finden wir bereits die Uhlanen-Divisionen der Regimenter Modena, Levenehr und Kinsky (die beiden ersten reducirt, letzteres Uhlanen Nr. 9) an der türkischen Grenze auf Vorposten. Diese drei Divisionen erhielten während ihrer Dienstleistung an der Grenze durchaus Carabiner statt der Lanzen, bezüglich der drei andern Divisionen wurde bestimmt, „dass von jeder Escadron die 6 besten Schützen mit gezogenen Röhren zu bewaffnen seien, und mit Pflaster zu laden haben." Den Schützen wurde eine tägliche Zulage von 3 Kreuzern bewilligt, und sie hatten immer hinter der Front aufgestellt zu werden.

1788 wurden sämmtlichen Uhlanen-Divisionen an der Czapka Sonnenschirme gleich den Hussaren bewilligt, und der Hofkriegs-Rath ordnete an, „dass die Czapkas mit Pelzbräumen und Federbüschen auf der linken Seite zu versehen seien, und der Sonnenschirm nach jedesmaligem Bedarf entweder herabgelassen oder rückwärts aufgeschlagen getragen werde.

Im April 1790 wurde die Armirung mit Lanzen bei allen Uhlanen-Divisionen wieder anbefohlen, doch blieb es dem Commandanten anheimgestellt, die Uhlanen in jenen Gelegenheiten, wo sie es erspriesslicher hielten, jedesmal mit Karabinern zu versehen. Die Lanzen wurden nach Art der bosnisch-türkischen verfertigt.

Die Feldzüge 1788 und 1789 gegen die Türken machten die Uhlanen-Divisionen bei ihren betreffenden Regimentern mit, ihre Thätigkeit gehört daher in die Skizze derselben.

Im Jahre 1791 kamen sie bei den Chevauxlegers in Abgang und es wurde aus ihnen das gegenwärtig erste Uhlanen-Regiment (Graf Civalart) formirt, zu gleicher Zeit ward in Galizien ein Uhlanen-Freicorps errichtet, welches Anfangs den Major Baron Degelmann zum Commandanten hatte, und drei Divisionen formirte, 1798 wurde es zum 2. Uhlanen-Regiment übersetzt und erhielt eine 4. Division.

1801 wurde zu Krakau das 3. Uhlanen-Regiment und 1813 zu Lemberg von den galizischen Landständen ein viertes dieser

1*

Waffe errichtet. 1816 statt der bisher üblichen Federbüsche die jetzt vorgeschriebenen Rossbüsche eingeführt.

Die Vorzüglichkeit dieser Truppe bewährte sich, und mit ihr der ausgezeichnete Ruf der österreichischen Uhlanen in den 23jährigen französischen Kriegen. Italiens, Deutschlands und Frankreichs Schlachtfelder haben deren Ruhm in glänzender Weise bezeugt. — Die meisten französischen Militär-Schriftsteller jener Epoche so z. B. der Herzog von Ragusa erwähnen sie in ihren Memoiren, letzterer bei der Beschreibung der Feldzüge 1796 und 1797 in Italien. — Aber im gleichen Masse sollten die Feldzüge 1848 und 1849 besonders der, der Reiterwaffe günstigere ungarische dieson Ruf bewahrheiten, wenn nicht erhöhen; man erinnere sich nur an die Tage von Kapolna, Hatvan, Puszta Herkaly, Arad, Lippa, Temesvar und Czorna.

Der bekannte Spruch des Reitergenerals Grafen Bismark: „die Pike ist die Königin der Waffen" erhielt mehr und mehr Geltung und schon am 8. Jänner 1851 wurde die Aufstellung eines fünften Uhlanen-Regiments, den 6. Mai desselben Jahres aber die Umwandlung von sechs Chevauxlegers zu Uhlanen-Regimentern anbefohlen. Die bisherige Kurtka wurde nach der am 1. August 1849 herausgegebenen Adjustirungs-Vorschrift abgeschafft, und die gegenwärtig vorgeschriebene Adjustirung der Uhlanen besteht in einem kurzen dunkelgrünen Waffenrock von eigenthümlich polnischem Schnitt „Uhlanka" genannt, mit scharlachrothen Kragen und Aufschlägen sehr reich mit gelben Epaulettes, Franzen und Fangschnüren verziert, dunkelgrünen Pantalons mit breiten scharlachrothen Streifen, bei der Mannschaft einfach, bei den Offizieren doppelt (Lampas genannt). Sonst die grauen Reit- und Ueberzughosen der gesammten übrigen Cavallerie. Die Offiziere haben als gewöhnliche Winter-Adjustirung (vom 1. November bis 1. Mai) noch eine Winter-Uhlanka, die statt scharlachrothem Tuch zu Kragen und Aufschlägen scharlachrothen Felbel hat. Die Mannschaft hat einen Leibelspenzer, der auch über die Uhlanka zeitweise angezogen wird. — Als Kopfbedeckung sind viereckige niedere polnische Czapkas von gelber, dunkelgrüner, scharlach- und karmoisinrother, weisser und lichtblauer Farbe eingeführt. Ueberdiess unterscheiden sich die Uhlanen-Regimenter durch Knöpfe, welche bei 6 Regimentern gelb, bei den übrigen 6 (umgewandelten Chevauxlegers) weiss sind. Die Offiziere tragen wie natürlich alle Wollsorten der Mannschaft von Gold. Bewaffnet sind die Uhlanen mit einer acht Schuh langen Pike, an der ein schwarzgelbes Fähnlein zum Herabnehmen befestigt ist. Ueberdiess führt jeder Mann den Säbel. Die Armirung mit Schusswaffen ist jener der Cürassiere ganz gleich. Beritten sind sie mit leichten galizisch, siebenbürgisch, ungarisch und moldauischen Pferden.

Während des Feldzugs in Ungarn 1849 war eine Division serbischer National-Uhlanen errichtet worden, welche den Major Friedrich Baron Dlauhowesky von Fürst Schwarzenberg-Uhlanen zum Commandanten hatte, aber nach Beendigung des Feldzugs wieder aufgelöst wurde.

1854 wurde zu Austerlitz in Mähren ein neues 12. Uhlanen-Regiment errichtet. Galizien stellt die Regimenter Nr. 1, 2, 3, 4, 6, 7, 8, 9, 10 und 11, Croatien, Slawonien und die Woywodina Nr. 5 und 12.

Bei der mittelst Allerhöchstem Befehl-Schreiben vom 17. Jänner 1860 erfolgten Reorganisirung der Cavallerie verloren sämmtliche Uhlanen-Regimenter, gleich den Hussaren, ihre 4ten Divisionen, welche theils zur Ergänzung der, in Folge der Abtretung der Lombardie auf 2 Divisionen geschmolzenen, früher italienischen Regimenter Nr. 6 und 11, theils zur Errichtung eines Freiwilligen Uhlanen-Regimentes mit dem Stande zu 8 Feld-Escadrons verwendet, theils endlich gänzlich aufgelöst wurden.

Uhlanen-Regiment Nr. 1, Graf Civalart.

Unterm 15. Juli 1790, befahl Se. Majestät Kaiser Leopold II., dass aus den einzelnen Uhlanen-Divisionen wieder ein Körper gebildet werde, und das neu zu errichtende Uhlanen-Regiment nach dem damaligen Stande der Hussaren-Regimenter mit fünf Divisionen zu formiren sei, änderte aber diese Bestimmung unterm 1. August 1791 dahin ab, dass das Regiment bloss vier Divisionen mit dem Stande von 151 Gemeinen per Escadron zu bilden habe, und vom 1. November 1791 als existent anzusehen sei. — Das Regiments-Commando erhielt der supernumeräre Oberst Anton Baron Schubirz v. Kinsky-Chevauxlegers, zugleich wurde das Regiment in Ungarn dislozirt, der Stab anfänglich nach Saros-Patak, vom Dezember 1791 aber nach Rosenau, und für dasselbe folgender Stand festgesetzt:

1 Oberst-Inhaber,
1 Oberst-Commandant,
1 Oberstlieutenant,
2 Majors,
8 erste, und 8 zweite Rittmeister,
16 Ober-, und 16 Unterlieutenants,
16 Wachtmeisters und 64 Corporale,
1208 Mann und 1208 Pferde.

Die Regiments-Adjustirung hatte zu bestehen: aus grasgrünen Kurtken mit Ponceau- farbiger Egalisirung, grünen Leibeln mit gelben Knöpfen und weissen engen Hussaren-Hosen. Die Bewaffnung blieb wie bei den vormaligen Uhlanen-Divisionen, und 6 Mann von jeder Escadron behielten den Stutzen. Mit dem 2. Februar 1792, erhielt das Regiment eigene Vorschriften über das Exerzieren mit der Pike (Lanze). Die damaligen Standes-Listen nennen den als Homöopathen berühmt gewordenen Mahrenzeller als Regiments-Arzt.

Bis zum Monat November blieb das Regiment in den obgedachten Cantonirungen; nach der von der französischen Republik ausgegangenen Kriegs-Erklärung aber ward es mobilisirt, und marschirte am 22. November 1792, per Escadron 151 Mann stark, nach Italien ab. Zurück blieb eine errichtete Reserve-Division, die den von der Werbung in Galizien zuwachsenden Ersatz an sich zog, und dem Regimente nachsandte.

Anfangs 1793 bezog das Regiment die ihm in Italien angewiesene Dislocation mit dem Stabe und 2 Escadrons in Lodi, die übrigen in Cremona und Pavia, und war dem Reserve-Corps, das Italien zu decken hatte, in der Division des FML. Baron Wenkheim, und der Brigade des GM. Graf Colloredo-Mels zugewiesen. Am 23. Mai 1794 rückte das Regiment nach Piemont, und zwar in die Festung Alessandria ein, wurde später divisionsweise in diesem Lande vertheilt, und bezog mit Ende November in den Städten Pavia, Cremona und Voghera seine Winter-Quartiere, aus welchen dasselbe im April 1795 in's Feld rückte. Mit diesem Jahre beginnt das kriegerische Wirken dieses stets ausgezeichneten Regiments. Im Monate April fanden kleinere Vorposten- und Patrouillen-Gefechte statt, in welchem sich der Corporal Gregor Czesanowski, und die Gemeinen Stephan Lezko und Anton Parski die silberne Tapferkeits-Medaille verdienten. In dem Treffen bei Savona und Vado den 24. Juni gerieth die am Meeres-Ufer postirte Infanterie, durch die Uebermacht der französischen Grenadiere zum Weichen gezwungen, bereits in Unordnung, als der Rittmeister Thadäus von Brochowski des Regiments, diess wahrnehmend, ohne erhaltenen Befehl mit seiner Escadron an das Ufer eilte, durch die Intervallen der österreichischen Infanterie einrückte, mitten im feindlichen Feuer seine Dispositionen traf, und die Franzosen auf zwei Seiten mit so entscheidendem Erfolge angriff, dass sie geworfen und zersprengt wurden; die Infanterie bekam hiedurch wieder Luft, und alle weitern Vortheile jenes Tages mussten lediglich Brochowski's kühner Unternehmung zugeschrieben werden. Bei einem spätern Ausfalle, am 25. Juni, den Freiwillige aus neu angelegten Verschanzungen des genommenen St. Giacomo unternahmen, attaquirte Brochowski mit seiner Escadron, und brachte eine solche Verwirrung unter den fliehenden Feind, dass er mit dem Verluste von 400 Todten und 110 Gefangenen, worunter ein Stabs- und zwei Oberoffiziere sich in aller Eile zurückziehen musste. Bei dieser Affaire hatten sich auch einzelne Uhlanen der Escadron besonders hervorgethan. Als Brochowski in der Hitze des Angriffs plötzlich vom Feinde ganz eingeschlossen wurde, brach der Wachtmeister Philipp Worner mit den Gemeinen Lottinski, Kurkurmiuk, Tomas, Nagy, Magywowski und dem schon schwer verwundeten Bilecki durch die um ihren Rittmeister sich sammelnden Feinde, und öffneten ihm den Weg. In einiger Entfernung formirt Brochowski vom Neuem die Escadron, und durch eine erneuerte Attaque wird der Feind, der sich von seiner ersten Ueberraschung erholt, wieder stellen wollte, vollständig geworfen. Der Uhlane Lettinski rettete dabei einem Offizier das Leben, Corporal Krista befreite einen verwundeten schon gefangenen Trompeter mitten im Feuer, und ebenso brachten Lettinski und Magywowski den schwer verwundeten Gemeinen Bomkowski aus dem heftigsten Meléo in Sicherheit. Wachtmeister Werner und Gemeiner Lettinski erhielten beide die silberne Tapferkeits-Medaille. Corporal Krista, Gemeiner Bilecki und die andern genannten Leute Belohnungen im Golde. Rittmeister Brochowski erhielt 1796 das Ritter-Kreuz des Maria-Theresien-Ordens. —

Den 10. November wurde Rittmeister Bazzio, Oberlieutenant Spitzer, Lieutenant Gemin und 100 Uhlanen nebst eben soviel Infanterie nach Voltri abgesendet, um die Plünderung der dort befindlichen bedeutenden Magazine zu hindern. Nach einem beschwerlichen Marsch von zwölf Stunden über steile Gebirge, die nur zu Fuss überstiegen werden konnten, langte Rittmeister Bazzio, dem das Commando dieser Expedition anvertraut war, eben in dem Augenblicke an, als der feindliche Oberstlieutenant Baron Täufferer seine Leute zu Schiffe bringen wollte. Bazzio stürzte sich, ehe noch die Infanterie nachkommen konnte auf die Feinde, von denen sich 200 auf die bereitgehaltenen Schiffe retteten, 7 gefangen genommen wurden, und der Rest sich gegen Genua hin zerstreute. Bazzio hatte nun 13 gefangene Croaten befreit, drei grosse Heumagazine und 1000 Säcke mit Getreide und Mehl gerettet, allein es war ihm der berüchtigte Anführer der feindlichen Truppe entwischt. Täufferer der zu Pferde war, hatte sich nämlich mit mehreren andern Flüchtlingen seines Detachements gegen Genua gewendet, und hoffte selbes zu erreichen. Doch kaum war seine Flucht bekannt geworden, so zerstreuen sich sogleich der Wachtmeister Franz Kraus, die Corporale Joseph Mohr und Piatrick, dann die Uhlanen Thomas Chilinski und Philipp Gzegorz, mit der vom Rittmeister Bazzio erhaltenen Weisung den flüchtigen Parteigänger todt oder lebendig zurückzubringen. Corporal Mohr ist so glücklich ihn zu erreichen und gefangen zu nehmen. Täufferer selbst sagte dem Rittmeister Bazzio: „Der Corporal ist ein ehrlicher Mann, und getreuer Unterthan, ich wollte ihm 100 Dukaten geben, wenn er mich losliesse, und er antwortete: „Nicht um eine Million." Täufferer war ein krainischer Edelmann, und ehemaliger österreichischer Offizier. Er trat in französische Kriegs-Dienste als politischer Flüchtling ein, und brachte es in diesen bis zum Bataillons-Chef. Aus seinem spätern Prozesse ergab sich, dass er dem französischen Wohlfahrts-Comité einen Plan vorgelegt hatte, Croatien zu insurgiren und so die französische Armee zu unterstützen. Er wurde ungeachtet der Verwendung des französischen General Scherer am 20. Mai 1797 gehängt. Der brave

Corporal Mohr erhielt die goldene Tapferkeits-Medaille, die übrigen genannten Uhlanen Geld-Belohnungen. — Als im Verlaufe der Schlacht von Loano den 23. November, die Redoute von Castellara angegriffen, und die daselbst postirte kaiserliche Infanterie nach den schönsten Beweisen von Unerschrockenheit, — der Menge des Feindes zu unterliegen schien, eilte Rittmeister Brochowski mit seiner Escadron den Bedrängten zu Hülfe, und attaquirte den Feind viermal, wodurch es der Infanterie möglich wurde, sich ohne Verlust zurückzuziehen. —

An diesem Tage verdiente sich der Corporal Franz Miklazowski die silberne Tapferkeits-Medaille, dadurch dass er sich freiwillig zur Ueberbringung eines Befehls an ein detachirtes abgeschnittenes kaiserliches Armee-Corps anboth, sich dabei allein mitten durch die feindlichen Posten durchschlug, und durch die glückliche Erfüllung seines Auftrags zur Rettung dieses Corps wesentlich beitrug. — Der französische General Scherer berichtet über diese Schlacht an das Directorium zu Paris: „Dans la valée de Loano les François avaient en tête les troupes d'élite de l'armée autrichienne qui combattoient comme des lions!" — Auch Marschall Marmont, der Herzog von Ragusa erwähnt in seinen Memoiren, während dieser Feldzüge mit Lob der österreichischen Uhlanen. Anfangs Dezember bezog das Regiment die Winter-Quartiere bei Cremona, Abbiate-Grasso und Pavia.

Im Feldzuge 1796, waren 2 Escadrons des Regiments in der Brigade des GM. v. Pittoni, und 6 Escadrons in jener des GM. Baron Schubirz, und nahmen an der am 10. April durch FZM. Baron Beaulieu bewirkten Zurückdrängung Laharpes, sowie am 12. an der Besetzung von Voltri, als auch an dem unglücklichen Treffen bei Milesimo Theil.

Am 8. Mai war eine Division des Regiments bei der Colonne des GM. Lipthay, und machte bei dem Angriffe Laharpes mit einer von Erzh. Joseph-Hussaren die Arriere-Garde; Rittmeister Döring des Regiments deckte durch mehrere entschlossene Attaquen seiner Uhlanen den Rückzug jener Colonne. Hierauf entsendete Lipthay den Major Zirkel des Regiments mit 6 Zügen und 2 Kanonen gegen Pizzighettone, um daselbst zu recognosziren. Zirkel blieb bei St. Rocco, und befahl dem Rittmeister Bazzio dem General die Meldung zu bringen, dass die Gegend von Franzosen frei sei. Dieser stösst aber auf eine feindliche Colonne die ihm den Weg zum Armee-Corps verlegt. Bazzio mit 40 Mann, die er bei sich hat, wirft sich auf die Feinde und bahnt sich mitten durch sie einen Weg zur Armee. — General Baron Schubirz überfiel in der Nacht vom 8. auf den 9. Mai mit 3 Divisionen des Regiments das vom Feinde besetzte Codogno und eroberte es glücklich. Bei diesem Ueberfalle, in dem der französische General Laharpe durch eine Kugel fiel, zeichneten sich mehrere von der Mannschaft des Regiments aus. So war Wachtmeister Szepanski der erste in Codogno eingedrungen, hatte sich dreier Kanonen bemächtigt, und diese zurückgebracht. Die Uhlanen Stanislaus Krzeskowski und Joseph Demetzki als Patrouillen ausgeschickt, eroberten gleichfalls eine Kanone. Dabei erfährt letzterer zufällig dass in einem Wirthshause ein feindlicher Offizier mit Mannschaft sich befinde, erbittet sich 6 Mann Infanterie, führt diese in das bezeichnete Wirthshaus, und macht da den Offizier mit 14 Mann zu Gefangenen. Die Gemeinen Valentin Krupski und Kajetan Wisocki stossen in einer engen Gasse auf ein feindliches Detachement, welches 4 Kanonen und 2 Pulverkarren zu retten sucht. Nach wiederholten fast tollkühnen Anfällen, zerstreuen sie die sich widersetzende Escorte, und behaupteten, beide verwundet, das Geschütz und die Munition. Der Gemeine Martin Tiburski gelangt eben dazu als ein Kamerad von mehreren Feinden, vom Pferde herabgerissen und fortgeschleppt wurde. Er greift an, und befreit den Kameraden und dessen Pferd. Die Gemeinen Koharski und Czisek werden als Muster von Bravour und Tapferkeit genannt, und von ihnen die Gefangennehmung mehrerer Feinde gerühmt. Szepanski und Tiburski erhielten die silberne Tapferkeits-Medaille, die übrigen Geldbelohnungen. — Lieutenant Philipp Lang erhielt den Befehl am 12. mit seinem Commando aus 2 Korporalen und 28 Gemeinen bestehend, die Thore von Cremona zu besetzen, die Stadt durchpatroulliren zu lassen, und sie von den häufig zurückgebliebenen Nachzüglern der vorübergezogenen Colonnen zu säubern. Zugleich wurde sein Commando durch Wachtmeister Szepanski, 1 Corporal und 14 Uhlanen verstärkt, Oberlieutenant von Nagy auf der Strasse gegen Parma, und Lieutenant von Löwenfeld auf jener nach Crema als Piket ausgestellt.

Lieutenant Lang schickte den Corporalen Abaffy mit 10 Uhlanen gegen Formigara patroulliren, und liess, nachdem er seine Aufgabe in Cremona, wo General Schubirz mit seinen Adjutanten Oberlieutenant Sprenger, Oberlieutenant Bartholdy, letztere beide vom Regimente und 4 Wägen Verwundete waren, gelöst hatte, daselbst die Thore sperren, wies dem Wachtmeister Szepanski an mit den gesammten Thorwachen und Patrouillen auf dem Platze vor der Porta Milano sich zu stellen, und nahm den Rest seiner Truppe nämlich 2 Corporale und 16 Gemeine um auf der Seite gegen Formigara und Crema weitere Posten auszustellen. Als er eben diese Vedettenkette instruirte, erfuhr er durch einen Bauer, dass der Feind bereits in dem ³/₄ Stunden entfernten Gava sich gezeigt habe, und sah auch schon 6 französische Hussaren die Strasse von Crema herreiten. Lang hatte kaum die ausgestellten Vedetten wieder gesammelt, als er schon eine ungefähr 200 Mann starke feindliche Cavallerie-Abtheilung, von welcher die gedachten 6 Mann die äusserste Vorhut bildeten im Anmarsche sah. Lang zog sich zur Porta Milano in der Hoffnung zurück den Wachtmeister Szepanski mit seinen Leuten zu treffen, allein er fand blos den Wacht-

meister, die andern 16 Mann waren noch nicht angelangt, und
da der Feind seinen Marsch auf Cremona fortsetzte, so schien
es bei der Schwäche der Besatzung und ihrer Vertheilung
unausweichlich, dass er sich zum Meister der Stadt machen,
und sowohl den General Schubirz mit den bei ihm befindlichen
zwei Offiziers, dann die Verwundeten gefangen nehmen, als
auch den Lieutenant Löwenfeld mit seinem Zuge abschneiden
würde. — In dieser äusserst gefahrvollen Lage wagt der
tapfere Lang das Aeusserste, und attaquirte den wohl zehnfach
stärkeren Feind. Da dabei der Gemeine Gumenego zuerst den
Anführer der feindlichen Truppe mit seiner Pike niedermachte
und auch die andere Mannschaft mit der grössten Bravour in
den Feind eindrang, so brachte dieses letztern in Verwirrung
und er wich einige hundert Schritte zurück, allein die Uhlanen
wurden zu hitzig und wagten sich im Verfolgen mitten in den
getheilten Feind. Dieser aber, vom ersten Erstaunen erholt,
umringte nun die tollkühn Angreifenden, und wollte mit deren
Tode oder der Gefangennehmung, die anfänglich erlittene
Schmach rächen. Schon war ein Uhlane gesunken, einige
Pferde getödtet, da erschien plötzlich Corporal Abaffy mit
seiner Patrouille, griff alsogleich an, und machte es Lang möglich sich mit den Seinen durchzuhauen. Indessen waren der
Wachtmeister Szepanski, Corporal Abaffy und der blessirte Gemeine Wisocki gefangen von 8 feindlichen Hussaren abseits geführt worden. Dieses bemerkte Corporal Possowski, ruft die
Gemeinen Gumenego, Gabriel und Polakowski zu sich, greift
die Escorte seiner gefangenen Kameraden mit Wuth an, und
befreit diese. Im Melée hatten sich ein Offizier und 2 feindliche Hussaren gegen Lieutenant Lang gewendet, und versuchten
durch seinen Tod die Uhlanen ihres kühnen Führers zu be-
rauben. Da retteten Corporal Witz und Gemeiner Schneider durch die Tödtung der Hussaren ihrem Offizier das Leben.
Lang zog sich nun zum Thore zurück, fand diessmal seine
übrige Mannschaft, und attaquirte nun neuerdings den Feind,
der ihm hart an der Forse gefolgt war. Er brachte denselben
wieder zum Weichen, entdeckte aber eine 2. feindliche an 200
Mann starke Colonne, die der frühern zur Unterstützung zu
kommen schien. Lang zog sich nun wieder zum Thore zurück,
als glücklicherweise Lieutenant Löwenfeld mit seinem Zuge
ankam. Beide Züge attaquirten nun gemeinschaftlich, und
warfen den Feind. Indessen rückte dieser wieder, und nun mit
vereinter Kraft vor, aber auch diessmal musste er der erbitterten Attaque der tapfern Uhlanen weichen, und Lang von
dem unglaublich glücklichen Erfolge begeistert, wollte die Verfolgung schon weiter fortsetzen, als ihm General Schubirz
den Befehl zum Rückzuge zusandte, da andere feindliche
Colonnen die Stadt bereits umgangen hatten, und die Uhlanen
mit einem Angriff im Rücken bedrohten. Jetzt hiess es schleu-

nig die Porta Mantua erreichen, — und die Aufstellung wurde vor diesem Thor genommen. Hier traf auch Oberlieutenant Nagy mit seinem Zuge ein, und nach einer nochmaligen Attaque rückte die nach und nach gesammelte 1. Majors-Division zu den andern am Oglio auf Vorposten stehenden Divisionen des Regiments. Der Gesammtverlust von dem Zuge des Lieutenants Lang betrug 2 Todte, 2 Verwundete und 4 Vermisste. Die Corporale Abaffy und Possowski erhielten die silberne Medaille, die Gemeinen Gabriel, Gumenego und Polakowski Geldbelohnungen.

Bei Lodi attaquirte Rittmeister Graf Falkenhain mit der Oberst 2. eine feindliche Infanterie-Colonne; das Pferd wurde ihm erschossen und er war schon umringt, als der Gemeine Paul Smolek ihn befreite, abstieg, dem Rittmeister mitten im Melée aufs Pferd half, und sich mit dem Säbel zu Fusse durchhieb. Bei den weitern Vorpostengefechten zeichnete sich der Wachtmeister Kowats so aus, dass er die silberne Tapferkeits-Medaille erhielt.

Ende Mai commandirte Oberst v. Mathiasowsky des Regiments die bei Valeggio aufgestellte Reiter-Reserve, bei der sich 4 Escadrons des Regiments befanden, während die andern 4 unter General Schubirz auf der rechten Vorpostenkette standen. Zur selben Zeit erwarb sich der Rittmeister Joseph Baron Domokos des Regiments bei dem Rückzuge des Sebottendorfischen Corps das Ritter-Kreuz des Maria-Theresien-Ordens.

Von FML. Baron Sebottendorf, beordert mit der Oberstlieutenants 2. Escadron nach Lodi zu eilen, um über das vom Feinde eröffnete Feuer Nachricht zu holen, erfuhr Domokos durch einzelne Versprengte, dass der Feind nicht nur die Adda-Brücke forcirt, sondern selbst auf mehreren andern Punkten diesen Fluss übersetzt und unsere Nachhut in Unordnung gebracht habe. Die Gefahr war einleuchtend, die ganze Colonne mit Geschütz und Train, welche die Strasse von Lodi nach Cremona einnahm, musste unvermeidlich in die Hände der Franzosen gerathen, wenn ihrem Vorrücken nicht Einhalt gethan würde. Rittmeister Domokos beeilte seinen Marsch und traf mit FML. Baron Sebottendorf zusammen, der eben der eingerissenen Unordnung steuern wollte. „Auf Euch Uhlanen beruht meine ganze Hoffnung!" rief der General dem Rittmeister zu, der dadurch angeeifert, sich durch die schon zurückweichende Infanterie Bahn brach, und mit ausgezeichneter Bravour der feindlichen Cavallerie sich entgegen warf. Diese wollte eben in die Infanterie einhauen, um von der eingerissenen Unordnung Vortheil zu ziehen. Ueberrascht von der kühnen Attaque der Uhlanen, stutzt der Feind, und vermuthet das Anrücken einer neuen Truppe. Ein wiederholter Angriff warf ihn bis an die Brücke zurück, 3 bereits verlorene Kanonen wurden wieder erobert, eine grosse Anzahl Gefangene befreit, und alle feindlichen Versuche vorzudringen, vereitelt. Mittlerweile hatte FML.

Sebottendorf Zeit gewonnen sein Corps wieder zu ordnen, und sich dem Feinde entgegenzustellen, der auf seine jenseits der Adda gewonnene Stellung beschränkt wurde. Die herzhafte That Domokos und seiner braven Uhlanen hatte nicht allein einen geregelten Rückzug seines Corps bewirkt, sondern auch den Train desselben gerettet.

Bald darauf fand Domokos neue Gelegenheit zur Auszeichnung, als die Franzosen bei Campagnola den Mincio zu passiren versuchten. Mit einem Flügel seiner Escadron griff Domokos den zwischen Valeggio und Campagnola vordringenden Feind, ungeachtet dessen überlegener Anzahl und des für Cavallerie sehr ungünstigen Terrains mit Ungestüm an, und es gelang dem unerschütterlichen Muthe der kleinen Schar, den grössten Theil der Franzosen niederzuhauen, unter diesen auch einen Adjutanten Bonapartes. Dieser Obergeneral selbst war zu Valeggio, und nur durch Besonnenheit der vor seiner Wohnung stehenden Wache, die bei dem Heransprengen der vordersten Uhlanen, das Eingangsthor ins Schloss warf, gewann er Zeit sich aufs Pferd zu schwingen und durch die hinter dem Hause gelegenen Gärten zu entfliehen. Bei diesem Gefechte war Domokos mit seinem verwundeten Pferde gestürzt, hatte einen Hieb erhalten, der ihm die Czapka vom Kopfe schlug, und war schon von dem ihn umringenden Feind entwaffnet, als der Wachtmeister Joseph Kopecki und die Corporale Johann Tuschmak und Johann Sedlaczek seine Gefahr bemerkten, und ihn befreiten. Kopecki, der schon früher eine vom Feinde umrungene Infanterie-Compagnie durch eine mit einigen Uhlanen ohne Befehl ausgeführte Attaque vor der Gefangennehmung gerettet hatte, erhielt die silberne Tapferkeits-Medaille. Sedlaczek ein Geldgeschenk.

In der Relation über diese Affaire, in welcher der Oberlieutenant Zarszinski und 3 Gemeine blessirt, 1 Mann getödtet und 6 vermisst wurden, auch die Lieutenants Wagner und Gruschke ihre Pferde unterm Leib verloren hatten, wurden ausser den erwähnten noch 20 Mann genannt, die sich durch Bravour ausgezeichnet hatten. An demselben Tage standen 4 Escadrons bei Goito, und zerstreuten einige feindliche Infanterie-Abtheilungen. In Folge des weitern Vordringens der Franzosen, wurde das Regiment, mit Ausnahme eines Flügels, der unter Oberlieutenant Kozlowski der Besatzung von Mantua beigegeben ward, an die Etsch zurückgezogen und stiess hier zu der aus Tirol herabmarschirenden Armee des FM. Graf Wurmser.

Am 1. August (1796) wurde Oberlieutenant Kozlowski zur Beobachtung der feindlichen Truppen-Division Serrurier mit einem Zuge vom Festungs-Commandanten zu Mantua ausgesandt. Zufällig stosst er auf diese eben abmarschirende französische Truppen-Division, attaquirte tollkühn den Feind, der eine ganze Armee auf seinen Fersen glaubt, und verbreitet einen solchen Schrecken, dass die Franzosen mit Hinterlassung von 5 Stück Geschützen und

60 Proviant-Wägen in der schleunigsten Flucht ihr Heil suchen, und nebst dem noch 200 Gefangene in den Händen des tapfern Siegers lassen. Für diese glänzende Waffenthat wurde, mittelst allerh. Befehl Sr. Majestät des Kaisers, der tapfere Kozlowski ausser der Tour zum Rittmeister im Regimente befördert. — Bei der weitern Verfolgung des Feindes hob Oberstlieutenant Broa einen feindlichen Infanterie-Posten auf, und machte 40 Gefangene. — Die bei der Armee des FM. Graf Wurmser gestandenen 6 Escadrons des Regiments hatten nicht nur an allen Gefahren und Gefechten dieser Epoche Theil genommen, sondern sich auch bei einzelnen Gelegenheiten so ausgezeichnet, dass ihr Lob wiederholt in den Generals-Befehlen ausgesprochen ward, sie deckten den Marsch jener Armee, und zogen mit ihr in der Festung Mantua ein. —

Am 14. August war es, dass die Escadronen als sie auf ungesattelten Pferden, die Mannschaft ohne weitere Waffe als den Säbel mit der ausgefassten Fourage aus der Festung zurückkamen, die sich sicher wähnende Infanterie von der feindlichen Division Massena angegriffen, und schon sehr hart bedrängt fanden. Ohne sich Zeit zur weitern Armirung zu gönnen, zum Theil noch mit Fourage beladen, stürzten sich die Uhlanen auf den Feind, und warfen selben mit bedeutendem Verluste nach Castel Bel-Forte zurück. — Das Regiment verlor hier den Lieutenant Baghi, der mit 20 Mann todt blieb, dann den Lieutenant Widoczy der gefangen wurde. Unter den Verwundeten befanden sich Rittmeister Bazzio, Oberlieutenant Sprenger und Lieutenant Schlieben. Wachtmeister Widakowicz wurde wegen Auszeichnung ehrenvoll erwähnt. — Bei einem Ausfalls-Gefechte am 8. Jänner 1797 wurde Lieutenant Witkowski von mehreren in einem Hinterhalte gelegenen Chasseurs überfallen, und wäre zusammengehauen worden, wenn nicht der Corporal Krutzner schnell herbeigesprengt und ihn gerettet hätte. Der brave Corporal erhielt die silberne Tapferkeits-Medaille. Bei der am 2. Februar 1797 erfolgten Capitulation Mantuas befanden sich unter den tapfern Besatzungs-Truppen auch die Oberst-, Oberstlieutenants und 2te Majors-Division des Regiments, sie wurden in die k. k. Erbländer unter der Bedingung entlassen, vor Auswechslung der Gefangenen nicht gegen Frankreich zu kämpfen. Indess waren die beiden andern Escadronen bei der Avant-Garde-Brigade des GM. Prinz Hohenzollern. Während der eingetretenen Friedens-Unterhandlung waren 7 Escadrons des Regiments in der Brigade des Prinzen von Oranien unter dem FZM. Graf Wallis und standen in der Umgegend von Görz. Der Corporal Krämer mit 10 Mann als Patrouille nach Idria geschickt, erbeutete 6 mit Quecksilber und Zinnober beladene feindliche Wägen, und befreite 29 gefangene österreichische Soldaten. Eine Escadron wurde zu der unter GM. Rukawina nach Dalmatien bestimmten Expedition beigezogen. Diese schiffte sich theils zu Zengg, theils zu Triest ein, und kam am 29. Juni und 5. Juli nach Zara. Die Escadron marschirte nach Sebenico, später nach Spalatto. Die Besetzung jenes Landes ging ganz friedlich vor sich. — Die Escadron rückte Mitte November zum Regimente wieder ein, und dieses kam im Dezember nach Steiermark, erhielt aber schon im Februar 1798 den Befehl nach Tirol abzurücken, bekam jedoch Contreordre, und das ganze Regiment ward zu der am Lech aufgestellten Armee gezogen, und in Straubing nebst Umgegend dislozirt. Hier stand es in der Division des FML. Mak, und der Brigade des Prinzen v. Hessen-Homburg. —

Oberlieutenant Friedrich Lang des Regiments, während der ganzen bis jetzt erzählten Zeit-Epoche vom Regimente, als Adjutant des Inhabers GM. v. Meszaros, und später Graf Merveld abwesend, zeichnete sich im September 1793 bei der Vertheidigung des Binnen-Waldes, im Gefechte bei Schaul, im November j. J. bei der Behauptung des Waldes von Brumpt vortheilhaft aus, und wird auch in den Relationen über die Affairen von Mannheim und Trippstadt 1795 mit ehrenvoller Anerkennung genannt.

Im Jahre 1798 hatten wesentliche Veränderungen in der Adjustirung statt. Die Offiziere erhielten gelbe statt der bisher getragenen weissen Czapken, Epauletten und Fangschnur schwarz mit Gold, Pass schwarz mit Goldborten, Federbüsche wie bei den Hussaren, nur reicher an Federn. Für die Offiziere sowohl als für die Mannschaft wurde stahlgrünes (doch mehr lichtes als dunkles) Tuch, zur gesammten Leibes-Montur bestimmt und angeordnet, dass die neuen grünen Hosen mit 2 Zoll breiten Streifen auf jeder Seite zu besetzen seien.

Im Feldzuge 1799 befand sich das Regiment in der Brigade seines nunmehrigen Inhabers GM. Graf Merveld, unter dem die Avant-Garde der kaiserlichen Armee in Deutschland, commandirenden FML. Graf Nauendorf, und wohnte dem Treffen bei Osterach den 24. März bei. Corporal Johann Ostrainski des Regiments zeichnete sich durch besondere Umsicht im Patrouilliren dergestalt aus, dass ihm der Oberst Duca des Generalstabes sogar zwei Kanonen anvertraute, und er selbe nach seiner Einsicht postiren konnte.

Am 24. warf die Brigade Merveld die Colonne des französischen General St. Cyr bei Liptingen. Hier hatte der Angriff zuerst rechts von Neuhaus durch 6 Escadrons Kaiser-Hussaren und einer Division des Regiments begonnen; und als diese die feindlichen Vorposten aus ihren Stellungen vertrieben, und selbe sich auf ihr Corps zurückgezogen hatten, griff Oberst Brea des Regiments mit 9 Compagnien Infanterie und 5 Escadrons seiner Uhlanen, den 2 Cavallerie-Regimenter und 6 Bataillons starken Feind, an und warf ihn bis Duttlingen zurück. Dabei hatten sich vorzüglich der Oberst Brea, Major Brochowski und die Rittmeisters Szobathely und Kropiewnicki hervorgethan. An der Schlacht bei Stockach, welche Tags darauf geschlagen wurde, hatte das Regiment grösstentheils divisionsweise thätigen Antheil genommen, und war an den wichtigsten Posten verwendet worden. Dasselbe hatte in dieser Schlacht die Verwundung des Obersten Brea, der Oberlieutenants Binder, Götz, Graf Dietrichstein, Lubkowski und des Lieutenants Kowacz nebst 73 Mann und 64 Pferde, — so wie den Tod des Regiments-Adjutanten Smolinski und 41 Mann zu beklagen. Vermisst wurden 35 Mann. Die Oberlieutenants Graf Dietrichstein und Lubkowski waren schon vom Feinde umrungen, und durch schwere Wunden unfähig sich weiter zu vertheidigen, da sprengten der Corporal Alexander Aldermann und Uhlane Franz Mestrzik herbei, und während letzterer den Oberlieutenant Lubkowski dadurch befreite, dass er einen feindlichen Hussaren, der diesen Offizier zurückführen wollte, niederhieb, und den vom starken Blutverluste geschwächten Lubkowski so lange vertheidigte, bis hiezu gekommene Cameraden ihn in ihre Mitte nahmen, dann aber mit ihnen sich zurückzog; griff Aldermann jene an, die den Oberlieutenant Graf Dietrichstein umringt hatten, und setzte sich ihrer Wuth so lange aus, bis der Oberlieutenant sich entfernt, er selbst aber von 5 schweren Kopfwunden gesunken war. Gefangen durch französische Aerzte geheilt, ranzionirte er sich durch eigene Mittel. Ihn und Gemeinen Mestrzik lohnte für ihre heldenmüthige Aufopferung die silberne Tapferkeits-Medaille. In der offiziellen Relation jenes glänzenden Tages ward das Regiment belobt, und ausser dem ausgezeichneten Benehmen sämmtlicher Stabs- und Oberoffiziere und der schon früher erwähnten Mannschaft, noch insbesondere der Bravour der Corporale Joseph Krupski und Michael Lako, dann der Uhlanen Gregor Harsko, Sebastian Gurra, Demeter Breveda und Peter Littinski ehrenvoll gedacht. —

Am 28. März kam die Brigade Merveld, und mit ihr das Regiment in die Division des GM. Fürsten Schwarzenberg, wenige Tage später aber zum rechten von FZM. Graf Sztaray befehligten Flügel der Armee. Bei den während dieser Zeit häufig stattfindenden Vorpostens-Gefechten zeichnete sich der Corporal Rumler aus, indem er am 29. März bei Attingen mit einer Patrouille von 5 Mann einen schon vom Feinde aufgehobenen Infanterie-Posten rettete, und dabei aber selbst schwer verwundet wurde. GM. Graf Merveld, welcher die besondere Aufgabe hatte, den Feind am Mittel-Rhein zu beunruhigen, und die Verbindung mit Philippsburg zu erhalten, sandte zu diesem Zwecke wiederholt Streif-Commanden aus, zu welchen vorzugsweise der Lieutenant Carl von Scheibler des Regiments verwendet wurde. Scheibler war der Schrecken aller feindlicher Posten am Rhein, und seine Tapferkeit und Kühnheit wurden sowie seine Unermüdlichkeit im Regimente und bei der ganzen Avant-Garde sprichwörtlich. Der französische General Legrand setzte 300 Livres dem aus, der Scheiblern gefangen einbrächte, und

schrieb in einem an General Merveld gerichteten Briefe, dass
er Befehl gegeben habe, auf jeden, der sich seinen Vorposten ohne
Trompeter nahen würde, zu feuern: „Cette mesure de laquelle je
suis bien aise de vous prévenir, pourra être funéste a Mr. Schleber,
(Scheibler) qui continuellement est sur toute la ligne." Mit einem
Commando von 80 Pferden überfiel Scheibler am 18. April bei
Niederschopfen, und am 21. bei Ichenheim die französischen Vorposten, tödtete und verwundete 2 Offiziere und gegen 40 Mann
und brachte 18 als Gefangene zurück. Nachdem er, inzwischen
Oberlieutenant geworden, im Mai mehrere kleinere Handstreiche
ausgeführt hatte, gelang es ihm am 2 Juni einen Transport
von 20 Wägen Fourage, Wein und Fleisch, den die Franzosen
requirirt hatten, aufzufangen, und den gebrandschatzten Land-
bewohnern wieder zurückzustellen. Am 30. Juni, als er mit
einem Theile seines Commandos auf dem Platze zu Offenburg
aufgestellt war, um zu einer Recognoszirung abzurücken, sprengen die vorausgesendeten Vorposten von einer zahlreichen fran
zösischen Dragonertruppe verfolgt, zum Thore herein. Kaum
sahen jedoch die Feinde die aufgestellten Uhlanen als sie umkehren; Scheibler verfolgt sie mit seinem Commando, gewahrt
aber vor der Stadt wohl eine sechsmal überlegene feindliche
Cavallerietruppe. Von ihr aber noch unbemerkt, entsendet er
mehrere kleinere Abtheilungen auf Seitenwegen, mit dem Auftrage in dem Augenblicke als er den Haupt-Angriff gegen die
Fronte des Feindes machte, demselben in die Flanke oder in
den Rücken zu fallen. Dieses kühne Wagniss gelingt auch vollkommen. Begeistert greifen die Uhlanen unter ihrem tapfern
Führer an, die abgesandten Patrouillen treffen im günstigen
Augenblick ein, und der sich eiligst flüchtende Feind lässt 1
Rittmeister, 1 Lieutenant, 18 Dragoner und 9 Pferde in den
Händen der Sieger. Am 1. Juli bemerkte Oberlieutenant Scheibler
dass eine feindliche Abtheilung, wahrscheinlich in der Absicht
um zu recognosziren, gegen Offenburg vorrücke. Er lässt sogleich sein Commando ausrücken, vertheilt es in mehrere Hinterhalte, überfällt den sorglosen Feind, und schlägt ihn nicht
nur mit bedeutendem Verluste zurück, sondern nimmt abermals
1 Offizier und 18 Mann gefangen. General Graf Merveld ver-
sicherte wiederholt in seinen Berichten an den Erzherzog Carl,
dass er sich auf Nichts so sicher verlassen könne, als auf die
Meldungen des Oberlieutenant Scheibler. Am 22. October rückte
Scheibler gegen Bruchsal vor, und warf hier die feindlichen
Vorposten; am 31. d. M. aber stiess er bei einer Recognoszirung auf eine, ungefähr 300 Mann Infanterie und 100 Mann
Cavallerie starke, feindliche Colonne. Von dieser Uebermacht angegriffen, zog er sich Anfangs bis Grötznig zurück, hier aber
machte er plötzlich Halt, griff seine solche Kühnheit kaum
ahnenden Verfolger mit Raschheit an, und warf den durch diese
Ueberraschung stutzend gemachten Feind, ehe selber nur zur

Besinnung kam. Scheibler schickte überdiess 22 bei diesem Gefechte gemachte Gefangene in das Haupt-Quartier des General Merveld. In den nächstfolgenden Tagen machte er bei den in Unter-Grumbach, bei Speck, Staffart und Linkerheim stattge-habten Gefechten zusammen 40 Gefangene, und erbeutete 20 Pferde. —

Am 29. November aber verdiente sich Oberlieutenant Scheibler die Rittmeisters-Charge durch folgende mit eben so viel Umsicht als Tapferkeit ausgeführte That. —

Hinter Grumbach war ein feindlicher Posten von 130 Mann Infanterie, und 110 Reitern gelagert, der durch einen sich weit ausdehnenden, wegen seines morastigen Bodens für unzugänglich gehaltenen Wald flanquirt, eine feste Stellung eingenommen hatte. Da Scheibler, durch Spione in Erfahrung gebracht hatte, dass dieser Posten vereinzelt und ohne Soutien sei, auch durch seine Position sicher gemacht, weder Patrouillen aussende, noch ausser der Vorpostirung einer kleinen Avant-Garde, sonstige Vorsichts-Massregeln gebrauche, so beschloss er den Versuch zu machen, dieses feindliche Detachement gänzlich aufzuheben. Er erbat sich zu diesem Zwecke vom General Graf Merveld eine Unterstützung seines Commandes, und erhielt auch einen Zug Cürassiere, und 40 Hussaren nebst 30 Mann Roth-Mäntlern. Durch den eingetretenen starken Frost begünstigt, marschirte Oberlieutenant Scheibler am 28. Abends mit seiner Truppe, die mit seinen 90 Uhlanen nun gegen 200 Köpfe stark war, links durch jene Waldung. Hier aber verirrt sich der grösste Theil seines Commandos, und er gelangt vor Tages-Anbruch bloss mit ungefähr 70 bis 80 Mann Hussaren und Uhlanen auf die Wiese zwischen Buchenau und Unter-Grumbach hart an die vom Feinde eingenommene Stellung. Hier erst sieht er den Abgang seiner Truppe, sendet den Rest nach allen denkbaren Richtungen, aber leider umsonst aus, und muss nun noch froh sein, dass jene wieder vollständig zurückkommen, die er zum Aufsuchen der Vermissten ausgesandt hatte.

Voll Ungeduld auf die Entscheidung, und überzeugt, dass sobald der Feind seine Schwäche erkannt, ihm Alles misslingen muss, kriecht Scheibler am Boden auf Händen und Füssen bis zur Spitze, des ihn und seine Leute deckenden Hügels, und als er bemerkt, dass der Feind nicht das Geringste ahnet, und zum Theil noch im festen Schlafe, zum Theil arglos mit der Wartung der Pferde beschäftigt ist, theilt er seine Truppe. Zwanzig Hus-saren fallen auf die vor Grumbach gegen Weingarten aufgestellte 30 Mann Infanterie und 11 Reiter starke Vorhut; während Scheibler sich mit den noch übrigen 50 bis 60 Mann auf das hinter dem Dorfe befindliche Lager wirft, und schon in der Mitte desselben ist, ehe der Feind seinen Ueberfall ahnt. Die Flucht desselben ist die nächste Folge seines panischen Schreckens, und ohne der Zahl der Gebliebenen und Blessirten zu gedenken, übersendet

2

Scheibler nur an Gefangenen 4 Offiziere, 30 Mann und 77 Pferde als rühmlichst erkämpfte Trophäen an das Avant-Garde-Commando. Der Verlust des Feindes an Leuten wäre noch bedeutender gewesen, wenn nicht ein grosser Theil der Mannschaft Scheiblers durch das Halten der erbeuteten Pferde an der Verfolgung gehindert worden wäre. Nach noch einigen kleinen Streifungen rückte Scheibler im Dezember mit seinem Commando zum Regimente wieder ein.

Am 26. Juni rückte GM. Graf Merveld zu einer Recognoszirung gegen Offenburg vor, und da der Feind sich sogleich zurückzog, nahm er, während Oberlieutenant Wagner des Regiments mit einem Zug Uhlanen die Brücke bei Kinzing mit ausgezeichneter Bravour forcirte, den Ort Offenburg ein. — Vom Regimente wurden 4 Mann getödtet, dann der Lieutenant Schobes und 16 Mann verwundet. Der Wachtmeister Thomas Kuczkiewicz führte die aus 25 Mann bestehende äusserste Vorhut, die auf der Strasse von Hochwihr zuerst gegen Offenburg vorrückte, reinigte die von Infanterie besetzten Gebüsche längs des Weges, und drang zuerst in das von feindlichen Chasseurs besetzte Thor von Offenburg. Ihm folgte zunächst eine Escadron des Regiments, die allein einen Stabs-, zwei Oberoffiziere und 60 Mann gefangen nahm. Als der Feind über Offenburg hinaus verfolgt wurde, geschah es, dass die Nachsetzenden sich vereinzelten, und dabei dem Rittmeister Montorio das Pferd erschossen, und er von 4 Chasseurs umringt wurde, die ihn zusammenzuhauen im Begriffe waren, als Kuczkiewicz herbeisprengte, 2 Chasseurs niederhieb, die 2 andern verjagte und so allein seinem Rittmeister das Leben rettete. Kuczkiewicz erhielt die silberne Tapferkeits-Medaille. Jedoch am 6. Juli hatte der 7000 Mann Infanterie und 700 Reiter starke Feind das nur mit einem Zug Hussaren besetzte Offenburg wieder genommen, als er aber weiter vordringen wollte, wurde er mit Verlust von der Brigade Merveld zurückgeworfen. Das Regiment hatte allein fast ein ganzes feindliches Bataillon zusammengehauen, 3 Offiziere und 82 Mann gefangen genommen, und hatte selbst nur den geringen Verlust von 5 Todten und 9 Blessirten.

Am 2. November griffen die Franzosen mit einem Male sämmtliche Vorposten des General Merveld an, und drängten sie über Auerhain, Neumühl und Goldschier zurück. Doch als die österreichischen Unterstützungen anrückten, ward der Feind mit dem Verluste von 600 Todten und Verwundeten aus seinen gewonnenen Stellungen wieder herausgeworfen. Die Mannschaft des Regiments hatte bei dieser Gelegenheit allein 3 Offiziere und 150 Mann an Gefangenen eingebracht. Das Regiment hatte 4 Todte und unter seinen Verwundeten befand sich Rittmeister Kozlowski. In der Relation über dieses Gefecht erscheinen Kozlowski und Oberlieutenant Radötzki, besonders aber Lieutenant Graf Bissing anempfohlen, welcher letztere den

gegen Marten vorgerückten Feind in der Flanke und im
Rücken angefallen, geworfen, und hierdurch wesentlich zu dem
glücklichen Erfolge dieses Tages beigetragen hatte. Von der
Mannschaft hatten sich der Corporal Joseph Mroczkowski, und
die Gemeinen Joseph Fabrowitz und Kajetan Stockowski besonders hervorgethan. Bei Goldschier hatte Mroczkowski mit 10
Mann einen feindlichen Posten, wo ein Offizier mit 30 Mann
stand, umgangen, aufgehoben und 20 Gefangene eingeliefert;
Fabrowitz und Stockowski hatten zwei Offiziere, die vom Feinde
umringt, überdiess verwundet waren, gerettet. Nach mehreren
kleinern Gefechten in der Gegend von Offenburg, und insbesondere bei Weingarten und Durlach, wo der Corporal Schaffner,
der mit 10 Mann umringt, und von seiner Escadron durch
eine starke feindliche Cavallerie-Abtheilung abgeschnitten war,
sich aber mit seinen Uhlanen mit eben so viel Bravour als
Glück durchhieb, ward das Regiment mit Ende November bestimmt, die Verbindung zwischen den beiden Colonnen des
unter FZM. Graf Sztaray zum Entsatze von Philippsburg her-
beiziehenden Corps zu unterhalten. Auch wird hier wieder
Rittmeister Scheibler genannt, der mit einer Schwadron Uhlanen und einer halben Compagnie Infanterie auf der von Mannheim gegen Rastadt führenden Strasse wiederholten Anfällen
des unter General Ney gegen diese Punkte operirenden feindlichen Corps ausgesetzt, selbe jedesmal kräftigst zurückwies, und
am 2. Dezember bei einem Streifzuge nächst Unter-Grumbach
wieder mehrere Gefangene einbrachte.

Im April 1800 hatte das Regiment mehrere Vorposten-
Gefechte mit Auszeichnung bestanden. Am 5. Mai rückten
die Franzosen unter Vandamme nach Grumbach vor, und der
feindliche General Montrichard wollte den zwischen diesem
Ort und Mösskirch sich ausdehnenden Wald forciren, wurde
jedoch von dem nun in der Division des FML. Baron Kienmayer stehenden Regimente kräftigst zurückgewiesen.

Während der Schlacht bei Biberach den 9. Mai war
eine Abtheilung des Regiments mit dem sie anführenden Oberlieutenant Gruschke schon abgeschnitten und von einer überlegenen Anzahl Feinde umringt, als der einen Zug kommandirende Corporal Joseph Wiszniowski es bemerkt, mit Ungestüm
attaquirt und nicht nur die beinahe schon Gefangenen befreit,
sondern auch die feindliche Abtheilung zurückwirft. An einem
Mühlgraben sammeln sich die Franzosen abermals. Wiszniowski aber
übersetzt den Graben, obgleich ihn ein Schuss in den Kinnbacken
fast kampfunfähig macht. greift dieser Tapfere neuerdings an
und zersprengt den ganzen feindlichen Posten. Von den Uhlanen blieben 8 Mann todt und 5 waren verwundet, von feindlicher
Seite aber blieben 2 Offiziere und 40 Mann, und 10 Offiziere und
15 Mann wurden gefangen. Als hierauf die österreichischen
Truppen bei Biberach sich zurückzogen, machte die 2. Majors-

1 Escadron des Regiments die Arriere-Garde. Da riss eine Kanonenkugel den Rittmeister Baron Domokos auf dem Intervalle zwischen seiner sich zurückziehenden Escadron und dem nachrückenden Feinde vom Pferde. Der Gemeine Szüts, einer der letzten beim Rückzuge, sieht dieses, reitet zu seinem Rittmeister, dessen Pferd nun getödtet war, gibt selbem sein eigenes, und erreicht zu Fuss im dichtesten Kugelregen glücklich seine Cameraden. Wiszniowski erhielt die goldene, Szüts die silberne Tapferkeits-Medaille.

Auch bei Erbach und Donaurieden hatte das Regiment einige Gefechte bestanden. Um diese Zeit machte der Oberstlieutenant Graf Wallmoden des Regiments mehrere glückliche Streifzüge, und traf am 24. Mai mit seiner Division auf ein feindliches Infanterie-Bataillon, warf dieses, zog durch Murgthal nach Rastadt, überfiel hier wieder eine unter dem französischen Bataillonschef Sezur stehende Infanterie-Abtheilung, zersprengte sie völlig, und kehrte mit 90 Gefangenen in das Hauptquartier zurück. Am 27. Mai fand der mit 14 Mann auf Recognoszirung ausgesendete Wachtmeister Gröder bei Neuburg eine Division Kaiser-Cürassiere von einem feindlichen Reiter-Regimente hart bedrängt, er fällt mit seinen wenigen Uhlanen dem Feinde in den Rücken, dieser doppelt angegriffen stutzt, da sammeln sich die Cürassiere wieder, und schlagen den Feind nun vollständig in die Flucht. Der Corporal Blamvalet zu Herenstädten postirt, ward am 30. Mai durch vordringende feindliche Cavallerie angegriffen, warf selbe jedoch nicht bloss aus seiner Station, sondern nahm auch mit einigen Uhlanen, und mehreren Mann vom Wurmserischen Frey-Corps das Dorf Higesheim, wodurch er das weitere Vorrücken der feindlichen Posten für einige Zeit aufhielt. Der tapfere Blamvalet, welcher hier verwundet wurde, und überhaupt bis jetzt 22 Blessuren aufzuweisen hatte, erhielt sowie Gröder die silberne Tapferkeits-Medaille.

Am 8. Juni, am Gefechte der Brigade Merveld bei Schwabenmünchen, hatten 4 Escadrons des Regiments ihren glänzenden Antheil. Fast gleichzeitig am 9. Juni hatte auch Oberstlieutenant Graf Wallmoden bei Altheim nächst Offenburg einen glücklichen Streifzug ausgeführt, und dabei den berüchtigten Chef der französisch-polnischen Legion, Namens Fitzar nebst 60 Grenadieren gefangen. Corporal Johann Kralik erwarb sich hiebei durch seine ausgezeichnete Bravour die silberne Tapferkeits-Medaille. Fitzar war wegen seiner revolutionären Umtriebe und seines Einverständnisses mit allen Agenten der damaligen französischen Propaganda ein sehr gefährliches Individuum. Da er bei seiner Gefangennehmung selbst auf die ihn bewachende Mannschaft einzuwirken versuchte, ward er nach einer der böhmischen Festungen geschickt, wo er bis zum nächsten Friedensschlusse blieb. Bei der österreichischen Haupt-Armee war am 10. Juni die Vorpostenkette des General Fürsten Rosenberg angegriffen und zum Weichen gebracht worden. Da machte das Regiment

eine glänzende Attaque, warf den Feind aus den schon occu-
pirten Positionen, verlor aber dabei 6 Mann als Todte, den
Lieutenant Abaffy und 7 Mann als Gefangene und brachte 12
schwer Verwundete zurück. Am 12. rückte der Feind unter
fortwährenden Gefechten wieder gegen Augsburg. Eine Escadron
des Regiments, durch die feindliche Uebermacht zurückgedrängt,
zog nach Weissenhorn, die Franzosen wollten nachdringen, da
ward ein Commando von einigen Mann zum Thore gestellt,
um den Feind so lange aufzuhalten, bis die Escadron wieder
abmarschirt war. Die wackern Uhlanen erfüllten ihren Auftrag,
aber zahlten, wie einst die Spartaner an den Termopylen, mit
Ausnahme des schwer verwundeten Gemeinen Kray ihren hoch-
herzigen Widerstand mit dem Leben.

Inzwischen gelang es dem französischen General Lecourbe
bei Günzburg unter dem Schutze einer Batterie eine Brücke
über die Donau zu schlagen, und diesen Fluss zu übersetzen.
Dieser Uebergang führte eine ununterbrochene Reihe von Gefechten herbei, in welchen das Regiment fast täglich in den
Kampf kam. So war dasselbe zugleich mit Kaiser-Hussaren am
23. Juni bei Neresheim durch eine feindliche Cavallerie-Brigade
umgangen, und insbesondere durch die rothen Hussaren heftig
angegriffen worden. Beide Regimenter wichen dem ersten Anprall, vereinigten sich jedoch mit einer herbeieilenden Division
Kinsky-Dragoner (jetzt Uhlanen Nr. 9), und warfen den Feind
mit bedeutendem Verlust zurück. Dabei waren der Rittmeister
Kropiwnicki und Lieutenant Simon vereinzelt von feindlichen
Grenadiers à cheval umringt, wurden aber durch Corporal
Joachim Nowinski, der mit einigen Uhlanen herbeisprengte,
noch glücklich gerettet. Corporal Chlumetzki eroberte mit
einem Zuge Uhlanen eine schon verlorene Kanone wieder
zurück. Auf dem Marsche gegen Nördlingen ward das Regiment zur Deckung der Artillerie-Reserve verwendet. Drei Mal
wurde dasselbe wiederholt von einer durch Lecourbe detachirten
Cavallerie-Abtheilung von 2 Regimentern angegriffen, schlug
aber jedesmal die Attaque zurück, und brachte die ihm anvertraute Reserve in Sicherheit. Die kluge Leitung der Stabs-
Offiziere, wie die Tapferkeit der Mannschaft wurde hierüber im
Armee-Befehle öffentlich anerkannt.

Am 25. Juni kam das Regiment, bei der Nachhut verwendet, nächst Neresheim, und am 27. bei dem nächst Oberhausen stattgehabten Gefechte wieder in den Kampf. Bei dem
letztern Orte war es, wo das tapfere Herz Latour d'Auverg-
ne's des ersten Grenadiers von Frankreich durch die Lanze
eines Uhlanen dieses Regiments durchbohrt wurde. (Bei einem
Besuche des Musée d'Artillerie zu Paris, wurde dem Schreiber
dieses, die noch mit dem Fähnlein versehene Pike jenes Uhlanen gezeigt). Der Corporal Mathias Kosirlowicz, dann der
Gemeine Stefan Siecz werden wegen ihrer kühnen Bravour

beim Angriffe in der Relation belobt. — Auch der Verlust des Regiments an diesem Tage war empfindlich, — denn es waren 46 seiner tapfern Uhlanen gefallen.

Zu gleicher Zeit hatte Oberstlieutenant Graf Wallmoden mit seinem Streif-Commando bei Offenburg am 19. eine feindliche Patrouille von 15 Mann aufgehoben, und zerstreute am selben Tage bei Altbreisach eine feindliche Colonne von 400 Mann, von denen 6 Offiziere und 230 Mann gefangen wurden. Rittmeister Graf Mier hatte sich hiebei besonders hervorgethan, wie auf allen den frühern, theilweise auch von ihm selbst geführten Streifzügen dieses Commandos durch seltene Bravour ausgezeichnet, er hatte ferner die Allarmirung des Feindes im Kinzingerthale mit einer Anzahl bewaffneter Bauern mit so gutem Erfolge durchgeführt, dass der Feind allenthalben daraus vertrieben, mit Rücklassung vieler Gefangenen bis in seine Verschanzungen von Kehl flüchten musste; — für alle diese tapfern und erfolgreichen Thaten erhielt Rittmeister Graf Mier 1801 das Ritterkreuz des Maria Theresien-Ordens.

Am 15. Juli erfolgte zu Parsdorf die Abschliessung eines Waffenstillstandes, während welchem das Regiment in der Brigade des GM. Graf Fresnel und der Division des FML. Fürst Schwarzenberg in der Gegend von Hohenlinden stand. — Im September d. J. kam das Regiment unter FML. Graf Klenau und GM. Mondet nach Stadt am Hof. Bei erneuertem Ausbruch der Feindseligkeiten im November kam dasselbe gegen Ingolstadt und wurde später zur Besatzung von Regensburg und Straubing verwendet. Am 28. November war eine Schwadron des Regiments unter Rittmeister Scheibler gegen Nürnberg entsendet. In Pleinfeld erhielt Scheibler Kunde, dass das französische 7. schwere Cürassier-Regiment gegen diesen Ort in Anmarsch sei. Sogleich verlässt er Pleinfeld, legt sich an der Strasse in einem Walde in Hinterhalt, und fällt von hier aus über den völlig sorglosen Feind her. Auf der einen Seite durch schroffe Felsen, auf der andern durch einen unpraktikabeln Sumpf eingeschlossen, kann sich die feindliche Truppe nicht entwickeln, und wähnt auch die Angreifenden viel stärker. Schrecken ergreift die Franzosen, die in ihrer wilden Flucht eine Stunde weit verfolgt werden, und 30 Leichen auf dem Kampfplatze, 3 Offiziere und 44 Mann als gefangen zurücklassen mussten. In der Hitze des Angriffs hatte sich Rittmeister Scheibler, kühn wie immer, unter die Fliehenden gestürzt, und von den Seinen eine Strecke entfernt. Schon von mehreren feindlichen Reitern umringt, wird er nach wüthender Gegenwehr von den heransprengenden Gemeinen Carl Kusziczki und Kasimir Marszewski vor dem Tode oder mindestens sicherer Gefangennehmung gerettet. Beide Uhlanen wurden mit einem Geldgeschenke belohnt. — Oberst Graf Wallmoden griff bei Lengenfeld eine aus Cavallerie und Infanterie zusammengesetzte feindliche Abtheilung trotz ihrer Ueberzahl an, nahm 70 Offiziere und 200 Mann gefangen, und erbeutete 60 Pferde. Bei Griesbach an der Alt- mühl war der Lieutenant Radötzki mit seinem 14 Mann starken Detachement durch eine feindliche Truppe von 120 Hussaren und 113 Infanteristen gefangen worden.

Am 18. Dezember stiess der Oberstlieutenant Baron Brochowski, mit einer Escadron zur Recognoszirung gegen Nürn- berg ausgesendet, auf die feindliche Brigade Valiére, die aus 2 1/2 Bataillons Infanterie, 2 Schwadronen Cavallerie und 1 Kanone bestand. Der Kampf war ungleich und hart; erst als die Uhla- nen sich ihres tapfern ausgezeichneten Führers beraubt sahen, der von einer Kugel tödtlich getroffen sank, — und mehrere nebst ihm am Platze blieben, zogen sie sich unter verzweifelter Gegenwehr, die dem Feind den Sieg theuer machte, zurück. Die Escadron wäre ohne Zweifel ganz verloren gewesen, wenn nicht in dem Momente, als sie eben von dem überlegenen Gegner gänzlich eingeschlossen wurde, Corporal Alexander Aldermann mit einer ausgesandten Seitenpatrouille zurückgekom- men, durch eine herzhafte Attaque seinen Cameraden die Rück- zugslinie eröffnet hätte. Die Gemeinen Stephan Pietrow und Albert Stepanek, welche mit eigener Lebensverachtung den sterbenden Oberstlieutenant Baron Brochowski aus den Händen der Feinde reissen wollten, erhielten Geldbelohnungen. Am selben Tage erhielt Rittmeister Scheibler die Nachricht, dass ein französischer General-Adjutant die kommende Nacht mit 100 Pferden zu Oettingen übernachten werde. Er sitzt mit 50 Uhlanen auf und erreicht nach einem zehnstündigen Marsch am 19. um 2 Uhr Morgens jenen Ort, dessen Thore er aber ge- schlossen und bewacht fand. Ein eben ankommender Postillon muss sich als Estaffete melden, das Thor öffnete sich, die überraschte Thorwache ist im nächsten Augenblicke entwaffnet, und so wie die andere Besatzung, zusammen etliche 50 Mann, mit Simée, Adjutanten des französischen General Barboue, nebst noch einem Offizier gefangen, 60 Pferde aber, dann sämmtliche Bagage erbeutet. Rittmeister Scheibler erhielt für diese That, sowie für seine früher bei Pleinfeld bewiesene Bravour das Ritterkreuz des Maria Theresien-Ordens 1801.

Am 22. Dezember hatte Oberst Graf Wallmoden mit dem Regimente Nürnberg besetzt. Nach dem bald darauf er- folgten definitiven Friedensschlusse zu Lunneville, den 9. Febr. 1801 marschirte das Regiment, das in diesem Feldzuge 159 seiner Tapfern in deutscher Erde begraben hatte, in die Stabs- station Pardubitz in Böhmen, wo es bis zum Ausbruch des Feldzugs 1805 verblieb.

Das Regiment, zur österreichisch-deutschen Armee bestimmt, brach am 6. August 1805 unter der Führung seines Obersten Graf Wallmoden aus seiner Station auf, und marschirte nach Budweis. Sechs Escadrons stiessen von hier zu den andern nach

Baiern vorrückenden Truppen und wurden in die Brigade des
GM. Graf Nostitz, in die Division ihres Inhabers FML. Graf
Merveld und das Corps des FML. Baron Kienmayer eingetheilt.
Die übrigen 2 Escadrons unter Oberstlieutenant Baron Bogdan,
Anfangs zur Reserve-Armee gerechnet, stiessen aber später zum
Corps des Erzh. Ferdinand. Am 6. Oktober hatte FML. Baron
Kienmayer seine Truppen bei Donauwörth und Neuburg ge-
sammelt, und erhielt die Aufgabe gegen die linke Flanke und
den Rücken des Feindes zu operiren. Zwei Divisionen des
Regiments standen bei Aichstädt, eine Division unter Oberst
Graf Wallmoden aber bei Ellwangen auf Vorposten. Am 8.
unternahmen die französischen Generale Vandamme und Legrand
mit bedeutenden Streitkräften eine Recognoszirung. Kienmayer,
zu einem kräftigen Widerstand zu schwach, zog sich vom
französischen General Bernadotte fortwährend verfolgt, nach
einigen Vorpostengefechten, bei welchen die 1. Majors 1. Escadron des Regiments 10 Mann an Todten und Gefangenen einbüsste, auf der Münchnerstrasse gegen Schwabenhausen zurück,
und von da bis gegen den Inn, wohin ihm auch Bernadotte
folgte. In Folge der inzwischen eingetretenen Capitulation von
Ulm, zog sich das Regiment mit den übrigen Truppen noch weiter
zurück, und wurde am 2. November nach Steyer in Oberösterreich
beordert. An diesem Tage erhielt der Rittmeister Wilhelm Baron
Mengen den Befehl mit seiner Escadron nach Leoben abzurücken,
um ein feindliches Corps zu beobachten, welches dem Vernehmen
nach von Salzburg über Bruck an der Mur gegen Oesterreich
im Anmarsche war. Während nun Mengen vorrückte, zog sich
FML. Graf Merveld zurück, und sandte von den feindlichen
Positionen bereits genauer informirt, auch an Mengen den Befehl umzukehren und zum Regimente einzurücken. Indessen war
die Escadron zu weit vor, und ungeachtet eines angestrengten
Marsches von 2 Tagen und 2 Nächten, war es besonders da, wo
die steilen Gebirgswege es wiederholt nothwendig machten, dass
die Truppe absass, und mit den Pferden an der Hand einzeln
marschirte, unmöglich die Nachhut zu erreichen. Feindlicher Infanterie, welche die Bergstege leichter passiren konnte, während
selbe für Pferde fast ungangbar waren, gelang es, die Schwadron
am 8. abzuschneiden. Der feindliche Commandant forderte dieselbe auf, sich zu ergeben. Mengen aber liess statt der Antwort
aufsitzen, warf, eine Bergwiese zu seinem Manöver benützend, die
feindliche Abtheilung, schlug sich durch und ward endlich nach
einem zweistündigen Marsche der Arriere-Garde Mervelds ansichtig.
Indessen hatte eine andere weit stärkere feindliche Colonne über
Waidhofen und Gamming den Marsch der gedachten aus 2 Bataillons
bestehenden Arriere-Garde umgangen, sie dergestalt vom Haupt-
Corps abgeschnitten, und griff nun in dem Augenblicke als Mengen
kam, diese kräftig an, während ein Detachement Chassours zur
Seite einen steilen Berg erstiegen hatte, und gegen die Mitte der

Colonne ein heftiges Feuer eröffnete. Dieses für unsere Truppen eben so unerwartete, als vom Feinde klug und kühn ausgeführte Manövre, wodurch sich letzterer zwischen der Haupt-Colonne und Arriere-Garde festsetzt, bringt in diese eine allgemeine Unordnung. Selbe wendet sich schon zur Flucht als Rittmeister Baron Mengen durch eine sich ihm in den Weg werfende feindliche Truppe, leider mit dem Verluste von 40 Mann an Todten und schwer Blessirten, sich durchhaut. Bei der Arriere-Garde angelangt, lässt er absitzen, und seine Uhlanen dann noch 150 Mann Infanterie, die sich ihm anschliessen, neuerlich gegen den schon triumphirenden Feind vorrücken. Er durchbricht die Linie des Gegners, erobert wieder 4 schon verlorne Kanonen, und macht es möglich, dass die Arriere-Garde Mervelds die Strasse wieder gewinnen und zur Hauptcolonne einrücken kann. Durch diese kühne That waren nicht nur 2 Bataillons, die auf dem Punkte standen gefangen zu werden, gerettet, sondern auch 500 Franzosen durch Mengens Umsicht und Tapferkeit gefangen, wie auch das Gros des nachrückenden feindlichen Armee-Corps in seinem Vordringen aufgehalten worden. Dieses heldenmüthige folgenreiche Benehmen verschaffte dem Rittmeister Wilhelm Baron Mengen das Ritterkreuz des Maria-Theresien-Ordens (1806) und von seiner Escadron erhielten für ihre ausserordentlichen Leistungen der Gemeine Nicolaus Dombrowski die goldene und Wachtmeister Johann Leiser, dann Gemeiner Mathias Kozlowski die silberne Tapferkeits-Medaille.

Am 9. wurde FML. Graf Merveld, der Maria-Zell besetzt gehalten hatte, vom französischen Marschall Davoust angegriffen und geschlagen, sowie nach Bruck gedrängt. Dabei wurden 3 Escadrons des Regiments, die zwischen Maria-Zell und Lilienfeld als Piket aufgestellt waren, von seinen Truppen getrennt, und marschirten unter Oberst Graf Wallmoden gegen Mürzzuschlag, von wo sie sich südwärts wandten und in Fürstenfeld wieder zu ihrem Corps stiessen. Zu erwähnen ist der aus Fürstenfeld erlassene Corps-Befehl vom 13. November des FML. Graf Merveld, welcher für das Regiment zu ehrenvoll ist, um ihn zu übergehen. Er lautet wörtlich: „Mit Vergnügen und „Beruhigung sehe ich, dass das meinen Namen führende 1. Uhla-„nen-Regiment in der nur zu sehr über Hand genommenen „Zerrüttung, sich noch durch Standhaftigkeit, Ehrgefühl, Ordnung „und alle jene Eigenschaften auszeichnet, die eigentlich den „Soldaten charakterisiren; ich hoffe mit Zuversicht, dass das „Regiment noch ferner dem Zutrauen entsprechen wird, dass ich „mit Recht bei Zusammensetzung des Offiziers-Corps auf die „einzelne Denkungsart der Herrn Offiziers zu gründen Ursache „zu haben glaubte, dass jeder im einzelnen und alle zusammen die „letzten Kräfte, anstrengen werden, um die durch wenige Unwürdige „herabgewürdigte Ehre des seit Jahrhunderten ruhmvoll bestan-„denen Rufes österreichischer Waffen aufrecht zu erhalten.

„Ich rechne mit Zuversicht auf die Standhaftigkeit, Disziplin
„und Ordnung des Regiments; dass nichts dessen Muth, nichts
„dessen Ordnung und Disziplin erweichen wird, und sollte ein
„äusserster Fall möglich sein, so werde ich stets mich selbst an
„das Regiment anschliessen, mit selbem ehrenvoll meine Tage, die
„Laufbahn des Soldaten ruhmvoll zu schliessen wissen. — Doch
„weit von solchem Unglück entfernt, leuchtet bloss Glück und
„Ehre für die Zukunft. Diese und blutige Rache an unsern Feinden
„werden ehrenvoll diese Feldzüge für jene krönen, die den Pflich-
„ten ihres Standes treu bleiben." —

Gewiss ein für beide Theile höchst ehrender Befehl, der die
Stimmung und den Stand dieses durch Mangel, — durch den
Terrain nothwendig gemachte Zersplitterung, und endlich durch
den letzten vom Feinde erhaltenen Schlag gedrückten Corps
beurkundet. Inzwischen hatten die bei dem Corps des Erzh.
Ferdinand bei Ulm gestandenen 2 Escadrons des Regiments
ehrenvollen Antheil an allen Beschwerden des Rückzuges der
Cavallerie nach Böhmen genommen, und am 5. Dezember bei
der Delogirung des Feindes aus Steken mitgewirkt. Bei Pfauendorf, als sich der verfolgte Gegner nochmals stellen wollte,
attaquirte Oberstlieutenant Baron Bogdan mit seiner Division den
vorstürmenden Feind, brachte ihn über wiederholte Attaquen zur
Flucht, und nahm den baierischen Major Rechberg mit 50 Mann
gefangen, den Rest verfolgte er aber bis Iglau. In diesem
Gefechte hatten die beiden Rittmeister Lang und Fichtel durch
ihre Bravour und ihr Beispiel die Truppe begeistert, und so
zu dem Erfolge wesentlich beigetragen; von der Mannschaft
dieser Division aber hatten sich insbesondere die Corporale Joh.
Petrowski, Josseph Weiss und Joseph Slassulki, so auch der Gemeine Mathias Demitro der Oberstlieutenants 1., dann der
Wachtmeister Friedrich Berndt, Corporal Sigmund Jahn, und
die Gemeinen Pasternak und Joseph Jurkiowicz der Oberstlieutenants 2. Escadron vorzüglich ausgezeichnet, und erhielten sämmtlich silberne Tapferkeits-Medaillen. Der Oberstlieutenant
Baron Bogdan aber, der am 7. erneuert bei Pfauendorf durch
eine eben so kühne als glückliche Attaque der baierischen
Vorhut seine kaltblütige Tapferkeit bewährte, und schon als
Rittmeister bei Schwarzenberg-Uhlanen sich den Maria Theresien-Orden erworben hatte, wurde in der Relation mit Auszeichnung Sr. Majestät dem Kaiser anempfohlen. Rittmeister Baron
Scheibler war während dieser Zeit (am 18. October) mit 100 Uhlanen, und 150 Grenzern des Brooder-Regiments auf ein Streif-
Commando gegen Vliesshofen ausgesendet worden, musste sich
jedoch bei dem Vordringen des Feindes auf Passau, und am 3.
November auf Mauthhausen zurückziehen. Hier erhielt er die Nachricht, dass die in Urfahr zur Deckung des Brücken-Baues bei Linz
stehenden französischen Posten sich ganz sicher glauben, er benützt
diesen Umstand und überfällt den arglosen Feind. Glück krönt

wie immer seine muthige That, 10 Offiziere und 20 Mann, die sich widersetzen, werden niedergestochen, 6 Offiziere und 58 Mann gefangen, und 28 Pferde erbeutet. Scheibler giebt hierauf alle zum Brückenschlag bereit gehaltenen Schiffe den Wellen preis, lässt eben so das vorgerichtete Holz in den Strom werfen, und erreicht Mauthhausen ohne Verlust. Von der Mannschaft hatten sich dabei vorzüglich der Corporal Onufrius Kostricki und Gemeiner Peter Wukailow durch Umsicht und Bravour ausgezeichnet, und erhielten beide die silberne Tapferkeits-Medaille. Scheibler hierüber Major geworden, zog sich nach Böhmen zurück. Nächst Tabor stösst er am 29. auf ein französisches Cavallerie-Commando, das sich in Iglau mit den daselbst befindlichen Baiern vereinigen sollte. Er greift es an, nimmt einen Escadrons-Chef mit 21 Hussaren gefangen, wirft den Rest der Feinde gegen Pilgram, und erbeutet ein Magazin nebst 26 Pferden. — Mittlerweile war FML. Graf Merveld mit seinem Corps über Oedenburg nach Raab marschirt, und erhielt hier den Befehl, sich mit der in Mähren stehenden österreichisch-russischen Armee zu vereinigen. Er passirte bei Medvet die Donau, und zog sich über Tyrnau in das südöstliche Mähren. Am 2. Dezember wurde die Drei Kaiser-Schlacht bei Austerlitz geschlagen, an welcher das Regiment zwar keinen unmittelbaren Antheil nahm, jedoch wurden in den noch am 3. stattgehabten kleineren Patrouillen-Gefechten durch die Mannschaft des Regiments mehrere Gefangene und 15 Beute-Pferde eingebracht. Das Regiment, das um Lundenburg gelegen war, kam am 8. nach Malaczka, am 10. aber besetzte es das linke March-Ufer von Shazin bis Teban. Der Stand der 6 Escadrons war in Folge der während dieses Feldzuges erlittenen starken Verluste auf 378 Mann herabgesunken. Ausser den bereits erwähnten, waren in diesem Feldzuge noch der Regiments-Cadet Benedikt Rossner, und die Wachtmeister Johann Lüon und Elias Prochowski mit silbernen Tapferkeits-Medaillen decorirt worden. Nach dem, am 27. Dezember 1805 zu Pressburg abgeschlossenen Frieden, marschirte das Regiment nach Böhmen, zog unterwegs die bei dem Corps des Erzh. Ferdinand gestandene Oberstlieutenants-Division an sich, und bezog die Stabs-Station Gabel, von wo es auf Bischof-Teinitz, und im Spätherbst 1806 in die Friedens-Station Klattau marschirte.

Bei der Conzentrirung der österreichischen Armee vor Ausbruch des Feldzugs 1809 erhielt auch das Regiment am 16. Februar den Befehl, dass die Oberstlieutenants 1. Escadron nach Eger, und die 2. nach Plan abzurücken habe. Bezüglich der Ergänzung seines Standes wurde dem Regimente die Werb-Station Tarnow mit den Samborer, Pzemissler, Sanoker, Rzeszower, Jasloer, Tarnower und Sandecer Kreisen zugewiesen, und der Oberlieutenant Ugrinovich mit 1 Wachtmeister, 6 Corporalen und ebenso viel Gemeinen dahin kommandirt. Die Reserve-Escadron wurde dem Rittmeister Lubkowski übergeben, anfangs nach Przestitz uud Dobrzan, dann aber nach Königgrätz verlegt, und das Regiment mit 1. März auf dem Kriegsfuss gesetzt. Dasselbe wurde zu dem um Pilsen sich sammelnden 2. Armee-Corps des FZM. Grafen Kollowrat, in die Division des FML. Graf Klenau, und die Brigade des GM. Graf Crenneville eingetheilt, und traf am 16. März in Teinitz ein. Am 10. April überschritt dieses Armee-Corps die baierische Grenze an 4 Punkten, das Regiment bei Eisendorf, ohne irgend einen Widerstand zu finden. Am 11. rückte das Corps bis auf Weinberg vor. 2 Escadronen des Regiments nebst einem Detachement des 7. Feld-Jäger-Bataillons wurden unter dem Oberst Stefanini über Hirschau gegen Amberg, und ein Streif-Commando unter Rittmeister Baron Mallowetz vom Regimente gegen Neuburg und Retz entsendet, um den Feind aufzusuchen, und Nachrichten von dessen Stellung oder Bewegungen einzuziehen. Oberst Stefanini allein stiess auf den Feind, der bedeutend stärker, nachdem er anfänglich geworfen, Unterstützungen an sich gezogen hatte, ihn zwang sich mit seinem Detachement auf Hirschau zurückzuziehen. Bei diesem Gefechte hatte sich der Corporal Gravalowski des Regiments hervorgethan, indem er mehrere Jäger, die sich zuweit beim Plänkeln vorgewagt hatten, und gefangen worden wären, durch eine mit 10 Uhlanen ausgeführte glückliche Attaque befreite. —

Am folgenden Tage eilte FML. Graf Klenau mit einem Theil der Avant-Garde nach Amberg, um den Feind dort zu einem Gefechte zu engagiren, fand aber diese Stadt geräumt, und die Gegner nach Ursensollen gewichen. Von hier aus griffen diese letztern die unter Major Graf Mensdorff des Regiments vor Amberg aufgestellten Vorposten in überlegener Stärke an, und besetzten diese Stadt, — als aber Oberst Stefanini mit seinem Detachement über Göbenbach gegen Amberg marschirte, und sie hiedurch sich im Rücken bedroht sahen, zogen sie zurück. und räumten lebhaft verfolgt, mit Verlust mehrerer Gefangener die Stadt. Das Gefecht war theilweise sehr heftig gewesen, der Major Graf Mensdorff war bedeutend verwundet worden, und es hatte die ganze dabei befindliche Abtheilung des Regiments, selbes mit ausgezeichneter und öffentlich anerkannter Bravour überstanden. Vorzüglich aber hatten sich die Uhlanen Joseph Stehlik, Peter Petrowicz, Jaworski, Johann Praszynski, Felix Widinejow, und Thomas Streububer hervorgethan. — Stehlik und Petrowicz gewahrten, wie der Oberlieutenant De Vins, in seiner Kampflust zu weit vorgedrungen, durch zwölf französische Reiter umrungen wird. Sie greifen sogleich die feindliche Truppe an, tödten mehrere, und eröffnen so, obgleich selbst verwundet, dem schon hart bedrängten Offizier die Bahn sich durchzuhauen. Jaworski eilte einer bereits abgeschnittenen Jäger-Abtheilung zu Hilfe, attaquirt mit einigen Kameraden den verfolgenden Feind, bringt ihn einige Augenblicke zum Weichen, und bewirkt dadurch, dass die Jäger ihren Unterstützungs-Posten erreichen. Praszynski gleich bei Beginn des Gefechtes verwundet, blieb jedoch dessen ungeachtet am Kampfplatz, und rettete den von 3 Chasseurs lebhaft verfolgten Lieutenant Alexandrowicz, indem er zwei dieser Verfolger niedermachte. Widinejow gleichfalls bedeutend verwundet, wollte sich nicht aus dem Gefechte begeben, befreite seinen schon gefangenen Zugs-Corporalen, ergriff dessen Gegner, überliess es aber andern Cameraden denselben als gefangen zurückzubringen, und stürzte sich von neuem in's Gefecht. Streuhuber endlich eilte dem Oberlieutenant Grünwald, dessen Pferd getödtet, und der von mehreren Chasseurs umrungen in Gefahr stand, niedergehauen zu werden, zu Hilfe, verjagte die Feinde, gab dem Oberlieutenant sein Pferd, schwang sich auf ein erbeutetes, und eilte auf selbem abermals zu seinen im dichtesten Handgemenge kämpfenden Kameraden zurück. Stehlik, Petrowicz, Praszynski, Widinejow und Streuhuber erhielten die silberne Tapferkeits-Medaille, und der Gemeine Jaworski wurde öffentlich belobt.

Am 19. war das Regiment bei dem Angriff, und der Tags darauf erfolgten Capitulation von Stadt am Hof; am 21. war in der Nähe von Regensburg die 2. Majors 1. Escadron durch ein französisches Cavallerie-Regiment attaquirt, und gänzlich umzingelt worden. Obwohl es den Uhlanen gelang, sich mit verzweifelter Gegenwehr herauszuhauen, so war doch dieser Erfolg theuer erkauft, denn der Rittmeister Baron Mallowetz wurde tödtlich, die Oberlieutenants Müller und Baron Gottesheim schwer verwundet, und Lieutenant Alexandrowicz gerieth, als er durch einen starken Säbelhieb auf die Czapka betäubt vom Pferde sank, in feindliche Gefangenschaft.

Am 22. wurden die gesammten 30 Escadrons des Kollowratischen Corps, worunter auch das Regiment unter Befehl des FML. Graf Klenau nach Unter-Weiting zur Unterstützung der Arriere-Garde der Haupt-Armee gesendet, und daselbst von 9 feindlichen Cavallerie-Brigaden stürmisch angegriffen, mussten sie endlich der Uebermacht weichen. Das Regiment vertheidigte am 23. die Brücke bei Regensburg, die der Feind zu forciren alle Mittel aufboth, und behauptete dieselbe mit unendlicher Kraft-Anstrengung bis das Armee-Corps auf Regenstauf abmarschirt war, und der Befehl zum Rückzuge auch dem Regimente zukam. Dieses blutige Gefecht hatte dem Regimente allein einen Verlust von 200 Todten und Blessirten gekostet, und auch hier hatten wieder mehrere von der Mannschaft Gelegenheit zur Auszeichnung gefunden. Am 22. war der Oberlieutenant Graf Belrupt gestürzt, und lag vom Feinde schon umrungen, da gewahrten der Corporal Luczinski und Gemeiner Johann Reuter seine Gefahr, eilten ihm zu Hilfe, und während Luczinski dem Oberlieutenant aus seiner peinlichen Lage half, sein Pferd anbot, und ihn nach Regensburg führte, jagte Reuter die Feinde in die Flucht, und erbeutete daselbst noch ein Pferd. Auf ähnliche Weise rettete

30

auch Corporal Spechtner und Gemeiner Joseph Kopiec am 23.
dem Rittmeister Pielsticker, und letzterer noch insbesondere einem
verwundeten Kameraden; der Gemeine Ferdinand Anismo dem
schwer blessirten Oberlieutenant Müller das Leben. Der Corporal Elbel aber hatte, als der Feind durch die beschleunigte
Besetzung der zunächst der Brücke gelegenen Häuser, — einem
Theilo der Besatzung von Rogensburg den Rückzug abschnitt,
mittelst Kähnen noch 80 Mann und Pferde gerottet, ungeachtet
ein heftiges Feuer des Feindes dieses Unternehmen zu vereiteln
suchte. Reuter und Kopiec erhielten silberne Tapferkeits-
Medaillen, Spechtner und Luszinski Geldbelohnungen, und Elbel
ward öffentlich belobt. — Nach einem bei Nittenau zurückgewie-
senen erbitterten Angriff des Feindes kam das Regiment am 26.
in das Lager bei Cham. Bei dem allgemeinen Rückzuge der Armee
wurden 6 Escadrons des Regiments in der Brigade Crenneville der
Truppen-Division des FML. Sommariva zugewiesen, und in das
III. Armee-Corps eingetheilt, die I. Majors-Division unter Major
Haim kam aber zur Beobachtung der sächsischen Grenze nach
den nördlichen Böhmen, und zwar der Rittmeister Wilhelm Baron
Mengen mit der 1. Escadron zur Brigade des GM. Radivojevich,
die 2. unter Rittmeister Wagner und Major Haim zu der bei
Theresienstadt stehenden fliegenden Brigade des GM. Am Ende.—
Bei dem Rückzuge nach Oesterreich folgten feindliche Patrouillen
der Arriere-Garde hart auf den Fuss, was wiederholt kleine Gefechte herbeizog. So hatte bei Glosau ein feindliches Detachement von 1 Offizier und 12 Hussaren mehrere der zurückgebliebenen österreichischen Plänkler umzingelt, und würde sie zuver-
lässig gefangen genommen haben, wenn nicht Corporal Polanski
mit 4 Uhlanen herbeigeeilt, den Feind durch eine rasche Attaque
geworfen, und ihm 3 Mann und 5 Pferde abgenommen hätte,
wofür Polanski mit der silbernen Tapferkeits-Medaille belohnt
wurde. Am 8. Mai kamen die 6 bei der Division Sommariva
zugetheilten Escadrons in das Lager bei Unterhayd an der
böhmisch-oberösterreichischen Grenze, am 16. rückte das Regiment mit den übrigen Truppen nach Freistadt, um am folgenden Tage zum Angriff des indessen bei Linz sich festsetzenden
Feindes vorzugehen. Sommariva mit 10 Bataillons Infanterie und
2 Escadrons des Regiments, zusammen 4400 Mann stark, traf
den 17. Morgens bei Helmannsöd ein, zur Sicherstellung des
Defilées unter diesem Orto wurde ein Detachement bestimmt,
und die durch andere Truppen des III. Corps verstärkte Haupt-
Colonne (bei welcher nun 4 Escadrons des Regiments) zog über
Gallneukirchen auf die Höhe des Pfennig-Berges. GM. Graf Crenneville stiess zuerst auf den Feind, verjagte ihn aus Katzbach,
und nahm Dornach. Indessen sah man feindliche Colonnen von
Linz über die Donau-Brücke auf das linke Ufer marschiren, und
das sächsisch-französische Corps war in Linz zur Unterstützung
des Feindes eingetroffen. Das Dorf Dornach war das erste

Augenmerk des nun mit Heftigkeit angreifenden Gegners. Graf Cronneville vertheidigte es eben so umsichtig als tapfer, musste aber nach langem Kampfe der feindlichen Uebermacht weichen. Der zur Arriere-Garde commandirte Major Graf Mensdorff des Regiments schlug dabei die wiederholten Angriffe des andringenden weit überlegenen Feindes mit ausgezeichneter Tapferkeit zurück, und erhielt 3 Wunden. Mitten im Handgemenge ward dem Rittmeister Ludwig Baron Mandel das Pferd getödtet. Da springt der Corporal Vincenz Strohner vom Pferde, gibt es seinem Rittmeister, und stürzt sich mit dem Säbel in der Faust erneuert auf den Feind. Hier haut er einen französischen Offizier vom Pferde, schwingt sich auf selbes, und reiht sich, so frisch beritten gemacht, unter seine Kameraden. Strohner erhielt für diese That die goldene Tapferkeits-Medaille, und ein Geschenk von 1000 Gulden Bankozetteln. Auf diesem Rückzuge hatte sich der Gemeine Johann Muchelbacher eine öffentliche Belobung verdient, indem er ohne erhaltenen Befehl vom Pferde absass, und mit mehreren Kameraden 2 Munitions-Karren auf eine Anhöhe brachte, wo sie vor dem Feinde gesichert waren. Kaum hatte er sich wieder auf sein Pferd geschwungen, so sah er einen österreichischen Jäger-Offizier auf dem Intervalle zwischen unserer Nachhut und dem Feinde schwer verwundet liegen. Er eilte trotz des heftigen feindlichen Feuers zu selbem, gab ihm sein Pferd, und brachte ihn glücklich zur Truppe zurück. Auf eine Patrouille gegen Freistadt ausgeschickt, hatte der Corporal Marinovski gesehen, dass ein Detachement kaiserlicher Jäger durch eine starke französische Cavallerie-Abtheilung zerstreut wurde. Er eilte herbei, hieb mit Entschlossenheit ein, verschaffte den Jägern Zeit sich schnell zu formiren, und hielt nun so lange die erneuerten feindlichen Angriffe aus, bis ihm eine andere Abtheilung Uhlanen zu Hilfe kam, und den Feind in die Flucht schlug. Marinowski wurde dafür öffentlich belobt.

Auch die an der Nord-Grenze Böhmens detachirte 1. Majors-Division des Regiments hatte an den Diversionen Radivojevich's in's Baireuthische und Am Ende's in's Sächsische lebhaften Antheil genommen. General Am Ende marschirte am 14. Juni bis Dresden in Verbindung mit dem Herzog von Braunschweig-Oels und einigen hessischen Truppen-Abtheilungen, kam derselbe über Meissen und Oschatz bis Leipzig, und zog sich dann mit bedeutender Beute von Kriegs-Vorräthen nach Böhmen zurück. — GM. Radivojevich dagegen war am 9. Juni nach Eger, und von da gegen Baireuth marschirt. Bei Gefres war er am 11. mit den feindlichen Vorposten zusammengestossen, und hatte den Feind zurückgedrängt, doch war der Oberlieutenant Adolf von Mengen des Regiments hier verwundet worden. Hierauf entsendete GM. Radivojevich den Rittmeister Wilhelm Baron Mengen mit einem Streif-Commando gegen Bamberg. Derselbe überraschte unterwegs einen feindlichen aus 72 Wägen bestehenden Militär-Transport, warf die zu dessen

Rettung herbeieilende Cavallerie-Abtheilung, nahm einen grossen Theil gefangen, und erbeutete den ganzen Wagenzug. In der Nähe von Würzburg stiess der zu Mengens Commando gehörige, mit 5 Cameraden auf Patrouille ausgeschickte Gemeine Mengerowski auf einen Transport von 6 Wägen mit Spitals-Requisiten, der von 12 baierischen Dragonern escortirt wurde. Ohne Zaudern griff er den Feind an, tödtete 2 Mann, verwundete mehrere, und führte die von den entfliehenden Baiern ihm überlassenen Wägen zum Commando zurück. Am 15. Mai war der Corporal Ludwig Kowowski auf Straubingen vorgedrungen, und erfuhr hier, dass sich im Dorfe mehrere Wägen mit Kriegs-Gefangenen befinden. Mit 2 Uhlanen reitet er in der Absicht diese zu befreien in den Ort, stösst aber auf die 30 Infanteristen starke feindliche Bedeckung. Diese Uebermacht schreckt ihn jedoch nicht, er attaquirt, tödtet mehrere, bringt die andern zum Weichen, und macht mit Hilfe seiner befreiten Kameraden 12 Feinde zu Gefangene. Mengerowski wurde mit der silbernen, und Kowowski mit der goldenen Tapferkeits-Medaille geziert. Rittmeister Baron Mengen aber, der am 18. Juni mit seinem Commando einrückte, wurde zum Major bei Erzh. Carl-Uhlanen befördert. — Da zogen der König Jérome und der Marschall Junot mit einem ungefähr 8000 Mann starken Corps gegen Baireuth vor, und bewirkten hiedurch dass GM. Radivojevich nach einigen kleinen Gefechten bei Nürnberg, Weissenfeld und Baiersdorf den 27., 28. und 29. Juni auf Gefres zurückmarschirte. Bei Bindloch am 7. Juli kam es noch zu einem Gefechte, in welchem der Rittmeister Honorius Thekusch durch einen Schuss in das Kien schwer verwundet wurde. Rittmeister Mühlenfels brachte auf einem Streif-Commando den durch den Uhlanen Lefébre gefangenen französischen General-Intendanten Tournot glücklich ein. Nach einigen Diversionen gegen Baireuth zogen sich die österreichischen Truppen nach Hof zurück, am 17. Juli, an welchem Tage die Nachricht von dem abgeschlossenen Waffenstillstande einlangte. — Die bei der Division Sommariva in Oberösterreich an der Süd-Grenze Böhmens gebliebenen 6 Escadrons des Regiments hatten vielfältige Streif-Commanden ausgeschickt, den Feind fortwährend beunruhigt, und es war ihnen häufig gelungen, demselben Schaden zuzufügen, und Vortheile zu erringen, wie auch einzelnen Leuten die Gelegenheit zur Auszeichnung gegeben ward. So war Rittmeister Lang mit einem Flügel der Oberstlieutenants 1. Escadron, dann einer Compagnie Jäger auf Gallneukirchen abgegangen. Ungefähr eine Stunde davon, stösst er auf ein feindliches Detachement von 25 Cavalleristen und 50 Mann Infanterie. Er lässt sein Commando sich aufstellen, und attaquirt bloss mit 8 Uhlanen den Feind. Dieser weicht, aber Lang von der Hitze zu weit vorwärts geleitet, wird umrungen, und ist auf dem Punkte zusammengehauen zu werden, als die Uhlanen Martin Tiburski und Caspar Kiewicz zu

Hilfe eilen, mehrere Feinde niedermachen, und so ihrem Rittmeister das Leben retten. Kiewitz erhielt die silberne, und der seit 1796 mit dieser decorirte Gemeine Martin Tiburski wurde mit der goldenen Medaille belohnt. Ein schwer verwundeter feindlicher Offizier nebst mehreren Leuten wurde von den Uhlanen gefangen, und 2 Pferde erbeutet. — Rittmeister Baron Mandel wurde mit einem aus 40 Uhlanen, 10 Jägern, 14 Grenzern und 50 Landwehrmännern bestehenden Commando ausgesendet, um das obere Mühlviertel zu decken, und gegen Vielshofen und Passau zu debouchiren. Am 5. Juli Abends übersetzte er sein Commando bei Klingmühl, um das bei Altendorf zur Deckung des Passauer Depots stehende feindliche Piket aufzuheben, zog über Pangration und St. Egydi, wo er auf den steilen Wegen seine Uhlanen absitzen, und zu Fuss marschiren liess, und kam um 1/2 3 Uhr gegen Altendorf. Aber das französische Piket stand gegen jeden Angriff in voller Bereitschaft. Nun wurde der Feind von einer Seite durch die Infanterie mit gefälltem Bajonnete unter dem Jägerlieutenant Knerl angegriffen, während Rittmeister Baron Mandel mit dem Oberlieutenant Ludwig Graf Tige die Uhlanen von der andern Seite zur Attaque vorführte. Die völlige Auflösung des feindlichen Detachements war die Folge, viele desselben waren getödtet, viele schwer verwundet, und 1 Wachtmeister mit 7 Mann als Gefangene, 10 Pferde als erkämpfte Beute von den Uhlanen zurückgebracht. Nach mehreren ähnlichen Handstreichen, bei denen die Oberlieutenants Gerstecker und De-Vins verwundet wurden, erhielt am 13. Juli FML. Sommariva den Befehl, zum Rückzuge in das Innere von Böhmen.

Am 23. Juli rückte auch zu Neuhaus, wo das Regiment bis zum hereinbrechenden Winter blieb, die 1. Majors-Division wieder zu demselben ein. Am 9. November endlich, nach mittlerweile zu Wien den 14. October abgeschlossenem Frieden, marschirte das Regiment in die Stabs-Station Pardubitz. —

Im Jahre 1812 wechselte dasselbe häufig seine Stationen und marschirte Ende Jänner über Brünn nach Gaja, in Mähren, am 5. Juni nach Tyrnau, und von da Anfangs Juli nach Gyöngyös und Umgegend, von wo es nach kurzem Aufenthalt die Stabs-Station Gross-Topolcsan bezog. —

Am 1. Juli 1813 wurde das Regiment auf Kriegsfuss und nach Oedenburg in Marsch gesetzt. Es wurden 6 Escadrons zu der in Innerösterreich sich sammelnden und operirenden Armee des FZM. Baron Hiller bestimmt, und zu ihrer Completirung die 2. Majors-Division in selbe völlig eingetheilt. Die Cadres dieser letztern blieben in Gross-Topolcsan zurück, und dahin wurden alle Urlauber schleunigst einberufen, um diese Division neu zu organisiren.

Am 8. Juli traf das Regiment in Oedenburg ein, blieb bis 10., und marschirte sodann über Gratz nach Mösskirchen, und von da ungefähr 2 Wochen später nach Völkermarkt, wo

3

es anfänglich in die Brigade des GM. Graf Vecsey eingetheilt wurde. Auf die am 14. August eingelangte offizielle Nachricht, dass Oesterreich der Coalition gegen Frankreich beigetreten sei, und der Vizekönig von Italien Prinz Eugen Beauharnais hierüber Laibach besetzte, wurde die unter GM. Fölseis bei Cilli stehende Avant-Garde der Hillerschen Armee am 16. verstärkt, und zu diesem Zwecke nebst mehreren andern Truppen auch die Oberstlieutenants-Division des Regiments dahin beordert. General Fölseis rückte über St. Oswald und Stein gegen Laibach vor, indessen die Oberst- und 1. Majors-Division des Regiments vom FML. Baron Frimont zur Besetzung des Loiblberges in das Drauthal beordert wurden. Diese beiden letztern, der am Loibl aufgestellten Brigade Mayer zugewiesen, hatten bei der Vertheidigung dieser Posten, als die Franzosen am 27. einen Angriff unternommen hatten, thätigen Antheil.

Am 29. August wollte der Feind Feistritz forciren, ward aber auch hier zurückgetrieben. Dabei war es geschehen, dass die Oberstlieutenants 2. Escadron des Regiments durch eine überlegene französische Cavallerie-Abtheilung angegriffen wurde. Rittmeister Müller, beordert die feindliche Flanke mit einem Flügel zu umgehen, stiess unerwartet auf ein starkes französisches Corps und wäre, selbst bedeutend verwundet, wahrscheinlich abgeschnitten und gefangen worden, wenn nicht Corporal Daun, der mit einigen Mann seitwärts detachirt war, die gefahrvolle Lage seines Rittmeisters gesehen, mit den wenigen Uhlanen, die er bei sich hatte, einen verzweiflungsvollen Angriff gethan, den Feind hiedurch zum Wanken gebracht, und so der schon in Verwirrung gerathenen Truppe Zeit verschafft hätte, sich zu ordnen und durch einen erneuerten Angriff den Feind zum Rückzuge zu zwingen. Daun, dessen muthige That so folgenreich war, dass hiedurch die Strasse gegen Laibach vom Feinde gesäubert werden konnte, ward mit der goldenen Tapferkeits-Medaille belohnt.

Nun rückte FML. Baron Radivojevich gegen Laibach vor, und General Fölseis sandte ein Detachement vom Regimente gegen Krainburg, das ein feindliches Piket daselbst aufhob und durch die verrammelten Strassen jenes Ortes vordrang. In den Gefechten bei Feistritz den 6. und bei Lippa den 7. September wirkten einige Abtheilungen des Regimentes mit. — Bei dem siegreichen Treffen des 8. Septembers vor Krainburg, wo der französische General Belloti schwer verwundet, in Gefangenschaft fiel, hatte die Oberstlieutenants-Division des Regiments thätigst mitgewirkt, und die Rittmeister Thekusch und Pielsticker sich durch umsichtige und tapfere Führung der beiden Escadronen ausgezeichnet. — Am 18. wurde St. Ylgen durch eine Division des Regiments besetzt, wo dieselbe zur Verfolgung des Feindes einzelne Detachements aussandte, und zu dessen Rückzuge viel beitrug. Zwei Escadrons des Regiments kamen zur

Brigade Vlasits und eine derselben nahm an der Recognoszirung Theil, die Frimont am 27. gegen Hardt vornahm und in Folge welcher sich bei diesem Orte ein kleines Gefecht ergab, das mit der Zurückweisung des Feindes endete. — FML. Radivojevich und GM. Fölseis, welch' letzterer 4 Escadrons des Regiments in seiner Brigade hatte, rückten am 1. October vereint vor, um den Feind, der nach der Räumung Laibachs sich gegen Görz wendete, zu verfolgen, und besetzten Adelsberg und Lohitsch, während die 2 übrigen Escadrons des Regiments nach Laibach beordert wurden. Bei der kurz darauf erfolgten Vorrückung nach Italien, kam das Regiment in die Brigade des GM. Grafen Starhemberg und gehörte nun zum linken Flügel der Armee, welcher unter die Befehle des G. d. C. Grafen Frimont gestellt war.

In den Gefechten bei Cagliano, Rozenigo, Bassano und San Marco war das Regiment abtheilungsweise thätigst verwendet, zwei Escadrons wurden dem GM. Czivich zugewiesen, der das Fort Lignan besetzte und Palmanuova zernirte. Im Jänner 1814 waren 4 Escadrons in der Brigade des GM. Baron Bogdan bei Bevilaqua, 2 bei der Brigade des GM. Eckhardt rückten am linken Ufer des Po gegen Ostiglia vor. In Folge einer neuen Ordre de Bataille kamen Anfangs Februar 4 Escadrons des Regiments zu der, an FML. Radivojevich angewiesenen Brigade Steffanini, 2 aber zu jener des GM. Mayer. So war das Regiment in verschiedenen Eintheilungen und Richtungen beschäftigt, als die ganze österreichische Armee in Italien vorrückte um sich über die Schweiz, mit dem in Deutschland unter FM. Fürst Schwarzenberg stehenden Heere in Verbindung zu setzen. Als am 10. Februar die Oberstlieutenants-Division bei der Avant-Garde der von Peschiera nach Voltri marschirenden Brigade mit einer feindlichen Abtheilung im Gefechte verwickelt war, wurde dem Lieutenant Fausch, der seitwärts mit einem Piket aufgestellt war, hinterbracht, dass die 3. Compagnie des 10. Jägerbataillons von feindlicher Cavallerie umrungen, sich nunmehr schwach wehren könne, da sie schon ihre ganze Munition verfeuert hatte. Lieutenant Fausch führt sogleich seine Uhlanen herbei, fällt die an Zahl weit überlegene feindliche Abtheilung mit Erbitterung an, wirft sie, und befreit so die Jäger-Compagnie, die schon auf dem Punkte gestanden war, das Gewehr strecken zu müssen. Hiebei hatten sich Corporal Ernst Elbinger und Gemeiner Peter Mikitsch so ausgezeichnet, dass ersterer sogleich zum Wachtmeister befördert wurde und beide silberne Medaillen erhielten.

Noch im selben Monat den 25. kamen die Oberstlieutenants-Division und Oberst 1. Escadron nach Querny, die Oberst 2. nach Salinelli, die 1. Majors 1. nach Valpini, während die 1. Majors 2. bei Casa Quariatti auf Vorposten blieb. — Im März stand das Regiment nunmehr in der Brigade des GM.

36

Baron Spiegel in Mozzccamo, und hatte durch die Oberstlieutenants- und 1. Majors-Division die Vorposten bei Roverbella zu versehen, durch die Oberst-Division die Strasse zu beobachten und zu decken, und zugleich die Verbindung mit der weiterh Vorpostenkette, links über Castiglione di Mantova, und rechts über Malavicini zu erhalten. Die 2. Majors-Division rückte nun indessen reorganisirt aus Ungarn zum Regimente ein, und wurde 1. Majors-Division, während die bisherige 1. Majors-Division von nun an, in allen Eingaben als 2. Majors-Division angesetzt wurde.

Bei dem am 10. März aus dem Brückenkopf bei Monzambano mit nahe an 300 Mann unternommenen feindlichen Angriff auf unsere Avant-Garde, wurde der Gegner mit grossem Verluste in die Flucht geschlagen, wozu hauptsächlich die ungestüme Attaque einer Escadron des Regiments beitrug. Gleichzeitig kämpften Abtheilungen desselben bei Peschiera, Roverbello, Castiglione und Mantua. Von der Mannschaft wurden die Corporale Heinsschwanner, Muschenbacher und Siczinski, dann die Uhlanen Streuter und Bacher vorzüglich belobt und nebst noch einigen andern mit silbernen Medaillen betheilt.

Schon im Feldzuge 1813 bei der Vorrückung der Brigade Fölseis in Krain hatte sich der Wachtmeister Spechtner durch Ueberbringung wichtiger Nachrichten, wobei er zweimal in Civil-Kleidern die feindlichen Vorposten passiren musste, hervorgethan. Im April 1814 blieb das Regiment nach einigen kleineren Gefechten in Villa Franca unter GM. Baron Spiegel. Hier erhielt es die Nachricht von dem am 17. April in Italien abgeschlossenen Waffenstillstand und kam dann am 7. Mai nach Mailand, von wo die Oberst-Division in der Brigade Starhemberg nach Florenz marschirte, die 3 andern Divisionen Cantonirungen in Castelago, Barbasana, Pesserana und Terazona bezogen. Im Juni erhielt das Regiment den Befehl, sich in Ro zu sammeln und den Rückmarsch nach Ungarn anzutreten. Dem zufolge brachen am 16. Juni alle Escadronen auf, und zogen über Monza, Brescia, Castelnuovo, Trient, Botzen, Villach und Klagenfurt nach Ungarn, wo das Regiment über Pesth in seiner ihm nun zugewiesenen Stabsstation Debreczin am 26. August eintraf.

In der Schlacht bei Leipzig hatte sich der, als Ordonnanzoffizier im Hauptquartier des FM. Fürsten Schwarzenberg kommandirte Rittmeister Graf Stephan Szechenyi des Regiments durch seine vorzügliche Verwendung so ausgezeichnet, dass er am Schlachtfelde ausser der Tour zum Escadrons-Commandanten befördert und mit dem k. russischen Wladimir-Orden IV. Classe decorirt wurde.

Am 15. April 1815 setzte sich das Regiment am Marsch zu der nach Frankreich bestimmten Armee, und rückte von Debreczin über Pesth, Raab, Wien, Enns, Schärding, Regensburg, Neuburg, Gmund, Ostrach bis an die französische

Grenze. Am 2. Juli war es im Lager bei Neuf Chateau und am 16. Juli 1815 rückte das Regiment in Paris ein. Nach einer Ausrückung und Besichtigung vor Sr. Majestät dem Kaiser Franz, und dem FM. Fürst Schwarzenberg, verliess das Regiment die französische Hauptstadt und wurde nach Choisi le Roi und am 11. August nach Villeneuve le Roi verlegt, wo dasselbe bis zum 7. October verblieb. An diesem Tage trat es seinen Rückmarsch an, und diessmal Baden, Würtemberg und Bayern durchmarschirend, kam es gegen Ende November in die k. Erbstaaten zurück, wurde zu dem wegen Grenzstreitigkeiten mit Bayern aufgestellten Observations-Corps in Oberösterreich eingetheilt und bezog am 25. Dezember 1815 zu St. Florian die Winterquartiere.

Im Frühjahr 1816 marschirte das Regiment über Wien, Raab und Pesth in die Friedensstation Grosswardein. Im folgenden Jahre 1817 zur Aufwartung nach Wien berufen, langte das Regiment am 16. April daselbst an, der Stab und die Oberst-Division wurden in die Leopoldstädter Cavallerie-Caserne, die 1. Majors-Division in die Umgegend von Wien, die Oberstlieutenants-Division aber nach Wels und die 2. Majors-Division nach Salzburg verlegt. 1818 erhielt das Regiment die Stabsstation Saaz in Böhmen, wo es am 11. Mai einrückte und im Saazer, Leitmeritzer und Rakonitzer Kreis dislocirt wurde. Unter diesen Verhältnissen blieb das Regiment durch volle 25 Jahre, — also ein Vierteljahrhundert und nahm in dieser langen Epoche an allen in Böhmen abgehaltenen grössern Lagern und Uebungen Antheil, unter erstern, insbesondere das vom FML. Fürst Windisch-Grätz 1841 abgehaltene Lager von Kolin. Im Frühjahr 1843 wurde das Regiment abermals zur Aufwartung nach Wien beordert, und rückte am 1. Mai daselbst ein. Nach einem zweijährigen Garnisonsdienst marschirte das Regiment den 15. Mai 1845 in die Stabsstation Pardubitz in Böhmen und war im Herbste 1846 im Lager bei Theresienstadt.

Während der Prager Juni-Revolution 1848 war eine Escadron des Regiments daselbst, und hielt nebst mehrern andern Truppen während des Aufstandes zu Prag, unter Commando des GM. Rainer den Graben besetzt, — zwei Divisionen wurden zur Verstärkung der Garnison nach Prag beordert. Oberlieutenant Schlutius als Ordonnanzoffizier beim Landescommandirenden FML. Fürst Windisch-Grätz in Verwendung, zeichnete sich durch Ueberbringung wichtiger Aufträge sehr vortheilhaft aus.

Im October 1848 rückte das Regiment, mit Zurücklassung der 1. Majors-Division in der Armee des FM. Fürst Windisch-Grätz zur Belagerung Wiens vor die Mauern dieser Hauptstadt und war am 30. October unter den Befehlen des GM. Fürst Franz Liechtenstein im Treffen bei Schwechat. — Bei der im Dezember stattgehabten Vorrückung gegen die ungarischen In-

surgenten war eine Division in der Brigade Wyss des 2. Armee-
Corps, zwei Divisionen in der Brigade Parrot der Cavallerie-
Division des GM. Fürst Franz Liechtenstein eingetheilt.
In dem Gefechte bei Babolna den 28. Dezember, schloss
sich die Oberstlieutenants-Division an die Cürassier-Brigade
Ottinger, dieselbe und 2 Divisionen Wallmoden-Cürassier zer-
sprengten zusammen mehrere Insurgenten-Bataillone und machten
7 Offiziere und 700 Mann gefangen, worunter 200 verwundet
waren. GM. Ottinger rühmt bei dieser Gelegenheit das ausge-
zeichnete entschlossene Benehmen des Oberstlieutenants Graf
Hermann Nostitz, Rittmeisters Graf Olivier Wallis und des
Lieutenants Achilles Baron Dankelmann des Regiments.
Im Verlaufe des Monats Jänner 1849 erhielten die sechs
Escadrons des Regiments häufig nach Bedarf und jeweiligen
Verhältnissen veränderte Eintheilungen, und wurden auch einzeln
zu Recognoszirungs- und Streif-Commanden verwendet; so wohn-
ten 9 Züge des Regiments der Expedition des FML. Graf
Wrbna gegen Waitzen den 7. Jänner bei, und waren nach Sz.
Endre gegenüber von Waitzen detachirt, nebst einer Raketten-
Batterie, um etwaige Versuche des Feindes, dort über die Eis-
decke der Donau zu entkommen, zu vereiteln. Den 9. wurden
dieselben aber zur Besetzung Waitzens beordert. Zur Unter-
stützung des Angriffes auf Schemnitz war eine Escadron des
Regiments der Brigade des GM. Fürsten Colloredo zugetheilt.
Den 21. Jänner war bei Schemnitz der Oberlieutenant Graf
Alphons Berchtold des Regiments, ein sehr gewandter und
tapferer Offizier, geblieben. Eine Kanonenkugel hatte ihm den
Kopf sammt der Czapka vom Rumpfe getrennt. Anfangs Februar wurde eine Escadron des Regiments zur Herstellung der
Verbindung der Haupt-Armee mit dem Corps des FML. Graf
Schlick über Balassa Gyarmath gegen Lossonz beordert. In
der zweiten Hälfte desselben Monats kamen 5 Escadrons in
die Cavallerie-Brigade des GM. Graf Bellegarde und die Division des FML. Fürst Edmund Schwarzenberg.
In der Schlacht von Kapolna, am 27. Februar, führte
Major Baron Basselli die 2. Majors-Division im heftigsten feindlichen Geschützfeuer mit entschlossener Tapferkeit escadronsweise dem Feinde, der aus einem Walde gegen die Brigade
Wyss vorrücken wollte, entgegen. Im Nu war ein feindliches
Quarré gesprengt, in welches der Corporal Schöntag, gefolgt
von den Uhlanen Wissniuk, Kantorek und Ballczak zuerst eindrangen. Die sich den Uhlanen nacheinander entgegenwerfen-
den Hussaren-Divisionen wurden gleichfalls zurückgetrieben,
wobei die beiderseitigen Reiter dergestalt in einander geriethen,
dass unsere Artillerie nicht zum Schusse kommen konnte und
es überhaupt nicht ohne namhafte beiderseitige Verluste ablief.
Die Uhlanen fochten mit gewohnter Tapferkeit. Mit seltenem
Muthe benahmen sich Rittmeister Hoffmann und Oberlieutenant

Graf Zedwitz. Der Feind führte indess immer frische Hussaren-Abtheilungen gegen die vom harten Kampfe ermattete und auch schon ziemlich gelichtete Uhlanen-Division. Major Baron Basselli und die beiden Rittmeister Graf Messey und Du Mesnil thaten das Aeusserste um Stand zu halten. Der Ausgang des Gefechtes liess jedoch Alles befürchten; — in diesem entscheidenden Augenblick brach Oberst Graf Montenuovo von Kress-Chevauxlegers mit 3 Zügen seines Regiments in die Flanke des Feindes vor. Der Erfolg dieser schönen, auf eine ganze Hussaren-Division bewirkten Flanken-Attaque war ein glänzender, die feindliche Cavallerie wurde geworfen, die wackern Uhlanen degagirt. Die 2. Majors-Division des Regiments hatte 7 Todte und 35 Blessirte. Unter den Erstern der Lieutenant Franul von Weissenthurn, ein im Regimente sehr geachteter und beliebter Offizier. Vom Feinde lagen 50 Todte und Verwundete am Platze. Bei der Colonne des FML. Fürsten Edmund Schwarzenberg stiess der die Avantgarde kommandirende Oberstlieutenant Graf Nostitz des Regiments 2 Stunden vor Kál auf feindliche Cavallerie-Abtheilungen, die er schnell mit 3 Escadronen attaquirte, übern Haufen warf und 14 Hussaren gefangen nahm. In der ämtlichen Relation der Schlacht von Kapolna den 27. und 28. Februar, wurde der Major Baron Basselli für das Ritterkreuz des k. Leopold-Ordens, in Antrag gebracht, und ferners besonders belobt: der Oberstlieutenant Graf Nostitz, die Rittmeister Gustav Graf Messey, Adolf von Du Mesnil und Anton Esquiro Hussey, sämmtlich des Regiments. Bei dem am 1. März bei Egerfarmos stattgehabten Gefechte wurde dem Lieutenant Sternberger des Regiments durch eine Kanonenkugel der rechte Fuss weggerissen.

Ein von dem Obersten von Almassy des Regimentes befehligtes Streif-Commando wurde den 24. März zu Lossonz plötzlich überfallen. Zwar warf sich eine Uhlanen-Abtheilung, die sich gesammelt hatte auf die feindlichen Geschütze und deren Bedeckung, der sie führende Rittmeister v. Jvichich verlor dabei das Pferd unterm Leibe. Diese Abtheilung musste jedoch so wie die übrige Reiterei, da die Infanterie bereits die Stadt verlassen, auch die beihabenden Raketten-Geschütze sich aus dem Gedränge zurückgezogen hatten, den Ort räumen. Oberst von Almassy, gab den ausserhalb der Stadt gemachten Versuch sich wieder aufzustellen, bei dem Nachrücken der Insurgenten auf und zog sich auf Balassa Gyarmath, wo er in der Nacht vom 24. auf den 25. eintraf und Tags darauf seinen Marsch gegen Waitzen weiter fortsetzte. Bei diesem Ueberfall, der mehrere Todte und Verwundete gekostet hatte, wurden vom Regimente der Major Eduard Baron Inkey, Rittmeister Baron Schuster, 36 Uhlanen und 56 Pferde gefangen, auch gerieth eine Estandarte, die Regimentskassa und mehrerer Offiziere Eigenthum in Verlust. Major Inkey hatte als geborner Ungar von seinen Landsleuten die schändlichsten Misshandlungen zu erdulden und war fortwährend in der Gefahr durch den Strang von ihnen getödtet zu werden, aber weder Versprechungen noch Drohungen konnten diesen unerschrockenen Offizier in seiner beschworenen Treue wankend machen.

Den 5. April bei Hátvan hatte die Oberstlieutenants-Division des Regiments im Vereine mit jener von Kress-Chevaux-legers 6 feindliche Hussaren-Escadrons attaquirt, welche vor den Piken der Uhlanen und den spitzigen Pallaschen der italienischen Chevauxlegers die Flucht ergriffen, mit dem Verluste von 53 Todten und 23 schwer Verwundeten. 2 Offiziere, 27 Mann und ebenso viele Pferde mussten sie als Gefangene und Beute in den Händen der kühn verfolgenden Sieger zurücklassen. — Unter den Ausgezeichneten werden in der offiziellen Gefechts-Relation erwähnt folgende Offiziere des Regiments: die Rittmeister von Jvichich und Baron Wimmer, Oberlieutenant Kadisch und Lieutenant von Rauch. — Anfangs April rückte in der Brigade des GM. Theising, die in Böhmen zurückgebliebene 1. Majors-Division des Regiments zur Armee am ungarischen Kriegsschauplatz. In dem Reitergefechte bei Puszta Csem nächst Komorn, den 26. April, war der als Ordonnanzoffizier bei dem FML. Fürst Edmund Schwarzenberg kommandirte Rittmeister Heinrich Baron Esebek des Regiments, von seinem Chef zur Oberst 1. Escadron abgeschickt, um dieser den Befehl zur Attaque zur überbringen. Rittmeister Baron Esebek, welcher sich mit der einfachen Erfüllung seines Auftrages nicht begnügte, sondern die Attaque mit dem jene Schwadron kommandirenden Rittmeister Hussey mitmachte, erhielt hiebei einen Schuss in den Unterleib von den ihre Carabiner auf die Uhlanen abfeuernden Hussaren, an welchen er Tags darauf seine tapfere Seele verhauchte. Dieser tüchtige Offizier, welcher den Feldzug 1848 in Italien als Ordonnanzoffizier im Hauptquartier des 1. Armee-Corps-Commandos mitmachte, erschien in den betreffenden Relationen für seine eifrige Verwendung schon dazumal als belobt.

Im Anfange der Operationen des Sommerfeldzugs hatte das Regiment folgende Eintheilung: 4 Escadrons bei der Brigade des GM. Liebler, und 2 bei jener des GM. Baron Barco, eine Division unter Major Baron Dobrzensky wurde der k. russischen combinirten 9. Infanterie-Division des Generallieutenants Paniutine zugetheilt und zwar der Artillerie-Brigade des Obersten Proskuriakow. Eine halbe Escadron unter Rittmeister Graf Olivier Wallis, Anfangs beim Streif-Corps des Rittmeister Baron Escherich von Preussen-Hussaren, kam in der Folge zur Süd Armee, wo sie bis zu Ende des Feldzugs verblieb, und an deren Operationen thätigen Antheil hatte.

Im Gefechte bei Vasarut den 14. Juni, auf der Insel Schütt, attaquirte der Major Heinrich Graf Coudenhove des Regiments mit seiner Division die feindliche Arriere-Garde und warf sie mit bedeutendem Verluste. — In dem Gefechte bei Bös am 16. war eine Escadron des Regiments thätig. Der Oberlieutenant Anton

Pokorny zeichnete sich bei dieser Gelegenheit rühmlichst aus, indem er mit nur 15 Uhlanen die Bedienungsmannschaft einer feindlichen Batterie niederhieb, deren Geschütze jedoch durch eine herbeigeeilte starke Hussaren-Escadron vertheidigt wurden. Corporal Siatecki des Regiments, welcher bei einem dieser Gefechte mit seinem Zuge Geschütze erobert hatte, erhielt sogleich vom FZM. Baron Haynau die goldene Tapferkeits-Medaille.

In der Schlacht von Pered und den Gefechten von Nyarasd und Aszod war die 1. Majors-Division des Regiments ungemein thätig und attaquirte mit einigen Abtheilungen von Liechtenstein-Chevauxlegers (sieh Uhlanen Nr. 9) wiederholt den Feind mit dem günstigsten Erfoge; 2 Geschütze und viele Gefangene wurden ihm abgenommen, aber das Regiment zählte den Lieutenant Carl Sonborn mit 8 Uhlanen unter den Todten. Rittmeister Graf Franz Klebelsberg warf sich an diesem Tage unter dem heftigsten Feuer mit seinen braven Uhlanen mit todesverachtender Bravour auf die rechte Flanke der vorrückenden feindlichen Hussaren, brachte Verwirrung in ihre Reihen und die spielenden Batterien zum Schweigen. Nebstdem werden noch in der Gefechts-Relation mit besonderm Lobe der Oberst Graf Nostitz, Major Anton von Jvichich und Rittmeister Ignaz Ritter von Schwarzenfeld erwähnt. Im Juli wurden 6 Escadrons des Regiments mit je 2 zu den Brigaden der GM. Baron Barco, von Liebler und Pott, des 2. Armee-Corps, welches unter FML. Baron Csorich zur Zernirung der Festung Komorn bestimmt war, eingetheilt. Die Brigade Barco hatte am 22. Juli die Linie von Puszta Herkaly längs des Acser Waldes bis an die Donau nächst dem Weinberge von Monostor besetzt. Die Brigade Liebler stand auf der grossen Schütt und hatte zu Aranyos, Köszegfalva und dem Brückenkopf von Nagy-Lel ihre Aufstellung genommen. Die Brigade Pott stand am linken Waagufer, wo sie ihre Aufstellungslinie über Heteny und Kurtakeszy bis Marczalhaza ausdehnte. Der Oberst Graf Nostitz des Regiments befand sich mit einer Division seiner Uhlanen bei der erstgenannten der drei Brigaden, zwei Züge derselben bildeten die Vorposten, 5 Züge mit einer halben Batterie standen als Unterstützung bei Hárkaly und 1 Zug in Mocsa, die ganze Brigade zählte kaum 4000 Mann. Sie wurde am 3. August von 10,000 Insurgenten mit 30 Geschützen angegriffen und ein lebhaftes Kanonenfeuer gegen den rechten Flügel jener Brigade eröffnet, welchen der Feind mit seiner zahlreichen Cavallerie immer mehr zu umfassen suchte. Oberst Graf Nostitz, welcher sich mit 5 Zügen der 2. Majors-Division und der halben Cavallerie-Batterie des Oberlieutenants Scherpon auf 300 Schritte hinter diesem Flügel befand, bildete einen Haken gegen Csém hin, und deckte die blosgestellte rechte Flanke der Stellung. Der Gefahr vollkommen klar bewusst, welche unsern Abtheilungen drohte, schritt Graf Nostitz zum Aeussersten entschlossen, zur Offensive. Durch seine mit seltener Bravour und Umsicht ----

geführten Bewegungen und Attaquen gelang es ihm das Vorrücken der feindlichen Reiterei längere Zeit aufzuhalten, er
verwendete seine Uhlanen und die 3 beihabenden Geschütze so
wirksam, dass der Feind die beabsichtigte Einschliessung der
Brigade aufgeben musste, und seine Umgehungscolonnen stutzend
gemacht nicht weiter vordrangen. Indessen musste bei dem
Heranrücken neuer feindlicher Truppenmassen dennoch der
Rückzug angetreten werden. Es war 5 Uhr, als dieser ein
allgemeiner wurde. Oberst Graf Nostitz blieb mit seinen Uhlanen noch kurze Zeit in Staffel hinter dem rechten Flügel stehen,
um die feindlichen Hussaren in Schach zu halten. Die Brigade
hatte eine deutsche Meile im offenen und ebenen, nur durch
den sumpfigen Czonczobach und das von allen Seiten einge-
sehene Dorf Acs unterbrochenen Terrain bis zur rückwärtigen
Marschstellung bei Puszta Lovad zurückzulegen. Die kaiserliche
Artillerie hatte sich theils verschossen, theils hatte sie zu viel
gelitten um diesen Rückzug unterstützen zu können. Dagegen
liess der Feind von einer Cavallerie-Batterie und einer halben
Haubitz-Batterie von Csem an, die österreichischen Truppen
während des Rückzuges beständig kotoyiren und beschiessen
und schickte ihnen eine starke Colonne von allen Waffengattungen auf dem Fusse nach, wodurch es unmöglich wurde bei
Acs Stellung zu fassen. In dieser sehr misslichen Lage war
es nun der sich wechselseitig unterstützende Kampf der Uhlanen
und geschlossenen Infanterie-Colonnen, was die Brigade Barco
von gänzlicher Vernichtung rettete. Jetzt zeigte sich im schönsten Lichte, was eine entschlossene Reitertruppe zu leisten vermag, wenn sie durch das hervorragende Beispiel der Aufopferung
pflichtgetreuer Offiziere begeistert wird. Mit dem heldenmüthigen Obersten Graf Nostitz und dem tapfern Major Graf Cou
denhove an ihrer Spitze, wusste dieses bis auf 80 Mann zusam-
mengeschmolzene Uhlanenhäuflein durch wiederholtes, mit todes-
muthigem Ungestüm gegen die drängenden feindlichen Hussaren-
Schwadronen ausgeführtes Vorprellen dieselben aufzuhalten und
in Unordnung zu bringen, und imponirte hiedurch und durch
die feste Haltung der kaiserlichen Infanterie-Colonnen, unter dem
persönlichen Commando des Brigadiers, dem Gegner derartig,
dass er in der anfänglichen Hartnäckigkeit der Verfolgung
nachliess, und sich allmählig zu zerstreuen anfing.

Erst in der Stellung des Maierhofes von Puszta-Lovád gegen
1 Uhr Abends wurde die todesmüde Brigade von einem frischen
mit einer sechspfündigen Fuss-Batterie versehenen Detachement
aufgenommen. Dieses Detachement mit dem Ueberreste der 2.
Majors-Division des Regiments vereinigt, bildete nun unter Oberst
Graf Nostitz die Arriére-Garde, unter deren Schutz die Brigade
einen geordneten Rückzug über die Brücke nach Nagy-Lel auf
der Schütt bewerkstelligen konnte. Gegen 8 Uhr Abends passirte
auch Oberst Graf Nostitz unter dem Kartätschen-Feuer des ver-

folgenden Feindes die Brücke, und liess diese zur Sicherung des Rückzuges abbrechen. Die heldenmüthige Ausdauer des Obersten Graf Nostitz, und Majors Graf Coudenhove mit ihren tapfern Uhlanen hatte 3 Infanterie-Bataillone der Brigade, und die derselben beigegebene Feld-Artillerie von der beinahe gewissen Vernichtung oder Gefangennehmung gerettet. Das Ordens-Capitel von 1850 verlieh dem Oberst Graf Nostitz das Ritter-Kreuz des Maria-Theresien-Ordens. Von 1 Uhr Mittags bis 8 Uhr Abends waren die wackern Uhlanen nicht eine Sekunde dem feindlichen Geschütz-Feuer entzogen. Rittmeister Graf Messey und Lieutenant Bohacz wurden verwundet, Rittmeister Guttwein, der den schwer blessirten Bohacz mit hochherziger Selbstverleugnung da dessen Pferd getödtet wurde, auf sein eigenes gehoben hatte, fiel nach tapferer Gegenwehr in feindliche Gefangenschaft. Neun Offiziere des Regiments waren an diesem Tage in's Gefecht gezogen, und nur 2 von ihnen blieben an sich oder ihren Pferden unverletzt. Ein Wachtmeister der schon am 1. August nach Dotis abgerückten Oberst 1. Escadron, war eben mit noch einigen Uhlanen in Fourage-Fassungs-Angelegenheiten in Acs anwesend, als das Treffen stattfand. Dieser Wachtmeister verfügte sich sogleich zu den im Kampfe begriffenen Abtheilungen des Regiments, machte das Gefecht wacker mit, und gab dann von dort mit den ihm unterstehenden Uhlanen der Oberst 1. Escadron, dem nach Raab flüchtenden Trosse der ganzen Brigade mit so viel Energie und Glück das Geleite, dass die meisten Bagagewägen gerettet wurden. Die verfolgenden Hussaren verscheuchte er durch öfteres Entgegengehen mit seinen wenigen Uhlanen und nur die untransportablen Wägen fielen in des Feindes Hände.

Im Verlaufe des Monats Juli war der Rittmeister Felix Ritter von Rogoiski des Regiments mit einem Commando von 40 Uhlanen gegen die sehr schlechtgesinnte Stadt Neutra gesandt, um Nachrichten über den russischen Sukurs von von den Karpathen her erwartet wurde, aufzutreiben. Nachdem es durch die zweckmässigen und umsichtigen Anstalten dieses Offiziers gelungen war, in den Magistrats-, Komitats und Piaristen-Gebäuden des rebellisch gesinnten Ortes: 2 Insurections-Fahnen, 4 Geschütze, 94 Zentner Kupfer, eine Menge neuer Lafetten-Bestandtheile und 134 Patronsäcke zu erbeuten, trafen seine vorausgeschickten Patrouillen in der Richtung von Topolcsan eine k. russische Kosaken-Vorhut, worauf Rittmeister von Rogoiski die Stadt Neutra mit seinen 40 Uhlanen glücklich ohne Verlust nach gelöster Aufgabe, trophäenbeladen verliess. —

Im Verlaufe des August hatten noch mehrere Gefechte vor Komorn statt, an welchen stets die braven Uhlanen ihren thätigen und ehrenvollen Antheil hatten, bis nach der erfolgten Capitulation dieses mächtigen feindlichen Bollwerks, und der somit gänzlichen Beendigung des Feldzugs, das Regiment im

Herbste 1849 die Friedens-Station Neusohl in Ungarn bezog.
Wegen ihrer Tapferkeit vor dem Feinde wurden folgende Offiziere
des Regiments mit kaiserl. österreichisch und russischen Orden
decorirt und zwar: mit dem Ritter-Kreuze des Maria
Theresien-Ordens: der Oberst und Regiments-Commandant
Hermann Graf Nostitz; mit dem Ritter-Kreuze des Leopold-
Ordens: die Majors Anton Baron Dobrzenski und Eduard
Baron Basselli; mit dem Orden der eisernen Krone III.
Classe: Rittmeister Olivier Graf Wallis, — die Oberlieutenants
Achilles Baron Dankelmann und Joseph von Noziczka; mit dem
Militär-Verdienst-Kreuze: Oberst Hermann Graf Nostitz,
die Majors Anton von Jviebich, Heinrich Graf Coudenhove, und
Johann Baron Mladota, die Rittmeisters Franz Graf Klebelsberg.
Joseph Baron Wimmer, Gustav Graf Messey, Adolf von Du Mesnil,
Anton Esquire Hussey, Ignaz Schreiter Ritter von Schwarzenfeld,
Olivier Graf Wallis, Hermann Baron Ramberg, Georg Guttwein.
Felix Ritter von Rogoiski, die Oberlieutenants August Demmel,
Theodor Graf Zedtwitz, Anton Pokorny und der Lieutenant Franz
Bohaez. Den k. russischen St. Annen-Orden erhielten: die
II. Classe: Oberst Hermann Graf Nostitz (mit der Krone,) der
Oberstlieutenant Anton Baron Dobrzensky und Major Eduard Baron
Basselli; die III. Classe desselben Ordens: die Rittmeister
Franz Graf Klebelsberg, Ferdinand Aniolowicz, Hermann Baron
Ramberg und Felix Ritter von Rogoiski, die Oberlieutenants
Gotthard Graf Pachta und Ferdinand Baron Tunkel, wie auch
der Lieutenant Gustav Graf Podstatzky-Liechtenstein.
    Unter den tapfern Uhlanen wurden über 60, theils goldene
theils silberne Tapferkeits-Medaillen, nebst mehreren k.
russischen St. Georgs-Kreuzen vertheilt, — unter den erstern
war der inzwischen zum Offizier beförderte Wachtmeister Turibius
Siatecki mit der goldenen und silbernen I. Classe, Wachtmeister Richard Schöntag mit der goldenen, Wachtmeister Kra-
tina mit der grossen, und die Cadeten Moriz Homolacz und Ludwig
Riebesam mit der kleinen silbernen Tapferkeits-Medaille
decorirt. Sämmtlich letztgenannte waren noch im Verlauf des Feldzugs
zu Offiziers befördert worden. Das Regiment hatte in diesem Feldzug
durch seine altbewährte Tapferkeit, seinen frühern Ruhm erneuert,
die Bewunderung der Armee auf sich gezogen, und war im Lager
der Insurgenten eines der gefürchtesten des kaiserlichen Heeres.
    — Im Frühjahre 1850 marschirte das Regiment in die
Stabs-Station St. Georgen bei Pressburg, von da aber schon im
November zu der in Böhmen aufgestellten Armee, wo es in der
Umgegend von Beraun dislozirte, und im Februar 1851 wieder
seine vorige Station in Ungarn bezog.
    Im Mai d. J. hatte das Regiment zu Pösing seine feier-
liche Standartenweihe, im September 1852 war es im grossen
bei Pesth abgehaltenen Cavallerie-Lager. Im Frühjahr 1853,
ursprünglich zu der an der kroatisch-türkischen Grenze, wegen

der Angelegenheiten in Montenegro gegen die Türkei aufgestellten Armee bestimmt, wurde` es später zu mehreren Parade-Ausrückungen vor den eben anwesenden Majestäten den Königen von Preussen und Belgien nach Wien gezogen, und rückte im September d. J. in das bei Olmütz abgehaltene Lust-Lager, wo es an den dortigen Uebungen vor Ihren Majestäten dem Kaiser von Oesterreich und Russland, in der vom FML. Fürst Franz Liechtenstein befehligten Cavallerie-Reserve eingetheilt, thätigen Antheil nahm.

Im Mai 1854 wurde das Regiment nach Galizien beordert, wo es seine Eintheilung zu dem dort aufgestellten II. Cavallerie-Corps unter Befehl des FML. Graf Clam-Callas erhielt. Nach dessen Auflösung im Juli 1855 marschirte dasselbe in die ihm nun zugewiesene Friedens-Station Wessely in Mähren, aus welcher es im September 1857 zu den Uebungen des grossen Cavallerie-Lagers bei Parendorf, in der Brigade des GM. Graf Vetter, beigezogen wurde.

Mitte Jänner 1859 erhielt das Regiment Marsch-Befehl nach Italien, und rückte Divisionsweise mittelst Eisenbahn über Wien bis Nabresina, von wo es bis Pordenone marschirte, und von da wieder mit der Bahn bis in die den Cantonirungen nächsten Eisenbahn-Stationen geführt wurde. Ende Jänner bezog das Regiment folgende Stationen: der Stab mit der 5., 7. und 8. Escadron Cremona, die 6. Escadron Casalmaggiore, die erste Division Brescia, die zweite Bergamo, wo es seine Eintheilung in die II. Armee beim 3. Armee-Corps des FML. Fürst Edmund Schwarzenberg, Division des FML. Baron Martini, und die Brigade des GM. Graf Palffy erhielt. Mit 1. März wurden die 6. Escadron den Besatzungs-Truppen von Piacenza zugetheilt und die erste und zweite Division nach Crema verlegt. Im April wurde das Regiment auf den Kriegsstand gesetzt, und in Cilly eine Depot-Escadron unter Rittmeister Manatti aufgestellt. Ende April wurde das Regiment in der Brigade Palffy, in die Cavallerie-Division des FML. Graf Mensdorff eingetheilt, mit welcher es am 1. Mai bei Pavia den Ticino überschritt, in Piemont einrückte, und am 9. Mai mit dem VII. Armee-Corps gegen die Dora Baltea vorrückte, jedoch noch am selben Tage den Befehl zum Rückmarsch hinter die Agogna erhielt. —
Am 13. kam das Regiment nach Vespolate, wo es längere Zeit stehen blieb, den Vorpostendienst und weit gehende Patrouillen bestritt, und seine Vedetten-Linie an der Agogna hatte. Hier rückte am 20. Mai die 6. Escadron wieder zum Regimente ein. In der Nacht vom 21. auf den 22. marschirte Oberst von Mengen mit der 1. und 4. Division zur Halb-Brigade des Obersten Baron Ceschi nach Novarra. Am 22. Mai bestand Rittmeister Turibius Siatecki mit dem 1. Zuge seiner (2.) Escadron ein glänzendes Reiter-Gefecht auf der Strasse von Borgo-Vercelli gegen eine Lanziers-Escadron des piemontesischen Regi-

mentes Nizza. Siatecki ersticht mit der Pike deren Commandanten Capitano do Morteo. Lieutenant Graf Lippe hat sich dem attaquirenden Zug freiwillig angeschlossen, und zeichnete sich durch sein tapferes Benehmen gleichfalls aus. Die piemontesische Escadron wird vollständig geworfen, und lässt einen Rittmeister, 1 Offizier und 8 Mann am Platze. Die Uhlanen zählen 3 Mann 1 Pferd verwundet, nebst einem todten und einem vermissten Pferde. Bei diesem Gefechte haben sich von der Mannschaft ausgezeichnet: Wachtmeister Franz Czesnek, der selbe freiwillig mitmachte, und mit einer Patrouille die feindliche Flanke attaquirte, durch einen Lanzenstich in die Brust verwundet, in einen Graben stürzte, sich abermals aufraffte, sich wieder zu Pferde setzte, und neuerdings sich auf den Feind stürzte. Die Uhlanen Michael Lach, Stanislaus Bilainski und Mathias Cinkar haben den erwähnten Wachtmeister hiebei auf die aufopferndste Weise vom Tode gerettet, wobei Lach 4, Bilainski 1 Lanzenstich erhielten. Ersterer starb später an diesen Blessuren. Wachtmeister Czesnek, die Gemeinen Bilainski und Cinkar erhielten die kleine, Lach die grosse silberne Tapferkeits-Medaille. Rittmeister Turibius Siatecki erhielt den eisernen Kron-Orden III. Classe, Lieutenant Graf Egmont zur Lippe das Militär-Verdienst-Kreuz. Am 23. Mai bei Gelegenheit einer scharfen Recognoszirung gegen Borgo-Vercelli, hat Oberlieutenant Moriz Ritter von Lehmann des Regiments, nachdem das Gefecht abgebrochen wurde, mit seinem Zuge (1. der 1. Escadron) den Rückzug der Infanterie mit glänzender Tapferkeit gedeckt, verlor durch eine Kanonenkugel das Pferd unterm Leibe, und warf die nachdrängenden Bersaglieri in einer kühnen Attaque zurück. Oberlieutenant Ritter von Lehmann erhielt das Militär-Verdienst-Kreuz, der Uhlane Jacko Gerusz der dem genannten Offizier im heftigsten Tirailleurfeuer der anstürmenden Bersaglieri sein Pferd freiwillig abgetreten hatte, wurde mit der silbernen Medaille I. Classe, der Gemeine Johann Sziszka, welcher ungeachtet einer Schusswunde im rechten Arm, beim Angriff der Erste auf die piemontesischen Bersaglieri sich stürzte, wurde mit jener II. Classe belohnt. Der Verlust war gering; 1 Mann und 2 Pferde verwundet. Am 26. übernahm Oberst von Mengen das Commando der aus mehreren Truppen-Gattungen bestehenden Halb-Brigade, welche theils Novarra, theils den Brückenkopf von San Martino besetzt hielt. Im ersteren Orte waren die 2., 7. und 8., im letztern die 1. Escadron des Regiments. Diese Halb-Brigade hatte den äussersten rechten Flügel der Armee zu decken, im Falle eines überlegenen Angriffs aber in den Brückenkopf von San Martino zurückzugehen. —

Am 30. Mai rückten der 3. und 4. Zug der 7. Escadron behufs einer Recognoszirung gegen Borgo-Vercelli vor, in dessen Nähe auf der zwischen Reissfeldern eingeengten Strasse alsbald eine langsam anrückende Abtheilung piemontesischer

Reiterei sichtbar wurde. Der als Generalstabs-Offizier verwendete Rittmeister Carl von Fischer des Regiments hatte sich als Volontär dieser Halb-Escadron angeschlossen, und führte nun selbe zur Attaque vor; da verschwanden die feindlichen Reiter und demaskirten 2 Geschütze, deren Eines sogleich einen Kartätschenschuss gab. Der Verlust der Uhlanen war gross, denn sie zählten 1 Mann und 6 Pferde todt, 5 Mann 2 Pferde verwundet, unter diesen jenes des Rittmeister Stary, der nun seine Halb-Escadron zurückführte. Rittmeister von Fischer, der durch die Czapka geschossen war, blieb mit dem Corporal Ritter von Kaminski und dem Wachtmeister Schatz auf der Strasse, und recognoszirte den Feind der nun noch 2 wirkungslose Kartätschenschüsse gab, und hinter den Cassinen zahlreiche Bersaglieri debouchiren liess. (Bazancourt erwähnt dieses Gefechtes).

Am 1. Juni erfolgte von Seite des 4. französischen Armee-Corps (Marschal Niel) der Angriff auf das ganz freie Novarra. Die Arriere-Garde der erwähnten österreichischen Halb-Brigade führte ein kurzes Gefecht zwischen Novarra und der Agogna, bei welcher Gelegenheit Lieutenant von Zwehl des Regiments mit seinem Zuge (der 8. Escadron) die französische Avant-Garde ½ Escadron Chasseurs durch eine glänzende Attaque auf ihre Geschütze zurückwarf, nachdem selbe durch einen glücklichen Raketenwurf etwas in Unordnung gerathen war. Oberst Adolf von Mengen, welcher als Commandant mit der grössten Tapferkeit, Umsicht und Kaltblütigkeit dieses Gefecht leitete, erhielt in Folge dessen das Militär-Verdienst-Kreuz. Corporal Felix Ritter von Kaminski, der auf Feldwache stehend, bereits durch den rasch vorrückenden Feind abgeschnitten, sich mit grosser Kühnheit zu seiner Escadron durchschlug, erhielt die grosse silberne Medaille. Die Halb-Brigade wurde von Oberst Mengen in den Brückenkopf von San Martino zurückgeführt. Der ganze Verlust der dabei betheiligten 3 Escadrons des Regiments betrug ein verwundetes Pferd. Mit dem Morgengrauen des 2. Juni rückte die Brigade Rezniczek nach San Martino, welcher Oberst Mengen das Commando des Brückenkopfs sowie die ganze Infanterie und Artillerie der Halb-Brigade übergab; die 1. Escadron des Regiments wurde im Brückenkopfe zurückbehalten. Major Graf Falkenhain mit der 2. Escadron zur Beobachtung des Ticino gegen Norden detachirt, und Oberst von Mengen mit der 4. Division als Reserve derselben nach Buffalora disponirt. Gegen Abend meldete Major Graf Falkenhain den Brückenschlag der Franzosen bei Turbigo, den Corporal Wladimir von Sokulski mit einer Patrouille entdeckt hatte. Letzterer wurde bei dieser Gelegenheit durch eine übersetzte Infanterie-Abtheilung angegriffen, welche er aber zurückwarf. Der Gemeine Andreas Gawell bei diesem Patrouillen-Gefechte durch die Czapka geschossen, mit seinem Pferde überdiess gestürzt, raffte sich schnell auf, und erschoss mit seinem Carabiner den ihn angreifenden französischen Infanteristen. Sokulski und Gawell erhielten die kleine silberne Medaille. Corporal Wendelin Pfeifer und Gemeiner Albert Krzakowski wurden beide mit sehr wichtigen Depeschen an FML. Baron Urban nach Gallarate gesendet, fanden denselben dort nicht mehr, und brachten nun aus eigenem Antriebe diese Depeschen durch die feindliche Linie bis Somma, wo sie den genannten General wirklich fanden. Der Corporal erhielt die grosse, der Gemeine die kleine silberne Medaille.

Am 3. Juni wurde die erste Division des Regiments der Truppen-Division des FML. Baron Cordon vom 1. Armee-Corps bei Buffalora zugewiesen. Oberst von Mengen stand mit der 4. Division des Regiments hinter Ponte di Magenta, vor welcher sich ein kleines Vorposten-Gefecht entwickelt hatte, in welchem der 1. Zug der 7. Escadron unter Lieutenant Baron Hönning betheiligt war. Wachtmeister Eduard Thein, welcher mit 2 Gemeinen, deren einer hiebei erschossen wurde, durch sein freiwilliges Vorgehen, Behufs der bessern Beobachtung des Feindes sich ausgezeichnet hatte, erhielt die grosse, der ihn begleitende übrig gebliebene Gemeine Albert Pokuta die kleine silberne Medaille.

Corporal Franz Killar, an demselben Tage auf Feldwache, stürzte sich, da er die Brücke bei Buffalora schon zerstört fand, mit seinen Uhlanen in den Ticin, und erreichte so seine Abtheilung, wofür er mit der kleinen silbernen Medaille belohnt wurde. —

Am 4. Juni rückte Oberst von Mengen mit der 1. und 4. Division zur Cavallerie-Division Mensdorff wieder ein, welche Tags zuvor ein Bivouac bei Corbetta bezogen hatte.

In der Schlacht von Magenta stand das Regiment rechts und links der Strasse in der Cultur, ohne in's Feuer zu kommen, bis auf einige Abtheilungen der 1. Division, welche bei Infanterie-Brigaden zugetheilt waren. — So wurde dem Rittmeister Gotthard Graf Pachta bei Buffalora ein Pferd unterm Leibe erschossen; Wachtmeister Czesnek mit 20 Mann bei den Grenzern verwendet, wurde gefangen. Eine der ersten französischen Kanonenkugeln tödtete den Rittmeister Karl Graf Mengersen, welcher als Ordonnanz-Offizier dem FML. Fürst Eduard Liechtenstein zugetheilt war, an der Seite seines Chefs. Das Regiment betrauerte in ihm einen tapfern ritterlichen Offizier. Am Abende dieses blutigen Tages stand das Regiment am Eisenbahndamme und entsendete fortwährend Abtheilungen, um Fühlung am Feind zu behalten. Da stiess Rittmeister Ludwig Riebesam des Regiments mit seiner (der 4.) Escadron in Invernuno auf die anmarschirende piemontesische Truppen-Division Fanti. Eine Lanziers-Escadron griff die' Uhlanen an, welche Riebesam mit dem 1. Zuge seiner Escadron unter Oberlieutenant Rudolf Graf Zeppelin, in einer glänzenden Attaque nach einem hartnäckigen Gefechte zurückwarf; aber dieser Zug hatte 5 Todte

und 7 Verwundete, darunter einen Uhlanen mit 8 Lanzenstichen.
Die beiden genannten Offiziere mit ihren wackern Uhlanen hatten
sich heldenmüthig geschlagen. Fanti hielt diese Escadron offenbar
für die Avant-Garde irgend eines frischen Corps; — denn dieses
Reiter-Gefecht verzögerte längere Zeit das Vorgehen seiner Armee-
Division. Rittmeister Riebesam und Oberlieutenant Graf Zeppelin
erhielten beide das Militär-Verdienst-Kreuz. Führer Michael
Burzemski, welcher mit der Avant-Garde der Escadron das Debouchiren der zahlreichen feindlichen Cavallerie mit heldenmüthiger
Bravour so lange aufhielt, bis der 1. Zug zur Attaque schreiten
konnte, selbst 4 Blessuren erhielt, wurde, so wie der Gemeine
Paul Kocur mit der grossen silbernen Tapferkeits-Medaille
belohnt; letzterer wegen seiner glänzenden Bravour, mit welcher
er sich freiwillig mitten in die feindliche Abtheilung stürzte,
und wiewohl durch einen Schuss verwundet, wesentlich zum Erfolge
jenes Angriffs beitrug. — Der Major Franz Graf Falkenhain des
Regiments erhielt für seine umsichtige und entschlossene Verwendung bei Turbigo, — sowie in der Schlacht bei Magenta, besonders im Gefechte bei Buffalora am rechten Flügel der österreichischen Stellung, den eisernen Kron-Orden III. Classe.

A m 5. Juni begann der Rückzug, in welchem die Cavallerie-Division Mensdorff theils beim VII. theils beim VIII. Corps
zugetheilt war, und die Arriere-Gardestellungen dieser Corps
theilte. A m 20. Juni passirte das Regiment mit dieser den Mincio
und lagerte bei Rosegaférro.

In der Schlacht bei Solferino am 24. Juni stand die
Cavallerie-Division Mensdorff seit frühem Morgen im Centrum der
österreichischen Stellung, — im leeren Raum zwischen der ersten
und zweiten Armee, zu welcher sie gehörte. Das Regiment stand
selbst im zweiten Treffen dieser Division; fortwährend im feindlichen Kanonen-Feuer, bald vor bald zurück sich bewegend. Durch
den Luftdruck einer vorübergehenden Kanonenkugel wurde der
Oberlieutenant Baron Münch vom Pferde gerissen. (Dieser hoff-
nungsvolle junge Offizier starb 10 Monate später in Folge dieser
Verwundung.) Die beim Divisionär FML. Graf Mensdorff in Verwendung gestandenen Oberlieutenants des Regiments Alfred zu
Helle und Ottokar Baron Hruby Geleny, haben freiwillig im heftigsten Kanonenfeuer 2 Geschütze gerettet, welche eine zurückge-
hende österreichische Batterie als demontirt liegen liess. Diese
beiden Offiziere erhielten das Militär-Verdienst-Kreuz. —

Als die Franzosen durch das Centrum der 2. Armee vorrückten, ging die Cavallerie-Division Mensdorff zum Angriffe vor.
Die Dragoner-Brigade Prinz Holstein (Savoyen und Horvath) im
1. Treffen, das Regiment im 2., im Staffel-Verhältniss rechts und
links angehängt. Als sich in der rechten Flanke der Uhlanen
französische Cavallerie zeigte, disponirte Oberst von Mengen die
beiden rechten Staffeln erste und zweite Division zum Angriff, welchen die dritte Division als Reserve folgte. Die beiden

4

ersten Divisionen attaquirten, aber plötzlich schlugen viele hundert
Kugeln in die Reihen der tapfern Reiter, auf kaum 30 Schritte
standen hinter Steindämmen gedeckt, nebst einer Cavallerie-Abtheilung einige Geschütze und 3 französische Infanterie-Quarrés.
Alles stürzt durcheinander; Rittmeister Ladislaus Graf Festetics
und Lieutenant Ignaz Josefczuk, sind durch die Brust geschossen,
getödtet, Major Graf Falkenhain ist an der rechten Hand leicht
gestreift, sein Pferd durch den Kopf geschossen, Rittmeister Graf
Triangi, Oberlieutenant Baron Gemmingen und Lieutenant Graf
Hoyos verlieren ihre Pferde, die Estandarte der 1. Division ist
durch den Sturz des Estandartführers im Angesichte einer französischen Cavallerie-Abtheilung in grösster Gefahr, wurde aber
durch den Wachtmeister Franz Wiczar gerettet. Derselbe erhielt
wie auch Führer Eduard Blecha, wegen freiwilliger Abtretung
seines Pferdes an Rittmeister Grafen Triangi im heftigsten Feuer,
unter gleichen Umständen Gemeiner Lorenz Plekaniec, wegen
Abtrettung des seinen an Lieutenant Graf Hoyos, sämmtliche 3
die grosse silberne Medaille. Es erhielten Oberst Adolf von
Mengen wegen ausgezeichneter Führung des Regiments den
eisernen Kron-Orden III. Classe, Oberstlieutenant Ludwig
Möring, die Majors Julius Baron Simbschen, Ladislaus Graf Szapary
und Franz Graf Falkenhain die Allerhöchste Belobung wegen tapferer und umsichtiger Führung ihrer Divisionen. Der Oberwund-Arzt
Peter Faulhaber für seine aufopfernde Berufsthätigkeit beim eigenen
Regiment und fremden Truppen das goldene Civil-Verdienst-
Kreuz. Der Verlust des Regiments in den beiden Haupt-Schlachten
dieses Feldzuges war folgender: Bei Magenta: 1 Offizier, 6
Mann, 5 Pferde todt; 10 Mann, 4 Pferde verwundet; 21 Mann
und 21 Pferde gefangen; 2 Mann vermisst, also in Ganzem 40
Mann 30 Pferde; bei Solferino 2 Offiziere, 5 Mann, 10 Pferde
todt; 2 Offiziere, 12 Mann, 25 Pferde verwundet; 8 Mann, 9
Pferde gefangen, und vermisst, daher im Ganzen 29 Mann, 44
Pferde. Der Gesammt-Verlust des Regiments in ganzen Feldzuge beträgt an Todten, Verwundeten, Gefangenen und Vermissten 79 Mann, 88 Pferde. (Wurde bei den einzelnen Affairen
schon detaillirt angegeben.) Nach jener fruchtlosen erwähnten
Attaque trat die Cavallerie-Division Graf Mensdorff ihren Rückzug an, nochmals am Mincio Stellung nehmend, bis sie endlich
um Mitternacht bei Rosegaforro das Bivouac bezog. Nach Beziehung noch verschiedener Bivouacs erhielt das Regiment bei
Mantua Cantonirungen, bis es Ende Juli Divisionsweise über
Wien seine vorige Friedens-Station Wessely in Mähren bezog,
wo es Anfangs September eintraf.

In Folge der neuen Organisation der Cavallerie, vermöge
Allerhöchster Entschliessung vom 17. Jänner 1860 gab das
Regiment seine 4. Division zur Errichtung des freiwilligen
Uhlanen-Regiments ab. Im Herbste 1862 wurde der Regiments-
stab nach Mährisch-Neustadt verlegt.

Maria-Theresien-Ordens-Ritter.

1796 Rittmeister Thadäus von Brochowski, † vor dem Feinde in der Gegend von Nürnberg den 18. Dezember 1800.

1801 Rittmeister Joseph Baron Domokos, † als Major in Pension den 15. Oktober 1854 zu Tussow in Siebenbürgen.

1801 Major Adam Graf Mier, † als Oberstlieutenant in der Armee zu Lemberg den 5. Jänner 1833.

1801 Rittmeister Carl Baron Scheibler, † als FML. und Festungs-Commandant zu Josephsstadt daselbst am 29. Jänner 1843.

1802 Major Joseph Baron Bogdan, für seine als Rittmeister bei Fürst Schwarzenberg Uhlanen in der Campagne 1799 geleisteten ausgezeichneten Dienste, † als FML. und Divisionär zu Lemberg den 14. Mai 1827.

1808 Rittmeister Wilhelm Baron Mengen, † als FML. und Divisionär zu Prag den 23. October 1837.

1809 Oberstlieutenant Emanuel Graf Mensdorff Pouilly (siehe Inhaber bei Hussaren Nr. 1).

1850 Oberst Hermann Graf Nostitz, gegenwärtig FML. und Truppen-Divisionär.

Regiments-Inhaber.

1791 GM. Johann von Meszaros erhielt 1797 das 10. Hussaren-Regiment.

1797 G. d. C. Maximilian Graf Merveld als k. k. Gesandter am Grossbritannischen Hof, † den 4. Juli 1815.

1815 G. d. C. Ernst Herzog von Sachsen Coburg und Gotha, † den 29. Jänner 1844.

1844 G. d. C. Carl Graf v. Civalart, MTO-R.

Zweite-Inhaber.

1815 FML. Carl Graf Civalart, seit 1844 Oberst-Inhaber.

1851 Uebt über Ansuchen des Regiments-Inhabers der FML. Carl Graf Grünne die Inhabers-Rechte aus.

Oberste.

1791 Anton Baron Schubirz, Regts.-Comdt., 1796 GM.

1796 Ezechiel von Matyasowsky, Regts.-Comdt., 1798 GM.

1798 Achill von Brea, Regts.-Comdt., 1800 pensionirt.

1800 Ludwig Graf Wallmoden-Gimborn, Regts.-Comdt., 1807 GM.

1803 Carl Baron Stutterheim, 2. Oberst, 1805 pensionirt.

1807 Joseph Baron Bogdan, MTO-R., Regts.-Comdt., 1809 GM.

1809 Ludwig Baron Wilgenheim, Regts.-Comdt., † den 2. Novbr. 1813 zu Laibach.

1814 Bartholomäus Graf Alberti, Regts.-Comdt., 1814 transferirt zu Chevauxlegers Nr. 7 (jetzt Uhlanen Nr. 11).

1814 Emanuel Graf Mensdorff-Pouilly, MTO-R., supernummerär, 1814 GM.

1814 Wilhelm Baron Hammerstein-Equord, Regts.-Comdt., 1823 GM.

1823 Joseph GrafTige, Dienstkämmerer Sr. k. k. Hoheit des Kronprinzen, 1831 GM.

1823 Friedrich Anton Prinz zu Hohenzollern-Hechingen, Regts.-Comdt., 1831 GM.

1831 Cornelius Baron Dankelmann, Regts.-Comdt., 1838 GM.

1835 Felix Fürst zu Schwarzenberg in diplomatischer Verwendung, 1843 GM.

1838 Adolf von Mengen, Regts.-Comdt., 1845 GM.

1845 Carl von Almassy, Regts.-Comdt., 1849 pensionirt.

1849 Hermann Graf Nostitz-Rineck, MTO-R., Regts.-Comdt., 1851 GM.

1851 Wilhelm Baron Koller, 2. Oberst, 1851 Regts.-Comdt., 1858 GM.

1858 Adolf von Mengen, Regts.-Comdt.

1859 Gustav Graf Messoy de Bielle, zugetheilt bei Sr. k. k. Hoheit dem Erzh. Rainer.

4*

Oberstlieutenants.

1791 Ezechiel von Matyasowsky, 1796 Oberst.
1796 Achill von Brea, 1798 Oberst.
1798 Ludwig Graf Wallmoden-Gimborn, 1800 Oberst.
1800 Thadäus von Brochowski, MTO-R., † vor dem Feinde im Gefechte bei Nürnberg am 18. November 1800.
1801 Carl Baron Stutterheim, 1803 Oberst.
1804 Joseph Baron Bogdan, MTO-R., 1807 Oberst.
1807 Albert von Kropiwnicki, 1807 pensionirt.
1807 Anton Gundaker Graf Starhemberg, 1809 Oberst bei Hussaren Nr. 10.
1809 Emanuel Graf Mensdorff-Pouilly, MTO-R., 1810 Oberst bei Uhlanen Nr. 3.
1810 Ferdinand Graf Zichy, 1812 Oberst bei Hussaren Nr. 7.
1812 Franz von Zarczinski, 1814 Oberst bei Dragoner Nr. 4 (1860 reduzirt).
1814 Philipp Lang, 1820 Oberst bei Hussaren Nr. 10.
1820 Joseph Graf Tige. Dienstkämmerer bei Sr. k. k. Hoheit des Kronprinzen, 1823 Oberst.
1820 Friedrich Anton Prinz zu Hohenzollern-Hechingen, 1823 Oberst.
1823 Friedrich Prinz zu Oettingen-Wallerstein, 1828 quittirt mit Oberst-Charakter.
1827 Carl Balla v. Bolhas, 1829 transferirt zu Uhlanen Nr. 2.
1829 Ernst Baron Dlauhowesky, 1831 Oberst bei Cürassier Nr. 7.
1831 Eduard Graf Woyna in diplomatischer Anstellung, 1833 Oberst bei Hussaren Nr. 8.
1831 Ludwig Edler von Pielsticker, 1832 pensionirt.
1832 Arnold von Münstermann, 1834 pensionirt.
1834 Felix Fürst Schwarzenberg in diplomatischer Anstellung, 1835 Oberst.
1834 Adolf von Mengen, 1838 Oberst.
1838 Maximilian Edler v. Swoboda, 1845 pensionirt mit Oberst-Charakter.
1845 Carl von Almassy, 1845 Oberst.
1845 Hermann Graf Nostitz-Rineck, 1849 Oberst.
1849 Anton Baron Dobrzensky, 1851 Oberst bei Uhlanen Nr. 8.
1851 Anton von Jvichich, 1857 transferirt als Premierwachtmeister zur Arcieren-Leibgarde.
1857 Gustav Graf Messey de Bielle, bei Sr. k. k. Hoheit dem Erzh. Rainer, 1859 Oberst.
1857 August Graf Bellegarde, 1858 transferirt zu Dragoner Nr. 7 (jetzt 2).
1858 Adolf von Mengen, 1858 Oberst.
1858 Ludwig Möring, 1862 pensionirt.
1861 Constantin Prinz zu Hohenlohe-Schillingsfürst, Flügeladjutant Sr. Majestät des Kaisers.
1862 Ernst Fürst zu Windisch-Grätz.

Majors.

1791 Carl Friedrich Wilhelmi v. Willenstein, 1792 Oberstlieutenant beim 2. Carabinier-Regiment.
1791 Achill von Brea, 1606 Oberstlieutenant.
1791 Joseph Graf Auersperg, 1792 transferirt zu Lobkowitz-Chevleg. (Uhlanen Nr. 8).
1791 Christoph Zirkel, 1798 pensionirt.
1791 Xaver Avesani, 1796 pensionirt.
1795 Max Graf Dönhowe, 1799 pensionirt.
1798 Thadäus Baron Brochowsky, MTOR., 1800 Oberstlieutenant.
1799 Carl Baron Stutterheim, 1801 Oberstlieutenant.
1801 Joseph Baron Bogdan, MTO-R., 1804 Oberstlieutenant.
1801 Jakob Chevalier Haid, 1806 pensionirt.
1804 Albert von Kropiwnicki, 1806 Oberstlieutenant.
1805 Anton Gundaker Graf Starhemberg, 1807 Oberstlieutenant.

1806 Johann Hain v. Haimhofen, 1811 pensionirt.
1807 Emanuel Graf Mensdorff-Pouilly, 1809 Oberstlieutenant.
1809 Franz Zarozinski, 1812 Oberstlieutenant.
1809 Alfred Fürst zu Windisch-Grätz, 1813 Oberstlieutenant bei Chevauxlegers Nr. 3
       (jetzt Uhlanen Nr 8).
1809 Wilhelm Graf Hadik, 1812 transferirt zu Uhlanen Nr. 2.
1810 Ludwig Chevalier Mories, 1810 quittirt.
1810 Philipp Lang, 1814 Oberstlieutenant.
1810 Franz Graf Banffy, 1812 transferirt zu Uhlanen Nr. 3.
1810 Carl von Nostitz, 1812 quittirt.
1813 Joseph Graf Tige, 1815 Dienstkämmerer bei Sr. k. k. Hoheit dem Kronprinzen.
       1820 Oberstlieutenant.
1814 Anton Friedrich Prinz zu Hohenzollern-Hechingen, 1820 Oberstlieutenant.
1815 Friedrich Prinz zu Oettingen-Wallerstein, 1823 Oberstlieutenant.
1815 Johann Wagner, 1815 transferirt zu Uhlanen Nr. 4.
1820 Karl Balla von Bollhas, 1827 Oberstlieutenant.
1824 Carl Baron Scharfenstein-Pfeil, 1829 Oberstlieutenant bei Uhlanen Nr. 2.
1827 Eduard Graf Woyna, in diplomatischer Anstellung, 1831 Oberstlieutenant.
1827 Ludwig von Rielsticker, 1831 Oberstlieutenant.
1829 Arnold von Münstermann, 1832 Oberstlieutenant.
1831 Adolf von Mengen, 1834 Oberstlieutenant.
1832 Wilhelm Wolfram, 1838 transferirt zu Uhlanen Nr. 2.
1833 Felix Fürst Schwarzenberg in diplomatischer Anstellung, 1834 Oberstlieutenant.
1833 Joseph Graf Mittrowsky, Dienstkämmerer Sr. k. k. Hoheit des Erzherzogs Ferdinand, 1835 transferirt zu Hussaren Nr. 4.
1834 Johann Dobrowolski v. Buchenthal, 1842 pensionirt mit Oberstlieutenants-
       Charakter.
1838 Carl Graf Grünne, 1842 Oberstlieutenant bei Chevauxlegers Nr. 7 (jetzt Uhlanen Nr. 11).
1842 Carl von Almassy, 1845 Oberstlieutenant.
1842 Hermann Graf Nostitz, 1845 Oberstlieutenant.
1845 Anton Baron Dobrzensky, 1849 Oberstlieutenant.
1845 Eduard Baron Basselli, 1849 Oberstlieutenant bei Cürrasier Nr. 5.
1846 Eduard Baron Inkey, 1849 Oberstlieutenant bei Hussaren Nr. 9.
1849 Anton von Jvichich, 1851 Oberstlieutenant.
1849 Heinrich Graf Coudenhove, 1854 Oberstlieutenant bei Uhlanen Nr. 8.
1849 Johann Baron Mladota, 1851 pensionirt.
1851 Joseph Baron Wimmer, 1855 pensionirt.
1851 Gustav Graf Messey de Bielle, 1854 zugetheilt bei Sr. k. k. Hoheit dem Erzh·
       Rainer, 1857 Oberstlieutenant.
1854 Carl Fürst zu Schwarzenberg, 1855 quittirt mit Charakter.
1854 August Graf Bellegarde, 1857 Oberstlieutenant.
1855 Ludwig Möring, 1858 Oberstlieutenant.
1855 Julius Baron Simbschen, 1859 quittirt mit Charakter.
1857 Ladislaus Graf Szápáry, 1860 Oberstlieutenant beim 1. Freiwilligen-Hussaren-
       Regiment,.
1858 Franz Graf Falkenhain, 1860 quittirt mit Charakter.
1859 Ernst Fürst zu Windisch-Grätz, 1862 Oberstlieutenant.
1860 Nikolaus Graf Pejacsevich, Flügeladjutant bei Sr. Majestät dem Kaiser, 1861
       Oberstlieutenant bei Hussaren Nr. 11.
1861 Ferdinand Baron Tunkel.
1862 Alexander Graf Kalnoky.

Uniformirung des Regiments.

Kaisergelbe Czapka, dunkelgrüne Uhlanka und Pantalons,
scharlachrothe Aufschläge, gelbe Knöpfe.

57

Uhlanen-Regiment Nr. 2, Fürst Carl Schwarzenberg.

Dieses Regiment wurde 1790 in Galizien als Uhlanen-Frei-Corps zu 3 Divisionen errichtet und hatte sich in den Feldzügen 1792 und 1793 in den Niederlanden ausgezeichnet. Im ersteren hatten sich am 30. April 1792 drei Escadrons im Gefechte bei Boussut besonders hervorgethan. Kurz vor Ausbruch des Feldzuges 1793 erhielt das Freicorps den Oberstlieutenant Carl, Fürsten zu Schwarzenberg, seinen nachherigen Inhaber, den spätern unsterblichen Sieger von Leipzig zum Commandanten.

Oberstlieutenant Fürst Schwarzenberg nahm mit dem Corps an der Schlacht von Neerwinden thätigen Antheil und erhielt nach der darauf erfolgten Vorrückung die Aufsicht über die Vorpostenslinie von der Hesne zur Scarpe auf beiden Ufern der Schelde. Als am 16. März im Treffen bei Tirlemont drei Tiroler-Jäger-Compagnien bereits ganz von ihrer Haupt-Truppe abgeschnitten waren, hat Oberlieutenant Bogdan dieses Corps mit 20 Uhlanen die linke Flanke des Feindes mehrmals so herzhaft attaquirt, dass die Jäger Zeit gewannen sich auf ihre Haupttruppe zurückzuziehen. — Oberstlieutenant Fürst Schwarzenber trug am 1. Mai entschieden dazu bei, dass der Angriff Dampieres auf die Stellung des Prinzen Coburg bei Onnaing missglückte, indem er mit einer verhältnissmässig geringen Zahl seiner Uhlanen, einer Colonne des Feindes, welche die linke Seite und den Rücken des verbündeten Heeres bedrohte und diese dadurch an der Unterstützung seiner Vortruppen hindern wollte, sich entgegen warf und sie zurückschlug. Fürst Schwarzenberg hielt ferner, während des Angriffs auf das Lager von Famars und der Belagerung von Valenciennes, den Posten von Villerspol zur Sicherung gegen Le Quesnoy, theilte unter General Graf Heinrich Bellegarde den Sturm auf den Mormaler-Wald, welcher der Belagerung jener Festung zum Vorspiele, diente und rückte, während diese vor sich ging, nach Solemnes um die Verbindung mit Cambray zu durchschneiden. Mehrere kühne Streifzüge die Oberstlieutenant Fürst Schwarzenberg mit seinen Uhlanen damals that, erwarben dieser Truppe wie ihrem tapfern Führer grosses Lob. Auf einem derselben überfiel er mit 3 Zügen Uhlanen ein feindliches Bataillon zu Estreux, und nahm es zum Theil gefangen. Ebenso viele Tapferkeit bewies Fürst Schwarzenberg in den Gefechten bei Landrecy.

Am 31. October war das Frei-Corps bei der Delogirung des Feindes bei Bassuyan. Den Winter von 1793 auf 1794 hielt Oberstlieutenant Fürst Schwarzenberg mit dem Frei-Corps die Vorposten bei Cateau.

Bei dem am 29. März 1794 erfolgten Haupt-Angriffe auf Cateau und Pomereuil wurde Oberlieutenant Bogdan mit 3 Zügen Uhlanen und einem von Kavanagh-Cürassier (Nr. 4) zur Unterstützung, einer bereits weichenden Infanterie-Colonne beordert.

Ohne Bedenken warf sich Bogdan auf den 600 Mann Infanterie und 300 Mann Cavallerie starken Feind, dem er mehrere Todte beibrachte und 4 Kanonen nebst einem Pulverkarren abnahm. Erbittert über diesen Verlust sammelten sich die Franzosen von Neuem, aber auch der tapfere Bogdan ralliirte seine Uhlanen und ging dem Feinde mit ausserordentlicher Bravour zum zweitenmal entgegen, warf nicht nur denselben, sondern verfolgte ihn eine Strecke Weges, und nahm eine vortheilhafte Aufstellung, welche er so lange behauptete, bis die Scharf-schützen mit dem Soutien nachkommen und die eroberten Kanonen in Sicherheit bringen konnten.

Am 17. April nahm das Uhlanen-Frei-Corps Theil an der Vorrückung der Haupt-Armee gegen Chatillon, Orcy und Estreux wobei sich Rittmeister Bogdan abermals hervorthat, so dass er vom GM. Baron Kray in dessen Relation' besonders angerühmt wird.

Das Frei-Corps zeichnete sich ferner unter Führung seines Commandanten Grafen Keglevich bei der Einnahme der feind-lichen Verschanzungen von Mainz, am 29. October 1795, im Treffen bei Meissenheim am 8. Dezember, vorzüglich aber in den Gefechten und der Schlacht bei Amberg, am 18. und 24. August 1796 aus.

Am 10. September überraschte der, die Avant-Garde des FML. Kray führende Rittmeister Graf Dominik Hardegg des Uhlanen-Frei-Corps die sorglose feindliche Besatzung der an der Lahn liegenden, befestigten Stadt Giessen, besetzte dieselbe und traf alle Anstalten zu ihrer Behauptung. Wirklich blieben am 11. wiederholte Versuche der französischen Division Grenier, wieder in den Besitz von Giessen zu gelangen, erfolg-los, um so mehr als FML. Baron Kray mit dem Gros seiner Truppen nachgerückt war. Dem Rückzug vom Nieder-Rhein an die Ober-Lahn wohnte das Frei-Corps 1797, meist als Avant-Garde verwendet, bei.

Bei der 1798 erfolgten Reorganisation der k. k. Cavallerie wurde dieses, damals Baron Motschlitzische Frei-Corps zum 2. Uhlanen-Regiment übersetzt, als welches es bei den ver-schiedenen Gefechten in der Schweiz im Feldzuge 1799 mitwirkte. Im Treffen bei Ostrach hat der Oberstlieutenant Fürst Moriz Liechtenstein mit seiner Division die Arriere-Garde des feindlichen General Ferino mit vieler Tapferkeit verfolgt, aber ganz besonders hatte derselbe inzwischen zum Oberst avanzirt, in der Schlacht bei Stockach am 25. März das Regiment bei der Avant-Garde mit ausserordentlicher Umsicht und Tapferkeit ge-führt. — Den Franzosen war es gelungen zwischen dem linken Flügel und der Mitte der vom FML. Fürsten Schwarzenberg befehligten Avant-Garde, in dem Augenblicke einzudringen, als diesem der Befehl zukam, die dem heftigsten Feuer ausge-setzte Infanterie zurück und in die Stellung der Armee zu ziehen. Da der Rückzug der Infanterie durch die beihabende Cavallerie und 2 Batterien gedeckt werden musste, so gewann der Feind. Zeit, den in der rechten Flanke und im Rücken unserer Avant-Garde gelegenen Wald gegen Orsingen zu besetzen. Von hier konnte er unaufgehalten die Strasse gewinnen, der Infanterie den Rückzug abschneiden und sich auch der daselbst aufgestellten Batterie bemächtigen. Aber die Tapferkeit des Fürsten Moriz Liechtenstein wusste die drohende Gefahr abzuwenden. Mit einigen Abtheilungen der fast ganz aufgeriebenen Cavallerie, warf er sich ohne Rücksicht auf die vielen vorhandenen Terrainhindernisse, unter dem heftigsten Kartätschenfeuer zweier Batterien auf den überlegenen Feind, trieb ihn zurück und verschaffte der Infanterie und der bereits verloren geglaubten Batterie Zeit, sich in die angewiesene Stellung, wo ihre Ankunft schon äusserst dringend war, zurückzuziehen. Nebst Oberst Fürst Liechtenstein werden noch in der Relation Major Graf Sinzendorf und Rittmeister Bretschneider besonders angerühmt.

Einer bestimmten Tradition zu Folge soll sich von dieser Affaire die grüne Farbe der Czapka des Regiments, welches bis nun gelbe hatte, wie auch die silbernen Panzerketten datiren; da wir sie aber nirgends mit schriftlicher Authenticität vorfanden, so unterlassen wir die Details jener Tradition hier anzuführen.

Am 14. Mai, bei der Einnahme des Luziensteiges in Graubündten, hat sich Major Graf Trautmannsdorf mit seiner Division vorzugsweise ausgezeichnet; Rittmeister Bretschneider ist mit einem Zuge durch die reissende Langwarth geschwommen und hat zwei feindliche Infanterie-Compagnien nach einer auf ihn und seine Uhlanen gegebenen Decharge zur Ergebung gezwungen, Rittmeister Severin v. Kisielewski verfolgte auf das Muthigste mit seiner Escadron den Feind, die Lieutenants Koniasch und Cserna hielten sich gleichfalls sehr tapfer, letzterer ist wenige Tage später im Gefechte bei Näffels am 25. Mai todt geblieben.

Am 14. Mai schwammen Wachtmeister Henn, dann die Uhlanen Anton Michailow, Johann Spieller und Nikolaus Zaplinski freiwillig über den Rhein, nahmen eine französische Kanone, machten die Bedeckungs-Mannschaft gefangen, und gaben durch diese That den grössten Ausschlag zur Eroberung des Luziensteiges. Wachtmeister Henn erhielt die goldene, die drei Uhlanen die silberne Medaille. Wachtmeister Schwanda befreite mit einigen Freiwilligen 80 bis 40 gefangene österreichische Dragoner, indem er die feindliche Bedeckung angriff und zerstreute. Er bekam die silberne Medaille. Am selben Tage attaquirte Wachtmeister Joseph Wetschel beim Luziensteige mit nur 13 Uhlanen eine, von französischer Infanterie und Cavallerie bedeckte Kanone, eroberte dieselbe und nahm den grössten Theil der Bedeckung gefangen. Nun rückte jedoch eine starke feindliche Cavallerie-Abtheilung heran, griff den Wachtmeister an, nahm ihn gefangen und bemächtigte sich der Kanone wieder. Es sprengten jedoch die Uhlanen Karcz-mareck und Rosticzek wie wüthend unter die französischen Reiter, befreiten den Wachtmeister und eroberten die Kanone wieder. Alle drei erhielten die silberne Medaille.

Am 4. Juni war das Regiment beim Haupt-Angriff auf die Stellung bei Zürch, wobei die Rittmeister Bretschneider und Harnischer wegen ihrer Tapferkeit belobt wurden.

Am 18. September war das Regiment unter Anführung seines tapfern Obersten Fürst Moriz Liechtenstein bei der Ein-nahme der Neckarauer-Schanzen und der Stadt Mannheim, wo es sich abermals hervorthat, und insbesondere Major Graf Sin-zendorf belobt wurde.

Am 16. October war das Regiment auf Vorposten an der Bergstrasse zwischen Heidelberg und Mannheim. Oberst Fürst Liechtenstein commandirte den rechten Flügel sämmtlicher dort aufgestellten Vorpostentruppen, als die französische Division Ney von Weinheim gegen den Neckar vorrückte; beim Anrücken derselben zog Fürst Liechtenstein die Vorposten zur Haupttruppe und über die Neckarbrücke zurück und setzte sich in Ver-fassung Ney's Truppen den Uebergang über dieselbe um jeden Preis streitig zu machen. Neunmal wiederholte der französische General mit immer frischen Colonnen den Angriff, neunmal schlug ihn Fürst Liechtenstein mit seltener Bravour zurück und erst die einbrechende Nacht machte dem blutigen Gemetzel ein Ende. Nur dieser heroische Widerstand vermochte des Feindes Absicht zu Nichte zu machen, der das schwache Corps zerstreuen, und sich des Spitals, der Magazine und der von der kaiserlichen Armee bei Sitzendorf zurückgelassenen Artillerie-Reserve bemächtigen wollte. Oberst Fürst Liechtenstein hatte in diesem Gefechte einen Streifschuss erhalten. Bei dem Rück-zuge über die Neckarbrücke hatte Oberst Fürst Liechtenstein dem Rittmeister Bogdan des Regiments die äusserste Nachhut übergeben, die dieser so entschlossen führte, dass das Gros sich ohne Verlust zurückziehen konnte. Als Bogdan die Brücke überschritten, gewahrte er, dass die zur Vertheidigung aufge-stellte Grenzer-Division alle Fassung verloren hatte, trotzdem das Heil des ganzen Corps von der Behauptung derselben abhing. Da entschloss sich Bogdan freiwillig auf dem sehr wichtigen Posten nach Kräften auszuharren. Er sandte seine Schwadron zurück und behielt nur 15 der ausgesuchtesten Reiter bei sich. Mit diesen half er selbst die Brücke verrammeln, besetzte die nächstgelegenen Häuser sehr zweckmässig mit Infanterie und hielt die feindlichen Grenadiere durch wiederholtes Vorprellen fortwährend auf, bis die österreichischen Truppen die nöthige Zeit gewannen, ihren Rückzug in bester Ordnung anzutreten.

Für diese glänzende That erhielt der inwischen zum Major bei Graf Merveld-Uhlanen Nr. 1 beförderte Bogdan 1801 das Ritterkreuz des Maria Theresien-Ordens.

Am 4. November beim Angriffe unter dem churpfälzischen Obersten Wrede auf die Franzosen bei Obigheim ist eine Division des Regiments durch den Neckar geschwommen und hatte sieh vortrefflich gehalten; Rittmeister Steuerer und Lieutenant Schmolka haben sich hiebei besonders hervorgethan.

Am 8. war eine Division unter der tapfern Führung des Majors Grafen Trautmannsdorf bei der Vorrückung und Deploquirung von Philippsburg und am 3. Dez. hat wieder eine andere Division beim Entsatze dieser eingeschlossenen Festung thätigst mitgewirkt, wobei der an diesem Tage todt gebliebene Oberlieutenant Roisin des Regiments in der Relation mit besonderer Auszeichnung erwähnt wird.

Im Feldzuge 1800 war das Regiment abermals bei der Armee in Deutschland. Als Feldzeugmeister Baron Kray am 5. Mai die Armee aus der Gegend von Liptingen nach Möskirch zurückzog, stiess die Avant-Garde der Brigade des Generals Fürsten Rosenberg, welche über Schwandorf vorrückte, um die rechte Flanke des Armee-Corps des Erzherzog Ferdinand zu cotoyiren, bei Lohdorf auf eine feindliche Colonne. Der Oberst Fürst Liechtenstein des Regiments war Commandant der aus 4 Escadrons seiner Uhlanen, 2 Escadrons Meszaros-Hussaren (jetzt Nr. 10), einem Bataillon Jäger und dem 12. leichten Bataillon zusammengesetzten Vorhut und fasste sogleich den Entschluss den an Zahl weit überlegenen Gegner anzugreifen. Während seine Infanterie Lohdorf stürmte, hieb er in Person an der Spitze der Cavallerie in ein vorrückendes Chasseur- und Cürassier-Regiment mit so gutem Erfolge ein, dass diese mit nahmhaften Verlust in die Flucht gejagt wurden und Fürst Rosenberg Zeit gewinnen konnte zu seiner Vertheidigung Anstalten zu treffen und den Erzherzog Ferdinand von dem Anrücken dieser feindlichen Abtheilung in Kenntniss zu setzen. Der Oberstlieutenant Friedrich Graf Trautmannsdorf des Regiments wurde hiebei tödtlich verwundet, in Folge dessen er bald darnach starb.

Unmittelbar nach diesem errungenen Vortheil wurden die beiden Brigaden Rosenberg und Gyulay, während die Haupt-Armee vor Möskirch in einen blutigen Kampf verwickelt wurde, zum gemeinschaftlichen Wirken gegen Wondorf detachirt.

Oberst Fürst Liechtenstein commandirte auch hier die Avant-Garde und fand neue Gelegenheit zur Auszeichnung, da er an der Spitze seiner wackern Reiter wiederholt mit gewohnter Bravour einhieb, den Feind bis an die Chaussée von Stokach warf, lebhaft verfolgte, ihm einen nahmhaften Verlust an Todten beibrachte und mehrere hundert Gefangene abnahm.

Im weitern Verlaufe dieses Feldzugs hatte Oberst Fürst Liechtenstein mit dem Regimente, bei dem Corps des GM. Mecséry die Avant- und Arriere-Garde mit der ihm eigenen Einsicht, Klugheit und Thätigkeit geführt, und sich nicht nur bei Vertreibung des Feindes von Vilsbiburg, Landshut, Mösburg und Freisingen wesentliche Verdienste gesammelt, indem er 24 Offiziere 3 Grenadier-Compagnien und 347 Mann gefangen machte, sondern ganz vorzüglich in dem Treffen bei Lambach am 19. Dezember auf dem Rückzuge der kaiserlichen Armee nach der unglücklichen Schlacht von Hohenlinden, durch kluges und tapferes Benehmen neuerdings auf das Glänzendste hervorgethan. Oberst Fürst Liechtenstein unternahm an diesem Tage mit seinen Uhlanen mehrere entschlossene Angriffe gegen den überlegenen Feind und hielt ihn im raschen Vordringen auf, wodurch die Haupt-Truppe mit der Artillerie über die Traun setzen, und sich mit dem Gros des Heeres vereinigen konnte.

In Folge dieser vielfachen Auszeichnungen wurde Oberst Fürst Moriz Liechtenstein in der Promotion vom 18. August 1801 mit dem Ritterkreuze des Maria-Theresien-Ordens geschmückt.

Nach diesen für das Regiment so rühmlichen Kriegsjahren rückte dasselbe 1801 in die Friedensstation Holleschau und 1803 in jene von Ungarisch Brod in Mähren.

Bei Ausbruch des Feldzugs 1805 wurde das Regiment zur Armee nach Deutschland bestimmt, und stand im Wernekischon-Corps bei Ulm, 4 Escadrons machten den beschwerlichen Rückzug der Cavallerie nach Böhmen mit.

In der Drei-Kaiser Schlacht bei Austerlitz war eine halbe Escadron des Regiments 100 Pferde stark bei der vom FML. Baron Kienmayer befehligten Avant-Garde, in der Brigade des GM. Graf Nostitz eingetheilt. Der Commandant des Regiments Oberst Graf Ignaz Hardegg wohnte an der Seite des Inhabers FML. Fürsten Schwarzenberg, dieser Entscheidungsschlacht bei und war bei der Unterredung Sr. Majestät des Kaiser Franz mit Napoleon anwesend.

In den Jahren 1806 und 1807 war das Regiment beim Neutralitäts-Cordon an der böhmisch-schlesischen Grenze aufgestellt, anfänglich mit dem Regimentsstabe zu Reichenau; im Februar 1807 aber kam es nach Nachod und Neustadt, von da bezog es die Friedensstation Hohenmauth und 1808 Saaz in Böhmen.

Bei Ausbruch des Feldzugs 1809 erhielt das Regiment seine Eintheilung zu der in Deutschland operirenden Armee und war bei deren Ausmarsche am 9. April folgendermassen vertheilt: Vier Escadrons in der Avant-Garde des vom G. d. C. Grafen Bellegarde befehligten 1. Armee-Corps unter FML. Graf Fresnel und in der Brigade des Regiments-Commandanten Oberst Graf Hardegg; zwei Escadrons bei der Reserve des Armee-Corps unter GM. Graf Nostitz, eine Escadron bei dem

Detachement des General Am Ende an der böhmisch-sächsischen Grenze und eine Escadron bei dem Detachement des GM. Oberndorf zu Karlsbad und Töpl.

Am 14. April nahmen die 2 Escadrons unter General Graf Nostitz thätigen Antheil an dem Gefechte bei Ursensollen, am 19. April die andern 4 Escadrons der Brigade des Oberst Graf Hardegg an der Eroberung des Städtchens Berching. Bei dem spätern Rückzuge der Armee in der Arriere-Garde bestanden letztere Abtheilungen des Regiments ein heftiges Vorposten-Gefecht, als sie von 3000 Franzosen in der Stellung bei Pruck angegriffen, diese nach einigen Stunden im Vereine mit den braven Jägern zurückschlugen und bis gegen Nittenau lebhaft verfolgten. Mit dem 1. Armee-Corps marschirte das Regiment Ende April durch Böhmen, über Budweis und dem nördlichen Theil Niederösterreichs und kam um die Mitte Mai im Marchfelde an.

Am Vorabende der Schlacht bei Aspern (20. Mai), als die Franzosen aus der Lobau gegen Esslingen vorrückten, musste auf Befehl des Generalissimus Erzherzogs Carl, der Oberst Graf Ignaz Hardegg mit dem Regimente und Stipsicz-Hussaren (jetzt Nr. 10) eine Recognoszirung unternehmen, um sich über die weitern Bewegungen des Feindes Aufklärung zu verschaffen. Es kam dabei zu einem hitzigen Cavallerie-Gefechte, welches sich zum Vortheile der Oesterreicher entschied; die Franzosen wurden durch die kühn angreifenden Uhlanen und Hussaren zurückgeworfen und büssten einen Escadrons-Chef, 4 Offiziere und bei 100 Mann ein. In dem aus Aderklaa noch am 20. Abends an den Erzherzog Carl erstatteten Berichte des FML. Graf Klenau wird „das kluge und tapfere Benehmen des Oberst Grafen Hardegg" von Schwarzenberg Uhlanen vorzugsweise erwähnt, und dessen „ausgezeichneter Bravour und „einsichtsvoller Anführung das verdiente Lob gespendet." Ausserdem wurden vom Regimente die Majors Baron Metzger und Baron Carl Mengen, wie auch Rittmeister Baron Saamen wegen ihrer Tapferkeit besonders angerühmt.

Am darauffolgenden Tag in der Schlacht bei Aspern bildete die Brigade des Obersten Graf Hardegg, in welcher das Regiment eingetheilt war, die Avant-Garde der 4. Colonne (des FML. Fürst Rosenberg), welche an Deutsch-Wagram vorbei, über Raasdorf gegen Esslingen vorrückte und dort in einem harten Kampf mit der überlegenen feindlichen Cavallerie sich verwickelt sah. Die Nacht wurde unweit jenes Dorfes zugebracht, wo es auch am Morgen des 22. Mai zu einem überaus blutigen Kampf mit der schweren französischen Reiterei kam, in welchem laut der ämtlichen Relation „Oberst Graf Hardegg wiederum sich die vorzüglichste Anerkennung zu erwerben wusste."

In dieser zweitägigen Schlacht hatte das Regiment nachstehenden Verlust erlitten: An Todten 9 Mann und 30 Pferde, an Verwundeten 4 Offiziere, unter welchen Rittmeister Alfred Fürst Windisch-Grätz, der sich an diesem Tage an der Spitze seiner

Escadron durch seltene Bravour ausgezeichnet hatte, nebst diesen Offizieren noch 35 Mann; an Vermissten 3 Mann und 24 Pferde. Der Uhlane Babinczak hatte am 21. Mai seinen Escadrons-Commandanten Rittmeister Pollak, und am 22. einem Jäger-Offizier das Leben gerettet. Nachdem er sein Pferd verloren, stürmte er zu Fuss an der Spitze der Jäger. Dieser Brave wurde mit der silbernen Medaille decorirt.

Mit gleichem Ruhme hatte das Regiment am 5. und 6. Juli in der Schlacht bei Wagram gekämpft. Oberst Schmuttermayer griff mit grosser Tapferkeit wiederholt den Feind an, und verschaffte dadurch der Infanterie des III. Corps die nöthige Zeit sich in der Flanke des Feindes zu formiren, um ihn dann mit einem lebhaften Feuer aus ihren Batterien zu empfangen, wodurch er die Lust verlor, seine Angriffe zu erneuern. Rittmeister Gallois eroberte mit seiner Escadron eine verlorene Batterie aus den Händen des Feindes wieder. Am 6. war der erste Rückzug der österreichischen Armee vollzogen, und das I. und II. Armee-Corps mit den Grenadieren des Reserve-Corps auf den Anhöhen hinter Gerasdorf aufmarschirt, während die Cavallerie rückwärts im Marsche gegen Stammersdorf begriffen war, als plötzlich der Feind diesen Augenblick benützend, mit einer Uebermacht an Cavallerie auf die beiden vor der Front der Stellung befindlichen Regimenter Schwarzenberg-Uhlanen und Klenau-Chevauxlegers (jetzt Uhlanen Nr. 9), einen raschen Angriff ausführte. Diese beiden Regimenter wurden auf die Infanterie geworfen, der Feind drang mit ihnen auf dieselbe ein, und verfolgte seinen Sieg mit seltener Beharrlichkeit. Das diesseitige Regiment leistete, in dieser drohenden Gefahr vernichtet zu werden, allen nur erdenklichen Widerstand, hätte aber der feindlichen Uebermacht erliegen müssen, wenn nicht Oberst Flachenfeld von Fürst Moriz Liechtenstein-Cürasssier (siehe Cürassier Nr. 6) mit diesem Regimente zur Hülfe herbeigeeilt, durch kühne wiederholte Attaquen den Chevauxlegers und Uhlanen wieder Luft gemacht hätte. Nun griffen diese 3 Reiter-Regimenter mit vereinter Kraft von Neuem den Feind mit Erfolg an, so dass sie nun ihren weitern Rückmarsch ungehindert bewerkstelligen konnten. Das Regiment hatte an beiden Schlachttagen starke Verluste erlitten, darunter 2 todte Offiziere, die Oberlieutenants Stehno und Schweighart zu beklagen. — In der offiziellen Relation der Schlacht von Wagram werden folgende Offiziere des Regiments belobt: Oberst von Schmuttermayer, Major Graf Alberti, die Rittmeister Birs, Gallois, Baron Saamen, Jordis und Ritter von Böhm, die Oberlieutenants Chevalier Forestier, Baron Metzger, Lipka, Schauer, und endlich die Lieutenants Baron Linker und Knisch.

In den nächsten Tagen setzte das Regiment den Rückzug nach Mähren mit der übrigen Armee unter fortwährenden Gefechten bis Znaym fort. Hier stand es am 10. Juli unter GM. Baron Rothkirch, und wurde von diesem nebst dem Dragoner-

Regiment Riesch, (jetzt Cürassier Nr. 12,) gegen die Vorhut
Grouchys geführt. Die vordersten Regimenter des Feindes wurden
durch diesen ungestümen Angriff dieser beiden Regimenter
geworfen, doch von ihrem Muthe hingerissen, verfolgten die
tapfern Uhlanen und Dragoner die feindliche Truppe bis auf
den Haupttheil des französischen Cavallerie-Corps, der sie nun
ihrerseits zum eiligen Rückzuge nöthigte. Erst nach einer halb-
stündigen Dauer desselben, wurden sie von den österreichischen
Cürassier-Brigaden Roussel und Kroyher aufgenommen, welche
von einigen Batterien unterstützt, die feindliche Reiterei eine
bedeutende Strecke zurückwarfen; hierauf bezog die Brigade
Rothkirch am 11. das Lager bei Budwitz.

Die offizielle Relation belobt, während des Rückzuges, fol-
gende Offiziere des Regiments: die Rittmeister Birs, Pollak,
Schmidt und Baron Trach, Oberlieutenant Baron Metzger und
Lieutenant Carl Graf Kesselstadt.

Von den, an der Nord-Grenze Böhmens detachirten zwei
Escadrons des Regiments, hatte der Lieutenant Carl Steindl
Gelegenheit zu vorzüglicher Auszeichnung gefunden. —
Am 30. April wollte eine, 5 Offiziere und 121 Dragoner
starke feindliche Abtheilung die Stadt Eger überfallen. Lieutenant Steindl befand sich mit 2 Corporalen und 15 Gemeinen
als Aviso-Posten, in derselben, und als ihm die Absicht des
Feindes klar wurde, fasste er den Entschluss das Aeusserste zu
wagen, um sowohl die Stadt, als das in derselben noch befindliche bedeutende ärarische Gut zu retten. Er setzte sich also
an die Spitze seiner kleinen Abtheilung und griff den ihm weit
überlegenen Feind mit dem grössten Muthe an, hieb selbst den
Commandanten mit 2 Offizieren zusammen, feuerte die unter
seinem Commando stehende Mannschaft zum Kampfe auf Leben
und Tod an, und drang kühn in den Feind ein, bis es nach
langem Kampfe gelang, denselben zu werfen, und in Unordnung
(mit Zurücklassung von 14 Todten, mehreren Verwundeten und
Beutepferden) in die Flucht zu schlagen. Bald hatte sich aber
unter Führung eines Wachtmeisters eine neue feindliche Abtheilung gesammelt, um dem schwachen Häuflein des Lieutenants
Steindl die Spitze zu bieten; kaum bemerkte der tapfere Offizier, der schon in dem ersten Gefechte 2 schwere Wunden erhalten hatte, dieses Verhalten, so griff er, seines Blut-Verlustes
nicht achtend, auch diese Truppe mit der grössten Entschlossenheit
an, hieb den Wachtmeister vom Pferde herab, verwundete
mehrere Gegner, und zerstreute die übrigen so kläglich dass von
der ganzen 121 Mann starken Abtheilung nur 4 Mann ohne Verwundungen entkamen.

Für dieses, gewiss eines der denkwürdigsten Reiter-Gefechte
wurde dem tapfern Lieutenant Carl Steindl das Ritter-Kreuz
des Maria-Theresien-Ordens im Capitel vom Jahre 1810
einstimmig zuerkannt.

Nach abgeschlossenem Pressburger-Frieden im Herbste 1809, rückte das Regiment in die Friedens-Station Brandeis in Böhmen, wo es bis zum Ausbruche des Feldzugs 1813 verblieb. — Bevor wir das Auftreten des Regimentes in diesem weiter besprechen, sei noch einiger in den verschiedenen Hauptquartieren kommandirter Offiziere desselben erwähnt, welche sich besonderer Auszeichnung in den beiden Feldzügen 1813 und 1814 würdig machten. So wurden wegen vorzüglicher Verwendung in den 3 Schlachttagen bei Leipzig die beiden Rittmeister Carl Graf Clam-Martinicz, Adjutant des Regiments-Inhabers FM. Fürsten Schwarzenberg, und Graf Schullenburg sogleich durch aussertourliche Beförderung zu Escadrons-Commandanten belohnt, und ersterer mit dem k. russischen St. Annen-Orden II. Classe, letzterer mit dem k. russischen Wladimir-Orden IV. Classe decorirt. Der FZM. Graf Hieronymus Colloredo führt in seiner Relation an: „Der Rittmeister Fürst Löwenstein von Schwarzen-„berg Uhlanen, welcher dem FML. Grafen Hardegg beigegeben „war, hat sich in jeder Gelegenheit durch die glänzendste „Tapferkeit hervorgethan." Rittmeister Graf Clam-Martinitz brachte schon früher die erste Sieges-Nachricht von Kulm dem Kaiser Franz I. in das Haupt-Quartier nach Laun, und begleitete 1815 inzwischen zum Major avancirt, mit dem FML. Baron Koller den Kaiser Napoleon nach Elba, auch wurde dieser ausgezeichnete Offizier schon während des Wiener-Congresses zu den diplomatischen Verhandlungen gezogen, und erwarb sich die verdiente Gunst seines Kaisers wie der versammelten auswärtigen Monarchen. 1816 beim Regimente eingerückt, schrieb er ein Werk über die Dienstpflicht eines Cavallerie-Offiziers.

Im August 1813 marschirte das Regiment zu dem bei Kremsmünster aufgestellten Corps des FZM. Fürsten Reuss, wo es am 16. August eintraf und die Vorposten gegen die bayerische Grenze besetzte. Im October wurde dasselbe unter dem Oberbefehl des k. bayer. G. d. C. Graf Wrede in Eilmärschen nach Würzburg beordert, wo es am 23. ankam und zur Einschliessung dieser Festung verwendet wurde. Nach der am 26. erfolgten Capitulation marschirte es nach Gelnhausen um die Spitze der französischen Haupt-Armee anzugreifen und sich in Besitz von Gelnhausen zu setzen. Am 29. Früh 8 Uhr traf der Oberstlieutenant Graf Alberti mit 5 Zügen Uhlanen und 2 Compagnien Jäger vom 3. Bataillon bei Gelnhausen ein, und fand die aus ungefähr 500 Reitern bestehende Spitze der alten Garde von der Fuldaer-Strasse her, in Anmarsch. Oberlieutenant Linden, welcher mit seinem Zug die Avant-Garde machte, hatte kaum den zwanzigfach überlegenen Feind bemerkt, als er demselben entgegenstürzte und mit der durch sein Beispiel zu gleicher Begeisterung entflammten Mannschaft so kräftig einhieb, dass die Garden durch den unvermuthet schnellen Angriff überrascht und ausser Fassung gebracht, stutzten und sich zurückzogen. Der Angriff des Oberlieutenants Linden wurde durch einen zweiten von Seiten des Rittmeister Baron Metzger mit einem andern Zug Uhlanen unterstützt. Inzwischen griff auch Oberstlieutenant Graf Alberti mit dem Reste seiner Uhlanen die feindliche Reiterei in der linken Flanke mit solchem Nachdruck und Erfolg an, dass sich dieselbe auf ihre Haupttruppe mit bedeutendem Verluste zurückzuziehen genöthigt war. Zu gleicher Zeit kam Oberst Baron Mengen mit der Oberst- und 6 Zügen der 2. Majors-Division nebst 4 Jäger-Compagnien bei dem durch die oberwähnte Attaque verlassenen Orte Haillau an, und schickte die Rittmeister Wolf und Kuniowski zur Verstärkung des Oberstlieutenants vor. Alle Versuche des Feindes das Dorf Haillau wieder zu nehmen, wurden zurückgewiesen und er musste sich auf das rechte Ufer der Kinzig beschränken. Oberst Baron Mengen gelang es die Stadt Gelnhausen der bedeutenden Ueberlegenheit des Feindes an allen Waffengattungen ungeachtet von 9 Uhr Früh bis 2 Uhr Nachmittags zu vertheidigen und die aus ungefähr 10,000 Mann alter Garden bestandene französische Avant-Garde aufzuhalten, wodurch zugleich das Vorrücken der französischen Haupt-Armee, bei welcher Kaiser Napoleon sich befand, gehindert wurde. Oberst Baron Mengen folgte auf dem linken Ufer der Kinzig dem Feinde zur Seite bis ausserhalb Rottenbach gegen Hanau, allwo die einbrechende Nacht dem Gefechte ein Ende machte.

Am 30. October, an welchem Tage Graf Wrede einen allgemeinen Angriff auf die feindliche Haupt-Armee bei Hanau unternahm, wurde das Regiment im dritten Treffen aufgestellt. Der Feind entwickelte seine gesammte alte Garde zu Pferd gegen unsere Cavallerie. Nachdem letztere durch die grosse Ueberzahl des Feindes zum Weichen gebracht worden war, führte Oberst Baron Mengen das Regiment unter dem stärksten Kartätschenfeuer in die rechte Flanke des Feindes. Oberstlieutenant Graf Alberti machte auf diese mit seiner Division so entschlossene Angriffe, dass der Feind sowohl dadurch, als durch Mengens zweckmässige Aufstellung der andern Divisionen, es aufgab, den übrigen Theil unserer Cavallerie zu verfolgen. Oberst Baron Mengen zog sich dem ungleich stärkern Feinde jeden Fuss breit des Bodens streitig machend, allmählig bis auf einige hundert Schritte von der Stadt Hanau zurück. Nun machte der Feind einen äusserst nachdrücklichen Angriff gegen die Uhlanen, um sich der Strasse nach Frankfurt vollkommen zu sichern. Allein Oberst Baron Mengen führte das Regiment dem anrückenden Gegner muthvoll entgegen, und warf ihn zurück bis eine stärkere feindliche Macht die Uhlanen nöthigte ihre vorige Stellung einzunehmen. Als der Feind hierauf seinen Angriff mit noch mehr Nachdruck erneuerte und besonders die Wegnahme unserer Batterie beabsichtigte, wurde auch dieses Vorhaben durch die äusserste Anstrengung des Regiments vereitelt. Der weit überlegene Feind sah sich abermals geworfen und die ganze Batterie sammt allen Munitions-Wägen konnte sich ungestört zurückziehen. Hiemit endigte die Schlacht, in welcher das Regiment unvergänglichen Ruhm sich erfochten hatte. Besonders hatten sich an diesem Tage vom Regimente ausgezeichnet ausser dem Commandanten Obersten Baron Mengen, der Oberstlieutenant Graf Alberti, welcher ungeachtet einer erhaltenen Stichwunde beharrlich bis zum Ende des Kampfes mit Anstrengung aller Kräfte aushielt, die beiden Rittmeister seiner Division Baron Trach und Baron Metzger. Letzterer war an der Spitze seiner Escadron von zwei Kugeln tödtlich getroffen worden, die bald darauf seinem tapfern Leben ein Ende machten. Von der 2. Majors-Division hatte sich Rittmeister von Jeszernitzki durch seine Tapferkeit hervorgethan. Er rettete durch sein kühnes Vordringen die schon gefährdete Batterie, ebenso die von mehrern Garden umrungene Standarte der Division, ungeachtet einer erhaltenen Schuss- und Stichwunde. Von der Oberst-Division zeichnete sich Rittmeister Wolf besonders aus, welcher ungeachtet ihm sein Pferd unterm Leibe erschossen worden war, und er beim Sturze desselben eine bedeutende Quetschung erlitten hatte, dennoch den Kampfplatz nicht verliess und die Tirailleurs so lange abhielt, bis unsere Geschütze in Sicherheit waren. Ausser den bereits Genannten haben sich an diesem Tage noch der Rittmeister Chevalier Forestier, welcher den linken Fuss durch eine Kanonenkugel verlor, die Rittmeister Moriz von Böhm und Kuniowski, die Oberlieutenants von Knisch, von Steindl, dann der bei der Handkassa kommandirte Oberlieutenant Swoboda, welcher aus eigenem Antriebe die Schlacht mitmachte und an der Seite seines Obersten kämpfte, besonders hervorgethan. Ebenso zeichneten sich viele Individuen vom Wachtmeister abwärts aus, so der Corporal Thomas Peche, der drei Kanonen gegen die herbeicilenden Feinde rettete, der Standartführer Vincenz Posnanski, der von französischen Garden bereits umrungen, seinen Säbel nicht mehr ergreifen konnte und mit verkehrter Standarte seinen Gegnern über die Köpfe schlug, dass mehrere vom Pferde stürzten und dadurch wesentlich zur Rettung des ihm anvertrauten Paniers beitrug, der Corporal Filiszanko, welcher von seinem durch einen Karabinerschuss verwundeten Oberlieutenant von Steindl das Commando eines Zuges übernommen hatte, mit diesem drei Angriffe auf die französischen Cürassiere machte wobei er einen Offizier tödtete, und zwei Offiziere aus der Gefangenschaft befreite.

Den schönsten Beweis, des von dem Regimente an diesem Tage erkämpften Ruhmes enthalten die einfachen Worte des kommandirenden k. bayerischen Generals der Cavallerie Grafen Wrede, mit welchen er das vom Offizier-Corps ausgestellte Zeugniss, wodurch es um Belohnung seines würdigen Commandanten einzukommen beschlossen hatte, begleitete: Sie lauten:

5

„Mit Vergnügen bestätige ich nicht nur nachstehendes „Zeugniss, sondern ich bezeuge noch ferner nach Pflicht, dass „am 30. October, als alle Cavallerie das Schlachtfeld verlassen, „und sich hinter der Stadt Hanau, auf dem linken Kinzig-„ufer aufgestellt hatte und ich dem tapfern Oberst Baron Men-„gen aufgetragen, mit seinem Regiment als Arriere-Garde auf „dem Schlachtfelde mit einem Bataillon von Erzh. Rudolf und „einer 6Pfünder-Batterie stehen zu bleiben, derselbe diesen „Auftrag, während das ganze feindliche Artilleriefeuer sich auf „ihn richtete, mit seinem braven Regimente vollzog; dass mir „des Obersten persönliches, an diesem Tage bezeigtes tapferes „und einsichtsvolles Benehmen, sowie die ausharrende Tapferkeit „seines unterhabenden braven Regiments auf immer unvergess-„lich sein wird."

Signatum im Hauptquartier zu Emmendingen am 18. Dezember 1813.

L. S. Wrede, G. d. C.

Der Verlust des Regiments in der Schlacht bei Hanau bestand an Todten in 1 Offizier, 33 Mann, 50 Pferden, an Verwundeten in 7 Offizieren, 62 Mann, 45 Pferden, an Gefangenen in 4 Mann, 5 Pferden, an Vermissten in 15 Mann und 18 Pferden. Den nächstfolgenden Tag hatte Major Graf Hadik des Regiments, welcher mit einem Streif-Commando der Armee Wrede's zu jenem des Grafen Platow bei Somborn gestossen, mit diesem daselbst die feindliche Avant-Garde angegriffen, 20 Offiziere nebst 1500 Mann zu Gefangenen gemacht und den Uebergang über die Kinzig bewirkt. Das Regiment, welches den 31. October noch bei Hanau gelagert, verfolgte dann den auf der Strasse nach Mainz über Frankfurt retirirenden Feind. Letztere Stadt wurde am 1. November mit Sturm genommen. Dem Regimente war die Ehre zu Theil als erstes der siegenden Armee in die Thore der alten deutschen Krönungsstadt einzuziehen, wo es von den freudetrunkenen Bewohnern mit dem tausendfachen Rufe: „Hoch lebe Oesterreich!" empfangen und mit Brod und Wein bewirthet wurde, sodann aber die Vorposten an der Nidda bezog. Wachtmeister Kampert mit den Gemeinen Krezner und Jakob Klass der 2. Majors-Division zeichnete sich am 2. November besonders aus. Dieselben wurden zur Besetzung des Ortes Nidda geschickt, um die zurückgebliebenen Feinde abzuschneiden, mit ihnen waren noch 2 Uhlanen und 18 Kosaken. Dieser kleinen Truppe gelang es vollkommen, eine überlegene feindliche Abtheilung daselbst aus einer haltbaren Position zu vertreiben, 57 Mann gefangen zu nehmen und mehrere Pferde zu erbeuten.

Am 20. Dezember rückte das Regiment im Elsass nach Riedelsheim vor. Von dort marschirte es mit Ausnahme der 2. Majors-Division, die mit dem Rittmeister Moriz von Böhm zu dem Streif-Corps des Obersten Baron Scheibler detachirt wurde, in der Nacht auf den 31. früh 2 Uhr gegen Sainte Croix. Der die leichte Division des Armee-Corps kommandirende FML. Graf Anton Hardegg beschloss einen Ueberfall auf diesen Ort mit den Uhlanen, dem Hussaren-Regiment Erzh. Joseph und dem 3. Jäger-Bataillon auszuführen. Die Oberst-Division des Regiments machte die Avant-Garde, die Oberst 1. Escadron unter Rittmeister Wolf rückte gerade auf der Strasse von Sainte Croix vor und kam dort im dichten Nebel mit Tagesanbruch an. Rittmeister Kliespis mit einem Flügel der 2. Escadron war beordert, das Dorf rechts, Oberlieutenant Langer mit dem andern Flügel dasselbe links zu umgehen, von rückwärts in den Ort einzudringen und dem Feinde den Rückweg zu sperren. Doch der Feind war selbst zu einem Ueberfall gerüstet, die Uhlanen trafen daher den grössten Theil der französischen Truppen bereits ausgerückt und aufgestellt. Demungeachtet wurden dieselben mit Heftigkeit angegriffen und mit bedeutendem Verlust aus dem Dorfe hinausgeworfen, das nun durch eine nachgerückte Jäger-Compagnie besetzt wurde. Der beabsichtigte Zweck war erreicht, man hatte mehrere Gefangene gemacht und eine bedeutende Anzahl von Pferden erbeutet. Nun erhielt das Regiment Befehl wieder die am vorigen Tage besetzten Stationen zu beziehen. Bei diesem Ueberfall hatte sich Rittmeister Wolf durch persönliche Bravour ausgezeichnet. Er wurde aber von einer aus einem Hause, mitten im Ort abgeschossenen Kugel am Kopf getroffen und fiel todt vom Pferde. Rittmeister Baron Trach und Lieutenant Baron Hackelberg mit zwei Zügen der Oberstlieutenants-Division drangen durch den Kugelregen in die feindlichen Scharen und entrissen denselben die Leiche des gefallenen Waffenbruders, welche am folgenden Tage unter Begleitung des ganzen Offiziers-Corps mit allen militärischen Ehren zu Thane beerdigt wurde. Rittmeister Kliespis, und vorzüglich der die Regiments-Adjutantens-Dienste versehende Rittmeister von Knisch, die Oberlieutenants Baron Mallowetz, der im Schenkel verwundet wurde und Oberlieutenant Langer, welcher im Dorfe selbst zweimal den Feind attaquirt hatte, haben sich in diesem Gefechte ausgezeichnet. Wachtmeister Michalow, Corporal Brzozinsky und 8 Uhlanen, welche sich freiwillig zur Avant-Garde der Escadron gemeldet hatten, warfen die feindlichen Vedetten wie auch dessen aus einem Offizier und 20 Mann bestandenes Hauptpiquet, und macht en mehrere Gefangene.

Am 4. Jänner 1814 rückte das Regiment mit dem 5. Armee-Corps gegen Kölmar vor und bildete dessen Avant-Garde. Major Graf Hadik wurde mit der 2. Majors- 1. Escadron in die rechte Flanke zu deren Deckung und theils zur Erhaltung und Verbindung mit dem Oberst Baron Scheibler entsendet, welcher gleichzeitig auf der Strasse von Sainte Croix gegen Kolmar vorrücken musste. Ungeachtet diese Escadron ein äusserst ungünstiges, durchaus mit Sümpfen, Gräben und halbgefrornen Teichen bedecktes Terrain zu passiren hatte, wurde es ihr doch möglich

5*

Kolmar zu besetzen, und noch jenseits dieser Stadt der retirirenden feindlichen Arriere-Garde einigen Schaden zuzufügen.
Rittmeister Baron Saameu hatte sich hiebei durch Umsicht und
Entschlossenheit hervorgethan, ebenso der Wachtmeister Hyrsch
der mit 15 Uhlanen zum Plänkeln vorgeschickt, die feindlichen
Vedetten zurückdrängte. Ein Corporal drang bis in die Stadt
und erschien plötzlich zu Pferde im Rathhaussaale. — Das Regiment verfolgte weiter den Feind, und ging am 13. Jänner über
die mit Schnee und Eis bedeckten Vogesen.
    Den 1. Februar bei der Vorrückung des V. Armee-Corps
gegen Brienne bildete das Regiment die Spitze der ersten Colonne.
Der Major Graf Hadik führte mit der 1. Majors-Division die
Avant-Garde. Kaum hatte die erste Abtheilung das Ende des
Waldes von Chaumesnil erreicht, als sie den Feind in der Bemü-
hung gewahrte, eine Cavallerie-Batterie von 4 Kanonen und 2
Haubitzen, auf einen für dieselben sehr vortheilhaft erhabenen Punkt
aufzuführen, um das Herausbrechen unserer Colonnen aus dem
über eine Stunde langen Walde zu hindern.
    Der Wachtmeister Mák musste sogleich mit dem ersten Zug
vorsprengen, um sich näher von der Stellung des Feindes zu überzeugen. Indess rückte das Regiment langsam nach. Als der Punkt,
von welchem das Terrain leicht übersehen werden konnte, erreicht
war, und über das Vorhaben des Feindes kein Zweifel mehr übrig
blieb, erfolgte unter Anführung des Obersten Baron Mengen, eine
der glänzendsten Attaquen. Die Batterie wurde im Angesichte eines
französischen Garde-Cürassier-Regiments, dessen Spitze so eben
aus dem Dorfe Morvilliers vorrückte, genommen, während die
1. Majors-Division diesem Regiment in ruhiger Haltung im Schritt
entgegenrückte. Als aber die feindliche Cavallerie Miene machte,
ihre verlorenen Kanonen durch eine Attaque wieder zu erobern,
kam Oberst Baron Mengen dieser zuvor. Er griff den Feind mit
der 1. Majors-Division in der Front an, und liess denselben zugleich durch den Major Baron Trach mit der 2. Majors-Division
in dessen rechte Flanke attaquiren. Der Feind suchte seine, ohnediess vortheilhafte Stellung am rechten Flügel durch Artillerie-
Feuer zu behaupten, um die ganz nahegerückte 2. Majors-Division durch Kartätschen zu vertreiben, welche jedoch dieses Feuer
standhaft aushielt. Kaum hatte der Feind seine Cürassiere in zwei
Treffen aufgestellt, als die Division durch eine rasche Attaque
nicht nur die erste Linie warf, sondern auch das zweite Treffen
in grosse Unordnung brachte. Durch die mit so glänzendem
Erfolg gekrönten Angriffe der beiden Majors-Divisionen ward
der Feind mit grossem Verlust zum Weichen gebracht, welcher
noch weit bedeutender gewesen wäre, wenn der durchschnittene mit feindlicher Infanterie starkbesetzte Terrain eine Verfolgung zugelassen hätte. Die Oberstlieutenants-Division unter
Oberstlieutenant Chevalier Germain war links von der Chaussée
mit der Fronte gegen das vom Feinde besetzte Ort Chausmenil,

aufgestellt. Sie bewies so wie die Oberst-Division im stärksten Kartätschen-Feuer muthvolle Haltung, und zwang durch fortgesetzte Attaquen den Feind Chausmenil zu verlassen. — Mittlerweile rückte die ganze alliirte Armee rechts und links vor, das Regiment erhielt die Bestimmung, am äussersten rechten Flügel die Flanke zu decken. Eine heftige aus mehr als zwölf Feuerschlünden gerichtete Kanonade verursachte demselben einen grossen Verlust an todten und verwundeten Pferden. Mit rühmlicher Hingebung ertrug das Regiment die verheerenden Wirkungen dieses Feuerregens, welcher erst mit Einbruch der Nacht ein Ende nahm.

Bei der Verfolgung des Feindes am 2. Februar stand das Regiment Nachmittags auf einer Hutweide, bei der rauhesten Winterwitterung und stetem Schneegestöber, zur Deckung mehrerer österreichischen und baierischen Batterien, im Kernschuss des Feindes. Erst nach 3 Stunden wurde dieser durch einen, von den Grenzern und dem 3. Jäger-Bataillon unternommenen Sturm aus seiner Stellung verjagt, und zum endlichen Rückzug gezwungen. — Während der Behauptung dieser Stellung war der Verlust des Regiments bedeutend, 17 Mann, 41 Pferde todt; 40 Mann 58 Pferde verwundet. Oberst Baron Mengen, den schon am ersten Tage der Schlacht ein Pferd unterm Leibe war erschossen worden, erhielt mittelst allerhöchstem Handschreiben aus Troyes vom 18. Februar den Maria Theresien-Orden. Nebst ihm haben sich sämmtliche Stabs-Offiziere, unter denen der Major Graf Hadik durch eine zersprungene Haubitz-Granate eine Contusion erhielt, — dann die Rittmeisters Baron Saamen, Moriz von Böhm, Baron Dlauhowesky, Carl Graf. Kesselstadt, Prinz Öttingen Wallerstein, Kuniowski, von Jeszernitzky und Baron Schweiger der gefährlich verwundet wurde, dann die Oberlieutenants von Steindl, Reiner, Swoboda welcher schwer, Graf Ostein der leicht verwundet worden, Clemens Graf Kesselstadt gleichfalls verwundet, — Graf Solms, und die Lieutenants Baron Hackelberg und Graf Solms hervorgethan. Nicht minder haben sich die braven Uhlanen vom Wachtmeister abwärts durch ihre Tapferkeit ausgezeichnet. Folgende Belohnungen wurden der Mannschaft sogleich verliehen. Dem Gemeinen Suchowski die goldene, dem Corporal Sokolnitzki die silberne Tapferkeits-Medaille. Den Wachtmeistern Mak und Braun die baierische goldene, dem Standart-Führer Schönlein, Corporal Kreutzer und Schreiner, dann den Gemeinen Dragowski und Schwaleszki jedem die königl. baierische silberne Ehren-Medaille.

Nach der Schlacht von Brienne wurde der fliehende Feind verfolgt. Am 9. Februar wurde Oberstlieutenant von Germain mit seiner, und der Oberst-Division beordert, gegen Nogent vorzurücken, und den Feind daselbst zu vertreiben. Rittmeister von Jeszernitzki machte mit der Oberstlieutenants 1. Escadron die Avant-Garde, und stiess vor St. Hilair auf den Feind, welcher

sich hartnäckigst vertheidigte, aber durch die Tapferkeit dieser
Abtheilung und ihres umsichtigen Commandanten zum eiligen
Rückzuge gegen Nogent genöthigt wurde. Durch das schnelle
Vorrücken der Uhlanen konnte sich der Feind nicht mehr vor
Nogent verschanzen, sondern suchte sich erst in dieser Stadt
selbst zu halten. Am 10. Februar kam es bei St. Aubin zu einem Gefecht,
der Feind musste weichen, und am 12. wurde Nogent selbst
genommen.

Am 17. Februar, als der Feind mit seiner gesammten
Cavallerie zuerst das in der Umgegend von Nangis aufgestellte
russische Armee-Corps überfallen und geworfen, und vor dem
Orte selbst die leichte Division Hardegg durch seine Uebermacht
zum Rückzuge über Nangis zwang, war das Regiment jenseits
dieses Ortes im Lager. — Nun wurde es zur Arriere-Garde
verwendet, und erwartete bei Valjouan die Attaque der übermächtigen feindlichen Reitermassen. Den Chok stehenden Fusses
empfangen, wurde standhaft zurückgewiesen. Durch mehrere
glänzend ausgeführte Attaquen des Regiments gewannen die
leichte Division, dann eine österreichische und baierische Cavallerie-Batterie Zeit, ihren Rückzug ungefährdet zu beschleunigen.
Insbesondere zeichnete sich hiebei der Major Baron Trach mit
der 2. Majors 1. Escadron, welcher mit dieser zur Bedeckung
der baierischen Brigade Habermann aufgestellt war, durch seine
wiederholten mit Umsicht geleiteten Angriffe aus, und beschützte
ihren Rückzug als sie im Dorfe Ville neuve lebhaft angegriffen
wurde, und schon dem Ungestüm feindlicher Uebermacht zu
erliegen schien. Ebenso haben sich der Rittmeister Baron Saamen,
Oberlieutenant Baron Stillfried, und die Lieutenants Thomas und
Roll, welche letztere jedoch beide in feindliche Gefangenschaft
geriethen, und Ersterer bedeutend verwundet worden war, bei
dieser Gelegenheit durch ihre Bravour besonders hervorgethan.
Die gegen Provins detachirte 2. Majors 2. Escadron war durch
jenen Ueberfall gänzlich abgeschnitten worden, und verdankte
nur der Einsicht ihres Commandanten Rittmeister Moriz von
Böhm, der Wachsamkeit des auf Piket gestandenen Wachtmeisters
Filiszanoki, dann der Geschicklichkeit und Bravour des Corporalen Grzibowski, dass sie nicht gefangen wurde. Der genannte
Rittmeister führte die Escadron mitten durch die Feinde, machte
mehrere tapfere Angriffe, passirte bei Nogent die Seine, und
rückte am 18. Februar mit mehreren feindlichen Gefangenen
zum Regimente ein. An diesem für das Regiment vielleicht
schwierigsten Tage des Feldzugs 1814 hat jeder Einzelne solche
Standhaftigkeit und so unerschütterlichen Muth bewiesen, dass
es beinahe unmöglich war, unter so vielen Ausgezeichneten die
Namen der Bravsten der Braven anzugeben. Der Verlust an
Todten, Verwundeten und Gefangenen war sehr bedeutend.

Bei der weitern Vorrückung, als die Stadt Troyes von der österreichischen Infanterie des V. Armee-Corps besetzt wurde, hatte das Regiment hinter diesem Orte ein Lager bezogen.

Am 24. Februar drang der Feind plötzlich nach Troyes ein. Als die Infanterie die Stadt räumte, wurde die 1. Majors-Division des Regiments mit einer von Szekler-Hussaren befehligt, die Arriere-Garde der leichten Division Graf Anton Hardegg zu machen. Rittmeister Carl Graf Kesselstadt hielt mit einer halben Escadron Uhlanen die rasch vordringende feindliche Cavallerie lange auf. Doch der Feind entwickelte immer mehr Kräfte, attaquirte die Division, und drohte sie bereits durch seine Uebermacht zurückzudrängen. Da rückte Oberstlieutenant von Germain rasch mit seiner kaum aus 30 Rotten bestandenen Division vor, griff den Feind mit solcher Umsicht und Entschlossenheit an, dass derselbe mit Zurücklassung vieler Todten und 30 Gefangenen geworfen wurde. Der nun fliehende Feind wurde durch die Oberstlieutenants und 2. Majors, wie auch durch die wieder vorgerückte 1. Majors-Division, in Allem also 6 Escadrons von allen Seiten bis nach Troyes verfolgt. Oberstlieutenant von Germain hatte sich an diesem Tage durch seine mit glänzendem Erfolg wiederholt ausgeführten Angriffe hervorgethan. Am 26. Februar nahm der G. d. C. Graf Wrede jenseits Bar sur Aube eine Stellung. Bei dieser Gelegenheit hat sich der Oberlieutenant Langer des Regiments besonders ausgezeichnet. Derselbe wurde wegen heftigem Vordringen der französischen Cavallerie mit seinem, und einem Zug von Erzh. Joseph-Hussaren beordert, den Feind durch Plänkeln zu beschäftigen, und ihn so lange aufzuhalten, bis alle Truppen durch die Stadt defilirt sein würden. Diesen Auftrag vollzog derselbe durch mehrmal wiederholte und auf das Entschlossenste ausgeführte Attaquen. Beim Rückzug durch die Stadt mussten Oberlieutenant Langer und seine Uhlanen einen Kugelregen aus den Häusern aushalten. Er marschirte demungeachtet, — wie es nöthig war, um den Feind zu imponiren — ganz gelassen und im Schritt bis auf die Anhöhe hinter Bar sur Aube und schloss sich an das dort aufgestellte Regiment. Ein heftiges Geschützfeuer sämmtlicher Batterien des V. Armee-Corps hinderte das weitere Vordringen des Feindes.

Am 27. wurde die Stadt Bar sur Aube von den Alliirten mit Sturm erobert, und der fliehende Feind bis zur einbrechenden Nacht verfolgt, das Regiment besetzte sodann die Vorposten-Linie. Die 2. Majors-Division unter Commando des Major Baron Trach war während dieses Gefechtes auf dem linken Flügel über die Aube zur Beobachtung des Feindes entsendet, wobei sich Rittmeister Baron Perglas, der die Avant-Garde führte, durch seine Umsicht und Entschlossenheit besonders auszeichnete. — Am 4. März wurde der Feind durch Troyes verfolgt. Der Rittmeister Baron Dlauhoweski des Regiments eilte mit seiner und einer Escadron von Knesevich-Dragoner dem Feinde über Pavillon und Echemines bis Trois maisons nach, und machte bis zum 5. Früh 305 Gefangene. Er hielt sich nun in der Entfernung von 3 Stunden vor den Vorposten im Angesicht eines weit überlegenen Feindes, der Infanterie, Cavallerie und Artillerie bei sich hatte bis Mittags des 5. März. Oberlieutenant Schlossar hatte sich bei der äusserst finstern Nacht, als Commandant der Avant-Garde durch Tapferkeit und zweckmässige Anstalten ausgezeichnet. Corporal Bolwinski, Gemeiner Ehrenwald von der 2. Majors 1. Escadron mit noch einigen Uhlanen hoben 2 feindliche Pikets jedes von 8 Mann auf. Als die Uhlanen nach Echemines hineinsprengten, bemerkte der Gemeine Ehrenwald einen feindlichen Tambour vor dem Hause des Commandanten, der im Begriff war Allarm zu schlagen. Nachdem er diesen niedergestochen, sprang er vom Pferde, drang in das Haus, und nahm den Commandanten in seinem Zimmer nebst dessen Adjutanten gefangen. Durch diese That wurde es möglich gemacht, dass die im Orte befindlichen 200 Feinde, weil sie nicht allarmirt worden, von der nachrückenden Escadron einzeln, und ohne starker Gegenwehr gefangen werden konnten.

Am 20. März während der Schlacht bei Arcis, wurde das Regiment anfänglich zur Beobachtung der Aube verwendet. Gegen Mittag aber wurde dasselbe zum Haupt-Corps gezogen, und deckte den Sturm der Infanterie auf Grand Torcy. Das Regiment hielt in der heftigsten, bis in die späte Nacht dauernden Kanonade mit ruhmwürdiger Standhaftigkeit aus. —

Nach dem am folgenden Tage erfochtenen Siege wurde das Regiment zur Deckung des rechten Flügels der Armee verwendet. Es marschirte am 2. April mit dem österreichisch baierischen V. Armee-Corps durch Paris, und bezog ein Lager bei Rungis. Somit war der für den Ruhm des Regiments so glänzende Feldzug beendet. Für ihre tapfern Thaten in diesem wurden folgende Mitglieder seines Offiziers-Corps decorirt, und zwar: Oberst Baron Mengen ausser dem bereits erwähnten Maria Theresien-Orden, noch mit dem k. russischen St. Georgs-Orden IV. Classe und Anna-Orden II. Classe, nebst dem baierischen Max Josephs-Orden, — Oberstlieutenant v. Germain mit dem k. russischen Wladimir III. Classe und dem baierischen Max Joseph; Major Baron Trach mit dem russischen Anna II. Classe und dem baierischen Max Joseph; Major Fürst Löwenstein mit dem russischen Anna II. Classe; Major Carl Graf Clam Martinitz, Adjutant des Feldmarschalls und Regiments-Inhabers mit dem österreichischen Leopold-Orden, dem russischen Wladimir IV. Classe und dem baierischen Max Joseph; Major Baron Amerongen mit dem russischen Wladimir IV. Classe; — die Rittmeister Baron Saamen und Baron Schweiger beide mit dem russischen Wladimir IV. Classe und dem baierischen Max Joseph-Orden; — die Rittmeister v. Knisch

Graf Eduard Woyna, die Oberlieutenants von Steindl und Linden mit dem russischen Wladimir-Orden IV. Classe. Der Verlust des Regiments in den Gefechten vom 29. October 1813 bis 31. März 1814 bestand an Todten: in 2 Offizieren, 109 Mann, 167 Pferden ; — an Verwundeten: in 13 Offizieren, 111 Mann, 107 Pferden — an Gefangenen: in 2 Offizieren, 28 Mann und 28 Pferden. Das Regiment marschirte nun nach den k. Erbstaaten zurück, und wurde zur Aufwartung nach Wien bestimmt, wo es während des Congresses den Dienst versah. Bei dem Einzuge der alliirten Monarchen in diese Haupt- und Residenzstadt, hatte ein Zug des Regiments die Avant-Garde; Oberlieutenant Baron Steindl ein Maria Theresien-Ritter, commandirte denselben; das ganze erste Glied war mit goldenen, das ganze zweite aber mit silbernen Tapferkeits-Medaillen decorirt.

Den Feldzug 1815 machte es gegen Frankreich mit, kam jedoch in diesem nicht mehr vor den Feind, und war den 5. October d. J. bei dem berühmten grossen Lager von Dijon anwesend, wo es seine Eintheilung bei der, vom FML. Graf Wartensleben befehligten Avant-Garde in der Brigade des GM. von Paumgarten mit dem 3. und 6. Feld-Jäger-Bataillon hatte.

Nach dem Rückmarsch in die k. Erbstaaten erhielt das Regiment die Friedens-Station Gaya in Mähren, von wo es 1820 nach Troppau zur Aufwartung während des dortigen Congresses abrückte, und von da die Stabs-Station Prosnitz bezog, welche es 1828 mit Austerlitz verwechselte.

Im Jahre 1833 rückte das Regiment nach Ungarn, und zwar mit dem Stabe nach Gyöngyös, welcher aber 1836 nach Pecsvar, und 1843 nach Alt-Arad verlegt wurde.

Der als Dienstkämmerer bei Sr. Majestät dem Kaiser Ferdinand I. in Verwendung stehende Oberst Philipp Graf Stadion des Regiments, hatte sich bei Beginn des Feldzugs 1848 als Volontär bei der Armee in Italien verwenden lassen, mit ebenso viel Umsicht als Tapferkeit ein, aus einer Escadron Erzh. Carl-Uhlanen und 3 Zügen Radetzky-Hussaren (siehe diese beiden Regimenter) bestehendes Streif-Commando am 26. Juli gegen Sei Vie geführt, und wird in den offiziellen Relationen wiederholt belobt.

In dem verhängnissvollen Jahre 1848 theilte, wie alle in Ungarn garnisonirenden Truppen, auch das Regiment das Los, im Monate Mai unter die Befehle des ungarischen Kriegs-Ministeriums gestellt zu werden, und wurde im Sommer j. J. bei dem ausgebrochenen Bürgerkriege zwischen der serbisch und magyarischen Bevölkerung zur Deckung des Banats gegen die Einfälle der Serben verwendet, wobei es grösstentheils divisionsweise die Vorposten gegen die östliche und südliche Grenze bezog, und mehrere kleine Gefechte zu bestehen hatte. Bei einem derselben war der Rittmeister Max Graf D'Orsay des

Regiments, der sich in der Hitze der Verfolgung in ein Dorf zu weit allein vorgewagt hatte, von seiner Truppe abgeschnitten und grausam ermordet worden.

Bei der von Tag zu Tag zunehmenden Verwirrung der politischen Verhältnisse in Ungarn hatte das Regiment vielfache Gelegenheit, Beweise seiner Umsicht, unerschütterlichen Ausdauer, ausnehmenden Tapferkeit und hingebenden Treue für seinen Monarchen zu geben. Dem vorzüglichen Geiste des Offiziers-Corps und der Mannschaft dieses jederzeit ausgezeichneten Regimentes, waren wesentlich die Erhaltungen Arad's und Temesvar so wie des Banates zu danken. Ende September erhielt das Regiment die erschütternde Trauerkunde von der grausamen Ermordung seines einstigen hochverehrten Obersten, des nunmehrigen FML. Franz Grafen Lamberg und fast gleichzeitig den Befehl vom ungarischen Ministerium, in seine Heimath Galizien abzurücken. Auf dem Marsche dahin˙ sollte es einzeln und zerstreut dislocirt und entwaffnet werden; das Offiziers-Corps des Regiments, sowohl von diesen verrätherischen Plänen zur Kenntniss gekommen als auch den wichtigen Erhalt des Banats mit seinen beiden Festungen erkennend, beschloss einstimmig diesem Befehl keine Folge zu leisten und am 3. October erschien das ganze Regiment vor Arad zum Schutze dieser Festung, deren Commandant FML. Baron Berger bereits von den Insurgenten zur Uebergabe dieser Festung gedrängt wurde und dem nur dadurch die Verproviantirung derselben durch Requisitions-Commanden, die Entwaffnung der revolutionären dortigen National-Garde und zugleich die Unterwerfung der Stadt unter das Festungs-Commando ermöglicht wurde. Diess führte zum ersten offenen Ausbruch der Feindseligkeiten und am 7. October erfolgte der erste Schuss aus der später so lange heldenmüthig vertheidigten Festung gegen die Stadt Arad, um sie zur Annahme der gemachten Forderungen und zum Zurückziehen der schon in feindlicher Absicht gegen die Festung ausgestellten Vorposten zu zwingen. Mittlerweile zogen die ungarischen Insurgenten ein Corps von 8000 Mann bei Arad zusammen, um die Festung Arad einzuschliessen und das Regiment Schwarzenberg-Uhlanen aus deren Bereiche zu vertreiben, wobei es zu mehreren kleinern Gefechten kam, die von der Festung aus, theils durch Geschütz, theils durch Ausfälle unterstützt wurden. — Anderweitige Ereignisse im Banat, der Abfall des grössern Theiles der dortigen Truppen und die Bedrohung, welche auf die ebenfalls sich neutral erklärende Festung Temesvar fiel, zwangen das dortige General-Commando das Regiment mit Zurücklassung einer 147 Mann starken Escadron unter Rittmeister Baron Thüngen in der Festung Arad, welche am 23. October von den Insurgenten vollkommen eingeschlossen wurde, nach Temesvar zu ziehen. — Auch von dort aus hatte das Regiment wiederholte Recognoszirungen und Streifungen

zu unternehmen, wobei es im Laufe des Octobers bei Engelsbrunn und Lippa zu heftigen Gefechten kam. Bei letzteren
hatten die Uhlanen die in den Weingärten aufgestellten Honved-
Bataillone mit seltener Bravour wiederholt attaquirt, und 2 Offiziere des Regiments, Oberlieutenant Wahrendorf und Lieutenant
Esquire Pringle, fanden daselbst den Heldentod. — Ein Monu-
ment, welches sich unweit Arad erhebt, ihren gefallenen Cameraden von dem Offiziers-Corps des Regiments gesetzt, — ehrt
beide Theile gleich und bleibt eine erhebende Erinnerung an
den in jener Gegend neuerkämpften Ruhm jener heldenmüthigen
Schaar. — Den verschiedenen von Temesvar aus, das Banat
durchziehenden mobilen Infanterie-Colonnen war das Regiment
theils Divisions- theils Escadronsweise zugetheilt worden, bei
welchen sich in einem Gefechte nächst Werchez insbesondere
Rittmeister Baron Dlauhowesky des Regiments, als Führer eines
solchen zusammengesetzten Streif-Commando's hervorthat.
   Am 14. Dezember, bei dem unter GM. Graf Leiningen
auf der Ebene von Szt. Miklos gegen Arad von 9 Uhr Früh
bis 4 Uhr Nachmittags geschlagenen Kampfe, welcher die
Verproviantirung der Festung Arad bewirkte, standen 4 Escadrons des Regimentes mit einer von Erzh. Max-Chevauxlegers
(jetzt Uhlanen Nr. 8) am linken Flügel unter Commando des
Obersten Baron Blomberg, der mit diesen eine Umgehung
demonstrirte, die den völligen Abzug des Feindes über die
Maros zur Folge hatte. Die in Arad zurückgelassene Escadron rückte nun zum Regimente wieder und nur ein kleines Detachement von 42 Mann und 46 Pferden anfangs
unter Lieutenant Skrzinski, später unter Oberlieutenant Baron
Egloffstein blieb zurück, welches alle fernern Schicksale der
Belagerung Arads wie auch den Ruhm seiner Vertheidiger
theilte und bei der am 1. Juli 1859 erfolgten ehrenvollen
Capitulation mit der übrigen dortigen Garnison abrückte.
   Im Winter-Feldzuge 1849 hatte das Regiment abermals an allen grössern und kleinern Recognoszirungen, Gefechten und Streif-Commanden, welche wiederholt von Temes-
var unternommen wurden, seinen grossen und ehrenvollen Antheil.
Das Regiment verlor hiebei den Oberlieutenant Carl Baron Lou-
trum, welcher bei einem dieser Gefechte in der Nähe des eisernen
Thores rühmlich gefallen war.
   Am 8. Februar waren 7 Escadrons bei der Expedition
des FML. von Gläser gegen Neu-Arad, welches den Insurgenten
genommen, ihre dortigen Batterien zerstört und die Verbindung
Arads mit Temesvar wieder hergestellt wurde.
   Am 26. Februar waren 2 Escadrons der Brigade des GM.
Grafen Leiningen zugetheilt, welche gegen die siebenbürgische
Grenze abrückte, um dem Laufe der Maros nach aufwärts zu
operiren und den Insurgenten den Zuzug von Unterstützungen zu
erschweren; dieses Streif-Corps hatte bei Wallemare einige sieg-

reiche Ge'echte bestanden und durch mehrere Tage daselbst ein
Lager bezogen.

Während der Belagerung Temesvars, welche vom 25. April
bis 9. August dauerte, waren 6 Escadrons des Regiments als
Besatzung in dieser Festung und hatten alle beschwerlichen Schicksale und Ausfalls-Gefechte dieser harten Belagerung, mit hohem
Muthe und seltener Ausdauer getheilt.

Am 12. Mai wurde von einem Theil der Besatzungstruppen,
unter GM. Graf Leiningen ein Ueberfall auf das Insurgenten-Lager
bei Freidorf unternommen, wobei jene 6 Escadrons auf das thätigste
mitwirkten. — Zwei feindliche Infanterie-Bataillons, unterstützt
von 6 Zügen Hussaren, unternahmen einen kräftigen Bajonnet-
Angriff auf das zuerst debouchirende 1. Bataillon des Infanterie-
Regiments Baron Sivkovich (Nr. 41), aber das zur Unterstützung
folgende 2. Bataillon desselben Regiments, mit 2 Divisionen des
ersten, warfen im herzhaften Gegenangriff die stürmende feindliche
Infanterie zurück, worauf Rittmeister Baron Wendt des Regiments,
mit seiner Escadron dieselbe attaquirte und in die Flucht jagte.
Der Feind, durch das ruhige imposante Vorrücken der Infanterie,
und die wiederholten Attaquen der tapfern Uhlanen, unter Rittmeister Baron Wendt und Lieutenant Zalenski, wie auch durch
ein wirksames, aus 4 Geschützen gegen seine linke Flanke eröff-
netes Kartätschenfeuer erschüttert und aufgelockert, musste sich
eiligst hinter Freidorf zurückziehen.

Ein Theil der Mannschaft des Regiments wurde bei dem
immer empfindlicher werdenden Mangel an Artillerie, dieser zur
Bedienung der Geschütze während der Belagerung zugewiesen
und erwarb sich auf den Bastionen, wie bei den Ausfällen und
insbesondere bei Löschung der häufigen Brände, unter dem unerschrockenen Rittmeister von Mannsberg, der sie befehligte allge-
meines Lob.

Am 9. August gegen 3 Uhr Nachmittags, als man nämlich
in der Festung Temesvar ein heftiges Geschützfeuer hörte, welches
aber einige Zeit festzustehen schien, beorderte der Festungs-Commandant FML. Baron Rukavina den Oberst Baron Blomberg des
Regiments mit 6 Escadrons seiner Uhlanen, 4 Infanterie-Compagnien, dann einer Abtheilung Schützen und einer Sechspfünder-
Batterie zum Ausfall aus dem Wienerthor.

Oberst Baron Blomberg sprengte die schwache feindliche
Cernirungslinie, verjagte die Posten aus den naheliegenden Gärten,
den Friedhöfen und Pulverthürmen, machte einige Gefangene und
nahm dem Feinde 2 Munitionswägen, 17 Pferde und eine Fahne ab.
Allein der Zeitpunkt dieses Ausfalls war noch verfrüht, weil damals die feindliche Armee noch in geordneter Schlacht stand und
bei solchem Verhältniss die ausfallende Truppe viel zu schwach
war, um durch eine Demonstration im Rücken eine weiterreichende
Wirkung hervorzubringen, um so mehr, da sie auf einem für
Cavallerie sehr ungünstigen Boden zu wirken hatte. Oberst

Baron Blomberg musste sich daher mit dieser Beunruhigung der feindlichen Schlachtlinie begnügen, und führte seine Trophäen in die Festung zurück. — Im spätern Verlaufe der Schlacht war Temesvar an diesem Tage entsetzt worden. Oberlieutenant Carl Graf Salis und Lieutenant von Thorznicki des Regiments waren verwundet worden. Durch die, in Folge der schlechten Nahrungs-Mittel hervorgerufenen Epidemien hatte das Regiment an Offizieren und Mannschaft, während dieser Belagerung zahlreiche Verluste erlitten, so unter Ersteren der Rittmeister Prinz Salm-Salm, Graf Kuezkowski, die Lieutenants Baron Seebach und Czaikowski.

Während dieser ganzen Zeit war der Major Baron Schirnding, mit der 1. Majors-Division des Regiments, der Süd-Armee des Banus FZM. Baron Jellacic und zwar der Truppen-Division Kriegern, Brigade Puffer zugetheilt gewesen und hatte mit dieser im Mai, bei Tittel an der Donau ein Lager bezogen.

Am 7. Juni im Treffen bei Kaacs, attaquirte diese Division des Regiments, mit 4 Escadrons Wallmoden-Cürassiere (Nr. 6) unter GM. von Fejervary mit Erfolg in die linke Flanke des Feindes, und hatte im weitern Laufe dieses Monates mit einer Cavallerie-Batterie unausgesetzt die Donau von Peterwardein bis Jllok zu beobachten.

Am 10. August wurde das Regiment aus der Garnison von Temesvar gezogen, dem 3. Armee-Corps des FML. Baron Ramberg zugetheilt, und zur Verfolgung des Feindes über Remete gegen Rekas vorgeschoben, am 12. machte dasselbe die Avant-Garde gegen Nagy Topolovacz und stiess am 15. hinter Kostil, am Marsche gegen Lugos, auf den Feind. Die Uhlanen warfen rasch die entgegenstehenden Hussaren-Abtheilungen nach einigen Attaquen, mussten sich aber wegen des heftigen feindlichen Geschützfeuers wieder hinter die Temes zurückziehen, bis die rasch nachrückende Brigade Wolf den Feind aus seiner Arriere-Garde-Stellung verdrängte. — Vor Lugos wurden 2 Escadrons des Regiments links über die Anhöhen disponirt, welche des Feindes rechte Flanke bedrohen sollten; doch dessen Widerstand war endlich gebrochen und das 3. Armee-Corps, an dessen Tête das Regiment noch immer als Avant-Garde, rückte bis Dobra in Siebenbürgen vor, wo noch viele Gefangene gemacht wurden, (am 18. August).

Somit hatte dieser Krieg geendet und das Regiment Schwarzenberg-Uhlanen durfte diese neue Epoche seines frisch verjüngten Ruhmes, würdig den Tagen von Stockach, Wagram Hanau, Brienne und Arcis zur Seite setzen.

In Folge ihrer ausgezeichneten Verwendung vor dem Feinde wurden folgende Offiziere des Regiments decorirt:

Mit dem Orden der Eisernen Krone II. Classe: der Regiments-Commandant Oberst Baron Friedrich Blomberg; mit

demselben Orden III. Classe: die Rittmeister Oswald Baron
Wendt und Justin Graf Koziebrodski, die Lieutenants Victor
Foyker und Leo Zalenski.

Mit dem Militär-Verdienstkreuze: die Majors Emerich
Baron Schirnding, Rudolf Baron Thüngen und Friedrich Baron
Dlauhowesky, die Rittmeister August von Mannsberg, Justin Graf
Koziebrodski und Karl Baron Simbschen, Lieutenant Leo Za-
lenski und der, als Ordonnanzoffizier beim siebenbürgischen
Armee-Corps-Commando in Verwendung gestandene Lieutenant
Ernst Graf Waldstein. Ebenso werden in den Relationen die
Rittmeister Adolf von Mengen und Leo Baron Militz wegen ihrer
ausgezeichneten Leistung angerühmt.

Das silberne geistliche Verdienstkreuz erhielt der
Regiments-Caplan Vincenz Stock, und unter die brave Mann-
schaft wurden mehr als 60 theils goldene, theils silberne
Tapferkeits-Medaillen vertheilt.

Nach Beendigung des Feldzuges erhielt das Regiment im
October 1849 die Stabsstation Zombor, später Baja und 1850
Alt-Arad. Bei Aufstellung des Observations-Corps in Böhmen,
rückte dasselbe im November 1850 Divisionsweise über Wien
dahin ab, wo es die Cantonirungsstation Kollin bezog. Im
Februar 1851 wurde das Regiment in die Umgegend von Wien
und zwar auf das Marchfeld in die Stabsstation Stadt Enzersdorf beordert, von wo es wiederholt in die Residenzstadt zu
allen grösseren Ausrückungen, Paraden und Uebungen beigezogen wurde und vor Ihre Majestäten dem Kaiser von Russland, den Königen von Sachsen und Griechenland ausgerückt
war. — Im September 1852 rückte das Regiment nach der
Stabsstation Gyöngyös in Ungarn ab, von wo es im Sommer
1854 mit dem ersten Cavallerie-Corps nach Galizien und später
nach Ober-Ungarn marschirte und vorübergehende mehrfache
Cantonirungen hatte, bis es im Juli 1855 die Friedensstation
Fünfkirchen bezog, welche es aber schon im Herbste 1857 mit
jener von Mediasch in Siebenbürgen vertauschte.

Im Mai 1859 erhielt das Regiment die Bestimmung zu
der in Italien gegen die Frankosarden operirenden Armee abzurücken und legte diesen Marsch theils mittelst Eisenbahn,
theils in Doppelmärschen Divisionsweise über Wien, Oberösterreich und Tirol zurück, bis es im Monat Juni den italienischen
Boden das erstemal seit seiner Errichtung betrat; jedoch
bei seiner am 24. erfolgten Einrückung in Verona keine
Gelegenheit mehr fand, seine Kriegstüchtigkeit neuerdings zu
erproben. Oberstlieutenant Baron Baillou, war mit 3 Escadrons
in Tirol detachirt, zurückgeblieben und die andern 5 Schwadronen erhielten nun ihre Eintheilung in die Cavallerie-Division des
FML. Graf Mensdorf und die Brigade des GM. Grafen Zichy.

Bei der Zusammenkunft Sr. Majestät des Kaisers mit
Napoleon III. zu Villa-Franca, begleitete eine Division

des Regiments Sc. Majestät dahin, wo sie sich durch ihr
schönes militärisches Aussehen die belobende Anerkennung
der Generale und Offiziere des k. französischen Hauptquartiers
erwarb.

Nach dem Friedensschlusse von Villa-Franca bezog das
Regiment Cantonirungen im Venetianischen und rückte im
Herbste 1859 wieder nach Ungarn, in seine gegenwärtige Stabs-
station Gyöngyös ab.

In Folge der neuen Organisirung der k. k. Cavallerie,
mit 1. März 1860, gab das Regiment seine 4. Division zur
Errichtung des Freiwilligen-Uhlanen-Regimentes ab.

Maria-Theresien-Ordens-Ritter.

1801 Oberst Moriz Fürst zu Liechtenstein, (siehe Inhaber, Cürassier Nr. 6.)
1809 Lieutenant Carl Steindl, † als Major in der Pension am 14. September 1837.
1813 Der Regiments-Inhaber FM. Carl Fürst zu Schwarzenberg, das Grosskreuz
(siehe weiter unten Inhaber.)
1814 Oberst Carl Baron Mengen, (siehe Inhaber Cürassiere Nr. 4).

Inhaber.

1800 FM. Carl Fürst zu Schwarzenberg, MTO-R., † zu Leipzig am 15. Octb.
1820.
Die unsterblichen Verdienste dieses Feldherrn zu ehren, wurde
von Sr. Majestät Kaiser Franz I. anbefohlen, dass dies Regiment dessen Namen auf immerwährende Zeiten fortzuführen
habe.
1822 FML. Ferdinand Herzog zu Sachsen-Coburg-Gotha, MTO-R., erhielt 1828 das
8. Hussaren-Regiment.
1828 FML. und Banus von Croatien Franz Baron Vlasits, MTO-R., † zu Agram am
16. Mai 1840.
1840 G. d. C. Wilhelm Baron Hammerstein Equord, † zu Brünn am 13. Februar
1861.
1861 FML. Franz Ritter v. Waljemare, General-Gestüts-Inspector.

Commandanten des Frei-Corps von 1790 bis 1798.

1790 Oberstlieutenant Bernard Baron Degelmann, 1792 transferirt zu Erzh. Joseph
Dragoner, (jetzt Cürassier Nr. 9.)
1792 Oberstlieutenant Carl Fürst zu Schwarzenberg, 1794 2ter Oberst bei Cürassier
Nr. 7, und gleich darauf Regts.-Comdt. bei Zeschwitz-Kürassier (1801 reduzirt.)
1794 Oberstlieutenant Johann Graf Keglevich, 1796 Oberst bei Hussaren Nr. 10.
1796 Oberstlieutenant N. Vogel, 1796 abgängig.
1796 Oberstlieutenant Joseph Baron Motschlitz.
1798 wurde dies Uhlanen-Frei-Corps das 2. Uhlanen-Regiment.

Majors dieses Corps von 1790 bis 1798.

1790 N. Kürner, 1794 transferirt zu Stabs-Dragoner.
1790 Franz Baron Wodniansky 1796.
1794 N. Graf Herberstein 1795.
1796 Friedrich Graf Trautmansdorf 1798 } zu dem aus dem Corps formirten 2. Uhla-
1796 Friedrich Graf Sinzendorf 1798. } nen-Regiment transferirt.

Im nunmehrigen 2. Uhlanen-Regimente:

Oberste.

1798 Emanuel Baron Trach, Regts.-Comdt., 1800 pensionirt.
1800 Moriz Fürst zu Liechtenstein, Regts.-Comdt., 1801 MTO-R., 1805 GM.
1803 Michael Graf Wielhorski, 2. Oberst, 1804 quittirt.
1805 Ignaz Graf Hardegg, MTO-R., Regts.-Comdt., 1809 GM.
1809 Carl Schmuttermayer, Regts.-Comdt., 1812 pensionirt.
1809 Friedrich Graf Schlottheim, 2. Oberst, 1811 transferirt zu Dragoner Nr. 2.
1812 Ferdinand Fürst Kinsky, MTO-R., Regts.-Comdt., † am 3. November 1812 zu
   Weltrus.
1813 Carl Baron Mengen, Regts.-Comdt., 1814 MTO-R., 1820 GM.
1813 Mathias Steyerer von Edelsberg, bei der Central-Equitation, 1823 mit Generals-Charakter pensionirt.
1815 Wilhelm Prinz zu Hessen-Philippsthal, 2. Oberst, 1817 quittirt mit Generals-
   Charakter.
1820 Franz Chevalier Germain, Regts.-Comdt., 1829 pensionirt..
1829 Franz Graf Lamberg, Regts.-Comdt., 1834 GM.
1834 Franz Graf Schaaffgotsche, Regts.-Comdt., 1841 GM.
1841 Carl Baron Lederer, Regts.-Comdt., 1848 GM.
1841 Klemens Graf Ugarte, Dienst-Kämmerer Sr. k. k. Hoheit des Erzh. Ludwig,
   † zu Wien am 1. Dezember 1842.
1845 Philipp Graf Stadion, Dienst-Kämmerer bei Sr. Majestät dem Kaiser Ferdinand
   1848 bei der Armee in Italien, 1849 GM.
1848 Friedrich Baron Blomberg, Regts.-Comdt., 1849 GM.
1849 Wilhelm Ritter von Faber, Regts.-Comdt., 1854 GM.
1854 Friedrich Baron Dlauhowesky, Regts.-Comdt., 1859 GM.
1859 Friedrich Graf Schaaffgotsche, Regts.-Comdt.

Oberstlieutenants.

1798 Moriz Fürst zu Liechtenstein, 1800 Oberst.
1800 Friedrich Graf Trautmansdorf, † an seiner bei Mösskirch erhaltenen schweren
   Wunde im Juni 1800.
1800 Friedrich Graf Sinzendorf, 1804 pensionirt mit Oberst-Charakter.
1804 Ignaz Graf Hardegg, MTO-R., 1805 Oberst.
1805 Severin von Kisielewski, 1808 Oberst bei Hussaren Nr. 4.
1808 Carl Schmuttermayer, 1809 Oberst.
1809 Mathias Steyerer v. Edelsberg, bei der Central-Equitation zu Wiener-Neustadt
   1813 Oberst.
1809 Johann Baron Metzger, 1812 pensionirt.
1812 Carl Baron Mengen, 1813 Oberst.
1813 Bartholomäus Graf Alberti, 1814 Oberst bei Uhlanen Nr. 1.
1814 Franz Chevalier Germain, 1820 Oberst.
1820 Dominik Baron Trach, 1823 pensionirt mit Oberst-Charakter.
1823 Ernst Baron Dlauhowesky, 1829 transferirt zu Uhlanen Nr. 1.
1829 Carl Balla von Bolhas 1829 pensionirt.
1829 Carl Baron Pfeil-Scharffenstein, 1833 Oberst bei Dragoner Nr. 2.
1833 Franz Graf Schaaffgotsche, 1834 Oberst.
1834 Alois Hollner, 1841 Oberst bei Chev.-Leg. Nr. 3. (jetzt Uhlanen Nr. 8).
1840 Clemens Graf Ugarte, Dienst-Kämmerer Sr. k. k. Hoheit des Erzh. Ludwig,
   1841 Oberst.
1841 Philipp Graf Schönborn-Buchheim, 1842 pensionirt.
1842 Friedrich Baron Blomberg, 1848 Oberst.
1848 Anton Baron La Mare, 1849 pensionirt.
1849 Ferdinand Schiffner v. Schiffensee, 1849 pensionirt mit Oberst-Charakter.

1849 Emerich Baron Schirnding, 1852 pensionirt mit Oberst-Charakter.
1852 Rudolf Baron Thüngen, 1853 pensionirt
1853 Friedrich Baron Dlauhowesky, 1854 Oberst.
1854 Moriz von Hertweck, 1856 transferirt zu Dragoner Nr. 2.
1856 Carl Müller v. Neckarsfeld, 1859 pensionirt mit Oberst-Charakter.
1859 Friedrich Graf Schaaffgotsche, 1859 Oberst.
1859 Johann Baron Baillou.

Majors.

1798 Friedrich Graf Trautmansdorf, 1800 Oberstlieutenant.
1798 Friedrich Graf Sinzendorf, 1800 Oberstlieutenant.
1800 Severin von Kisielewski, 1805 Oberstlieutenant.
1801 Carl Schmuttermayer, 1808 Oberstlieutenant.
1801 Philipp Landgraf Fürstenberg, 1802 transferirt zu Dragoner Nr. 3. (Cürassier Nr. 11).
1805 Mathias Steyerer v. Edelsberg, 1809 Oberstlieutenant.
1807 Johann Baron Metzger, 1809 Oberstlieutenant.
1808 Carl Baron Mengen, 1812 Oberstlieutenant.
1809 Bartholomäus Graf Alberti, 1813 Oberstlieutenant.
1809 Johann Graf Wratislaw, 1810 Flügel-Adjutant.
1809 Johann Fiala, 1812 pensionirt.
1809 Carl Fürst Auersperg, 1812 quittirt.
1811 Franz Chevalier Germain, 1814 Oberstlieutenant.
1813 Wilhelm Graf Hadik, 1815 quittirt.
1814 Dominik Baron Trach, 1820 Oberstlieutenant.
1814 Carl Fürst zu Löwenstein, 1814 quittirt.
1814 August Baron Amerongen, 1815 quittirt.
1814 Carl Graf Clam-Martinitz (bis 1816 Inhabers-Adjutant) 1820 Oberstlieutenant bei Cürassier Nr. 4.
1818 Leopold Baron Spannochi, 1819 transferirt zu Husaren Nr 4.
1820 Ludwig Graf Paar, 1822 pensionirt.
1820 Ernst Baron Dlauhowesky, 1823 Oberstlieutenant.
1822 Friedrich Baron Saamen, 1829 pensionirt.
1823 Stephan v. Jeszernitzki, † am 1. Juli 1829.
1829 Johann Graf Strassoldo, 1833 Oberstlieutenant bei Chev.-Leg. Nr. 3. (Uhlanen Nr. 8.)
1829 Carl Baron Galen, 1831 pensionirt.
1831 Carl Baron Perglas, 1833 Oberstlieutenant bei Cürassier Nr. 4.
1833 Alois Hollner, 1834 Oberstlieutenant.
1834 Joseph Edler v. Hasslinger, 1835 pensionirt.
1834 Maximilian Swoboda, 1838 Oberstlieutenant bei Uhlanen Nr. 1.
1835 Clemens Graf Ugarte, Dienst-Kämmerer Sr. k. k. Hoheit d. Erzh. Ludwig, 1840 Oberstlieutenant.
1835 Philipp Graf Schönborn-Buchheim, 1841 Oberstlieutenant.
1838 Wilhelm Wolfram, 1840 pensionirt mit Oberstlieutenants-Charakter.
1841 Friedrich Baron Blomberg, 1842 Oberstlieutenant.
1841 Philipp Graf Kesselstadt, 1843 pensionirt.
1842 Anton Baron La-Mare, 1848 Oberstlieutenant.
1845 Ferdinand Schiffner v. Schiffensee, 1849 Oberstlieutenant.
1848 Emerich Baron Schirnding, 1849 Oberstlieutenant.
1848 Rudolf Baron Thüngen, 1852 Oberstlieutenant.
1849 Friedrich Baron Dlauhowesky, 1853 Oberstlieutenant.
1849 Georg Ahsbahs, † 1849.
1849 Moriz Hertweck, 1854 Oberstlieutenant.
1852 Gustav Pfrenger, 1854 pensionirt.
1853 Friedrich Graf Schaaffgotsche, 1859 Oberstlieutenant.
1854 Eduard Reithammer, 1857 pensionirt.
1854 Johann Baron Baillou, 1859 Oberstlieutenant.
1857 Kajetan v. Giusti.

6

1859 Adolf Baron Dorne, † zu Padua am 19. September 1859.
1859 Adolf Baron Hammerstein, 1861 transferirt zu Dragoner Nr. 1.
1859 Ceslaus Ritter v. Bzowski, 1860 transferirt zu Uhlanen Nr. 9.
1860 Constantin Prinz zu Hohenlohe-Schillingsfürst, Flügel-Adjutant Sr. k. k. Majestät
     1861 Oberstlieutenant bei Uhlanen Nr. 1.
1861 Julius Baron Simbschen.

Uniformirung des Regiments.

Dunkelgrüne Czapka, Uhlanka und Pantalons, scharlachrothe
Aufschläge, gelbe Knöpfe.

Uhlanen-Regiment Nr. 3, Erzherzog Carl.

Dieses Regiment wurde 1801 zu Krakau errichtet und von
dem Obersten Heinrich Bersina v. Siegenthal auf das schnellste
organisirt; es erhielt so wie die beiden andern Regimenter dieser
Waffe grasgrüne Kurtka und Hosen mit scharlachrothen Aufschlägen
und unterschied sich nur durch d i e s c h w a r z e F a r b e s e i n e r
C z a p k e n von jenen. Als Stabsstation wurde dem Regimente nach
dessen Organisirung Tarnow angewiesen, aber schon 1803 wurde
der Stab nach Grodek nächst Lemberg verlegt, von wo dasselbe
1805 zur Armee Sr. k. k. Hoheit des Erzherzog Carl nach Italien
abrückte.

Hier stand das Regiment das e r s t e M a l am Kriegsschauplatze und war im October j. J. im Centrum der österreichisch-italienischen Armee, in der Division des FML. Prinz
Lothringen, der Brigade des GM. Baron Vincent zu Gazuollo
kantonirt. — Am 30. October, dem zweiten Schlachttage von
Caldiero, Nachmittags, als der französische General Goulus mit
einer Colonne von 3 Bataillons und mehreren Geschützen auf
der Strasse von Gambion vorrückte, gerieth eine auf derselben
vorgerückte österreichische Batterie in die grösste Gefahr dieser
feindlichen Colonne in die Hände zu fallen. Da führte eine
Abtheilung des Regiments eine rasche Attaque auf die Colonne
Goulus aus, und brachte diese so schnell in Verwirrung, dass
sie mit bedeutendem Verluste die Flucht zu ergreifen gezwungen
war. Der sehr durchschnittene Terrain verhinderte aber, dass die
Uhlanen die geschlagene Infanterie mit Nachdruck verfolgen
konnten. Diese glänzende Waffenthat hatte den theilweisen
Rückzug des feindlichen rechten Flügels zur Folge. Im November
begann das Regiment nunmehr in der Brigade des GM. Grafen
Radetzky, seinen Abmarsch aus Italien und rückte am 11. vom
Tagliamento, wo es stand, bis Cormons (6 Meilen), am 12. auf
Heidenschaft (6 Meilen), am 13. über den Karst und durch
den Birnbaumer-Wald bis Laibach (8 Meilen), erreichte am
14. Cilly (8 Meilen) und am Abende des 13. Marburg (8 Meilen).
Ein gewiss seltener Fall (namentlich damals), wo eine Reiter-
truppe binnen 5 Tagen 36 deutsche Meilen, meist im Gebirge
zurücklegte.

Am 14. November stiess Rittmeister Graf Truchsess, welcher die Vorhut befehligte, an der Murbrücke bei Ehrenhausen auf die Avant-Garde des französischen Marschall Marmont, warf selbe im raschen Anprall zurück, verfolgte sie bis gegen Leibnitz und machte 20 Gefangene nebst 8 Beutepferden. Das Regiment, wie die ganze Brigade Radetzky besetzte nun den östlichen Theil Steyermarks von Radkersburg, bis an die ungarische Grenze gegen Güns.

Nach geschlossenem Pressburger Frieden rückte das Regiment zur Aufwartung in die Residenzstadt Wien, deren Bürgerschaft als Beweis ihrer Anhänglichkeit und Verehrung für Se. k. k. Hoheit den Herrn Regiments-Inhaber Erzh. Carl, dem Regimente eine sehr grosse Quantität scharlachrother Tücher lieferte, dass sowohl desshalb, wie vielleicht auch zur Erinnerung an diesen Beweis von Patriotismus das Regiment statt der bisherigen schwarzen Czapken, diese nun von scharlachrothem Tuche erhielt. 1807 bezog dasselbe die Stabsstation St. Georgen bei Pressburg.

Bei Ausbruch des Feldzuges 1809 gehörte das Regiment im April j. J. zu dem V. Armee-Corps in die Division des FML. Baron Schustekh, Brigade des GM. Grafen Radetzky und stand im Innviertel zwischen Braunau und Obernberg auf Vorposten. Am 10. hatte das V. Corps den Inn überschritten und General Graf Radetzky am 16. mit der Avant-Garde desselben die Isar bei Landshut. Diese bestand nebst 2 Infanterie-Bataillons und einer Batterie, noch aus der Oberstlieutenants-Division des Regiments, welche damals der Oberstlieutenant Graf Heinrich Hardegg befehligte. Die übrigen 3 Divisionen des Regiments waren der Brigade Mesko zugetheilt, welche an der Queue des in Colonnen folgenden Armee-Corps marschirte. Die baierische Division Deroi vertheidigte in der jenseits der Isar gelegenen Vorstadt Seligenthal den Uebergang. — Dieser wurde endlich dem Feinde entrissen und die Baiern zogen sich in eine Aufstellung bei Altdorf und Ergolting zurück. Aber auch hier wurden sie durch das wirksame Geschützfeuer der Oesterreicher und durch eine von dem Gradiskaner-Grenz-Regimente mit entschlossener Umsicht ausgeführte Umgehung ihrer linken Flanke zum Abmarsche gezwungen, welchen General Deroi durch zwei Reiter-Regimenter und zwei Infanterie-Bataillons decken liess. Oberstlieutenant Graf Hardegg verfolgte nun mit seinen beiden Uhlanen-Escadrons die baierische Arriere-Garde. Es zogen ihm 2 Escadrons Kienmayer-Hussaren (Nr. 8) zur Unterstützung nach; die in der Colonne zurückgebliebenen übrigen 6 Escadrons des Regiments eilten über die Isar vor und vereinigten sich mit der vorrückenden Oberstlieutenants-Division. Die Uhlanen erreichten die feindliche Arriere-Garde jenseits Altdorf. Es kam zu einem hitzigen Reiter-Gefechte und die dem Regimente beigegebene Cavallerie-Batterie beschoss die feindliche Stellung. General Deroi begann seinen Rückzug

6*

über Pfetrach nach Pfafenhausen. Seine Arriere-Garde schlug
sich bis zum Abend ununterbrochen mit den Uhlanen. Rittmeister Graf Christoph Cavriani, welcher mit einer halben Escadron wiederholt in Flanken und Rücken des Feindes attaquirte,
hatte sich an diesem Tage durch entschlossene Bravour hervorgethan. Ebenso hatte der Rittmeistor Eugen Graf Wratislaw
des Regiments eine solche Entschlossenheit und Geistesgegenwart
an den Tag gelegt, dass ihn der Brigadier General Graf
Radetzky besonders auserwählte mit einem Streif-Commando die
Verbindung mit der Haupt-Armee aufzusuchen. Vom Feinde
rastlos beunruhigt, musste sich Graf Wratislaw mit seiner Abtheilung durchschlagen und erreichte vor Schärding die österreichische Nachhut.

Die Brigade Radetzky nahm nach dem Treffen bei Landshut ihr Nachtquartier in Pfetrach. — Am 20. war diese Brigade
und in dieser das Regiment im Treffen bei Abensberg, bestand
am selben Tage das Nacht-Gefecht bei Budmannsdorf und Horn-
bach, focht am weitern Rückzuge mit Glück am 24. bei Hoffau
und Frauenhof (Schlacht bei Neumarkt), warf den Feind auf
Dietfurt zurück, vertrieb denselben von dort, wie aus der Stellung bei Massing und aus dem Wald von Schorneck und verfolgte ihn bis Eckelhofen. Auf dem weitern Rückzug hinter
den Inn, deckte die Brigade diesen Fluss von Schärding bis Burg-
hausen und sicherte im Verein mit der Brigade Hohenfeld den
Marsch des FML. Baron Hiller gegen die Traun.

Eine aus 6 Mann bestehende, gegen Obenberg vorgehende
Recognoszirungs-Patrouille de. Regimentes stiess am 29. April
auf eine feindliche Abtheilung von 30 Mann Infanterie und
25 Pferden. Corporal Jastrizenski, welcher obige Patrouille führte,
warf sich auf den Feind, trieb selben in die Flucht und machte
15 Gefangene. Er erhielt die goldene Medaille.

Am 1. Mai befehligte Major Baron Wilgenheim des Regi-
ments die Nachhut der Brigade Radetzky, welche von den Fran-
zosen auf das heftigste verfolgt wurde; bei dem Defilée von
Geyersberg, welches er passiren musste, kam es zum Zusammen-
stoss. Mit 4 Escadrons Uhlanen warf sich Wilgenheim auf den
Feind, drängte ihn zurück und machte über hundert Gefangene.
Im Gefechte bei Haag hatten sich an demselben Tage die
Uhlanen besonders hervorgethan.

Am 2. Mai war die Brigade bei Lambach von der
ganzen Macht des französischen Marschall Massena angegriffen
und machte in anhaltendem Gefechte einen meisterhaften Rückzug über die Welserhaide; so wurde eine von Lambach vorgedrungene zehnfach stärkere feindliche Macht mit dem glänzendsten Erfolge aufgehalten und die etwas sich verspätete Division
des FML. Baron Schustekh von der drohenden Gefahr abgeschnitten zu werden gerettet. Der tapfere Brigadier GM. Graf
Radetzky erhielt in Folge dessen das Commandeurkreuz

des Maria Theresien-Ordens. In dieser Affaire waren zuerst die Vorposten aus Abtheilungen des Regiments bestehend, von zwei feindlichen Reiter-Regimentern angegriffen und zurückgedrängt worden, da rückte ein Theil des Regimentes rasch zur Unterstützung der Vorposten heran und attaquirte mit so entschiedener Bravour die feindliche Reiterei, welche allzu ungestüm und unordentlich ihre anfänglichen Vortheile verfolgte, dass dieselbe geworfen und dabei 60 Mann, worunter 4 Officiere, verlor. General Graf Radetzky folgte mit dem Reste des Regiments zur Unterstützung dieser Attaque, als die Franzosen ihrerseits 2 Cürassier-Regimenter zum Schutze der geworfenen Regimenter vorbrachten. Diess zwang die Oesterreicher sich auf die Deckung von Wels zu beschränken um daselbst durch Zerstörung der Traun-Brücke den Rückzug des FML. Schustekh zu erleichtern.

Im Gefechte bei Wels, war der Oberlieutenant Anton Graf Feuerstein des Regiments durch einen Säbelhieb am Kopfe schwer verwundet worden, und gerieth später, während seiner Heilung in Wien, in feindliche Gefangenschaft.

Bei diesem Rückzuge war der Rittmeister Eugen Graf Wratislaw des Regiments unter irgend einem plausibeln Vorwande, um eine Verzögerung mit dem Feinde herbeizuführen, als Parlamentär abgesandt; er stiess eben auf den mit seiner Suite heranreitenden Kaiser Napoleon, der diese List durchblickend, denselben wider alles Recht als kriegsgefangen behandeln liess. Nach einigen Wochen aber war es jenem klugen und tapfern Offizier gelungen sich selbst zu ranzioniren.

Bei Klein München warf sich Oberst Graf Klebelsberg mit 4 Escadrons des Regiments und einigen beihabenden Geschützen einer vorgedrungenen feindlichen leichten Cavallerie-Brigade entgegen und drückte selbe bis an den Fuss der Höhen von Oberhart zurück. — Tags darauf am 3. in der Schlacht bei Ebelsberg hielt das Regiment die Auen an der Traun besetzt, und warf sich theilweise in diesen Fluss, um schwimmend das andere Ufer zu erreichen, da nur ein sehr kleiner Theil den Uebergang über die Brücke bei dem dort entstandenen Gedränge unternehmen konnte. Was nicht mehr das rechte Traun-Ufer errreichen konnte, musste sich dem ungestüm nachdrängenden Feinde ergeben, unter diesen war Rittmeister Baron Hochenegg des Regiments. Corporal Alexander Zubow des Regiments bemerkte einen Trupp des Gradiskaner-Grenz-Regimentes mit einer Fahne, welche im Laufe die Traun-Brücke zu erreichen strebten. Diess war nicht mehr möglich. Zubow, dem sich mehrere Uhlanen beigesellen, rettet sowohl die Fahne als 107 Mann der Gradiskaner, welche sich an ihre Pferdeschweife hielten durch wiederholtes Hin- und Herschwimmen der Traun, ungeachtet der reissenden Strömung dieses Flusses und dem heftigsten feindlichen Feuer.

Auf dem weitern Rückzuge hatte das Regiment am 6. Mai bei Blindenmarkt mit dem Feinde ein heftiges Gefecht zu bestehen. Auf die Kunde vom Anrücken der Franzosen liess GM. Graf Radetzky den Major Baron Wilgenheim des Regiments mit seiner Division und 6 Compagnien zur Unterstützung des im Rückzuge begriffenen General Mesko gegen Blindenmarkt vorrücken, die Brigade Colbert vom Corps Oudinot an der Spitze des französischen Heeres von Amstetten vorrückend, warf und verfolgte einen Zug Uhlanen, den Major Wilgenheim vorgeschoben hatte. Dieser griff nun den Feind an, und warf jene zurück, welche seine Vorposten verfolgt hatten. Aber von einem französischen Regiment in die Flanke genommen, wurde er nunmehr selbst zurückgedrückt, und bis Neumarkt verfolgt. Oberst Graf Klebelsberg eilte nun mit 2 Escadrons zu . dessen Unterstützung herbei und griff mit entschiedener Tapferkeit an, während er eine dritte Escadron in des Feindes linke Flanke sandte, und eine vierte als Rückhalt folgte. Diese Attaque hatte einen vollständigen Erfolg. Die feindliche Truppe wurde geschlagen, und verlor 70 Gefangene. Als jedoch die Uhlanen, deren Pferde durch den angestrengten Dienst, während des ganzen Rückzuges kaum mehr von der Stelle konnten, eine zweite feindliche Truppe vorrücken sahen, dachten sie auf ihren Rückzug, der in schönster Ordnung schachbrettförmig bewirkt wurde. Der nun verstärkte Feind griff abermals an, die Uhlanen rückten demselben entgegen, und wiesen Anfangs den Angriff ab, allein endlich unterlagen sie der Uebermacht, wurden umzingelt, über den Haufen geworfen, und büssten beträchtlich ein. Unweit Ypps nahm Oberstlieutenant Graf Hardegg diese Escadronen auf, und die Franzosen wurden durch das Feuer der Gradiskaner zum Stehen gebracht. General Graf Radetzky zog sich nun hinter die Erlaf und brannte die dortige Brücke ab. Das Regiment hatte in diesem Gefechte 63 Todte, 31 Blessirte, 96 Gefangene, nebst 53 getödteten und 44 verwundeten Pferden verloren. Ueber die Donau-Brücke bei Mautern, welche nach 48stündiger Vertheidigung abgebrannt wurde, rückte GM. Graf Radetzky mit dem Regimente und den Gradiskanern in die Gegend von Stokerau und Tulln, um das Donau-Ufer zu beobachten, und über Neu-Aigen mit dem FML. Schustekh gegen Krems zu, in Verbindung zu bleiben.

In dieser Stellung war auch das Regiment während der 2tägigen Schlacht von Aspern geblieben.

In den Tagen der Wagramer Schlacht, 5. und 6. Juli, hielt FZM. Fürst Reuss, welcher nun das V. Armee-Corps, zu dem das Regiment gehörte, befehligte, mit seinem Corps den Bisamberg. den Spitz, die Insel der schwarzen Lacken und die obere Donau bis Krems mit starken Observations-Posten besetzt.

Am Abend des 6. Juli, als sich jene Schlacht zu Ende geneigt hatte, wurde das V. Corps zur Armee gezogen, und erhielt den Befehl mit den Grenadieren, der Cavallerie-Reserve und dem I. und III. Armee-Corps auf der nach Znaym führenden Strasse zurückzugehen. Während der Wagramer Schlacht war der Rittmeister Eugen Graf Wratislaw des Regiments mit seiner der Oberst 2. Escadron oberhalb Jedlersee gegen Stammersdorf aufgestellt, um die Flanken des Regiments zu decken, sollte sich jedoch in kein Gefecht einlassen. Seitwärts von ihm war die Oberst 1. Escadron des Regiments. Da gewahrt Graf Wratislaw, dass das 1. Wiener Freiwilligen-Bataillon vom Feinde überflügelt in grösster Gefahr schwebt gefangen zu werden. Er lässt nun schnell zur Attaque blasen, stürzt sich an der Spitze der Escadron unter die feindlichen Reiter, und ist mit dem Trompeter bereits in Melée. Die Escadron stutzt ohne zu weichen. Ihren wackern Führer umringt und mit Säbelhieben bedeckt, wird von einem feindlichen Schützen das Pistol an die Brust gesetzt, dieser aber von einem ansprengenden Uhlanen niedergestochen. Dieser Uhlane hatte Graf Wratislaw Luft gemacht, indessen hatte die Escadron sich auf den Feind gestürzt, auch die 1. Escadron war herbeigeeilt, der Feind musste weichen, und der Major Baron Salis mit seinem Freiwilligen-Bataillon war durch die kühne Attaque gerettet. Ungeachtet seiner erhaltenen mehreren, jedoch unbedeutenden Wunden vollführte Graf Wratislaw kurz darauf bei Schöngrabern abermals eine glänzende Attaque.

In den nächsten Tagen fielen fortwährende Rückzugs-Gefechte vor, und am 9. Juli übernahm FZM. Fürst Reuss mit dem V. Armee-Corps den Dienst der Nachhut, blieb als Arriere-Garde zurück, und erhielt den Befehl die Stellung bei Schöngrabern und Jetzelsdorf so lange als möglich zu halten. Als am frühen Morgen des 10. Juli der Nachtrab des VI. Corps Hollabrunn verliess, rückte eine französische Avant-Garde durch diesen Ort vor, stiess jenseits desselben auf die Vorposten der V. Armee-Corps, und drückte diese auf einige hundert Schritte zurück. FZM. Fürst Reuss erwartete den Feind hinter Grund in zwei Treffen aufgestellt. GM. Graf Klebelsberg stand als Nachhut mit den leichten Truppen, bei welchen das Regiment in und vorwärts Schöngrabern. Der Oberstlieutenant Baron Wilgenheim des Regiments wurde mit einer Escadron Uhlanen und einer Abtheilung Jäger zur Deckung der linken Flanke nach Mailberg entsendet. Nach einem mehrstündigen heissen Kampfe gegen die französischen Generale Piret und Marulaz bei Schöngrabern, Grund und Hollabrunn setzte das V. Armee-Corps seinen weitern Rückzug fort. Die Arriere-Garde musste nun eine theilweise flache Gegend durchziehen. Der Feind suchte mit 5000 Reitern ihre rechte Flanke zu umgehen. Die Gradiskaner unter Major Baron Simbschen formirten Massen, an deren Festigkeit die wiederholten Angriffe der feindlichen Reiter abprallten. Der Oberst Graf Heinrich Hardegg des Regiments führte seine Uhlanen so wie das Hussaren-Regiment Blankenstein (Nr. 6) unterstützt von einer Cavallerie-Batterie des Oberlieutenants Stonieck, und Geschützen des Infanterie-Regiments Baron Lindenau (jetzt Nr. 29) mit so umsichtsvoller Benützung des Terrains zurück, dass er nach dessen Beschaffenheit bald selbst angriff, bald sich den feindlichen Angriffen entzog, dadurch das rasche Vordringen des so weit überlegenen Feindes beschränkte und verzögerte, und endlich ohne bedeutendem Verlust die den Rückzug mehr begünstigende Gegend von Jetzelsdorf noch vor Sonnenuntergang erreichte. Um eilf Uhr Nachts überschritt das Regiment die Brücke bei Znaim und marschirte auf dem äussersten rechten Flügel an der Taja vorwärts der Stadt auf.

Die offizielle Relation nennt unter den besonders ausgezeichneten Offizieren dieser letzten vier Tage den Obersten Heinrich Graf Hardegg, den Oberstlieutenant Ludwig Baron Wilgenheim, die Rittmeister Graf Auersperg, Baron Carl Kress, Graf Dominik Wrbna, die Oberlicutenants von Wisniowski und Graf Joseph Fuchs des Regiments. Mit Armee-Befehl vom 24. October erhielt Oberst Graf Hardegg das schon in der Affaire bei Landshut verdiente Ritterkreuz des Maria Theresien-Ordens.

Nach abgeschlossenem Wiener Frieden erhielt das Regiment die Stabsstation Gaja in Mähren, — rückte aber 1812 nach Pecsvar in Ungarn und von da 1813 nach Güns.

Bei Ausbruch des Feldzugs 1813 erhielt das Regiment seine Bestimmung zu der Armee des FZM. Baron Hiller in Innerösterreich. — Nach Eintheilung der zweiten Majors-Division in die übrigen, rückte das Regiment über Marburg nach Klagenfurt in Kärnten, erhielt seine Eintheilung in die Brigade des GM. Graf Vecsey und bezog daselbst ein Lager. (Die zweite Majors-Division zu Güns neu errichtet, rückte im Jänner 1814 nach Italien zum Regimente wieder ein.)

Im August blieb das Regiment im Drauthale zwischen Klagenfurt und Völkermarkt stehen, Mitte September stand es bei Windischkappel und Ende jenes Monats bei Föderaun und an der Bleibergerhöhe. Im October rückte das Regiment über Villach und Tarvis gegen Friaul vor. Der Oberstlieutenant Wilhelm Baron Mengen beobachtete mit seiner Division von Tolmino her, den Pass von Pless. Am 11. war die schwache Abtheilung Mengens von der französischen Brigade Campi auf dem Marsche dieser letztern über Pless nach Carporetto zurückgeworfen.

Bei der Ueberschreitung des Isonzo hatte Rittmeister Anton Graf Feuerstein des Regiments mit 20 Uhlanen das vom Feinde besetzte Dorf Woltschach angegriffen, die Franzosen verjagt und mehrere Gefangene gemacht. Das Regiment rückte von Friaul über Udine, Treviso nach Vicenza, wo die Brigade Vecsey am 6. November zur Unterstützung der Brigaden Starhemberg (Richtung von Legnago gegen Bevilaqua) und Eckarth (bei Caldiero) unter FML. Radivojevich, Division

Merville verwendet wurde. — Am 15. November im Gefechte bei Villanova hatte das Regiment den Major Grafen Banffy, als durch einen Schuss getödtet, zu beklagen. Am 20. stand das Regiment in der Brigade Vecsey bei Montorio und am 30. zu St. Martino und St. Giacomo der Division Pflacher zugewiesen.

Im Feldzuge 1814 war das Regiment seit Ende Jänner zu Valeggio unter FML. Radivojevich in seiner bisherigen Brigade Vecsey aufgestellt. Am 8. hatte GM. Graf Vecsey bei Pozzolo eine Brücke geschlagen und das rechte Mincio-Ufer betreten. Das Regiment hatte sich in Abtheilungen nach verschiedenen Richtungen verbreitet und eine derselben stiess in der Gegend von Cereto und Cerlongo auf den Gepäcktrain der französischen Brigade Bonnemain, welcher ohne Bedeckung auf Goito zog. Die Uhlanen fielen über denselben her und nur ein geringer Theil entkam ihnen. — General Vecsey liess nun den Obersten v. Gorzkowski des Regiments mit einer Division bei der unterhalb Pozzolo geschlagenen Schiffbrücke zurück, während er selbst gegen Goito am rechten Mincio-Ufer hinab gegangen war, sich aber sodann mit einer Rechtsschwenkung in die Richtung von Cerlongo und Castel Grimaldo brachte. Derselbe hatte den Oberstlieutenant Wilhelm Baron Mengen des Regiments mit einer Escadron am linken Mincio-Ufer gegen Goito mit dem Auftrage entsendet, nur im Falle als dieser Ort vom Feind verlassen sei, dort über den Fluss zu setzen und jenseits sich wieder mit ihm zu vereinigen. Rittmeister Graf Feuerstein, welchen Oberstlieutenant Mengen zur Recognoszirung der Gegend vorgeschickt hatte, stiess zuerst auf einen starken, ihm weit überlegenen feindlichen Vortrab, griff denselben mit Entschlossenheit an, und verfolgte ihn bis an dessen nachrückende Cavallerie, worauf sich die Uhlanen zurückziehen mussten. Nun stiess Oberstlieutenant Baron Mengen in seinem Vormarsche auf die zwei feindlichen Cavallerie-Brigaden Perreymont und Bonnemain, die er mit seiner tapfern Escadron, ungeachtet ihrer Ueberzahl, mit Ungestüm angriff und mit welchen er durch 2 vom Oberst Gorzkowski abgesandte Züge verstärkt, sich auf das Tapferste herumschlug, jedoch die feindliche Ueberzahl hatte ihn mit seinen Uhlanen in die Mitte genommen und mit französischen Reitern vermischt, kam Mengen gegen Pozzolo dahergesprengt. Das Grenadier-Bataillon de Best der österreichischen Brigade Stutterheim bildete schnell einen Haken und gab unter die feindlichen Reiter einige Dechargen. FML. Baron Merville setzte sich an die Spitze des Dragoner-Regiments Savoyen und griff mit Oberstlieutenant Mengen, der sich wieder gesammelt hatte, die französische Cavallerie mit dem grössten Ungestüm an, während General Baron Wrede mit 3 Escadrons Hohenlohe-Dragoner in deren rechte Flanke fiel. Das in erster Linie stehende feindliche Hussaren-Regiment

wurde sogleich über den Haufen geworfen und das in zweiter
Linie stehende französische Regiment Königin-Dragoner erlitt
gleiches Schicksal. Diese beiden feindlichen Regimenter wurden
auf ihre 6 leichten Geschütze gejagt, und diese selbst erobert.
Da liess der Vizekönig Eugen, der sich bei der französischen
Division Quesnel befand, die Bataillone ihres linken Flügels
Vierecke formiren, und ein heftiges Kartätschenfeuer eröffnen,
welches die österreichische Reiterei nöthigte, in der Verfolgung
inne zu halten, und so konnten die Uhlanen, wegen der bei
der Bespannung eingetretenen Verwirrung von den eroberten
Kanonen nur eine einzige Trophäe zurückbringen. Der Rittmeister Ernst Graf Stolberg und Oberlieutenant Franz Graf
Lamberg des Regiments waren bei diesen Attaquen verwundet
worden. An diesem für den Ruhm des Regiments so glor-
reichen Tage fanden von der Mannschaft vom Wachtmeister
abwärts Mehrere Gelegenheit zur Auszeichnung. Corporal Hussebeck wurde von dem mit den übrigen Truppen der Brigade
Vecsey unweit Cereta auf einer Anhöhe stehenden Regimente, als man ein heftiges Kleingewehrfeuer nebst einigen
Kanonenschüssen hörte, mit 4 Uhlanen nach Marengo geschickt,
um von der Ursache dieses Feuers Kunde zu verschaffen.
Als dieser Corporal bei Monzambano ankam, stiess er auf
mehrere feindliche Infanterie-Compagnien, welche die Avant-
Garde bildeten. Hussebeck fing sogleich zu plänkeln an, um Zeit
zu gewinnen und abzuwarten, welche feindliche Truppen hinter
der Avant-Garde folgen würden. Als nun Oberlieutenant Graf
Lamberg des Regiments zur Recognoszirung dieser Gegend ankam,
schloss sich Hussebeck demselben an; er machte ferner alle
Attaquen jenes Tages mit, tödtete einen feindlichen Bataillons-
Chef, bis er endlich wegen schwerer Verwundung das Schlachtfeld verlassen musste. Als im Laufe der Schlacht eine feindliche
Cavallerie-Batterie gegen die Oberstlieutenants 1. Escadron vorrückte und durch ein heftiges Kartätschenfeuer deren Haltung zu
bedrohen schien, war es nöthig einen Angriff auf dieselbe zu
unternehmen, bei dessen Ausführung hatte sich der Uhlane Johann
Biloff durch besondere Tapferkeit ausgezeichnet. Nachdem ihm
sein Pferd erschossen war, eroberte er zu Fuss eine Kanone mit
Beihilfe einiger Kameraden. Später bemächtigte er sich wieder
eines Pferdes, machte mehrere Attaquen auf das Tapferste mit,
und hieb zwei feindliche Offiziere von den Pferden. Hussebek
und Biloff erhielten die goldene Medaille. Der Uhlane
Johann Fiala rettete den Oberstlieutenant Baron Mengen. Dieser
war schon von feindlichen Reitern umrungen, dessen Leben
und Freiheit waren bedroht. Da warf sich Fiala in diese
Feinde und hieb mit solcher Tapferkeit in dieselben ein, dass
der Oberstlieutenant auf diese Art Luft bekam und gerettet
ward, die französischen Reiter aber nun von beiden in die
Flucht gejagt wurden. — Der Uhlane Gottlieb Kerich mit

2 Mann auf Patrouille nach Ceresara entsendet, entdeckte auf
einem Seitenwege einen von französischen Gensdarmen bedeckten
Wagenzug, der sich längs der Gebüsche hinzog. Kerich sprengte
sogleich darauf los, nahm drei Offiziere mit mehreren Wachen
gefangen, nachdem der Rest bei seiner Annäherung entflohen
war. Fiala und Kerich erhielten die silberne Medaille.

Von nun kam das Regiment in diesem Feldzuge zu
keiner grössern Affaire, und erhielt eine Cantonirung bei Villa
Franca, in welcher es bis 20. April verblieb, sodann gegen
Mailand aufbrach und am 24. in dieser Stadt als Avant-Garde
der österreichisch-italienischen Armee unter FML. Graf Neipperg seinen Einmarsch hielt. Nach zehntägigem Aufenthalte
daselbst rückte das Regiment nach Turin, wo es bis Juli
als Besatzung blieb, sodann seinen Rückmarsch in die kaiserlichen Erbstaaten antrat und seine Bestimmung in die Friedens-
station Güns erhielt. Kaum daselbst eingerückt, wurde dasselbe
beordert nach Linz in Oberösterreich abzurücken, wo es an
der Hauptstrasse nach Wien dislozirt wurde, und den zum
Congress in die Residenzstadt reisenden Allerhöchsten Herrschaften
als Ihren Majestäten den Königen von Bayern und Württemberg,
Ihren k. Hoheiten den Grossherzogen von Baden und Hessen
die übliche Ehrenbegleitung zu leisten hatte.

Bei Ausbruch des Feldzugs 1815 erhielt das Regiment
die Bestimmung zur Armee am Ober-Rhein, mit der Eintheil-
lung in die Brigade des GM. Prinzen Coburg. Anfangs April
marschirte dasselbe von Oberösterreich ab, durch Bayern ins
Badische, wo es bei Hiffingen in der Gegend von Donau-
eschingen eine vierwöchentliche Cantonirung bezog und rückte
von da auf den Sammelplatz der zu jener Armee bestimmten
Truppen nach Lörrach bei Laufen am Rhein. Ende Juni überschritt das Regiment bei Basel den Rhein, passirte über Mühl-
hausen und Kolmar die Vogesen und kam anfänglich nach
Remirmont, später nach Pontarlier zu stehen, bis es, bei dem
allgemeinen Vormarsche gegen Paris, nach Sens abrückte. Von
hier wurde das Regiment gegen die Reste der französischen
Armee unter Marschall Soult an die Loire beordert, und erhielt nach einigen Hin- und Hermärschen in Lons le Saunier
eine Cantonirung, von wo es Ende September in das grosse
Armee-Lager bei Dijon abrückte. In diesem stand es bei der
von Erzh. Maximilian d'Este befehligten Avant Garde der Division des FML. Graf Wartensleben und der Brigade seines
Obersten von Gorzkowski.

Nach Beendigung dieses Lagers marschirte das Regiment
gleich den übrigen Truppen über Deutschland in die öster-
reichischen Staaten zurück und bezog die Friedensstation Gross-
Topolcsan in Ungarn, wo wo es im September 1820 dem bei
Pesth abgehaltenen grossen Cavallerie-Lager beigezogen wurde.
Im April 1828 rückte das Regiment zur Aufwartung in die

Haupt- und Residenzstadt Wien und von da im Mai 1829 nach Grosswardein in Ungarn, 1830 nach Reps in Siebenbürgen, 1831 nach Debreczin, 1832 wieder nach Grosswardein und 1837 nach Oedenburg. _
Am 1. April 1843 erfüllte sich das fünfzigste Jahr, seit der Regiments-Inhaber Se. k. k. Hoheit Erzherzog Carl für die siegreichen Tage von Aldenhofen und Neerwinden (1793) das Grosskreuz des Maria Theresien-Ordons erhalten hatte. Am 5. April wurde diese Jubelfeier am Glacis, auf der Esplanade zwischen Burg- und Franzensthor feierlichst begangen und dem erlauchten Jubilar, die Insignien des Maria Theresien-Ordens in Brillanten von Seiner Majestät dem Kaiser Ferdinand übergeben. Aus diesem Anlasse war die Oberst-lieutenants-Division des Regiments unter Oberstlieutenant von Wyss auf mehrere Tage nach Wien beordert worden, und bei dieser Feierlichkeit der Brigade des GM. Graf Gyulay zuge-theilt, ausgerückt.

1844 erhielt das Regiment die Stabsstation Körmönd und detachirte im Sommer 1847 eine Division nach Gratz.

Mitte März 1848 rückte das Regiment Divisionsweise in Eilmärschen nach Wien, wo es am Glacis lagerte und nach achttägigem Aufenthalt daselbst per Eisenbahn bis Cilly und von da bis in die Umgegend von Görz marschirte, wo es zum Corps des FZM. Graf Nugent eingetheilt ward. Dieses, zur Vorrückung gegen das Venetianische bestimmte Corps, sammelte sich auf der Strasse bei Romans.

2 Escadrons des Regiments waren in die Brigade des GM. Schulzig und drei in die Reserve eingetheilt. Am 18. waren mit den Truppen des FML. Graf Schaffgotsche noch 2 Escadrons des Regiments eingetroffen. Eine halbe Escadron des Regiments stand bei dem zusammengesetzten Commando des Major Hablitschek in der Umgegend von Toblach und eine halbe Escadron traf am 17. bei Malborghetto ein, welche zur Brigade des Oberst Baron Gorrizutti gehörte und am 19. bis Pontafel vorgeschoben wurde. Am 23. war letztere Abtheilung bei der Besetzung von Pon-teba und rückte nebst 12 Infanterie-Compagnien über Resiutta bis Gemona, wo sie zur Einschliessung der Bergfestung Osoppo verblieb.

Die oben genannten 7 Escadrons des Regiments, in dem vom FZM. Graf Nugent nun befehligten Operations-Corps rückten noch am 18. nach Trevignano vor, am 20. setzte dieses Corps seinen Marsch gegen Udine fort, welche Stadt am 21. und 22. beschossen und am 23. besetzt wurde. Nach der Einnahme von Udine gab FZM. Graf Nugent am 23. eine neue Ordre de Bataille seines Corps heraus, wornach 6 Esca-drons des Regiments in der Division des FML. Prinz Würtem-berg und der Reserve-Brigade ihres Obersten von Wyss, eine Escadron aber in die Brigade des Obersten Baron Gorrizutti eingetheilt war. Bei den in Friaul zurückgelassenen Truppen unter FML. Baron Stürmer war gleichfalls eine Escadron verblieben, wovon 2 Züge den Cernirungs-Truppen von Osoppo unter Major Tomaselli von Baron Hrabowsky-Infanterie (Nr. 14) zugewiesen waren. Das Operations-Corps des FZM. Graf Nugent rückte nun bis gegen die Piave vor, deren Linie es über Belluno umging, und hatte bei Pederobba und Arsie am 8. Mai ein Gefecht zu bestehen, nach welchem es noch am selben Tage eine Brücke über die Piave schlug und diesen Fluss am 9. übersetzte. Die 7 Escadrons des Regiments machten nun die weitere Vorrückung dieses Corps ohne für sie erhebliche Vorfallenheiten weiter mit. Im Gefechte bei Vicenza am 20. Mai war der Oberlieutenant Friedrich Graf Zichy des Regiments abgesessen, hatte ein Gewehr ergriffen und avancirte an der Spitze der Tirailleurs, jede Deckung verschmähend auf freier Strasse, bis er von einer Kugel tödtlich in den Kopf getroffen, fiel. — Im Gefechte bei Vicenza am 23. Mai war eine Division des Regiments der bei Pontalto als Reserve stehenden Brigade des GM. Fürsten Felix Schwarzenberg zugetheilt.

Nach der am 18. Mai herausgegebenen Ordre de Bataille des 2. Reserve-Corps war eine Escadron des Regiments der theils vor Treviso, theils im Brückenkopfe der Piave stehenden Brigade des GM. Susan zugewiesen, eine halbe Escadron hingegen bei der im Boite-Thale operirenden Colonne des Infanterie-Major Hablitschek verwendet.

Bei der Vorrückung vom Isonzo bis Verona hatte das Regiment nebst dem Oberlieutenant Graf Zichy noch einen Mann als todt, 2 als verwundet und einen als vermisst zu beklagen. Die kleine silberne Tapferkeits-Medaille hatten erhalten: Corporal Kempinski, Trompeter Spargel, die Uhlanen Kowalski, Kitta, Haidimow. Am 14. Juni wurde Oberstlieutenant von Batky des Regiments mit seiner Division zu einer Recognoszirung gegen Sommacampagna beordert. Die Vorhut dieser Colonne gelangte bis auf den von Calzoni gegen die Chausée führenden Weg, welchen eben zwei mit Heu beladene Wagen unter Escorte von 6 feindlichen Lanciers passirten. Augenblicklich machten die bei der Vorhut anwesenden Rittmeister Morhagen und Oberlieutenant Fischer Jagd auf dieselben. Sie erbeuteten wohl die Wagen aber die Escorte-Mannschaft entkam. Bald darauf gelang es, dem mit 3 Mann als Seitenpatrouille detachirten Corporal Grembosz 2 feindliche Cavallerie-Vedetten gefangen zu nehmen. Auf ihre Aussagen, dass das feindliche Piket hinter einem, links von der Strasse gelegenen Hause stehe, beorderte Oberstlieutenant Batky den Oberlieutenant Riefkohl mit einem Zuge gegen dasselbe. In dessen Nähe jedoch, stiess die Abtheilung, welcher sich Rittmeister Morhagen freiwillig angeschlossen hatte, auf die Queue einer 70 bis 80 Mann starken Abtheilung des Regiments Genua. Ohne lange zu überlegen, liess

Riefkohl seine 20 Uhlanen aufmarschiren, und stürzte an ihrer Spitze auf den Feind. In wenigen Augenblicken waren über 30 Gefangene gemacht, doch die übrigen rückten zweimal zu ihrer Befreiung in geschlossener Abtheilung wieder vor, da sammelte Corporal Grünwald 4 bis 5 Mann, warf sich denselben mit Ungestüm entgegen, und ermöglichte dadurch die Gefangenen in Sicherheit zu bringen, mehrere von ihnen wollten entspringen, unter diesen auch ein bereits verwundeter Offizier, welchen Versuch sie mit dem Leben büssten. Da mittlerweile Allarm-Zeichen auf des Feindes Seite zu hören waren und zu erwarten stand, dass derselbe mit grösserer Macht vorrücken werde, so zogen sich die beiden genannten Offiziere mit ihrer Mannschaft, welche kaum zur Escortirung der Gefangenen hinreichte, auf das Gros der Division zurück. Oberstlieutenant Batky schickte nun eine grössere Abtheilung unter Oberlieutenant Fürsten de Ligne und Lieutenant von Horwath gegen das früher bezeichnete Gebäude. In der Nähe des Hauses angelangt, empfing sie ein ausgiebiges Karabinerfeuer der vor dasselbe gerückten etwa 150 Mann starken feindlichen Schwadron, die unmittelbar darauf mit eingelegten Lanzen gegen die Uhlanen sprengte. Der Zusammenstoss war ziemlich blutig, der Gegner von den letztern bald zurückgeschlagen. Während der Verfolgung hatte sich Lieutenant von Horwath von jugendlichem Muthe hingerissen zu weit vorgewagt, und mit einem Lanzier-Offizier ein Einzeln-Gefecht engagirt, den er auch verwundete und zuletzt noch verfolgte, bis er endlich selbst durch zwei Lanzenstiche schwer verwundet, vom Pferde sank. Kaum hatte Oberlieutenant Riefkohl dieses bemerkt, ergriff er eine Pike, jagte dem feindlichen Offizier nach, und stach ihn vom Pferde. Dieses kurze Gefecht kostete den Uhlanen 2 Mann an Todten, dann ausser dem erwähnten Lieutenant Horwath 5 Mann an Verwundeten und 2 Vermisste, endlich 5 Pferde. Der Feind hatte einen Gesammtverlust von 3 Offizieren, 45 Mann, mehreren Pferden, Wagen und Maulthieren.

Am 23. Juli stand Oberst von Wyss mit 3 Escadrons des Regiments zur Beobachtung von Villa-Franca, auf der von Verona dahin führenden Chaussé und bestritt am 25. mit 6 Escadrons des Regiments die Vorposten zwischen Valeggio und Gherla. — Gleichzeitig mit den Gefechten während der Schlacht von Custozza hatte sich der unternehmende Oberst von Wyss des Regiments mit der Oberst-Division desselben, der Oberstlieutenants-Division von Radetzky-Hussaren, 2 Infanterie-Compagnien nebst 2 Cavallerie-Geschützen auf der Strasse von Valeggio gegen Villa-Franca zu Gunsten der Brigade Clam bewegt. Der Feind hatte 2 Geschütze in den Maulbeerpflanzungen gedeckt aufgefahren. Die Hussaren hieben in die feindliche Infanterie und zerstreuten sie, während die Geschütze noch zeitlich genug abgezogen waren. Ein Pulver-Karren wurde jedoch erbeutet, und gegen 40 Gefangene gemacht. Oberst Wyss eilte nun mit seinen Uhlanen bis

Torre di Gherla in dem Momente, als gerade der Kampf bei Custozza für unsere Waffen sich entschieden hatte.

Noch am Vormittage dieses Schlachttages hatte der tapfere Wyss mit 2 Zügen seines Regiments und 1 von Radetzky-Hussaren eine glänzende Schwarm-Attaque in die rechte Flanke einer gegen Valeggio vorgedrungenen feindlichen Infanterie-Colonne unternommen, selbe zerstreut, und auf mehr als 1000 Schritte gegen Villa-Franca verfolgt.

Nach dieser Schlacht erhielt Oberst Wyss den Befehl, den Feind mit der verfügbaren Cavallerie auf seinem Rückzuge zu beunruhigen. Doch konnte diese Verfolgung erst vor Tages-Anbruch beginnen. Sie erfolgte in 2 Colonnen, wovon die eine, bestehend aus der Oberst 2. Escadron vom Regimente, einer Escadron Radetzky-Hussaren, und 2 Cavallerie-Geschützen unter Commando des Oberst Wyss, von Valeggio nach Quaderni, die andere, welche aus der Oberst 1. Escadron des Regiments und 3 Zügen Radetzky-Hussaren unter Oberst Graf Stadion von Schwarzenberg-Uhlanen bestand, nach Sei Vie rückte. Oberst Wyss gelangte noch vor Tages-Anbruch anstandslos nach Quaderni, welcher Ort vom Feinde unbesetzt war. — Hier traf er folgende Disposition. Die beiden Geschütze wurden vor dem Orte auf dem in die von Villa-Franca führende Chaussée beinahe senkrecht einfallenden Wege placirt, zu ihrer Bedeckung ward eine halbe Escadron verwendet, während die übrige Truppe beiderseits des Weges zugsweise in Intervallen von einigen hundert Schritten sich aufstellte. Beinahe jeder dieser Abtheilungen war ein Trompeter zugewiesen und die Instruction ertheilt, nach erfolgtem zweiten Kanonenschusse unter Lärmen und Allarm-Blasen in aufgelöster Ordnung sich auf den auf der Chaussée marschirenden Feind, somit in dessen Flanke zu stürzen. Bald erschien die erwartete feindliche Truppe, eine mit Geschützen versehene piemontesische Infanterie-Brigade. Der Angriff erfolgte der gegebenen Disposition gemäss. Die Verwirrung in der feindlichen Colonne war grenzenlos, und bald sah man die ganze Brigade in wilder Flucht auf der Strasse gegen Sei Vie, verfolgt von der nachsprengenden Cavallerie des Obersten Wyss. Erst nach anderthalb Miglien Weges versuchte sie sich wieder aufzustellen. Es wurden 45 Gefangene zurückgebracht, doch wäre ihre Zahl weit grösser gewesen, wenn man dieselben in der dichten Cultur, wohin sie sich flüchteten, hätte fortbringen können, ein grosser Theil der Gefangenen war daher entkommen. Viele hingegen wurden von den erbitterten Uhlanen und Hussaren niedergehauen. Major Graf Szecsen von Radetzky-Hussaren, welcher sich mit einem Zug Uhlanen auf die feindliche Arriere-Garde geworfen, stürzte von dieser ganz nahe mit einer Decharge empfangen, nebst seinem Pferde todt zu Boden. Nebst diesem Stabs-Offizier verlor das Detachement des Obersten Wyss an Verwundeten: 1 Uhlanen nebst 2 todten und 2 verwundeten Pferden.

Die bei dem Detachement des Oberst Graf Stadion befindliche Escadron des Regiments stiess bei Sei Vie auf den durch den Angriff des Oberst Wyss in der Flucht begriffenen Feind, dem sie 23 Gefangene abnahm, und mit dem geringen Verlust von 2 verwundeten Pferden gegen 8 Uhr früh in Valeggio einrückte. Oberst Wyss hatte nun von Volta aus mit einem Commando von 2 Divisionen des Regiments, einer Division Radetzky-Hussaren, einem Infanterie Bataillon nebst einer Cavallerie-Batterie die rechte Flanke der gegen Cremona vorrückenden Armee zu decken, und das rechts ausser dem Bereich der Armee liegende Terrain zwischen dem linken Oglio-Ufer, der Strasse nach Brescia und dem Gebirge in der Richtung gegen die Adda zu reinigen. In der Nacht vom 31. Juli auf den 1. August war Oberst Wyss mit seinem Streif-Commando bis Crema vorgerückt, liess mit einem Flügel Hussaren diesen Ort umgehen, um das jenseitige Stadtthor zu besetzen und zu schliessen, während er selbst gegen das vordere rasch vorrückte, und 2 Geschütze gegen das Stadtthor aufführen liess. So machte er 1 Offizier und 48 Mann, worunter 21 Kranke gefangen, und erbeutete 300 Gewehre, mehrere Trommeln, dreifärbige Fahnen und 5 Pferde. — Von hier zog Oberst Wyss gegen Lodi, wo er zwischen Fontana und Lodi auf feindliche Cavallerie-Vedetten stiess, die sich aber vor seiner Avant-Garde schnell zurückzogen. Als diese jedoch bei den an der Strasse gelegenen Cassinen anlangte, gerieth sie in ein heftiges Infanterie-Feuer. Da liess Oberst Wyss seine beiden Geschütze vorführen, in der Absicht den Feind zu schrecken, deren Feuer wurde aber sogleich erwiedert, und allmälig entwickelten sich auch einige feindliche Infanterie-Abtheilungen, in dem durchschnittenen Terrain, wesshalb der genannte Oberst bei seinem gänzlichen Mangel an Infanterie, welche er in Cremona zurückgelassen hatte, bis Casaletto zurückging, wo er ein Lager bezog.

Am 2. August entsandte Oberst Wyss, welcher den Auftrag hatte, die Adda zu überschreiten, und gegen Mailand vorzurücken, eine Escadron des Regiments nach Spino, wo sie eben noch zu rechter Zeit anlangte, um die Abtragung der dortigen Brücke zu hindern, indem sie selbe, sowie die beiden kleinen am jenseitigen Ufer gelegenen Orte Bisnate und Zelo besetzte.

Am 3. bei seiner weitern Vorrückung wurde Oberst Wyss in Buon Persico vor einer feindlichen Colonne, in der Stärke von 3000 Mann Infanterie, 60 Cavalleristen und 3 Geschützen, die von Cassano kamen, ohne Erfolg angegriffen. Diese feindliche Colonne lagerte in der Nacht vom 3. auf den 4. August bei Vigliano, und zog sich am 4. über Linate gegen Mailand zurück. Obschon Oberst Wyss seinen Abmarsch zu ihrer Verfolgung nach Möglichkeit beschleunigte, so konnte er dieselbe doch nicht mehr einholen, und langte gleichzeitig mit einer zur Sicherung der Lambro-Brücke von der Brigade Clam nach Linate entsendeten Gradiskaner-Compagnie in diesem Orte an. Diess

bewog den genannten Oberst mit seinem Streif-Corps sich gegen
Malnöc zu wenden, um die rechte Flanke der Brigade des GM.
Graf Clam zu decken, und sich mit diesem in Verbindung zu
setzen, — welches auch dem umsichtigen tapfern Wyss vollkom-
men gelang, und welcher Antheil für den an diesem Tage vor
Mailand stattgehabten Kampfe nicht ohne Wichtigkeit war.

Eine Division des Regiments war um Mitte Juli bei dem
Entsatze der Festung Mantua in mehreren Gefechten betheiligt,
und eine bei den verschiedenen Infanterie-Brigaden und Streif-
Commanden des 1. Reserve-Corps abtheilungsweise verwendet
worden. —

In der Feldzugs-Epoche vom 13. Juni bis 9. August
wurden in der offiziellen Relation folgende Offiziere des Regimentes belobt: Oberst von Wyss wegen der umsichtigen und
tapfern Führung seines Streif-Commandos, Rittmeister Herrmann
Ritter von Siegfeld, Oberlieutenant Rudolf Riefkohl und der als
Ordonnanz-Offizier beim 1. Reserve-Corps in Verwendung gestandene Oberlieutenant Carl Graf Hallwyl. — Corporal Brezinski hatte den, an der Spitze eines Zuges, in einem Entsatz-
Gefechte bei Mantua am 27. Juli vorgesprengten Rittmeister
Marenzeller des Regiments, dessen Pferd diesem unter dem Leibe
erschossen wurde, mit edler Selbstaufopferung sein Pferd übergeben, und durch diese That den genannten Offizier vor Gefangennehmung gerettet. Der Gemeine Kuzniak, vom Streif-
Commando des Obersten Wyss rettete einen vom Pferde gestürzten Mann von Radetzky-Hussaren dadurch dass er in Begleitung eines Hussaren dem Feinde keck entgegen sprengte, und
so dem gestürzten Cameraden Zeit verschaffte, wieder auf's
Pferd zu kommen. Corporal Brezinski erhielt die grosse, Gemeiner Kuzniak die kleine silberne Medaille. Das Regiment hatte in diesem Zeitraume geringe Verluste als: den Oberlieutenant Josef Graf Waldstein durch einen Schuss verwundet,
nebst diesem noch 2 Blessirte, 1 Todten und 2 Vermisste zu
beklagen.

Das Regiment war nach eingetretenem Waffenstillstande
grösstentheils divisionsweise dislozirt worden, so in Piacenza,
Parma, Modena und Casal-Pusterlengo.

Im kurzen Feldzuge von 1849 war die Oberstlieutenants
Division des Regiments vom IV. Corps von Valeggio aus gegen
Lumello entsendet, wovon eine Escadron einen Streifzug gegen
Valenza, und die andere über Sartinaro gegen Frassinetto unternahm, um den Po zu beobachten, und die linke Flanke des oben
genannten Corps zu decken. Das Regiment im IV. Armee-Corps
eingetheilt, kam aber einige Streif- und Recognoszirungs-Patrouillen
ausgenommen, in dieser Campagne nicht in's Gefecht — und
waren Abtheilungen desselben während der Schlacht von Novarra
am 23. März im Rücken des Feindes zur Beobachtung der Strasse
von Turin bis Vercelli gestreift. Rittmeister Rudolf Riefkohl

7

des Regiments, hatte, mit der Muskete in der Hand, in Reih und
Glied, mit einigen Abtheilungen des Regiments Gyulay (Nr. 33)
mehrere Sturmangriffe mitgemacht. -- Die offizielle Relation belobt
vom Regimente: den Oberstlieutenant Baron Münchhausen, die
Rittmeister Graf Christoph Spiegel und Riefkohl, und den Oberlieutenant Ludwig Graf Ville Franche; ebenso die im Hauptquartiere des FM. als Ordonnanz-Offiziere befindlichen Rittmeister
Wilhelm Naske und Oberlieutenant Heinrich Graf Salis. Die grosse
silberne Tapferkeits-Medaille erhielten die Corporale Gallecki und
Gremborz; die kleine: Wachtmeister Jahl und Gemeiner Parko-
lap. Belobungen: Wachtmeister Iwelski, Cadet Sobolewski, die
Gemeinen Cziczka, Figlarski und Demkowicz. — Nachträglich
erhielten der bei Sr. k. k. Hoheit dem G. d. C. Erzh. Albrecht
kommandirte Rittmeister Heinrich Graf Cappi, die Rittmeister
Josef Hermann Ritter von Siegfeld, Josef Sedlakowicz, Wilhelm
Naske, Rudolf Riefkohl und Oberlieutenant Ludwig Graf Ville
Franche das Militär-Verdienst-Kreuz.

Nach der Schlacht von Novarra blieb das Regiment mit
dem IV. Armee-Corps in der Lomelina dislozirt und zwar: der
Stab mit 3 Escadrons in Vigevano, 2 Escadrons in Novarra,
1 Escadron in Mortara und 2 Escadrons längs dem Po. Am
12. August 1849 wurde das Regiment in Marsch gesetzt, und
rückte divisionsweise bis Wien, wo es sich sammelte und von
Sr. Majestät dem Kaiser besichtigt wurde, von da aber Ende
October die Stabs-Station Saaz in Böhmen bezog.

Im November 1850 bei dem drohenden Ausbruche des
Krieges mit Preussen, bildete das Regiment die äusserste Avant-Garde
der Armee an der Spitze des 3. Corps, und war bereits über Teplitz
an die sächsisch-böhmische Grenze vorgeschoben, im Jänner 1851
aber wieder in seine frühere Dislocation eingerückt. Im Herbste
1851 marschirte das Regiment in die Umgegend von Wien, wo
es die Stabs Station Himberg erhielt.

Aus Anlass der Verwicklung der montenegrinischen Angelegenheiten rückte das Regiment im Februar 1853 an die kroa-
tisch-steierische Grenze, und erhielt im März bei Marburg in
Steiermark eine Cantonirung, von wo es im September j. J.
in die Stabs-Station Baden bei Wien abrückte. —

Im April 1854 bei dem Ausbruche des Orient-Krieges
hatte dasselbe seine Eintheilung zum österreichischen Occupations-
Corps der Donau-Fürstenthümer erhalten, und kam nach Bukarest in die Wallachei als Besatzung, bis es im September 1855
in Plojestie, Buzeo und Galatz dislozirt wurde. —

Bei Auflösung des Occupations-Corps in Folge des Pariser
Friedens vom 30. März 1856, marschirte das Regiment im Mai
1856 nach Kronstadt in Siebenbürgen, und im Herbste 1857 nach
Theresiopel in Ungarn. —

Im Mai 1859 wurde das Regiment gleich allen übrigen
Cavallerie-Regimentern vorgeschoben, und kam mit dem Stabe

nach Stuhlweissenburg, von wo es im Juli j. J. in die Friedens-Station Grosswardein abrückte, und diese 1860 mit Alt-Arad verwechselte. In Folge der neuen Organisation der k. k. Cavallerie gab das Regiment mit 1. März 1860 seine 4. Division zur Completirung des in Folge der Abtretung der lombardischen Provinzen auf 2 Divisionen herabgesetzten, damals italienischen Regimentes Kaiser Franz Joseph-Uhlanen Nr. 6 ab.

Maria-Theresien-Ordens-Ritter.

1810 Oberst Heinrich Graf Hardegg (siehe Inhaber-Cürassiere Nr. 7).

Inhaber.

1801 Se. k. k. Hoheit Erzh. Carl, FM. MTOR., † zu Wien am 30. April 1847. Diese Regiment hat höchst dessen Namen für Immerwährende Zeiten zu behalten.

1847 G. d. C. Philipp Graf Grünne, MTOR., † zu Wien im Jänner 1854.

1854 G. d. C. Friedrich Fürst zu Liechtenstein, MTOR., Commandirender-General im Banate, erhielt 1861 das 1. Freiwillige Hussaren-Regiment.

1861 FML. Vincenz Baron Minutillo, Truppen-Divisionär.

Zweiter Inhaber.

1806 G. d. C. Philipp Graf Grünne, MTOR., 1847 Inhaber.

Oberste.

1801 Heinrich Bersina v. Siegenthal, MTOR., Regts.-Comdt., 1805 GM.
1805 Johann Graf Klebelsberg, Regts.-Comdt., 1809 GM.
1800 Heinrich Graf Hardegg, Regts.-Comdt., 1810 MTOR., und quittirt.
1810 Emanuel Graf Mensdorff-Pouilly, MTOR., Regts.-Comdt., 1812 supern., 1813 transferirt zu Uhlanen Nr. 1.
1812 Carl v. Gorzkowski, Regts.-Comdt., 1820 GM.
1814 Wilhelm Baron Mengen, MTOR., 2. Oberst, 1816 transferirt zu Dragoner Nr. 2. (Cürassier Nr. 10.)
1820 Carl Baron Kress, Regts.-Comdt., 1830 GM.
1830 Thadäus Graf Ledochowski, Regts.-Comdt., 1836 GM.
1836 Nikolaus Graf Lichtenberg, Regts.-Comdt., 1843 GM.
1839 Se. k. k. Hoheit Erzherzog Carl Ferdinand, 2. Oberst. 1841 GM.
1843 Franz v. Wyss, Regts.-Comdt., 1848 GM.
1848 Joseph v. Batky, Regts.-Comdt., 1850 GM.
1850 Ferdinand Graf Vetter, Regts.-Comdt., 1854 GM.
1854 Andreas v. Pichler, Regts.-Comdt., 1859 GM
1859 Joseph Graf Waldstein-Wartenberg, Regts.-Comdt.

Oberstlieutenants.

1801 Adam Graf Mier, MTOR., 1805 quittirt.
1805 Franz Baron Fröhlich, 1807 Oberst bei Dragoner Nr. 6.
1807 Heinrich Graf Hardegg, 1809 Oberst.
1809 Ludwig Baron Wilgenheim, 1800 Oberst bei Uhlanen Nr. 1.
1809 Carl von Gorzkowski, 1812 Oberst.
1812 Wilhelm Baron Mengen, MTOR., 1814 Oberst.
1814 Carl Baron Kress, 1815 beim Generalstab zugetheilt, 1816 eingerückt, 1820 Oberst.
1820 Vincenz Graf Esterhazy, MTOR., 1823 beurlaubt. 1825 transferirt zu Cürass. Nr. 2.

7*

100

1823 Thadäus v. Chmielinsky, 1830 pensionirt mit Oberstens-Charakter.
1830 Friedrich Baron Sonborn, 1836 pensionirt mit Oberst-Charakter.
1836 Carl Graf Desfours, 1840 pensionirt.
1840 Franz von Wyss, 1843 Oberst.
1843 Joseph von Batky, 1848 Oberst.
1848 Wilhelm Moriz Baron Münchhausen, † zu Wien am 21. Dezember 1849.
1849 Ferdinand Graf Vetter, 1850 Oberst.
1850 Andreas von Pichler, 1854 Oberst.
1854 Franz von Kostyan, 1859 Oberst bei der 2. Debreeziner-Freiwilligen-Hussaren
      Division.
1859 Joseph Berres, Edler von Perez.

Majors.

1801 Maximilian v. Paumgarten, 1805 Oberstlieutenant bei Dragoner Nr. 3. (Cüras
      Nr. 11.)
1801 Friedrich Brettschneider, 1805 transferirt zu Hussaren Nr. 7.
1805 Franz Baron Sepessy, 1807 transferirt zum Galizischen Grenz-Cordon.
1805 Ludwig Baron Wilgenheim, 1809 Oberstlieutenant.
1805 Wenzel Graf Chotek, † zu Prag am 1. August 1807.
1807 Carl v. Gorzkowski, 1809 Oberstlieutenant.
1809 Franz Graf Coudenhove, 1811 Oberstlieutenant und quittirt.
1809 Wilhelm Baron Mengen, MTOR., 1812 Oberstlieutenant.
1809 Christoph Graf Cavriani, 1810 quittirt.
1809 Ludwig Paulsen, 1811 pensionirt.
1811 Johann von Vetter, 1812 transferirt zu Hussaren Nr. 7.
1812 Carl Baron Kress, 1814 Oberstlieutenant.
1812 Franz Graf Banffy, † vor dem Feinde bei Villanuova am 15. November 1813.
1813 Friedrich Graf Loeben, 1813 quittirt.
1814 Thadäus von Chmielinsky, 1823 Oberstlieutenant.
1814 Ernst von Schröer, 1815 dem General-Stabe zugetheilt und transferirt zu Chev.-
      Leg. Nr. 7. (Uhlanen Nr. 11.)
1814 Vinzenz Graf Esterhazy, MTOR., 1820 Oberstlieutenant.
1816 Ernst Graf Stolberg, (bis 1820 bei Sr. k. k. Hoheit dem Regts.-Inhaber) 1827
      Oberstlieutenant bei Dragoner Nr. 2. (Cürassier Nr. 10.)
1823 Honorius v. Thekusch, 1828 pensionirt mit Oberstlieutenants-Charakter.
1827 Friedrich Baron Sonborn, 1830 Oberstlieutenant.
1828 Anton Graf Feuerstein, 1832 Oberstlieutenant bei Chev.-Leg. Nr. 1. (Uhlanen
      Nr. 6.)
1830 Herrmann Kriegelstein Ritter v. Sternfeld, General-Commando-Adjutant in
      Mähren, 1831 transferirt zu Uhlanen Nr. 4.
1830 Franz D'Orofino, 1833 pensionirt.
1832 Carl Graf Desfours, 1836 Oberstlieutenant.
1834 Johann Baron Hackelberg, 1836 Oberstlieutenant bei Chev.-Leg. Nr. 6. (Uhlanen
      Nr. 10.)
1836 Ludwig Henikar, 1838 pensionirt.
1836 Friedrich Graf Rosenberg-Orsini, 1839 pensionirt.
1838 Franz von Wyss, supern., 1839 effectiv, 1840 Oberstlieutenant.
1838 Anton Pagon, 1841 pensionirt.
1839 Joseph von Batky, 1843 Oberstlieutenant.
1841 Carl Graf Apponyi, 1846 Oberstlieutenant bei Hussaren Nr. 4.
1843 Adolf Baron Bulretta, † zu Karlsbad am 13. Mai 1847.
1846 Wilhelm Moriz Baron Münchhausen, 1848 Oberstlieutenant.
1847 Edmund Baron Falkenhausen, 1849 Oberstlieutenant bei Dragoner Nr. 4.
      (reduzirt.)
1848 Stephan Ammer, 1848 pensionirt.
1848 Andreas v. Pichler, 1850 Oberstlieutenant.
1848 Carl Graf St. Quentin, 1849 Oberstlieutenant und Flügel-Adjutant des FZM.
      Baron Jellacic,
1848 Heinrich Dorsner von Dornimthal, 1851 pensionirt.

1849 Adolf Mohrhagen, 1853 pensionirt.
1850 Gustav Fürst zu Oettingen-Spielberg, 1854 Oberstlieutenant bei Uhlanen Nr 7.
1851 Alfred Graf Beckers, 1851 transferirt zu Cürassier Nr. 6.
1851 Joseph Berres Edler von Perez, 1859 Oberstlieutenant.
1853 Alfred Edler von Marenzeller, 1857 pensionirt.
1854 Philipp Baron Ronder, 1859 pensionirt, 1860 mit Oberstl.-Charakter.
1857 Gustav Fischer, 1857 transferirt zu Uhlanen Nr. 8.
1857 Friedrich Conrad, 1860 pensionirt.
1859 Wladimir Graf Logothetty, 1860 transferirt zum freiwilligen Uhlanen-Regiment.
1859 Alexander Baron Bothmer, 1862 pensionirt.
1860 Franz Baron Ensch.
1861 Heinrich Graf Fünfkirchen, Flügel-Adjutant bei Sr. Majestät.

Uniformirung des Regiments.

Scharlachrothe Czapka und Aufschläge, dunkelgrüne Uhlanka und Pantalons, gelbe Knöpfe.

Uhlanen-Regiment Nr. 4, Kaiser Franz Joseph.

Dieses Regiment wurde 1813 von den galizischen Landständen errichtet, und hatte seinen ersten Aufstellungsplatz zu
Grodek bei Lemberg. Die drei andern Uhlanen-Regimenter lie-
ferten durch Abgabe von Offiziers und Mannschaft den Stamm-
Cadre des Regiments, welches durch Werbung in kürzester Zeit
completirt und organisirt wurde, so dass es 1814 schon nach
Böhmen abrückte, und daselbst die Stabs-Station Pardubitz bezog.
Mehrere Frauen von adeligen Gutsbesitzern und Staats-Beamten
des Stanislawoer Kreises verehrten dem neuen Regimente eine
reiche mit Gold gestickte Standarte von ponceaurothen Sammt
mit einem weissen reich mit Gold gestickten Bande sammt
Knopf und Stange. Auf der einen Seite des Bandes waren die
Worte in polnischer Sprache: „Auf zum Kampfe! den tapfern
Vertheidigern zur Ehre" auf der andern: „Standarte für
Kaiser-Uhlanen von den Damen des Stanislower Kreises"
in Gold gestickt.

Im Feldzuge 1815 war das Regiment zur Ober-Rhein-
Armee bestimmt, und im Treffen bei Strassburg anwesend, noch
im Herbste d. J. rückte es nach Mailand, wo der Stab mit 6 Escadrons, 2 aber in Pavia dislozirt wurden.

1816 erhielt das Regiment den Marsch-Befehl nach Ungarn,
und rückte über das Venetianische, Krain und Steiermark dahin
ab, wo es die Stabs-Station Saros-Patak bezog.

Im September 1820 wohnte es dem grossen, bei Pesth
abgehaltenen Lust-Lager bei, und marschirte von da zur Aufwartung in die Residenz-Stadt Wien, von wo es im Frühjahre 1821
wieder nach Italien abrückte, sich an dem kurzen Feldzug in
Piemont betheiligte, ohne jedoch in's Gefecht zu kommen, und
sodann die Friedens-Station Mailand bezog. Oberst Graf Eugen
Wratislaw, welcher von 1818 bis 1830 als Commandant diesem
Regimente vorstand, hob während dieser Zeit dasselbe auf eine
hohe Stufe der Vollendung, und wurde wiederholt zu Commissionen

nach Wien berufen, um Neuerungen in dieser Waffe zu prüfen und zu begutachten.

Am 19. April 1830 marschirte das Regiment von Mailand nach Ungarn ab, wo es in der ihm zugewiesenen Stabs-Station Kecskemeth im Juni d. J. einrückte.

1832 kam das Regiment mit dem Stabe nach Alt-Arad, 1837 nach Grosswardein und 1845 nach Gyöngyös; während dieser Zeit-Epoche wohnte dasselbe den bei Pesth mehrfach abgehaltenen grössern Cavallerie-Exerzitien bei.

Im Spätherbste 1847 erhielt das Regiment den Marsch-Befehl nach Marburg in Steyermark, aber noch am Marsche dahin wurde es nach Italien beordert, wo der Regiments-Stab nach Cremona bestimmt wurde. Drei Escadrons wurden nach Cremona, 2 nach Pavia, 1 nach Piacenza dislozirt, und 1 Division war in Laibach zurückgeblieben, wo sie im April 1843 dem Reserve-Corps des FZM. Graf Nugent zugetheilt wurde.

Kaum daselbst eingerückt, brach die Revolution im März 1848 aus. Oberst Grawert hatte sich mit seinen beihabenden 3 Escadrons des Regiments, welche in Cremona standen, durch die aufrührerische italienische Garnison, so wie die aufgestandene Bevölkerung jener Stadt muthig durchgeschlagen, und seinen Rückzug in der Richtung gegen Montechiaro genommen, wo sich ein aus Bergamo angekommenes Szluiner-Grenz-Bataillon mit den Uhlanen vereinigte. Der Auditor und Caplan des Regiments geriethen in Cremona in feindliche Gefangenschaft. Diese 3 Escadrons, welche sich durch das ganze in Aufruhr befindliche Land durchschlagen mussten, waren Ende März in Verona eingerückt, zwar zum I. Armee-Corps gehörig, zum II. gestossen nnd wurden in der Umgegend kantonirt. — Rittmeister Otto Graf Wickenburg, welcher eben von einer Fassung aus Mantua zum Regimente einrücken wollte, gerieth unterwegs in die Hände der Insurgenten, welche ihn gefangen hielten. Nach der Ordre de Bataille vom Monate April 1848 war das Regiment in folgender Weise vertheilt: 5 Escadrons in der Cavallerie-Brigade des GM. Graf Schaaffgotsche, und der Division des GM. Erzh. Ernst; eine Escadron in der Division des FML. von Wocher, Brigade des GM. Graf Nugent als Besatzung in Mantua, sämmtlich zum I. Armee-Corps des FML. Graf Wratislaw gehörig, 2 Escadrons aber bei dem im Venetianischen operirenden Reserve-Corps des FZM. Graf Nugent, der Division des FML. Herzog Alexander Würtemberg, und der Cavallerie-Brigade des Obersten Wyss. — Bei einer am 6. April von Mantua aus gegen Marcaria unternommenen Recognoszirung des Obersten v. Benedek von Graf Gyulay Infanterie, war ein Zug des Regiments betheiligt. Noch vor Marcaria begegnete derselbe einer starken piemontesischen Patrouille, welche der Commandant dieses Zuges Oberlieutenant Graf Logothetty mit 4 Uhlanen in die Flucht jagte. Es war diess der erste Zusammenstoss österreichischer und

piemontesischer Truppen in dem nun beginnenden Kriege. —
Oberst Benedek liess einige verbarrikadirte Häuser durch die
Infanterie erstürmen, und ein Piket vom Regimente Genua-Dra-
goner 10 Mann stark wurde gefangen, 13 gesattelte und gezäumte
Pferde nebst mehren Waffen erbeutet.

Am 13. April hatte Oberlieutenant Appel des Regiments
mit 20 Uhlanen eine Recognoszirung von Legnago gegen Bevilaqua unternommen. An einer Strassenwendung, ungefähr eine
Miglie vor letzterem Orte, wurde dieses Detachement mit einer
Decharge von einer bei 2 Klafter hohen pallisadirten Schanze,
hinter welcher 60 bis 70 Insurgenten vollkommen gedeckt standen,
überrascht. Ungeachtet des fortgesetzten feindlichen Feuers,
gelang es doch dem umsichtigen Offizier, sich zu überzeugen,
dass ein tiefer, breiter Graben jede Umgehung des Epaulements
unmöglich mache, wesshalb er sich zum Rückzuge entschloss.
Das Detachement hatte 2 leicht verwundete Pferde, auch brachte
es einen mit der Waffe in der Hand gefangen genommenen
Insurgenten mit, welcher wichtige Mittheilungen machte. —
In der Schlacht bei St. Lucia am 6. Mai waren die, in
der Cavallerie-Brigade Schaaffgotsche eingetheilten 5 Escadrons
des Regiments anwesend, und hatten mit den übrigen Cavallerie-
Abtheilungen dieser Brigade auf dem Campo-Fiore, wo sie seit
dem 4. Mai lagerten, ihre Anstellung. Ihr Verlust betrug 1 Todten
und 4 Verwundete. — Der beim I. Corps-Commando als Ordonnanz-Offizier kommandirte Oberlieutenant Sigmund Kantz des
Regiments, wird wegen seiner ausgezeichneten Verwendung in der
Relation jener Schlacht angerühmt. In den Relationen der Epoche
vom 18. März dem Ausbruche der Revolution bis 6. Mai worden
wegen Auszeichnung insbesondere auf dem Rückzuge von Cremona folgende Offiziere des Regiments belobt: Oberst Carl von
Grawert, die Rittmeister Emerich Fürst Thurn-Taxis und Carl
Graf Taaffe, wie auch der Oberlieutenant Albert Wussin. Es erhielten die grosso silberne Tapferkeits-Medaille: die
Wachtmeister Draskiewicz und Leithner, die Corporale Gusz-
minski, Szczawinski, Grossa, Wesolowski, Petreczak und Kwowka.
In diesem ganzen Zeitraume hatte das Regiment den geringen
Total-Verlust von 13 Todten. — Am 29. Mai während der Gefechte bei Curtatone und Montanara war es dem umsichtigen
und tapfern Rittmeister Ahsbahs des Regiments gelungen, mit
einem Flügel seiner Escadron, unterstützt von ¼ Compagnie
Jäger und einer Compagnie Oguliner ein von Montanara her fliehen-
des Bataillon gefangen zu nehmen. 2 feindliche Stabs-Offiziere,
22 Ober-Offiziere und mehrere 100 Mann waren durch seinen mit
ebensoviel Klugheit als Bravour unternommenen Angriff zur
Waffenstreckung gezwungen worden. Die offizielle Relation belobt
den Rittmeister Friedrich Ahsbahs des Regiments, Gemeiner Bouk
erhielt die kleine silberne Medaille. An den Gefechten bei
Sona, Sommacampagna und Sct. Giustina am 23. Juli, war die

Oberst-Division des Regiments thätigst betheiligt, und deren Commandant Major Graf Bombelles sowie Rittmeister Ahsbahs der mit seiner Escadron (Oberst 2.) die Reserve der Brigade Gyulai sehr zweckmässig führte, und nach der Erstürmung von Sona mit einer Compagnie Warasdiner St. Georger vorging, um den Feind aus den letzten Häusern zu delogiren, und endlich Rittmeister Baron Piret, der eine gelungene Attaque mit der Oberst 1. Escadron auf eine piemontesische Infanterie-Abtheilung in der rechten Flanke des Feindes ausführte, werden in der Relation rühmlichst erwähnt. Genannte Division hatte nur 2 Todte. — Ebenso war diese Division am 25. in der Schlacht bei Custozza, und hatte 1 Mann als vermisst. —

Am 26. waren 4 Escadrons des Regiments auf den Höhen von Volta in der Verfolgung des Feindes thätig, und es wurden der Oberst von Grawert, Oberlieutenant Graf Logothetty, Lieutenant Menzel nebst 8 Mann verwundet, 2 getödtet und 11 Mann vermisst. —

Anfangs August während der Vorrückung gegen Mailand, wurden die bei der Cavallerie-Reserve stehende 1. Majors-Division des Regiments, nebst der 2. Majors-Division von Fürst Windisch-Grätz-Chevauxlegers in verschiedenen parallelen Richtungen, zwischen den Strassen von Pavia und Lodi, im Rücken der feindlichen Armee auf der von Mailand nach Buffalora führenden Strasse gegen Magenta und Sedriano dirigirt; der Feind hatte aber bereits bei Piacenza mit einem Theile seiner Truppen den Po überschritten, — und sich in jener Richtung überall zurückgezogen. In dem Gefechte bei Mailand am 4. August, hatten sich die im Hauptquartiere des II. Armee-Corps-Commandos, als Ordonnanz-Offiziere verwendeten Oberlieutenant von Vistarini und Lieutenant Baron Witzleben des Regiments durch ihre vorzügliche Verwendung rühmlichst ausgezeichnet. — Die offizielle Relation der Feldzugs-Epoche vom 13. Juni bis 9. August belobt folgende Offiziere des Regiments, für ihr tapferes, umsichtiges und thätiges Benehmen, als: Oberst Carl von Grawert, Major Ludwig Graf Bombelles, die Rittmeister Friedrich Ahsbahs, Friedrich Baron Varicourt und Eugen Baron Piret, sowie die im Hauptquartiere des I. und II. Armee-Corps-Commandos verwendeten Rittmeister Sigmund Kantz und Lieutenant Herrmann Baron Reischach. Wachtmeister Joch hatte die goldene, Gemeiner Kolibaba die grosse silberne Medaille erhalten. Der Regiments-Stab mit 3 Divisionen kamen nun nach Cremona, die Oberstlieutenants-Division nach Mantua.

Im kurzen Feldzuge 1849 gegen Piemont war das Regiment im I. Reserve-Corps am 23. März in der Schlacht von Novarra, ohne jedoch in's Gefecht gezogen zu werden. — Der im Hauptquartiere des FM. Grafen Radetzky kommandirte Oberlieutenant Julius Baron Simbschen des Regiments, wird wegen seiner guten Verwendung in der Relation belobt. — Desgleichen erhielt Wachtmeister Kostetzki des Regiments, wegen bewiesener Umsicht und zweckmässiger Führung einer Patrouille eine Belobuug. — Rittmeister Graf Logothetty hatte sich als Ordonnanz-Offizier beim FML. Baron D'Aspre durch genaue Ueberbringung der Befehle unter den schwierigsten Umständen ausgezeichnet. Nach mehrtägiger Cantonirung in der Umgegend von Cremona, erhielt das Regiment den Befehl, nach Ungarn auf den dortigen Kriegsschauplatz zu marschiren, und rückte Anfangs April dahin ab. — Theils in Eilmärschen, theils mittelst Eisenbahn legte dasselbe Divisionsweise diesen Marsch über das Venetianische, Krain, Steiermark bis Wiener-Neustadt zurück, von wo es sich in der Gegend von Oedenburg sammelte. Das Regiment erhielt nun seine Eintheilung zum I. Armee-Corps des FML. Graf Schlick, war Anfangs mit 3 Divisionen der Brigade des GM. von Wyss (später Oberst Bar. Joseph Schneider) zugewiesen, bis es definitiv in die Cavallerie-Brigade des GM. Baron Simbschen eingetheilt wurde.

Die Oberstlieutenants-Division des Regiments war dem IV. Armee-Corps des FML. Baron Wohlgemuth Anfangs zugetheilt, und wohnte in diesem am 21. Juni der Schlacht von Pered bei, in welcher der mit Ueberbringung einer Meldung vom Divisions-Commandanten betraute Rittmeister von Klobusitzky des Regiments in feindliche Kriegs-Gefangenschaft gerieth.

Am 7. und 8. Juni begann die Brigade Wyss ihre Vorrückung auf der Oedenburger-Strasse mit der einen Hälfte, bei der die Oberst-Division des Regiments nach Kapuvar, mit der andern bei der die 1. und 2. Majors-Division bis Csorna. Der Regiments-Commandant Oberst Baron Zesner hatte sich bei dieser Vorrückung am 8. allein in einem Wagen vorgewagt, wurde von einer feindlichen Hussaren-Patrouille überfallen, und da er sich vertheidigte niedergemacht. Da der genannte Oberst die Aufstellung der Truppen in seiner Schreibtafel hatte, gelangte der Feind in genaue Kenntniss von der Stärke und Aufstellung der Brigade Wyss. Der Insurgenten-Führer Kmety, welcher mit seinerTruppen-Division bei Téth stand, beschloss auf dieses einen Ueberfall der in Csorna stehenden österreichischen Halb-Brigade. Diese letztere bestand aus 2 Infanterie-Bataillons, 2 Jäger-Compagnien dann den beiden Majors-Divisionen des diesseitigen Regiments und 8 Geschützen.

Am 13. früh 4½ Uhr brachten rückkehrende Uhlanen-Patrouillen die Meldung, dass der Feind von Szill-Sárkany auf der Chaussé von Papa her in mehreren Colonnen im Anzuge gegen Csorna sei. General Wyss traf sogleich alle Anstalten zur kräftigsten Vertheidigung, wodurch der Ueberfall dem Feinde misslang.

Um 5 Uhr früh erfolgte der Angriff auf Csorna von 2 feindlichen Colonnen gleichzeitig; 3 Escadrons feindlicher Hussaren jagten vor, und bald waren die österreichischen Truppen von allen Seiten umzingelt. Einige nördlich von Csorna aufgestellte Züge des Regiments warfen sich aber mit solcher Entschlossenheit und Schnelligkeit auf die Hussaren, dass diese das Feld räumten. Sie

wurden nun von den Uhlanen eine kurze Strecke verfolgt, und
mit Raketen wirksam beschossen. Hierdurch war die Umzinglung
Csornas dem Feinde vereitelt. Unterdessen hatte sich ein sehr lebhaftes Gefecht am östlichen und südlichen Umfange von Csorna
engagirt, wo der Feind seine Geschütze aufführte, mit Sturm-
Colonnen, deren Verluste er immer durch neue nachrückende Bataillons ersetzte vordrang, und es ihm gelang in einem Theil des
Ortes einzudringen, dessen Bewohner mit ihren verborgenen Waffen den Feind nun selbst auf das kräftigste zu unterstützen begannen. Da das Dorf gegen die feindliche Uebermacht nicht länger
haltbar war, ordnete GM. Wyss den Rückzug auf Bö-Sarkany an.
Es war 8 Uhr Früh, als dieser geordnet in 2 Colonnen angetreten
und durch 6 Züge des Regiments gedeckt wurde, welche den verfolgenden Feind durch mehrere glänzende Attaquen zurückwiesen.
Auch nördlich von Csorna hatte der Feind bedeutende Kräfte entwickelt, und starke Hussaren-Abtheilungen mit 2 Geschützen, die
den Ort umgehen und der österreichischen Halb-Brigade den Rückzug abschneiden wollten, wurden durch wiederholte mit Bravour
ausgeführte Attaquen einer halben Escadron des Regiments, welche
unter Rittmeister Baron Varicourt, die äusserste Arriere-Garde
bildete, daran verhindert. GM. Wyss, welcher beim Antritte des
Rückzuges die Arriere-Garde persönlich führte, fiel durch zwei
Gewehrkugeln tödtlich getroffen. Die Armee verlor an ihm einen
ihrer tapfersten Generale. So unter fortwährenden Gefechten erreichte die Halb-Brigade um 9 Uhr Vormittags das Defiléc von
Bö-Sarkany, wohin der Corps-Commandant FML. Graf Schlick
auf die erste Kunde von dem Angriff des Feindes geeilt, und fast
gleichzeitig mit der retirirenden Halb-Brigade eingetroffen war.
Graf Schlick liess nun die retirirenden Truppen halten, den vorgenannten Ort besetzen, die Uhlanen aber mit den Geschützen
auf dem Felde hinter Ascalog eine imponirende Stellung nehmen,
um den Rückzug über den dortigen Dammweg in Ordnung bewirken zu können. Major Ahsbahs des Regiments deckte diesen
Rückzug seiner Division, hielt mit derselben mit anerken-
nungswerther Bravour im lebhaften Kanonenfeuer auf dem
Damme aus, bis die 2 Brücken abgetragen waren, und ihm ein
ausdrücklicher Befehl des FML. Graf Schlick, — sich dem Feuer
nicht länger auszusetzen abrief. Der Verlust des Regiments in
diesem Gefechte, bei welchem dessen anwesende 4 Escadrons
den geordneten Rückzug mit heldenmüthiger Aufopferung deckten,
war ziemlich beträchtlich, von den Offiziers waren: Lieutenant
Schwiedernoch geblieben, Rittmeister Graf Otto Wickenburg,
Oberlieutenant Julius Graf Falkenhain, und Lieutenant Alexander
von Fortis blessirt, und Rittmeister Sigmund Kantz gefangen
worden. Selbst der Insurgenten-Führer Klapka, den man hierin
gewiss keiner Parteilichkeit beschuldigen kann, erwähnt in seinem
Werke der ausgezeichneten Tapferkeit der österreichischen Uhlanen im Gefechte bei Csorna.

Ausser den bereits erwähnten Major Ahsbahs des Regimeuts, sind noch die beiden Rittmeister Friedrich Baron Varicourt und Carl Graf Taaffe wegen ihrer hervorragenden Bravour vorzugsweise zu nennen. Ersterer hielt in heldenmüthiger Selbst-Aufopferung mit einer halben Escadron den Feind in der raschen Verfolgung auf; letzterer machte mit 3 Zügen eine glänzende Attaque auf eine weit überlegene Hussaren-Abtheilung und durch seinen mit 2 Zügen nachrückenden Divisions-Commandanten Major Ahsbahs unterstützt, war es ihm gelungen die Hussaren zu werfen.

Am 28. Juni in der Schlacht von Raab, rückte die Brigade des Obersten Baron Schneider, bei welcher sich 6 Escadrons des Regiments befanden, gegen die Stellung der Insurgenten, am Fusse des Weingebirges von Csanak vor. Indem die Bataillone dieser Brigade in das Wein-Gebirge dringen, und die feindliche schlecht gewählte Stellung vom linken Flügel aufrollen, greifen die 6 Escadrons des Regiments gleichzeitig die feindliche Reiterei an, jagen sie sammt der Artillerie in der ersten Attaque in die Flucht, und Lieutenant Carl Baron Bothmer des Regiments nimmt ihr mit seinem Zuge ein Geschütz sammt Munitions-Karren und Bespannung ab. — Bei diesem Gefechte, in welchem sich die anwesenden 3 Divisionen des Regiments durch ausserordentliche Tapferkeit hervorgethan hatten, wurden Oberlieutenant Friedrich Fiedler und Lieutenant Sigmund Graf Herberstein verwundet. FZM. Baron Haynau hebt in der Relation das rühmliche Benehmen des Lieutenants Baron Bothmer hervor, welcher in Folge dessen den Orden der eisernen Krone III. Classe erhielt.

In der Schlacht von Komorn am 2. Juli, war das Regiment in der Cavallerie-Brigade Simbschen, bei welcher es von nun im ganzen weitern Verlaufe dieses Feldzuges eingetheilt blieb. Diese Brigade brach als erstes Treffen der Cavallerie-Division Bechtold gegen die aus der Festung vorrückenden feindlichen Hussaren-Abtheilungen vor, und drängte sie wieder in die Verschanzungen zurück. Da diese Brigade sich bei der Verfolgung schon zu sehr in das Bereich des feindlichen schweren Geschützes begeben hatte, und nebst dem durch 4 feindliche mobile Batterien sehr lebhaft beschossen wurde, so nahm sie GM. Baron Simbschen wieder in die frühere Aufstellung (auf der Strasse von Uj-Szöny rechts neben dem IV. Corps) zurück. Da drangen 8 Escadrons Hussaren mit Geschütz neuerdings vor. Das diesseitige Regiment mit 5 Escadrons Fürst Liechtenstein-Chevauxlegers (jetzt Uhlanen Nr. 9) geführt von dem tapfern Obersten Graf Mensdorff dieses letztern Regiments, warfen sie aber in einer glänzenden Attaque der Art zurück, dass die Hussaren in grösster Unordnung bis hinter die Weingärten von O-Szöny zurückjagen, und ihnen von den Uhlanen und Chevauxlegers 6 Geschütze mit 2 Munitions-Karren abgenommen werden.

Um 6 Uhr Nachmittag bemerkte General Baron Simbschen, der mit seiner Brigade eine erhöhte Stellung bei den Weingärten von O Szöny genommen hatte, den Rückzug des I. Armee-Corps gegen den Acser-Wald und das Heranrücken feindlicher Cavallerie-Massen gegen Puszta Harkaly. Die Wichtigkeit des Momentes erkennend, war General Baron Simbschen mit 6 Escadrons des Regimentes, 4 Escadronen Fürst Liechtenstein-Chevauxlegers und einer Batterie rasch in der Richtung gegen den Acser Wald vorgerückt, um jene feindliche Reiterei in Flanke und Rücken zu fassen. Während seine Batterie auffährt, attaquirt der tapfere Brigadier mit 8 Escadrons divisionsweise die Hussaren, und zwingt sie in bedeutender Unordnung zurückzujagen, und unter ihren rückwärtigen Batterien Schutz zu suchen. In diesem Augenblicke marschirte die russische Truppen-Division Paniutine in Puszta Harkaly auf, und hindert die Formirung der durch die Uhlanen und Chevauxlegers geworfenen Hussaren. Die Brigade Simbschen hatte sich auf dem rechten Flügel der russischen Division formirt, und bereitete sich nun, nachdem sie eine bei den Russen zugetheilte Division Erzherz. Johann-Dragoner (jetzt Cürassier Nr. 9) und eine Escadron Liechtenstein-Chevauxlegers, nebst einer Cavallerie-Batterie an sich gezogen hatte, einem viel kräftigeren Angriffe zu begegnen: denn die feindliche Reiterei, aus dem Lager auf 24 Escadronen unter Görgeys persönlicher Führung verstärkt, rückte abermals vor, und vor Szöny erscheinen gleichzeitig neue Hussaren-Colonnen um die Brigade Simbschen rechts zu überflügeln. — Der unerschrockene General lässt aber dem Feinde keine Zeit sich zu entwickeln, wirft ihm das Chevauxlegers-Regiment Fürst Liechtenstein entgegen, indessen 6 Escadrons des diesseitigen Regiments und 1 Escadron Erzherz. Johann-Dragoner rechts eine Oblique formiren. Die ersten Chevauxlegers-Abtheilungen müssen zwar der feindlichen Uebermacht weichen, ziehen sich aber seitwärts zurück, um den vorrückenden Uhlanen Raum zu geben, und nun stürzt sich die ganze Brigade Simbschen mit solchem Ungestüm auf die Hussaren, dass diese nicht widerstehen und in wilder Flucht gegen die Festung zurückjagen. Mit grosser Entschlossenheit und aus freiem Antriebe war diese schöne Waffenthat ausgeführt, sie hatte zur Folge, dass auch das IV. Armee-Corps auf dem Kampfplatze eintreffen, und nach Wechslung einiger Kanonenschüsse der Schlacht ein Ende machen konnte. GM. Baron Simbschen, ein ehemaliges Regiments Mitglied (1838 bis 1847 als Major und Oberstlieutenant) erhielt in Folge dessen durch das Capitel vom Jahre 1850 das Ritter-Kreuz des Maria Theresien-Ordens. — Das Regiment hatte nebst mehreren Getödteten und Blessirten seiner Mannschaft noch den Rittmeister Albert Wussin und die Lieutenants Zdenko Graf Ziérotin und Adam Graf Molt'ke als verwundet zu beklagen. —

Am 3. lagerte dasselbe mit den übrigen Truppen der Cavallerie-Division Bechtold bei Mocsa, von wo am 9. Major Wussin
des Regiments mit der O b e r s t-D i v i s i o n, 1 Escadron Liechtenstein-Chevauxlegers und einer Cavallerie-Batterie auf Streif-
Commando gegen Ofen aufbrach, welcher am 10. Juli bereits Bicske
erreichte, und am 11. um 5 Uhr Nachmittags, ohne auf Widerstand zu stossen in Ofen einrückte, und die dortige halb demo-
lirte Festung besetzte.

Am 11. Juli in der 2. Schlacht von Komorn stand das
Regiment in der Brigade Simbschen anfänglich links von Mocsa,
später rückte diese Brigade gegen Csém, und langte in dem
Augenblicke dort an, als auch die k. russische Division Paniutine auf den Höhen von Pusta Csém aufmarschirt war. Nach
dem bald darauf erfolgenden günstigen Ausgange der Schlacht,
wurde das Regiment mit den übrigen Cavallerie-Abtheilungen
jener Brigade zur Verfolgung des flüchtigen Feindes beordert.

Am 17. rückte das Regiment mit der Cavallerie-Division
Bechtold von Mocsa nach Banhida, am 18. nach Bicske, und
am 20. bis Pesth.

Am 23. brach das Regiment mit seiner, nun die Avant-
Garde bildenden Brigade von Pesth gegen Kecskemeth auf, bei
deren Anrücken am 26. die dort stehende feindliche, etwa 2
Escadrons starke Arriere-Garde sich eilig zurückzog, worauf Kecskemeth von den Uhlanen sogleich besetzt wurde. Die folgenden
Tage wurde gegen Szegedin weiter vorgerückt, gegen welche Stadt
am 2. August vom Regimente die Vorposten von Kis-Telek aus bezogen wurden, und da die Stadt Alt-Szegedin vom Feinde verlassen
gefunden wurde, besetzte um ein halb 9 Uhr Früh die Cavallerie-
Brigade Simbschen, und mit dieser das Regiment jenen Ort.

Am 5. in der Schlacht von Szöreg, rückte General Baron
Simbschen an der Spitze des Regiments rasch bis gegen Szent
Ivan vor, wendete sich links, und griff mit Divisionsstaffeln vom
rechten Flügel, ein gegen Szent Ivan zu einen Hacken bildendes
feindliches Hussaren-Regiment an, welches durch diese Attaque
der Uhlanen sogleich geworfen wurde. — Als später 3 Hussaren-
Regimenter gegen die österreichischen Batterien vorrücken, ent-
spinnt sich ein hartnäckiges blutiges Reiter-Gefecht, an welchem
in zerstückelten Abtheilungen die ganze Cavallerie-Division Bechtold sich betheiligt. Das Regiment bezog nach beendigtem Kampfe
in später Nacht bei Szt. Ivan ein Lager.

Am 8. fand die Spitze der leichten Cavallerie-Brigade Simbschen auf ihrem Vormarsche vor Csatád die feindliche, aus 6 Escadrons bestehende Arriére-Garde aufgestellt, um den Abzug der
Insurgenten-Armee aus ihrem dortigen Lager zu decken. FML.
Graf Wallmoden, der das Commando der Cavallerie-Division
übernommen, liess nun sogleich die vorerwähnte Brigade zum Angriff schreiten. Demgemäss rückte GM. Baron Simbschen à cheval
der Strasse seine Batterie in der Mitte vor, und dirigirte seinen

Haupt-Angriff gegen die Südseite von Csátad, dessen Schnelligkoit der Feind trotz bedeutender Verstärkungen keinen namhaften Widerstand entgegenzusetzen vermochte. Er zog sich zurück, seinen Rücken durch einzelne echelonirte Divisionen deckend, die von den Uhlanen und Chevauxlegers angegriffen und geworfen wurden. — Die Brigade Simbschen kotoyirte noch später, in der linken Flanke das zum Angriffe auf Jecsa vorrückende 3. Armee-Corps und bezog bei letzgenanntem Orte ein Lager. Das Regiment hatte an diesem Tage den Lieutenant Webber als verwundet zu beklagen. — Am 9. August in der entscheidenden Schlacht von Temesvar, als 6 bis 8 feindliche Hussaren-Escadrons sich zum Angriffe auf die österreichischen Batterien formirten, beorderte FZM. Baron Haynau die leichte Cavallerie-Brigade Simbschen zum raschen Gegen-Angriff. Da mehrere Abtheilungen dieser Brigade auf Kanonen-Bedeckung detachirt waren, so verstärkte FML. Graf Wallmoden dieselbe durch 4 Escadrons Kaiser Ferdinand-Cürassiere. GM. Baron Simbschen rückte in drei Treffen so rasch vor, als es die hohen Mais-Felder gestatteten. Während die im ersten Treffen vorauseilenden 4 Escadrons des Regiments sich ausserhalb des Kukuruz-Feldes entwickeln, und sich die Cavallerie-Batterie links derselben auf einer Anhöhe formirt, und ihr Feuer eröffnet, rückt das 2. Treffen, aus 6 Chevauxlegers-Escadrons gebildet, rechts als Echelon nach, und schiebt eine Escadron der feindlichen Batterie entgegen. Die Cürassiere folgen als 3. Treffen. Da die feindlichen Hussaren eben mit Entschiedenheit zum Angriffe vorrückten, und zugleich die österreichische Cavallerie-Brigade vom jenseitigen Ufer des Nyarad-Baches sehr heftig beschossen wurde, so wartete GM. Baron Simbschen nur das Heranrücken seines 2. Treffens ab, um sogleich die beiden Divisionen des Regiments dem Feinde entgegen zu werfen. Die Attaque der Uhlanen, welche bei jeder Gelegenheit mit ausgezeichneter Bravour kämpften, unterstützt durch die nachfolgenden Abtheilungen des gleich tapfern Regimentes Liechtenstein Chevauxlegers, wirft die Hussaren im ersten Anreiten über den Nyarad-Bach zurück, wendet sich hierauf gegen die Batterie, nimmt 3 Geschütze, von welchen der grösste Theil der Mannschaft und Pferde zusammengehauen wird, und jagt die andern Geschütze in die Flucht. — Obgleich der Nyarad-Bach nur an einzelnen Stellen zu durchreiten ist, so setzen doch einige Uhlanen und Chevauxlegers-Abtheilungen hinüber, werden aber von den schon zu nah herangefahrenen feindlichen Batterien und durch neu herbeieilende Hussaren-Abtheilungen zurückgeworfen, ja die Brigade Simbschen ist sogar durch das heftige Feuer des Feindes genöthigt, die eroberten Geschütze im Stiche zu lassen, und vermag in ihrer vorgeschobenen Stellung nahe am Bache, unter dem feindlichen Feuer nur so lange zu halten, bis die vorrückenden österreichischen Reserve-Truppen ihren Aufmarsch auf der Anhöhe von Bessonova bewirkt haben. —

Als sich der weitere Verlauf jener Schlacht bereits zu einem günstigen Ende neigte, stellte sich der Armee-Ober-Commandant FZM. Baron Haynau an die Spitze der Oberstlieutenants-Division des Regiments (geführt vom Oberstlieutenant Graf Bombelles), 1 Escadron Cürassiere und 1 Cavallerie-Batterie jagte auf der Strasse durch einen vom Feinde besetzten Wald, zwischen Weingärten, Häuserreihen und Hecken unter dem Kreuzfeuer der Insurgenten bis zu den Wällen der Festung. Der Hurrah-Ruf der Uhlanen und Cürassiere, welche im Galopp dahin jagten, brachte so einen panischen Schrecken in den aufgelösten Reihen der Insurgenten hervor, welche diese Reiter-Abtheilungen für die Avant-Garde eines Corps betrachteten, dass nun Alles in regellose Flucht ausartet, welche auf der Strasse von Lugos ihren lärmenden Zug nimmt. Die übrigen Abtheilungen des Regiments folgten in der Brigade Simbschen, welche den Feldherrn als Unterstützung in ziemlicher Distanz bis in die Festung nachzog, deren Garnison und Bevölkerung ihre Retter mit endlosen Jubel empfängt. Die beiden Rittmeister Fürst Emerich Thurn Taxis, und Julius Baron Simbschen wie auch Lieutenant Anton Graf Palffy des Regiments waren, ersterer durch einen Granatensplitter schwer verwundet. —

Die nächsten Tage bei der Verfolgung des Feindes bis an die Grenze Siebenbürgens war das Regiment, welches FML. Fürst Liechtenstein aus der Brigade Simbschen an sich gezogen hatte, noch thätigst im Avant-Garde- und starken Patrouillendienst, wie auch zu Streif-Commanden und Escortirung von Gefangenen verwendet. — Unter die wackern Uhlanen wurden für ihre Tapferkeit im ungarischen Feldzuge nahe an 160 theils goldene, grosse und kleine silberne Medaillen vertheilt.

Nicht minder zahlreich waren verhältnissmässig die Auszeichnungen an das Offiziers-Corps dieses Regiments, welches in den Feldzügen 1848 und 1849 in Italien und in Ungarn mit so hervorragender Bravour gekämpft hatte. Es erhielten:

Das Ritter-Kreuz des österr. Leopold-Ordens: Die Rittmeister Emerich Fürst Thurn-Taxis, Carl Baron Boxberg, der in Italien beim 2. Regiments-Inhaber commandirte Rittmeister Alexander von Blasovits und Julius Baron Simbschen.

Den Orden der eisernen Krone III. Classe: Major Friedrich Ritter von Ahsbahs, die Rittmeister Eugen Baron Piret, Gustav Pfrenger, Carl Baron Boxberg, Cajetan Giusti, Oberlieutenant Julius Graf Falkenhain und der schon erwähnte Lieutenant Carl Baron Bothmer, wie auch nachträglich Major Ferdinand Wussin. Das Militär-Verdienst-Kreuz: Oberst Joseph Graf Castelnau, Oberstlieutenant Ludwig Graf Bombelles, die Majors Friedrich Ritter von Ahsbahs und Ferdinand Wussin, die Rittmeister Emerich Fürst Thurn-Taxis, Carl Graf Taaffe, Albert Wussin, und Maximilian Ritter von Rodakowski, die Oberlieutenante Johann v. Appel und Herrmann Baron Reischach, und die als Ordonnanz-Offiziere verwendeten Lieutenants Arthur Graf Batthyany und Leo Graf Larisch. K. russische Decorationen erhielten und zwar: den Wladimir-Orden III. Classe: Oberst Joseph Graf Castelnau, denselben IV. Classe Major Ferdinand Wussin, Rittmeister Julius Baron Simbschen, und Lieutenant Leo Graf Larisch, den St. Annen-Orden II. Classe: Oberstlieutenant Ludwig Graf Bombelles. Auch unter die Mannschaft wurden St. Georgs-Kreuze V. Classe vertheilt.

Im Herbste 1849 erhielt das Regiment die Friedens-Station Nyereghaza in Ungarn, rückte im Sommer 1850 nach Siebenbürgen mit dem Stabe in Tövis, und von da im Dezember j. J. nach Uypecs im Banate. Im Herbste 1851 bezog dasselbe die Stabs-Station Mediasch in Siebenbürgen, von wo es im Sommer 1854 in der Bukowina dislozirt wurde, und im Juli 1855 wieder nach Siebenbürgen mit dem Stabe nach Kronstadt abrückte. 1856 erhielt das Regiment Grosswardein, und im October 1857 Gyöngyös als Stabs-Stationen.

Im Mai 1859 brach das Regiment Divisionsweise von dort nach dem italienischen Kriegsschauplatze auf, wohin es über die Residenzstadt Wien, Steyermark und Kärnthen theils mittelst Eisenbahn, theils in Eilmärschen Mitte Juni gelangte. Es erhielt zwar Anfangs seine Eintheilung zur Cavallerie-Division des FML. Graf Mensdorff, Brigade des GM. Graf Zichy, — wurde aber mit 2 Divisionen dem 11. Armee-Corps zugewiesen, — während die beiden andern Divisionen zur Beobachtung der untern Poststrecke in der Gegend von Ostiglia eine Aufstellung bezogen hatten. Das Regiment kam in diesem kurzen Feldzuge nicht in's Gefecht, mit Ausnahme einer halben Escadron welche am 24. Juni, während der Schlacht von Solferino als Streif-Patrouille auf eine Abtheilung französischer Chasseurs à cheval stiess, die eben im Begriffe war, gegen eine österreichische Batterie vorzurücken. Rittmeister Friedrich Baron von der Wense und Lieutenant Rudolf Baron Wardener des Regiments, welche sich an der Tête jener halben Uhlanen-Escadron befanden, warfen sich sogleich in die Flanke der feindlichen Reiter, welche mit dem Verluste mehrerer Verwundeten, das Feld räumten. Die Uhlanen kehrten mit einigen Beutepferden zurück. — Im Allerhöchsten Armee-Befehle Nr. 44., dto. Wien am 15. August 1859, erhielten die beiden obengenannten Offiziere des Regiments für ihr entschlossenes und umsichtiges Benehmen die Allerhöchste belobende Anerkennung. — Der als Ordonnanz-Offizier verwendete Rittmeister Ferdinand von Steuber des Regiments, erhielt mittelst des citirten Armee-Befehls das Militär-Verdienst-Kreuz. Das Regiment bezog nach dem zu Villa-Franca abgeschlossenen Präliminar-Frieden, eine mehrwöchentliche Cantonirung in der Umgegend von Villa-Verla, und später bei Monfalcone, von wo es im Herbste 1859 nach Ungarn in seine gegenwärtige Stabs-Station Kesthely abrückte. In Folge der mit 1. März 1860 in's Leben getretenen neuen Organisation der k. k. Cavallerie, musste das Regiment seine 4 Division an das, durch Abtretung der lombardischen Gebietstheile auf 2 Divisionen herabgesetzte, damals italienische 11. Uhlanen-Regiment Kaiser Alexander von Russland abgeben.

Inhaber.

1813 Sr. Majestät Kaiser Franz I., † zu Wien am 2. März 1835.
1835 Se. Majestät Kaiser Ferdinand I.
1848 Se. Majestät Kaiser Franz Joseph I.

Zweite Inhaber.

1813 G. d. C. Johann Graf Klebelsberg. MTOR., Festungs-Gouverneur zu Theresienstadt. † am 1. Juni 1841.
1841 FML. Felix Graf Woyna, † zu Verona am 27. October 1857.
1857 FML. Alfred Graf Paar, Oberlicutenant der ersten Arcieren-Leibgarde.

Oberste.

1813 Stanislaus von Poradowski, Regts.-Comdt., 1815 pensionirt.
1814 Joseph von Devay, 2. Oberst, 1815 Regts.-Comdt., † zu Saros-Patak am 10. Februar 1818.
1820 Eugen Graf Wratislaw, Regts.-Comdt., 1830 GM.
1830 Leopold Graf Spannochi, Regts.-Comdt., 1835 GM.
1835 Carl Baron Perglas, Regts.-Comdt., 1843 GM.
1843 Carl von Grawert, Regts.-Comdt., 1848 GM.
1848 Carl Baron Zesner, Regts.-Comdt., † vor dem Feinde bei Czorna am 13. Juni 1849.
1849 Joseph Graf Castelnau. Regts.-Comdt., 1852 pensionirt mit Generals-Charakter .
1851 Eugen Graf Wrbna-Freudenthal, 2. Oberst, 1852 transferirt zu Uhlanen Nr. 7.
1852 Leopold Graf Stürgkh, Regts.-Comdt.. † zu Mediasch am 3. August 1853.
1853 Julius Graf Hoditz, Regts.-Comdt., 1856 pensionirt.
1854 Georg von Stratimirovics, 2. Oberst, 1855 supern., 1859 GM.
1856 Eugen Baron Piret de Bihain, Regts.-Comdt , 1862 erst Brigadier dann GM.
1861 Victorin Fürst zu Windisch-Grätz, supern., 1861 transferirt zu Hussaren Nr. 8.
1862 Leopold Fischer, Regts.-Comdt.

Oberstlieutenants.

1813 Joseph von Devay, 1814 Oberst.
1815 Eugen Graf Wratislaw, 1818 Regts.-Comdt., 1820 Oberst.
1820 Moriz Graf Woyna, 1830 pensionirt mit Oberst-Charakter.
1825 Se. k. Hoheit Prinz Gustav von Wasa, supern., 1827 Oberst beim 60. Infanterie-Regimente.
1830 Franz von Zollern, 1832 pensionirt.
1832 Johann von Moser. 1837 pensionirt mit Oberst-Charakter.
1832 Hermann Kriegelstein Ritter von Sternfeld, General-Commando-Adjutant in Mähren, 1835 Oberst im 10. Infanterie-Regiment.
1837 Joseph von Woroniszki, 1840 pensionirt mit Oberst-Charakter.
1840 Karl von Grawert, 1843 Oberst.
1843 Carl Baron Simbschen, 1847 Oberst bei Dragoner Nr. 6. (Cürassier Nr. 12.)
1843 Wenzl Graf Klebelsberg, Adjutant Sr. k. Hoheit des Erzh. Ferdinand d'Este, 1845 transferirt zu Cürassier Nr. 6.
1847 Carl Baron Zesner, 1848 Oberst.
1848 Joseph Graf Castelnau, 1849 Oberst.

8

114

1849 Ludwig Graf Bombelles, 1851 Oberst bei Hussaren Nr. 12.
1852 Gustav Kahlert, 1853 transferirt zu Dragoner Nr. 1. (Cürassier Nr. 9)
1853 Ferdinand Wussin, 1854 transferirt zu Uhlanen Nr. 12.
1854 Eugen Baron Piret de Bihain, 1856 Oberst.
1856 Alexander von Toth, 1858 transferirt zu Cürassier Nr. 6.
1858 Leopold Fischer, 1859 zeitlich pensionirt, 1860 reaktivirt, 1862 Regts.-Comdt.,
dann Oberst
1859 Friedrich Baron Marburg, 1860 transferirt zu Hussaren Nr. 12.
1862 Anton Grach.

Majors.

1813 Moriz Graf Woyna, 1820 Oberstlieutenant.
1813 Anton Rolle, 1827 Unterlieutenant der Trabanten-Garde.
1813 Heinrich Graf Castiglione, 1814 transferirt zu Hussaren Nr. 12.
1815 Johann Wagner, 1818 transferirt zu Dragoner Nr. 1.
1820 Eugen Graf Falkenhain, 1822 Oberstlieutenant bei Cürassier Nr. 6.
1822 Georg Prinz zu Anhalt-Dessau, 1824 quittirt.
1822 Fedor Graf Karaczay, Dienstkämmerer Sr. k. Hoheit des Erzh. Maximilian,
1830 Oberstlieutenant bei Hussaren Nr. 4.
1824 Franz von Zollern, 1830 Oberstlieutenant.
1827 Franz Graf Gyulay, 1830 Oberstlieutenant beim 19. Infanterie-Regiment.
1830 Johann Moser, 1832 Oberstlieutenant.
1830 Nikolaus Graf Lichtenberg, 1834 Oberstlieutenant bei Hussaren Nr. 4.
1831 Hermann Kriegelstein Ritter von Sternfeld, General-Commando-Adjutant in
Mähren, 1832 Oberstlieutenant.
1831 Felix Fürst zu Schwarzenberg, in diplomatischer Anstellung, 1833 transfert.
zu Uhlanen Nr. 1.
1832 Joseph von Woroniczki, 1837 Oberstlieutenant.
1834 Ludwig Henikar, 1836 transferirt zu Uhlanen Nr. 3.
1836 Carl von Grawert, 1840 Oberstlieutenant.
1836 Hugo Graf Mensdorff-Pouilly, supern., 1838 transferirt zu Dragoner Nr. 2,
(Cürassier Nr. 10)
1837 Heinrich Pfrenger, 1842 pensionirt mit Oberstlieutenants-Charakter.
1838 Carl Baron Simbschen, 1843 Oberstlieutenant.
1839 Wenzl Graf Klebelsberg, Adjutant Sr. k. Hoheit des Erzherz. d'Este, 1843
Oberstlieutenant.
1840 Carl Hein, 1844 supern., 1848 in diplomatischer Anstellung als Oberstlieutenant in Armeestand übersetzt.
1842 Joseph Graf Castelnau, 1848 Oberstlieutenant.
1844 Gustav Edler v. Neuwirth, 1848 pensionirt.
1846 Friedrich Graf Zedwitz, General-Commando-Adjutant zu Ofen, 1848 Oberstlieutenant bei Dragoner Nr. 1. (Cürassier Nr. 9.)
1847 Ludwig Graf Bombelles, 1849 Oberstlieutenant.
1848 Friedrich Ahsbahs, 1851 Oberstlieutenant bei Uhlanen Nr. 5.
1848 Gustav Kahlert, 1852 Oberstlieutenant.
1849 Ferdinand Wussin, 1853 Oberstlieutenant.
1851 Eugen Baron Piret de Bihain, 1854 Oberstlieutenant.
1852 Alexander von Toth, 1856 Oberstlieutenant.
1853 Friedrich Baron Marburg, 1859 Oberstlieutenant.
1854 Anton Graf Kottulinsky, 1857 pensionirt.
1856 Anton Grach, 1862 Oberstlieutenant.
1857 Wilhelm Dorner, 1860 transferirt zu Uhlanen Nr. 6.
1859 Alfred Graf D'Orsay.
1861 Friedrich Graf Dürkheim-Montmartin, Flügel-Adjutant Sr. Majestät d. Kaisers,
1862 eingerückt.
1862 Julius Baron Schnockl v. Trebersburg.

Uniformirung des Regiments.

Weisse Czapka, dunkelgrüne Uhlanka und Pantalons, scharlachrothe Aufschläge, gelbe Knöpfe.

Uhlanen-Regiment Nr. 5, Graf Wallmoden-Gimborn.

Unterm 8. Jänner 1851 haben Se. Majestät Kaiser Franz Joseph I. die Errichtung eines kroatisch-slawonischen leichten Cavallerie-Regiments zu 3 Divisionen mit Benützung der Cadres und vorhandenen Reste des unter Einem aufgelösten Banderial-Hussaren-Regiments anzuordnen, und zu bestimmen geruht, dass dieses sich als 5. den bestehenden 4 Uhlanen-Regimentern anzureihen, und durch die blaue Farbe der Czapka von ihnen zu unterscheiden habe. Das Regiment erhielt den FML. Graf Carl Wallmoden zum Inhaber, und als sein Aufstellungsplatz wurde die Stabs-Station Gratz in Steiermark bestimmt. Mit 1. Juli j. J. wurde auch über Allerhöchsten Befehl eine 4. Division aufgestellt. Noch im September wurde die 2. Division von Sr. Majestät dem Kaiser auf dessen Allerhöchster Rückreise aus Italien, am Glacis der Stadt Gratz besichtigt. 1852 war das Regiment noch divisionsweise concentrirt, 1853 hatte es bei Pramstetten in der nächsten Umgegend von Gratz seine erste Regiments-Concentrirung. Im Juni 1854 marschirte es nach Ungarn, passirte zu Pesth vor Sr. k. k. Hoheit dem Erzh. Albrecht die Revue, und rückte mit Rücklassung der 4. Division nach Ost-Galizien zum dort aufgestellten 1. Cavallerie-Corps, von da jedoch noch im Herbste j. J. nach Ober-Ungarn mit dem Stabe nach Saros Patak, der im Frühjahr 1855 nach Miskolz, und im Juli j. J. nach Gyöngyös verlegt wurde. Im September 1856 zu Czegled wurde das Regiment in der Brigade-Concentrirung unter GM. Baron Minutillo von Sr. Majestät besichtigt und belobt. Im Sommer 1857 war es divisionsweise den bei Pesth abgehaltenen Infanterie-Lagern zugetheilt, und rückte im October in die Stabs-Station Kronstadt in Siebenbürgen ab, welche Dislocation es noch gegenwärtig hat.

Inhaber.

1851 G. d. C. Carl Graf Wallmoden-Gimborn.

Oberste.

1851 Anton Baron Jellacio, Regts.-Comdt, 1854 GM.
1854 Ferdinand Baron Kirchbach, Regts.-Comdt, 1859 GM.
1859 Julius von Fluck, Edler von Leidenkron, Regts.-Comdt.

Oberstlieutenants.

1851 Georg von Stratimirovics, supern., 1854 Oberst bei Uhlanen Nr. 4.
1851 Friedrich Ritter v. Ababbs, 1853 Oberst bei Dragoner Nr. 6.
1853 Ferdinand Baron Kirchbach, 1854 Oberst.
1854 Julius v. Fluck, Edler von Leidenkron, 1859 Oberst.

8*

1854 August Müller, commandirt beim Armee-Ober-Commando, 1855 transferirt zu Hussaren Nr. 5.
1859 Heinrich Graf Cappi, Adjutant Sr. k. k. Hoheit des Erzh. Albrecht.
1859 Heinrich Graf Wurmbrand.

Majors.

1851 Julius v. Fluck Edler v. Leidenkron, 1854 Oberstlieutenant.
1851 Carl Nikolaus del Negro, 1856 pensionirt.
1851 Georg August Graf Pimodan-Rarecourt, 1851 transferirt zu Cürassier Nr. 7.
1851 Heinrich Graf Cappi, Adjutant Sr. k. Hoheit des Erzh. Albrecht, 1859 Oberstlieutenant.
1851 Carl Graf Taaffe, (in diplomatischer Verwendung) 1852 transferirt zu Hussaren Nr. 7.
1851 Anton Ritter von Bieschin, 1855 transferirt zum Remontirungs-Departement.
1854 Heinrich Graf Wurmbrand, 1859 Oberstlieutenant.
1855 Günther Graf Stolberg-Stolberg, 1858 pensionirt.
1856 Theodor Baron Augustin, 1861 pensionirt.
1858 Leopold Herbert, Ritter v. Herbot.
1859 Adolf Czekelius von Rosenfeld, 1860 transferirt zum freiwilligen Uhlanen-Regiment.
1861 Julius Cäsar Graf Attems.

Uniformirung des Regiments :

Lichtblaue Czapka, dunkelgrüne Uhlanka und Beinkleider, scharlachrothe Aufschläge, gelbe Knöpfe.

Uhlanen-Regiment Nr. 6, Kaiser Franz Joseph I.

Dieses Regiment wurde unter Kaiser Leopold I. 1688 von dem G. d. C. Gustav Hannibal Grafen Löwenschild auf dessen eigene Kosten als Dragoner errichtet, und war bereits 1690 bei der Blokade von Kanischa, 1691 und 1692 aber bei der Blokade und den beiden Belagerungen von Grosswardein; 1697 hatte es Theil an dem glänzenden Siege des Prinzen Eugen bei Zentha, und war bei der Expedition in Bossnien.

Im spanischen Erbfolge-Kriege wurde das Regiment den 11. März 1703 mit dem Cürassier-Regimente Braunschweig-Hannover (jetzt Nr. 7.) bei Eisenbirn, wo beide cantonirten, von dem Chur-Fürsten Max Emanuel von Baiern überfallen; nur ein Theil fand noch Zeit sich in den Häusern zu verrammeln. Der Rest leistete tapfere Gegenwehr, warf sich auf die ungesattelten Pferde, und jagte davon. — Noch im selben Jahre kämpfte das Regiment gegen die ungarischen Insurgenten in der Schlacht bei Lewenz unter den Befehlen seines Inhabers G. d. C. Graf Leopold Schlick.

Im Kampfe gegen die ungarischen Insurgenten hat dasselbe 1704 bei Gyarmath unweit Raab, unter persönlicher Anführung des commandirenden Generals FM. Grafen

Heister, in vollem Trab in die linke feindliche Flanke eingebrochen, und unter dem heftigsten Feuer so lange Stand gehalten, bis die eigene Haupttruppe vorrücken, und den Feind nach einem hartnäckigen Widerstande in die Flucht treiben konnte; auch war das Regiment in diesem Jahre in der Schlacht bei Tirnau, und 1705 in den Schlachten bei Bibersburg und Schibo. —

Im Feldzuge 1713 stand das Regiment wieder bei der Armee am Rhein, bei dem Posten an der breiten Ebene.

Von 1716 machte dasselbe die Feldzüge gegen die Türken mit, und war 1716 in der Schlacht bei Peterwardein und bei der Belagerung von Temesvar; — 1717 bei der Belagerung von Belgrad, und in der Schlacht vor dieser Festung in welcher es ziemlich gelitten.

Das Regiment hatte in dieser seinen Commandanten Obersten Schuhknecht, den Oberstlieutenant Grafen Carl Palffy nebst 3 Offiziers verwundet, 4 Offiziers aber zählte es unter seinen Todten. —

Als 1732 König Friedrich Wilhelm I. von Preussen, Sr. kaiserlichen Majestät Kaiser Carl VI. seinen Besuch zu Kladrub in Böhmen abstattete, hatte die Grenadier-Compagnie des Regiments die übliche Ehrenwache.

Die Feldzüge 1734 und 1735 machte das Regiment in Italien mit, und in der unglücklichen Schlacht bei Parma am 29. Juni 1734 hatte die Grenadier-Compagnie dieses Regiments im Vereine mit den Carabiniers-Compagnien der Cürassier-Regimenter Mercy (reduzirt) und Hessen-Darmstadt (jetzt Nr. 6) den ersten Angriff unternommen. Der Commandant des Regiments Oberst Nikolaus Graf Palffy war in dieser Schlacht todt geblieben. Nach der Schlachtordnung der kaiserlichen, nun vom FM. Grafen Lothar Königsegg befehligten Armee von Ober-Italien im Lager bei Guingentole de dato 23. Juli 1734 stand das Regiment mit dem ausrückenden Stande von 1055 Mann und 955 Pferden unter GM. Graf Waldek am linken Flügel des ersten Treffens. Nach der Ordre de Bataille vom Mai 1735 war das Regiment, sowohl durch Verluste als hauptsächlich durch Krankheiten bis auf 480 Mann herabgeschmolzen, am linken Flügel des ersten Treffens, in die Brigade des GM. Baron Berlichingen eingetheilt, und bei Mirandola aufgestellt; im Juni aber unter den Befehlen des G. d. C. Grafen Khevenhüller, nebst noch 3 Cavallerie-Regimentern und mehreren Infanterie-Bataillons bei Ostiglia. Diese Truppen hatten den Po zu beobachten, die verschiedenen am Po vertheilten Posten an sich zu ziehen, und die Zurückschaffung der noch an diesem Flusse vorhandenen Proviant-Vorräthe über Villimpenta und Castellaro zu befördern und zu decken, — worauf sie sich auf Villimpenta zogen, und am 15. Juni bei Castiglione, Mantovano mit der

118

kaiserlichen Haupt-Armee vereinten. G. d. C. Graf Khevenhüller
deckte mit 14 Reiter-Regimentern, worunter auch dieses, damals
Althann-Dragoner, den Rückmarsch der Armee durch die Ebene
bis Rivoli. Die Armee bezog am 19. Juni das Lager bei Gherla
und Villa-Franca. Die sämmtliche Reiterei stellte G. d. C.
Graf Khevenhüller auf der Ebene in 2 Treffen auf, zur Deckung jenes
Marsches, und rückte, da der Feind nicht nahte, gleichfalls bei
Villa-Franca in's Lager, von wo sich die Armee nach wenigen
Tagen gegen Roveredo zurückzog. Wegen dem in Tirol drücken-
den Mangel an Pferde-Futter, und dem zur Verwendung der Reiterei ungünstigen Terrain, wurden mehrere Cavallerie-Regimenter
am 20. Juli nach der Markgrafschaft Burgau, Steiermark und
Kärnthen abgeschickt, das Regiment Althann-Dragoner erhielt in
letzteres Land seine Bestimmung, von wo es am 7. November in
Limena am linken Brenta-Ufer in's venetianische Gebiet beordert,
eintraf. —
   Im Mai 1736 verliess das Regiment in Folge des abge-
schlossenen Wiener Friedens, durch Tirol den bisherigen italienischen Kriegsschauplatz.
   Von 1737 machte das Regiment die Feldzüge gegen die
Türken mit, und war Anfangs September 1737 beim Corps des
FZM. Graf Wallis bei Watowil, 1738 im Treffen bei Kornia, 1739
in der Schlacht bei Krotzka, worauf es in Siebenbürgen seine
Winterquartiere bezog, und 1740 zur Aufwartung in die Residenz-
Stadt Wien abrückte.
   Im schlesischen Erbfolge-Kriege kämpfte das Regi-
ment am 10. April 1741 in der Schlacht bei Mollwitz am linken
von FML. Römer befehligten Flügel, und hatte folgenden Verlust:
die Lieutenants Friedrich von Langenau und Anton von Mirka,
Fähnrich Rudolf Evelin nebst 18 Mann und 51 Pferden an Todten.
Die Hauptleute Joseph Klein, Friedrich Wiese, die Lieutenants
Franz Stallenberg, Gundaker v. Wolf, von Mirka, Fähnrich Fried-
rich von Wirbitz, 35 Mann nebst 38 Pferden an Verwundeten.
Am 17. Mai 1742 kämpfte das Regiment in der Brigade
des GM. Locatelli, in der Schlacht bei Czaslau, und war später
bei der Belagerung von Prag. —
   Im Feldzuge 1743 war das Regiment bei der Haupt-
Armee des Prinzen Carl von Lothringen, in der Brigade des GM.
Serbelloni, in Baiern. —
   Im Feldzuge 1744 bei der Armee des Prinzen Carl v.
Lothringen, im Monate Mai am Rhein, war das Regiment unter
G. d. C. Graf Hohenembs, in der Brigade des GM. Kalckreuter
eingetheilt, im October d. J. aber bei Schemnitz in Böhmen,
im selben Corps bei der Brigade des GM. Defin im 1. Treffen
der Armee. —
   Im Feldzuge 1745 war das Regiment in Schlesien, und
hatte in der Truppen-Abtheilung des G. d. C. Baron Berlichingen, in der Brigade des GM. Grafen Bentheim, mit dem aus-

rückenden Stande von 1000 Mann seine Eintheilung. In der Schlacht von Striegau oder Hohen-Friedberg am 4. Juni hat das Regiment während des Rückzuges durch tapfere Gegenwehr die preussischen Hussaren in der Verfolgung aufgehalten, wurde hiebei abgeschnitten, und musste sich mit vielem Verluste durchschlagen. — Am 30. September in der Schlacht bei Sohr oder Trautenau stand das Regiment in der Brigade Kalckreuter, der Truppen-Abtheilung des FM. Herzog von Arenberg im ersten Treffen der vereinigt österreichisch-sächsischen Armee des Prinzen Carl von Lothringen, war das letzte auf der Wahlstadt und deckte den Rückzug. —

Im Feldzuge 1746 war das Regiment mit dem dienstbaren Stande von 838 Mann und Pferden bei den in den Niederlanden stehenden verbündeten, vom Herzog Carl von Lothringen befehligten Heere eingetheilt, und kämpfte am 11. October in der Brigade des GM. Grafen Radicati in der Schlacht bei Rocoux, und im Feldzuge 1747 unter den Befehlen des Herzogs von Cumberlands, in der Brigade des GM. Grafen Bentheim in der Schlacht von Lawfeld am 2. Juli.

Im siebenjährigen Kriege kämpfte das Regiment am 1. October 1756 im ersten Treffen der Brigade des GM. Graf O'Donell eingetheilt, in der Schlacht bei Lobositz. Dasselbe kam mit dem Cürassier-Regimente Cordova (jetzt Nr. 5) auf den rechten Flügel durch die feindliche Cavallerie sehr in's Gedränge; da wurden diese beiden Regimenter durch den, vom linken Flügel mit den Cürassier-Regimentern Anspach (1801 reduzirt) und Brettlach (jetzt Nr. 2) herbeieilenden General Prinzen Löwenstein degagirt, und die feindlichen Reiter bis auf ihre Infanterie zurückgeworfen. Der Regiments-Commandant Oberst Friedrich Wiese hatte sich an diesem Tage durch ruhmwürdige Führung des Regiments ausgezeichnet, desgleichen haben sich Oberstlieutenant Graf Fuchs und Major Graf D'Alton durch persönliche Tapferkeit hervorgethan. Letztere beiden wurden mit 3 Offiziers verwundet.

Am 6. Mai 1757 in der Schlacht bei Prag, hatte das Regiment bei Hostiborcz durch die ungestümen Attaquen der feindlichen Regimenter: Stechow-Dragoner und Puttkammer-Hussaren viel gelitten.

Die preussische Reiterei war über einen 1500 Schritte hinter Sterboholy befindlichen schmalen Damm ungestört im Angesichte der österreichischen Cavallerie vorüber defilirt; die Stabs-Offiziere dieses Regiments baten ihren Brigadier, „sie doch jetzt attaquiren zu lassen." — Dieser verweigerte es aber mit den Worten: „So etwas müsse der G. d. C. Graf Luchesi befehlen" — und so war der geeignete Moment, der gehörig benützt, der ganzen Schlacht vielleicht eine andere Wendung gegeben hätte, versäumt worden. —

In der Schlacht am 12. November bei Bresslau hatte das Regiment sich ungemein tapfer verhalten, und einen feindlichen Flanken-Angriff bei Mochber durch eine wirksame, entschlossene Gegen-Attaque verhindert. — Am 5. Dezember in der Schlacht bei Leuthen, machte es als äusserste Nachhut wiederholte Attaquen während des Rückzugs, wodurch die Infanterie nebst den Geschützen gedeckt wurde. — Im Feldzuge 1758 im Gefechte bei Königgrätz am 12. Juli, hatte das Regiment im Verein mit dem Dragoner-Regimente Benedikt Daun (jetzt Nr. 2) und Würtemberg (jetzt Cürassier Nr. 11) tapfer den Angriffen der preussischen Regimenter Bredow-Cürassier und Möhring-Hussaren widerstanden, und am 6. September im Treffen bei Spremberg 2 Offiziers mit 143 Dragonern und 20 Hussaren vom Detachement des preussischen Oberst Möhring gefangen eingebracht. Am 14. October in der Schlacht bei Hochkirchen, hat das Regiment mit Würtemberg-Dragoner hinter dem Dorfe Plötzen ein Defilée besetzt, und bei dem ersten Angriffe auf das Dorf die Flanke gedeckt. Hauptmann von Posch des Regiments wurde vermisst. — Im Feldzuge 1759 war das Regiment in Schlesien, und am 19. Juni 1760 in dem Gefechte auf den Anhöhen von Schwarzwald wider den feindlichen General Malachowsky hat eine Escadron des Regiments mit einer von Althann-Dragoner (1768 reduzirt) und 80 Hussaren, 7 Offiziers und 150 Mann gefangen. Am 23. Juni war das Regiment in der Schlacht bei Landshut, in welcher es den geringen Verlust von 2 Mann und 5 Pferden an Todten, 8 Mann und 10 Pferden an Verwundeten zählte. — Beim Rückzuge von Bresslau am 5. August wurden 400 Dragoner des Regiments bei Kanth von dem preussischen General Werner angegriffen, und mussten trotz tapferer Gegenwehr der feindlichen Uebermacht weichen, und bei einem zu passirenden Graben fast die Hälfte als gefangen zurücklassen. Am 15. August wohnte das Regiment der Schlacht von Liegnitz bei, und hatte in dieser 3 Mann 5 Pferde als blessirt, 2 Mann und 1 Pferd als vermisst zu beklagen. Im August 1761 war das Regiment unter jenen österreichischen 50 Escadrons, welche zur russischen Armee nach Wahlstadt beordert worden waren. Im Feldzuge 1762 am 16. August im Treffen bei Peyle unweit Reichenbach, hatte sich das Regiment sehr hervorgethan, aber 3 Offiziere verwundet, und 4 Offiziere nebst einer grossen Anzahl Mannschaft als gefangen verloren. Im Jahre 1767 wurde das Regiment mit leichtern Pferden beritten gemacht, und zum Chevauxlegers-Regimente übersetzt, mit grünen Röcken und scharlachrothen Aufschlägen, und war 1770 im Lust-Lager bei Mährisch-Neustadt vor Ihre Majestäten Kaiser Joseph II. und Friedrich d. Grossen ausgerückt. Im baierischen Erbfolge-Kriege 1778 war das Regiment bei der Armee des FM. Baron Loudon in Böhmen, und hatte am 19. September im Verein mit Gräven-Hussaren (Nr. 4) ein heftiges Gefecht wider mehrere feindliche Cavallerie-Regimenter und 2 Freibataillons, welche die Eger überschritten hatten, zu bestehen. Es wurden dabei 1 feindlicher Offizier nebst 28 Hussaren gefangen, von den Chevauxlegers eingebracht.

Während des Türkenkrieges von 1788 und 1789 war das Regiment in der Friedens-Garnison Gaya in Mähren zurückgeblieben, von wo es Anfangs 1792 erst am Ober-Rhein, und später in die Niederlande abrückte. —

In der Nacht vom 4. auf den 5. Juli hatte der Oberstlieutenant Baron Bolza des Regiments mit seiner Division und einem Bataillon Klebek Infanterie die Reichs-Festung Kehl besetzt; den 26. August bei einer Recognoszirung in der Nähe des Dorfes Villers, der Rittmeister Hermes sich ausgezeichnet, und im Dezember j. J. war eine Division bei der Vertheidigung der Verschanzungen bei Bellingen unweit Trier, wobei sich Rittmeister Bernsdorf und Oberlieutenant Baron Vecsey des Regiments besonders ausgezeichnet; letzterer hatte am 16. Dezember die Franzosen bis Zerf verfolgt. —

Im Feldzuge 1793 führte Oberstlieutenant Baron Bolza eine glückliche Unternehmung gegen Stablo und Malmedy, in der Art zur Zufriedenheit aus, dass mit der Beendigung des Auftrages auch seine Beförderung zum Obersten und Commandanten dieses Regiments erfolgte.

Am 18. März war eine Division des Regiments im Treffen bei Tirlemont.

Am 9. Juni im Treffen bei Arlon lenkte der Rittmeister Peter Gasser des Regiments vorzugsweise die Aufmerksamkeit des commandirenden Generalen dadurch auf sich, dass er vom General Schmerzing auf den linken Flügel beordert, aus eigenem Antriebe einem Theil der feindlichen Infanterie in die Flanke fiel, sie in Unordnung brachte, und die Mehrzahl derselben niederhieb. Als bald darauf des Feindes Reiterei anrückte, attaquirte Rittmeister Gasser im Vereine mit einer Division Kinski-Dragoner (jetzt Uhlanen Nr. 9) erneuert, und brachte dem Regimente Grenadiere zu Pferde empfindlichen Schaden bei. Wiewohl er in diesem Melée einen gefährlichen Kopfhieb erhalten, blieb er doch so lange bei der Truppe, bis das Gefecht sich zum Vortheile der Oesterreicher entschieden hatte.

Im Feldzuge 1794 wurde der, bei Rochefort im Luxemburgischen am Cordon mit seiner Division und einigen Infanterie-Compagnien aufgestellte Major von Lackhenau des Regiments am 10. Februar vom einem bei 1900 Mann starken feindlichen Corps angegriffen. Dasselbe hatte bei Javigne und Severy Posten gefasst, um allda zu plündern. Major Lackhenau vertrieb den Feind, der über Dion le Mont gegen Givet abzog, und ohne seine Absicht zu erreichen, 30 Todte mit mehreren Verwundeten verlor.

Der Verlust der Chevauxlegers bestand dagegen in 3 Todten und 2 Blessirten, nebst 2 Pferden. Corporal Holletschek des Regiments hatte sich hiebei durch sein entschlossenes Benehmen ausgezeichnet. Aus Villers sur Lesse war nämlich Oberlieutenant Baron Vecsey des Regiments mit seinem Zuge in die vom Feinde bedrohte Gegend vorgerückt. Corporal Holletschek mit 6 Chevauxlegers als Avant-Garde, stiess zwischen Beauraing und Javigne auf ein französisches Detachement, hieb von demselben 7 Chasseurs à pied nieder, und schlug mehrere feindliche Reiter in die Flucht. Plötzlich brachen aus Javigne und Severy starke feindliche Cavallerie-Abtheilungen vor. Oberlieutenant Vecsey musste sich zurückziehen. Corporal Holletschek, der jetzt den Nachtrab bildete, vertheidigte das Defilée bei Beauraing gegen den stark vordringenden Feind mit so viel Entschlossenheit, dass es dem Oberlieutenant Baron Vecsey gelang, die inzwischen hinter Beauraing angelangte Verstärkung zu erreichen. Holletschek, der selbst 3 Streifschüsse erhielt, brachte seine Mannschaft ohne Verlust zur Haupttruppe zurück, und erhielt, bereits mit der silbernen Tapferkeis-Medaille von früher decorirt, nun die goldene.

Am 23. März unternahm Major Lackhenau eine Recognoszirung, und schlug den Feind, der mit ansehnlicher Macht einen Ausfall aus Charlemont versuchte, zurück. —

In einem der häufigen Vorpostens-Gefechte an der Sambre im Laufe des Monats Juni wurde Rittmeister Baron Vecsey blessirt. —

Im Feldzuge 1795 stand das Regiment bei der Rhein-Armee. Rittmeister Gasser, welcher bei dem Rückzuge der Armee mit 300 Chevauxlegers zur Beobachtung der Festung Mannheim zurückbleiben musste, brachte durch mehrere kühn unternommene Streifzüge sichere Nachrichten und Gefangene ein, worüber ihm die höchste Zufriedenheit des Erzherzogs Carl zu Theil ward.

Im Feldzuge 1796 zeichnete sich Oberst Baron Bolza durch ruhmvolle Führung des Regiments im Gefechte bei Maubach und Rheingenheim im Juni j. J. aus. Ebenso werden der Major Theiss und Rittmeister Graf Dietrichstein des Regiments, wegen ihrem Wohlverhalten in jener Action angeführt. —

Am 8. Juni bei dem angeordneten Rückzuge des Corps des FML. Graf Sztaray bei Neustadt und Mosbach hatte Rittmeister Baron Vecsey mit einer halben Escadron des Regiments aus eigenem Antriebe die Arriere-Garde geführt, und bei dieser Gelegenheit eine Compagnie vom Gyulay'schen Frei-Corps die vom Feinde verfolgt wurde, gerettet, mehr als 60 bereits in Gefangenschaft gerathene Soldaten wieder befreit, durch wiederholte Attaquen dem weit überlegenen Feinde namhaften Verlust, und dem Corps einen ungestörten Rückzug ermöglicht. —

Als am 25. August ein kaiserliches Detachement gegen die Veste Rottenberg vorrückte, erhielt Rittmeister Baron Vecsey den Befehl über die Avant-Garde mit der Weisung, nur bis an die Vernitz zu streifen. Da er aber den Rückzug des Feindes wahrgenommen hatte, setzte er über dieses Wasser, liess den Feind verfolgen, und rückte mit 15 Chevauxlegers, ohne von der Stärke der Garnison unterrichtet zu sein, vor die Thore Rottenbergs. Er forderte die Besatzung (eine Infanterie-Compagnie) auf das Nachdrücklichste zur Uebergabe auf, die sich denn auch sofort auf Discretion ergab. Fünf Kanonen und viele Vorräthe an Munition fielen in Vecseys Hände, der Feind streckte die Waffen und wurde kriegsgefangen. Eine nachrückende Division des Infanterie-Regiments Gemmingen (Nr. 21) besetzte den Platz in dem Augenblicke, als 500 Mann Infanterie und 50 Dragoner des Feindes ansichtig wurden, die bereits kriegsgefangene Garnison zu verstärken; diese traten, sobald sie die Uebergabe Rottenbergs erfahren hatten, ihren Rückzug wieder nach Forchheim an. —

In der Schlacht bei Würzburg am 3. September stand das Regiment am äussersten rechten Flügel, welchen FML. Hotze befehligte, und zeichnete sich unter Führung seines tapfern Obersten Baron Bolza in diesem heissen Kampfe auf das Vortheilhafteste aus. 4 Escadrons desselben verfolgten unter General Hiller den flüchtigen Feind über Körnach, erreichten noch dessen Arriere-Garde, hieben ein, und zerstreuten dieselbe mit grossem Verluste. 2 Escadrons des Regiments standen im Monat September bei der Belagerung der Festung Kehl. Rittmeister Baron Kölbel des Regiments wurde von Sr. k. k. Hoheit dem Erzherzog Carl Ende September mit der Nachricht nach Wien geschickt, dass der Feind am 18. d. von der Lahn verdrängt worden, und Ehrenbreitstein entsetzt sei. —

Am 19. October erhielt Rittmeister Baron Vecsey den Auftrag, mit 100 Chevauxlegers, 130 Infanteristen und einer sechspfündigen Kanone, den vor der österreichischen Armee gelegenen wichtigen Posten-Riegel zu beobachten.

Am 20. wurde der Feind auf allen Punkten angegriffen: da derselbe aber den hartnäckigsten Widerstand leistete, wurde dem Rittmeister Vecsey wiederholt bedeutet, sich in kein ernstes Gefecht einzulassen. Von der Wichtigkeit des Postens nur zu bald überzeugt, machte er den eben anwesenden FML. Fürsten zu Fürstenberg den Vorschlag, Riegel forciren zu wollen, und erbat sich eine entsprechende Verstärkung. Der Fürst stellte ihm 4 Compagnien Infanterie und 2 zwölfpfündige Geschütze zur Verfügung, worauf Vecsey den Plan zum Angriff entwarf, und diesen mit so grosser Klugheit ausführte, dass der feindliche General Vandainme mit 2 Halb-Brigaden, 600 Reitern und 3 Kanonen von der Elz aus der Stadt Riegel, dann von dem sogenannten Michelsberge einer der vortheilhaftesten Positionen vertrieben, die gewonnene Stellung behauptet, die Franzosen zum schleunigen Rückzuge genöthigt, und dadurch die Vorrückung der österreichischen Truppen wesentlich begünstigt wurde.

Vecsey erhielt bei dieser Unternehmung eine schwere Wunde und wurde später nachträglich in der Promotion vom 18. August 1801, inzwischen den Reihen des Regiments entrückt, mit dem Ritter-Krenze des Maria Theresien-Ordens ausgezeichnet. Aber kurz darauf, während der Belagerung von Kehl, bei einem Ausfalle der Franzosen am 22. November fand dieser tapfere Offizier neue Gelegenheit zur Auszeichnung. Er hieb an der Tête einer Division des Regiments in die über Sandheim vorgedrungenen Feinde mit so unwiderstehlicher Tapferkeit ein, dass diese nahmhafte Verluste erlitten, und Vecsey neuerdings von dem Commandirenden Erzherzog Carl öffentlich belobt wurde.

Im April 1797 war das Regiment im Lager bei Wien, und wurde 1798 zum leichten Dragoner-Regimente mit der Nummer 1, und Beibehaltung seiner bisherigen Uniform übersetzt.

Im Feldzuge 1799 kämpfte das Regiment in Italien, und im Treffen bei Marengo am 16. Mai zwang es den Feind durch mehrere entschlossene Attaquen in dessen Flanken zur Flucht. —

In der dreitägigen Schlacht an der Trebia haben die, in der Suite des k. russischen FM. Grafen Suwarow commandirten Oberlieutenants Brudern und Braun des Regiments durch die eifrige und thätige Vollziehung der Befehle ihres Chefs, unter den gefahrvollsten Umständen sich eine belobende Erwähnung in der Relation jener Schlacht verdient. —

Das Regiment war im Juni bei der Belagerung der Festung Alessandria, bis zu deren Capitulation am 22. Juli, bei welcher Gelegenheit der Major Kees des Regiments mit dem Genie-Hauptmann Graf Alberti als Geissel dahin geschickt wurden. Die Relation über jene Belagerung rühmt vorzüglich die Umsicht und Thätigkeit des Oberstlieutenants Baron Kölbel, mit welcher dieser Stabs-Offizier vor Eröffnung der Tranchéen vor der Citadelle die Vorposten daselbst versehen. Der Wachtmeister Wenzl Kremser, bereits aus dem früheren Feldzügen mit der silbernen Medaille decorirt, hatte am 8. Juni, als der Feind einen Ausfall aus der Citadelle machte, mit 8 Dragonern des Regiments in die französische Infanterie eingehauen, und sie bis an die Pallisaden des Platzes zurückgeworfen; er erhielt nun die goldene Medaille. —

Mit besonderer Auszeichnung focht das Regiment am 15. August in der Schlacht bei Novi. Dasselbe befand sich bei dem Corps des FZM. Baron Kray, welches in der Nacht

vom 14.—15. August in 2 Colonnen gegen den linken bei
Pasturana stehenden Flügel des französischen Ober-Generals Jou-
bert anrückte. Dreimal hatte FZM. Kray die Höhen von Pasturana angegriffen, — genommen, jedoch zweimal wegen dem
übrigen Gange der Schlacht wieder weichen müssen, da das
erstemal das Zentrum und der rechte Flügel der Franzosen
erst viele Stunden später von den Alliirten angegriffen, das
zweitemal aber im Zentrum der Alliirten die Russen zurück-
wichen. Der dritte Angriff auf die Höhen von Pasturana war
hauptsächlich dadurch gelungen, das Major Kees des Regiments
mit seiner Division, 2 Escadrons Erzh. Joseph-Hussaren und
einem Bataillon Sztaray-Infanterie (Nr. 33) den linken Flügel
der französischen Stellung umging, und sich in deren Flanke
am Zusammenflusse der Broghetta mit dem Riasco aufstellte.

Im Verlaufe der Schlacht beunruhigte Kees die feindliche
Arriere-Garde, und die Relation schreibt seiner eben so klugen
als tapfern Leitung der in die linke Flanke des Feindes ge-
rückten Dragoner und Hussaren die Eroberung von 20 Geschützen
und Munitions-Karren, die Gefangennehmung des französischen
General Colli, nebst nahe an 2000 Mann der feindlichen Arriere-
Garde zu. Major Kees wurde mit der Sieges-Nachricht nach
Wien gesendt, und ihm sogleich, ausser Capitel, von Sr.
Majestät das Ritter-Kreuz des Maria Theresien-Ordens
verliehen.

Auch die übrigen Abtheilungen des Regiments fochten mit
anerkannter Tapferkeit und die Relation erwähnt vorzüglich unter
den Ausgezeichneten jenes Tages den Oberstlieutenant Baron
Kölbel des Regiments. —

Im October stand das Regiment mit dem dienstbaren
Stande von 872 Mann und Pferden in der Avant-Garde, Brigade des GM. Baron Gottesheim vor Bra. — Am 13. j. M.
bei Eroberung des Postens Bainette, und der Verfolgung des
Feindes haben 2 Escadrons des Regiments im Vereine mit zwei
von Levenehr-Dragoner (1860) reduzirt) ein feindliches Bataillon
abgeschnitten, und zum Theile versprengt, dann 1 Obersten, 15
Offiziers und 450 Mann gefangen.

Am 21. October griff der französische Divisions-General
Le Moine den österreichischen Posten Villanuova an, den Rittmeister Vecsey mit einer Escadron des Regiments besetzt hielt,
und bis spät Abends durch mehrere Stunden auf das Tapferste
vertheidigte, bis er der Uebermacht weichend, sich gegen Biag-
gio zurückzog.

Aber schon am 29. überfiel Vecsey Villanuova, und machte
200 Gefangene. —

Am 4. und 5. November kämpfte das Regiment 843 Pferde
stark, in der Schlacht bei Genola (oder Fossano an der Stura),
am 6. stellte sich GM. Gottesheim in dessen Brigade sich das
Regiment noch befand, bei Magliano di Sopra auf, und liess

durch den Rittmeister Vecsey, dem er 200 freiwillige Fuss-
gänger beigab, den vom Feinde besetzten Posten Carru angreifen. Bei dessen Annäherung verliess der Feind Stadt und
Schloss, stellte sich aber sehr vortheilhaft hinter der ersten
Schlucht ober Carru auf. Vecsey liess das Schloss sogleich
besetzen, und drang mit den Freiwilligen auf die feindliche
Stellung ein, nachdem er 3 Compagnien als Unterstützung an
sich gezogen hatte. Der Feind wurde trotz seiner tapfern Gegenwehr von Vecsey's Abtheilungen geworfen, welche aber einen
Verlust von 167 Todten und Blessirten erlitten. —

In diesem Monate waren noch Abtheilungen des Regiments in den Gefechten bei Mondovi und Borgo San Dalmazzo
thätig, in der Relation über ersteres erscheint der Oberlieutenant Baum des Regiments mit besonderer Auszeichnung erwähnt.
Der Rittmeister Gasser des Regiments war im Verlaufe dieses
Feldzugs, mit seiner Escadron wiederholt auf Streif-Commando
ausgeschickt worden, wo er dem Feinde namhaften Schaden
zufügte, die Ortschaften Camelero und Casine wegnahm, und
über 100 Gefangene einbrachte.

Im Feldzuge 1800 abermals in Italien, hatte das Regiment wiederholte Gelegenheit zur Erneuerung seines alten Ruhmes
gefunden. Im Treffen bei Romano am 26. Mai war dasselbe in
der Brigade des GM. Graf Palffy eingetheilt. Rittmeister Gasser
mit seiner Escadron stand auf dem rechten Flügel des Regiments. Als dieses eine Escadron zur Unterstützung der Vorposten, welche Major von Vecsey des Regiments commandirte,
vorsenden sollte, rückte Gasser sogleich freiwillig vor, und langte
in dem Augenblicke an, als die Vorposten geworfen, der Brigadier GM. Graf Palffy von einer Flintenkugel tödtlich verwundet, und Major Vecsey bald darauf bei einem Angriff auf
die feindliche Cavallerie durch einen Säbelstich kampfunfähig
gemacht wurde. Ungeachtet Gasser durch das heftige feindliche
Gewehrfeuer 49 Pferde verlor, behauptete er doch mit grosser
Standhaftigkeit die Chaussée und verhinderte das rasche Vordringen des überlegenen Feindes durch eine Stunde, wodurch
den rückwärtigen Truppen Gelegenheit geboten ward, sich in
Verfassung zu setzen. Gasser verlor 2 Pferde unterm Leib, und
erhielt eine Schusswunde, jedoch bewog diess Alles den Tapfern
nicht, sich aus dem Gefechte zu ziehen, vielmehr eiferte er
seine Mannschaft auf das Lebhafteste an, seinem Beispiele zu
folgen. Oftmaliges Einhauen in die feindliche Cavallerie, wobei
Gasser stets an der Spitze seiner Dragoner sich befand, trug
wesentlich bei, dass der vorrückende Feind nur mit äusserster
Anstrengung Schritt für Schritt das Terrain gewinnen konnte.
Erst nachdem Rittmeister Gasser durch die linke Hand geschossen
wurde, war er zu bewegen das Gefecht zu verlassen, welches
er mit so vielem Ruhme geführt hatte, und wofür ihm auch
nachträglich in der Promotion vom 1. Mai 1802 das Ritter-

Kreuz des Maria Theresien-Ordens zu Theil wurde. — In der Relation jener Affaire wurde auch der Rittmeister Maximilian Graf Auersperg des Regiments vom FML. Graf Hadik unter den Ausgezeichneten genannt. —

Am 14. Juni in der Schlacht bei Marengo waren 2 Escadrons des Regiments, 272 Pferde stark beim Vortrab der 1. oder Haupt-Colonne, welchen Oberst von Frimont vom Jäger-Regimente Bussy befehligte, eingetheilt, 3 Escadrons aber, 300 Mann stark, in der Brigade des GM. Pilati, bei der Haupt-Colonne selbst, und Rittmeister Civrani des Regiments war mit seiner Escadron bei Aqui, zur Beobachtung des feindlichen General Suchet aufgestellt. —

Das Regiment, vom Commandirenden G. d. C. Baron Melas persönlich angeführt, hatte an diesem Tage eine sehr glänzende Attaque auf die 62. französische Halb-Brigade gemacht. Der General-Adjutant Oberst Graf Radetzky, welcher an der Seite seines Chefs sich befand, machte diesen Angriff mit, bei welcher Gelegenheit dessen Rock von 5 Kugeln durchbohrt wurde. — Im weitern Verlaufe der Schlacht hatte G. d. C. Baron Melas den GM. Pilati beordert, mit seiner Reiter-Brigade (Kaiser und Karaczay-Dragoner) weiter rechts von Marengo einen Gang über den Fontanone-Bach, welcher tief und sumpfig war, und vom jenseitigen Ufer mit verheerendem Flintenfeuer von den Truppen des französischen Generallieutenants Victor vertheidigt wurde, aufzusuchen, um auf dem jenseitigen Ufer in die Feinde einzuhauen Indess also ein blutiger Kampf auf der ganzen Linie währte, hatte General Pilati einige Escadronen des Regiments, jedoch nur langsam und mit vieler Mühe über den Graben gebracht, da die Reiter nur einzeln durch denselben dringen konnten. Doch war dieser Uebergang bewirkt, ohne dass es der Feind gewahr worden. Aber kaum rückten diese Escadronen aus dem Gebüsche in die Fläche, um nach einem Aufmarsch in die Flanke der feindlichen Infanterie einzuhauen, als der französische General Kellermann sie entdeckte, und mit seiner ganzen Brigade ihnen entgegen sprengte, und die noch nicht geordneten von aller Unterstützung entfernten Escadronen, mit der vielfachen Uebermacht über den Haufen und auf den Graben zurückwarf. Die Verfolgten sprengten im vollen Laufe — in diesen wie erwähnt, fast unwegsamen Graben hinein. Es stürzten Mann und Ross in Verwirrung übereinander, und in denselben hinab, — viele wurden noch jenseits zusammengehauen oder gefangen. — Durch den bedeutenden Verlust, bei Uebersetzung des Fontanone-Grabens war das Regiment in dieser Schlacht an Zahl und Kraft sehr geschwächt worden. — Indessen war auch der, bei Aqui mit seiner Escadron aufgestellte, bereits erwähnte Rittmeister Civrani des Morgens von einer überlegenen feindlichen Reiterei, der eine Infanterie-Colonne gefolgt war, angegriffen, und bis Alessandria geworfen worden. General Nimptsch mit seiner Cavallerie-Brigade (Hussaren Nr. 7 und 9) wurde nach Alessandria beordert, um jene Escadron aufzunehmen, und dem Feinde entgegen zu rücken. Nimptsch vollzog mit Geschick diesen Auftrag, und drängte die vorgebrochene feindliche Reiterei wieder gegen Aqui zurück. Das Regiment hatte nebst einem grossen Verluste an Mannschaft auch den Lieutenant des Roches unter seinen Todten zu beklagen Am 25. Dezember war es in der Schlacht am Mincio anwesend. Nach dem Lünneviller-Frieden 1801 rückte das Regiment nach Mähren in die Friedens-Station Gaya, wurde bei Beginn des Jahres 1802 zum 1. Chevauxlegers-Regimente übersetzt, erhielt eine Division des eben aufgelösten Dragoner-Regimentes Coburg, und wurde mit weissen Röcken, dunkelrothen Aufschlägen und gelben Knöpfen adjustirt, bis es 1806 wieder seine alte Uniformfarbe, dunkelgrün mit scharlachroth zurück erhielt. Auch wurde 1802 der Regiments-Stab nach Niekolsburg, 1803 aber nach Troppau in Schlesien, und 1805 nach Leipnik in Mähren verlegt, von wo das Regiment bei Ausbruch des Feldzugs 1805, zur Armee Sr. k. k. Hoheit des Erzh. Carl nach Italien aufbrach, wo es nach der Ordre de Bataille vom 18. October am rechten, von seinem 2. Inhaber G. d. C. Graf Bellegarde befehligten Flügel, in der Division des FML. Graf O' Reilly eingetheilt, in Soave seine Aufstellung hatte. — Während der Schlacht bei Caldiero am 30. October stand das Regiment rechts der Heerstrasse unweit Stra aufgestellt. Als Nachmittags ein Theil der österreichischen Truppen im Zentrum den Rückzug in die verschanzte Stellung antreten musste, und der Feind zahlreiche Infanterie-Massen aufbiethend, den wichtigsten Punkt der österreichischen Stellung zu bedrohen beabsichtigte, beschloss der Oberstlieutenant Anton Graf Hardegg des Regiments, an der Spitze seiner Division und einiger gesammelter Reiter-Abtheilungen, ohne erst die Bewilligung zur Unternehmung einzuholen, sich sofort dem vorrückenden Feinde entgegen zu werfen. Muthig attaquirte er dessen Fronte und Flanke, und warf ihn glücklich zurück. Die zerstreuten Truppen erholten sich, und die österreichische Reserve gewann Zeit, sich in Verfassung und in Marsch zu setzen. Wohl versuchten die Franzosen mit Aufbietung grösserer Kräfte, in der eingetretenen Nacht ihr Vorhaben durchzusetzen, doch waren alle Anstrengungen umsonst, da der wachsame Oberstlieutenant Graf Hardegg sich ihnen jedesmal mit Nachdruck und Bravour entgegenwarf, und sie zum Rückzuge nöthigte. Das Ritter-Kreuz des Maria Theresien-Ordens, welches im April 1806 dem Grafen Anton Hardegg nachträglich verliehen wurde, war der gerechte Lohn seiner tapfern That, der noch 1805 zum Obersten bei Levenehr-Dragoner (1860 reduzirt) befördert worden war. •

Am 1. November begann die Armee ihren Rückmarsch über Krain und Steiermark, in Folge der Ereignisse in Deutschland und der Catastrophe von Ulm. Das Regiment bezog im Jänner 1806 die Friedens-Station Ried in Oberösterreich, marschirte von da 1807 nach Eperies in Ober-Ungarn, und 1808 in die Stabs-Station Grodek in Galizien.

Den Feldzug 1809 in Polen machte das Regiment im VII. Armee-Corps Sr. k. Hoheit des G. d. C. Erzherz. Ferdinand Este mit, und war in der bei Olkusz detachirten Brigade des GM. Branowatzky eingetheilt.

Am 15. April hatte diese Brigade die Bialla Pizemza bei Slawkow überschritten, und rückte gegen Czenstochau, vor welchem Orte sie am 17. eintraf. GM. Branowatzky hatte die feindlichen Aussen-Posten in die dortige Feste hineingeworfen, und dieselbe am 18. zur Uebergabe aufgefordert, welche aber von dem feindlichen Commandanten Major Stuart verweigert wurde. Da der Platz mit Lebensmitteln, Munition und Geschützen hinreichend versehen war, liess GM. Branowatzky zu dessen Beobachtung unter Oberst Gramont ein Bataillon Szekler und eine Division des diesseitigen Regimentes daselbst zurück. Mit seinen übrigen Truppen marschirte er am 21. April ab, zog über Radomsk, Petrikow und Rawa gegen Warschau, und traf am 23. bei Blonie ein.

Anfangs Mai bildete GM. Branowatzky mit 5 Infanterie-Bataillons und dem diesseitigen Regimente die Besatzung Warschau's, von wo er sich bei dem bald darauf erfolgten Rückzuge des VII. Armee-Corps nach Galizien diesem anschloss.

Im Juni waren 2 Escadrons des Regiments zu dem aus 2 Escadrons Hussaren bestehenden Streif-Commando des Major Graf Gatterburg von Kaiser-Hussaren gestossen. Bei Tag, meistens in Wäldern und andern Verstecken liegend, unternahm diese Streifpartei gewöhnlich des Nachts oft die grössten Wagstücke, die auch meistens mit einem glücklichen Erfolge gekrönt wurden. So wurde von ihr in der Gegend von Rava ein bedeutender feindlicher Waffentransport aufgehoben. Auf einem dieser Züge erfuhr der Major Graf Gatterburg den Marsch eines feindlichen Bataillons, das zur Armee abzurücken im Begriffe war, traf sogleich seine Dispositionen, und überfiel dieses Bataillon am 11. Juni bei Tages-Anbruch auf seinem Marsche nach Jedlinsko, in einem ausgebreiteten ganz flachen Terrain. Als die Feinde die österreichischen Reiter gewahrten, formirten sie mit grösster Schnelligkeit ein Quarrée, in welchem sie ihren Marsch fortzusetzen trachteten, während die 4 Escadrons des Streif-Commandos sie zu kotoyiren anfingen, und die plänkelnden Chevaux-legers und Hussaren sie rings umschwärmten. Da sie die Uebergabe verweigerten, liess Major Graf Gatterburg sie wiederholt Escadronsweise attaquiren. Bereits hatte jede derselben mit Verlust einiger Leute und Pferde vergebliche Angriffe gemacht, als die Oberst 2. Escadron von Kaiser-Hussaren noch eine letzte Attaque versuchte, bei welcher deren Commandant Rittmeister Schiller und viele seiner Braven den Heldentod starben, und die im rechten Augenblicke losgelassenen übrigen 3 Escadrons die ein-

9

gerissene Verwirrung benützend das Schicksal des feindlichen Quarrées schnell entschieden. Fast alle hier zersprengten feindlichen Infanteristen fielen unter den Säbeln der erbitterten Chevauxlegers und Hussaren.

Anfangs 1810 bezog das Regiment die Stabs-Station Gyöngyös in Ungarn.

Im Feldzuge 1813 erhielt dasselbe seine Eintheilung zur leichten Division des FML. Fürsten Moriz Liechtenstein, und die Brigade des GM. Geppert. Mit dieser hatte das Regiment Theil: an der Vorrückung nach Sachsen, der Schlacht bei Dresden den 26. und 27. August, und dem darauf erfolgten Rückzuge nach Böhmen. —

Im Treffen bei Marienberg am 22. August zeichnete sich der Wachtmeister Jakob Knöpfler des Regiments dadurch aus, dass er mit dem von ihm commandirten rechten Flügel der Plänklerkette dem Feinde in den Rücken fiel, und denselben zum Rückzuge zwang. Auch während diesem griff er den Feind in seiner linken Flanke an, machte viele Gefangene, und erhielt die silberne Medaille.

Während der Schlacht bei Kulm am 30. August stand die leichte Division Fürst Moriz Liechtenstein bei Kloster-Grab, Brüx und dem Zinnwalde. Bei dem Ueberfalle des GM. Scheither auf Freiberg waren 2 Escadrons des Regimentes gegenwärtig, während die übrigen 4 bei Kloster-Grab mit dem grössern Theil der Division Moriz Liechtenstein zurückblieben. (Das Regiment war nämlich zu diesem Feldzuge nur mit 6 Escadrons ausmarschirt.) Rittmeister Dalquen war mit seiner Escadron bei jenem Ueberfalle thätigst betheiligt, während die andere Escadron zur Deckung des GM. Scheither auf Vorposten stand, so hatte Rittmeister Olnhausen bei Weissenborn am Pikete von einer bedeutenden feindlichen Uebermacht angegriffen, sich nicht nur bis zum Rückzuge des General Scheither aus Freiberg behauptet, sondern selbst einige Gefangene gemacht.

Ende September wurde die leichte Division beordert, gegen Saale vorzurücken, um das aus Franken in mehreren Colonnen heranziehende feindliche Corps des Marschalls Angereau zu beobachten, dessen Marsch zu beunruhigen, und nach Möglichkeit aufzuhalten. — Am 28. kam es bei Altenburg zum Gefechte, in welchem Oberst Chevalier Fitzgerald des Regiments durch wiederholte entschlossene Attaquen dem Vordringen des Feindes wesentlich Einhalt that, bei Dornburg kam es am 6. October abermals zu einem kleinen Gefechte, in welchem das Regiment den nur geringen Verlust von 2 Mann und 1 Pferd an Todten, 5 Mann und 5 Pferde an Verwundeten, und 3 Mann nebst 5 Pferden an Vermissten hatte. Ungleich heftiger war aber am 10. October das Gefecht bei Naumburg und Stössen, in welchem das Regiment 15 Mann und 14 Pferde todt, den Rittmeister Krolickiewicz nebst 27 Mann und 18 Pferden verwundet, und

13 Mann nebst 26 Pferden gefangen zählte. Mehrere Individuen des Regiments fanden an diesem Tage Gelegenheit zur Auszeichnung; so retteten der Corporal Ferdinand Hein, und der Gemeine Franz Stary mehrere ihrer verwundeten auf dem Boden liegenden oder ohne Pferde herumirrenden Cameraden, durch einen auf die Feinde gemachten Flanken-Angriff aus der Gefangenschaft. Corporal Hein erhielt die silberne Medaille, Gemeiner Stary eine Geldbelohnung. Der Wachtmeister Adalbert Hruby wurde nebst mehreren Offizieren und einer Jäger-Compagnie gefangen, und nach Naumburg gebracht. Schon am nächsten Tage ranzionirte Hruby sich selbst und rettete auch seine Mitgefangenen, denn er liess die nächststehenden österreichischen Truppen von deren Lage unterrichten, und diese eilten zur Hilfe herbei. Hruby hatte sie im Versteck erwartet, hieb mit denselben unter die feindlichen Posten ein, und sprengte das Thor auf. Da Wachtmeister Hruby bereits aus frühern Feldzügen die goldene Medaille besass, so erhielt er eine Geldbelohnung. In den Gefechten der Schlacht bei Leipzig verlor das Regiment 5 Mann und 14 Pferde todt, 9 Mann und 10 Pferde verwundet. — Am 21. October im Treffen bei Kösen, und am 9. November bei Hochheim, rückte die leichte Division Fürst Moriz Liechtenstein gegen Frankreichs Grenze vor, und überschritt am 20. Dezember bei Lauffenburg den Rhein. —

Im Feldzuge 1814 in Frankreich, war das Regiment in seiner vorigen Eintheilung (bei der nunmehrigen 2. leichten Division Fürst Moriz Liechtenstein) geblieben. — Das Regiment nahm Theil an allen Kämpfen und Märschen der leichten Division Liechtenstein, welche am 14. Februar Auxerre bezwang, und ihren Marsch längs den Ufern der Rhone gegen die Seine fortsetzte, sowie im Monate März an der Younne den Armancon und den Loire-Fluss hin und herstreifte, und abwechselnd in Chanceaux, Tonnere Auxerre, Chatillon, Courbon, gegen Montbard und Semur ihre Aufstellung hatte. Unter den zahlreichen Gefechten, welche diese Division, und mit ihr das Regiment bestand, waren für das letztere, jenes bei Bavigny, am 5. Februar, und vorzüglich der blutige Kampf bei Troyes am 23. Februar die wichtigsten. — Im ersteren verlor das Regiment 4 Mann 2 Pferde todt, 5 Mann und 4 Pferde blessirt; — im letzteren den Oberlieutenant Baron Hannstein, 29 Mann 19 Pferde todt, die Rittmeister Chevalier de Gray, und Baron Eib nebst 38 Mann und 6 Pferden verwundet, 19 Mann 14 Pferde gefangen, und 4 Mann 32 Pferde vermisst. Anfangs März hatte der Rittmeister Olnhausen des Regiments den Auftrag erhalten, mit einer Escadron die Wege um Semur und Solre zu durchstreifen, Autun zu besetzen, die Verbindung mit der österreichischen Süd-Armee zu unterhalten, und hierüber sogleich den Bericht an die alliirte Haupt-Armee zu erstatten. Schon stand Rittmeister Olnhausen 6 volle Tage in jener Gegend, und alle Ordonnanzen, welche von

9*

ihm, so wie von der Hauptarmee, einander gegenseitig zuge-
sendet wurden, waren in die Hände der bewaffneten Bauern
gefallen. Endlich wurde der Korporal Mathias Nowotny mit 4
Chevauxlegers zu einer solchen Sendung kommandirt, und erreichte glücklich die Hauptarmee. Aber als er von da mit wichtigen Depeschen zu der Escadron zurückkehrte, wurde er ebenfalls von bewaffneten Bauern umringt. Der Korporal bahnte
sich zwar durch jene Feinde mit dem Säbel einen Weg, und
hatte bereits das freie Feld gewonnen. Da feuerten die Bauern
der Patrouille nach. Der Korporal wurde durch zwei Schüsse
schwer verwundet; hatte aber noch so grosse Fassung, und
gewann noch die Zeit, die Depeschen einem Chevauxleger zu
übergeben, der sie auch wirklich dem Rittmeister Ollnhausen
überbrachte. Nowotny wurde aber von den Bauern gefangen. Er
erhielt die silberne Medaille.

Ein zum Regimente im Anmarsch befindlicher Ergänzungs-
transport wurde Ende Februar zur Blocade von Refort zurückbehalten, wo er nützliche Dienste leistete, und erst nach der
am 12. April abgeschlossenen Capitulation zum Regimente wieder
einrückte. Um die Mitte Mai 1814 trat das Regiment seinen Rückmarsch an, blieb einige Zeit zur Beobachtung der Festung
Landau daselbst stehen, und rückte sodann in die Friedensstation
Ungarisch Brod in Mähren.

Im Feldzuge 1815 war das Regiment Divisionsweise bei
den Belagerungstruppen der Festungen Strassburg, Schletstadt,
Hünningen und Basel vertheilt, und bezog Ende d. J. die Friedens-
station Vicenza im Venetianischen.

Im kurzen Feldzuge 1821 gegen die neapolitanischen
Insurgenten, war das Regiment in der Division des FML. Graf
Wallmoden, bei der 50000 Mann starken Armee des G. d. C.
Grafen Frimont eingetheilt, und überschritt mit dieser am 6.
Februar die Grenze des österreichischen Staates. FML. Graf
Wallmoden führte den linken Flügel gegen Ankona. Bei Rieti
am 7. März wurde dieser von dem GL. Pepe, der die neapo-
litanischen Insurgenten befehligte, angegriffen. Nach wenigen
Stunden war nicht nur dieser Angriff kräftigst zurückgewiesen,
sondern der Widerstand des Feindes vollkommen gebrochen,
2 Escadrons des Regiments waren mit einer Cavallerie-Batterie
auf der Strasse von Rieti gegen Antrodocco und 2 Escadrons
auf der Strasse gegen Civita Ducale zur Unterstützung der die
Vorposten haltenden Division des Hussaren-Regiments König
von England (Nr. 5), aufgestellt. — In den Gefechten bei
Antrodocco und Leonessa, am 9. März rückte die Division Wallmoden in 2 Colonnen vor. Das Regiment war vertheilt und
zwar 7 Züge bei der Haupt-Colonne des GM. Geppert, ein
Zug bei der rechten Colonne des GM. Villata und die übrigen
6 Escadrons folgten in einiger Entfernung der Haupt-Colonne
als Reserve. Die rechte Colonne stiess auf den Höhen von

Pendenza, die Haupt-Colonne bei Canetra auf feindliche Truppen; diess Gefecht, in welchem das erste Mal die Raketen angewendet wurden, entschied bald mit dem Rückzuge der Neapolitaner. Am 11. März stand die Division Wallmoden im Lager bei Aquila, deren Citadelle am selben Tage den österreichischen Truppen ihre Thore öffnete. Oberst Graf Coudenhove des Regiments wurde mit 4 Escadrons und dem 10. Jäger-Bataillon auf der Strasse gegen Popoli, bis Navelli vorgeschickt, dem Tags darauf Oberst Fitzgerald mit der andern Hälfte des Regiments, 5 Infanterie-Compagnien und einer halben Batterie nachrückte. — In den nächsten Tagen rückte das Regiment in die Abruzzen ohne weitern Widerstand vor, wobei dasselbe den Avant-Garde-Dienst der Division Wallmoden versah. — Am 24. März nach abgeschlossener Convention rückte das Regiment aus dem Lager von Aversa mit dem feierlichen Einzuge der österreichischen Armee, — in Neapel ein, wo es bis 1825 verblieb, und sodann nach Aversa und Umgegend verlegt wurde. Im Jahre 1827 marschirte das Regiment mit den letzten Abtheilungen der österreichischen Occupations-Armee aus dem Neapolitanischen über Rom, Toskana und Modena, Divisionsweise in die Friedensstation Padua im Venetianischen, welche es 1830 mit Mailand verwechselte; 1831 bei Ausbruch der Unruhen im Kirchenstaate wurde eine Division des Regiments nach Modena und später nach Bologna detachirt.

1836 rückte das Regiment nach 30jährigem Aufenthalte in Italien, nach Steyermark ab, wo es die Stabsstation Radkersburg erhielt, und nach einjährigem Aufenthalte daselbst, zur Aufwartung in die Residenzstadt Wien beordert, am 1. Mai 1837 in dieser eintraf, wo es durch volle 2 Jahre den Garnisonsdienst versah und bei allen Ausrückungen wiederholtes Lob erntete.

Im Mai 1839 marschirte das Regiment in die Stabsstation Tarnow in Galizien. Während des galizischen Aufstandes, im Februar 1846 waren am 18. d. M. 6 Züge des Regiments unter GM. Collin in Krakau, nebst mehreren anderen Truppen über Aufforderung der Residenten der drei Schutzmächte zur Besetzung dieser Stadt und zur Herstellung der Ordnung eingerückt. Eine halbe Escadron des Regiments blieb unter Commando des Obersten Baron Zschock von Graf Nugent Infanterie in Podgorcze. —

Am Abend des 22. räumte GM. Collin die Stadt Krakau und eine Escadron des Regiments besetzte nebst Infanterie den Ort Kalvaria. Lieutenant Begg des Regiments wurde, von Krakau aus, mit 25 Chevauxlegers nach Krzanow, Lieutenant Bernd mit 15 Chevauxlegers nach Krzeszowice entsendet; beide hatten mit den polnischen Insurgenten blutige Zusammenstösse, in welchen Lieutenant Begg durch einen Schuss getödtet; Lieutenant Bernd überfallen, hieb sich aber mit Verwundung seiner Person und einiger seiner Reiter, wacker durch. — Das von dem tapfern

Oberstlieutenaet von Benedek, damaligen General - Commando-Adjutanten von Galizien, den Insurgenten gelieferte blutige Gefecht bei Gdow, am 26., zerstreute die Aufrührer nach allen Richtungen, und brach deren Widerstand. Eine Abtheilung des Regimentes war anwesend, und 10 Chevauxlegers wurden nebst einer Infanterie-Compagnie in diesem Gefechte in die linke Flanke der Insurgenten detachirt, während gleichzeitig deren Front durch Tirailleurs angegriffen wurde. — Cadet Ceslaus von Bzowski, des Regiments, erwarb sich durch hervorragende Tapferkeit die goldene Medaille. — Den das Land durchziehenden, mobilen Colonnen, deren eine mit ausgezeichneter Umsicht Rittmeister Baron Kirchbach des Regiments führte, waren Abtheilungen des Regiments beigegeben. — Die Chevauxlegers hatten sich in diesen wenigen Tagen bei den Aufständischen einen gefürchteten Namen gemacht.

1847 kam der Regimentsstab nach Grodek, nächst Lemberg.

Im Feldzuge 1848 gegen die ungarischen Insurgenten waren die Oberstlieutenants- und erste Majors - Division des Regiments bei dem Corps des FML. Graf Schlick eingetheilt, und standen nach der Ordre de Bataille vom 2. Dezember, erstere in der Brigade des Majors Podhagsky von Koudelka Infanterie in Dukla, letztere in der Brigade des GM. Fiedler in Zmigrod.

Am 5. brach das Corps gegen Ungarn auf, und überschritt am 6. die ungarische Grenze. Bei Komarnik wurde eine halbe Escadron des Regiments mit 2 Infanterie-Compagnien zur Deckung der linken Flanke und Einziehung sicherer Nachrichten über den Feind nach Strotkop entsendet, war aber auf keinen Feind gestossen. Bei Budamér hatte das Corps des FML. Graf Schlick mit den Insurgenten ein Gefecht zu bestehen, am 11., nach dessen siegreichen Ausgang, wurde Major Concorreggio des Regiments mit seiner Division zur Verfolgung des zurückgeschlagenen Gegners beordert. Ein durch das Hernadthal laufender sumpfiger Bach bereitete den Chevauxlegers einigen Aufenthalt, als jedoch die vorderste halbe Escadron hinüber gesetzt war, begann die Verfolgung des Feindes gegen Kaschau auf's Neue, ohne die andern 6 Züge abzuwarten. Ungefähr gegen 200 Schritte herwärts des Dorfes Barcza stiess die halbe Escadron plötzlich auf eine 80 bis 100 Mann starke feindliche Abtheilung. Es waren diess polnische Schützen, welche die Nachhut des feindlichen Geschützparkes bildeten. Sie liessen die attakirenden Chevauxlegers bis auf 20 Schritte heranreiten und gaben erst dann Feuer. Major Concorreggio, von mehreren Kugeln durchbohrt, starb mit noch einigen seiner braven Chevauxlegers den Heldentod. Dem Major Scudier des Generalstabes, der an seiner Seite ritt, wurde das Pferd erschossen, er selbst erhielt einen bedeutenden Schuss am Kopfe und gerieth in Gefangenschaft. Die Chevauxlegers, deren Glieder durch das wohlgezielte Feuer des Feindes gelichtet und in Unordnung gebracht wurden, mussten sich zurückziehen. Lieutenant Begg, welcher

leicht verwundet, unter seinem todt geschossenen Pferde lag,
fand Mittel der Gefangenschaft zu entgehen. Die eingebrochene
Dunkelheit erlaubte nicht, die Verfolgung wieder aufzunehmen.
Des andern Tages fand man den Leichnam des Majors Conco-
reggio, er bot einen schauderhaften Anblick.

Am 13. wurde er feierlich begraben. Seine Chevauxlegers
schwuren beim Anblick der verstümmelten Leiche blutige Rache,
— und haben später Wort gehalten. FML. Graf Schlick
belobt in seiner Relation vom 26. Dezember an das Armee-
Ober-Commando den Oberlieutenant von Kollenstein des Regiments.

Im Gefechte bei Sziksao, am 28. Dezember, waren einige
Abtheilungen des Regiments, rechts der Strasse, zur Deckung
der Batterien verwendet, auch wurde durch die Chevauxlegers
der Avantgarde eine Honved - Abtheilung ereilt und gefangen.

Am 11. Jänner 1849 im Gefechte bei Eperies war ein
Zug des Regiments der Colonne des Major Kiesewetter von
Graf Nugent Infanterie, eine halbe Escadron jener des Majors
Singer von Parma Infanterie zugetheilt. Beide brachen am 2.
von Eperies auf; Letztere auf der Gebirgsstrasse von Kaschau
gegen Jeckelfalva entsendet, stiess hinter Iszép auf eine feindliche Abtheilung, welche sie sogleich in *die Flucht schlug.
Erstere auf dem Gebirgswege von Eperies, gegen Mastifalva
entsendet, stiess vor Bella auf einen Insurgentenhaufen, warf
denselben zurück und setzte ihren Marsch fort. Major Kiesewetter kehrte mit seiner Colonne am 3. nach Eperies zurück,
Major Singer rückte am 4. Abends in Kaschau ein. — Eine halbe
Escadron des Regiments blieb in Eperies als Besatzung.

Im Gefechte bei Kaschau am 4. war die Oberstlieutenants-
Division des Regiments anwesend; eine Abtheilung derselben,
welche dem geschlagenen Feinde nachjagte, brachte 6 kleine
metallene Mörser nebst 2 Munitionskarren und viele Gewehre
zurück. Diese Division stand jetzt in der Brigade des GM. Graf
Pergen.

Am 7. Jänner gingen von Kaschau mobile Colonnen
ab. Bei der 1. des Major Kiesewetter war ein Zug des Regiments, bei der III. des GM. Graf Pergen eine halbe Escadron
und bei der IV. des GM. Fiedler war eine aus der Oberstlieutenants 1. und I. Majors 1. Escadron des Regiments zusammengesetzte Division, unter Commando des Rittmeisters Baron
Kirchbach. Bis 16. zogen diese Colonnen in der Gegend von
Kaschau, Eperies, Margitfalva, Leutschau und Käszmark herum,
da der 17. Jänner zur allgemeinen Vorrückung bestimmt wurde.
Die beiden Divisionen des Regiments waren, während dieser
escadronsweise vertheilt, eine Escadron in der Avantgarde des
Centrums (Brigaden Pergen und Fiedler), welche noch aus einem
Bataillon Hartmann Infanterie und 2 Geschützen unter Commando
des Major Piatolli, dieses letztgenannten Regiments bestand, eine
Escadron bei der, gegen Keresztur den linken Flügel bildenden

Colonne des Majors Herzmanowsky von Erzherzog Stefan Infanterie, und die noch übrigen 2 Escadrons bei der Cavallerie-Reserve im Centrum. Die Avantgarde unter Major Piatolli hatte am 19. bei Szanto ein kurzes Gefecht mit dem sich dort stellenden Feinde, welchen sie bis Jallya zurückwarf. Rittmeister Carl Baron Böhm des Regiments, zeichnete sich in diesem, durch seine umsichtige Thätigkeit im grössten Kugelregen vorzugsweise aus.

Am 22. Jänner im Treffen bei Tarczal hatte die Cavallerie am rechten Flügel in einer Ebene ihre Aufstellung. Eine meist aus Freiwilligen und Jägern gebildete, starke, mit gezogenen Stutzen-Kammer-Büchsen bewaffnete feindliche Tirailleur-Kette eröffnete gegen unsere Plänkler ein so heftiges und wohlgezieltes Feuer, dass nicht nur die Unterstützung derselben, sondern auch die rückwärtigen Massen und die Artillerie getroffen wurde. Um diesem Feuer ein Ende zu machen, unternahm Rittmeister Baron Böhm eine Attake auf die feindliche Plänklerkette. An der Spitze seiner Escadron, war dieser kampfbegeisterte Offizier, einige Schritte dieser vorangesprengt, da wurde ihm gerade in dem Momente das Pferd unterm Leibe erschossen, als die Chevauxlegers von allen Seiten hart gedrängt, in ein lebhaftes Kreuzfeuer geriethen, und überdiess durch überlegene starke Hussaren-Colonnen zum Rückzuge bereits gezwungen waren. Die Escadron sah ihren tapfern Commandanten sinken, und schon setzten sich einige Chevauxlegers in Bewegung, um ihn dem sichern Tode zu entreissen, als eine feindliche Hussaren-Abtheilung ihnen zuvorkam, und sich auf seine Person stürzte. Von Kugeln und einem tüchtigen Säbelhiebe schwer getroffen, starb Baron Böhm den Heldentod, vom ganzen Corps tief betrauert, von seiner braven Escadron hart verschmerzt. (FML. Graf Schlik liess demselben alldort einen Grabstein setzen). Nebst dem getödteten Rittmeister Baron Böhm hatte das Regiment noch den Oberlieutenant Hofmann und mehrere Chevauxlegers als verwundet zu beklagen. — Während dem Kampfe des Centrums des Graf Schlik'schen Corps bei Tarczal, hatte die mobile Colonne des Major Herzmanowsky am linken Flügel bei Kerestur, ein blutiges Gefecht gegen eine fünf bis sechsfache feindliche Uebermacht zu bestehen, worauf sie sich gegen Máad zog. In diesem Gefechte hatte Rittmeister von Limpens des Regiments mit seiner Escadron den Major Herzmanowsky auf's Beste unterstützt. — Am 24. Jänner waren die beiden beim Armee-Corps des FML. Graf Schlik anwesenden Divisionen des Regiments folgenderweise vertheilt: Major Baron Kirchbach des Regiments mit mehreren Infanterie-Abtheilungen und einem Zug Chevauxlegers in Forró, drei Züge unter GM. Fiedler in Kér, ein Zug bei einem in Szanto stehenden Commando des Major Piatolli von Hartmann Infanterie, eine halbe Escadron bei dem Commando des Major Kiesewetter in Leutschau, und der

Rest der Chevauxlegers stand unter Oberstlieutenant Baron Lauingen des Regiments, in Alsó Czécze. Major Baron Kirchbach zog sich am 28. nach Hidas Nemethy, und vereinigte sich am 29. in Ujhely mit der Brigade Pergen. — In der Relation des FML. Graf Schlik an das Ober-Commando wird unter denjenigen, die sich in den Gefechten vom 22. und 23. besonders ausgezeichnet haben, Rittmeister von Limpens vom Regimente genannt.

Am 2. Februar marschirte Oberstlieutenant Baron Lauingen mit einer Escadron des Regiments, einer Compagnie Grenzer und 2 Geschützen nach Miskolcz ab, um die Strasse nach Pesth zu sichern und die Ruhe im Borschoder-Comitate aufrecht zu erhalten, verliess es jedoch in der Nacht vom 5. auf den 6. und besetzte Forò, da eine 6000 Mann starke feindliche Colonne gegen ihn im Anmarsche begriffen war. — In der Nacht vom 2. auf den 3. Februar überfiel der Major Kiesewetter von Leutschau aus den vom Feinde besetzten Ort Igló. Gegen die Umzäumungen des Ortes angerückt, wurde die angreiffende Truppe mit einem kräftigen Musketenfeuer empfangen, in welches bald der Kanonendonner zweier vor dem Orte placirten Geschütze einstimmte. Wüthend ob des Verrathes dieses Ueberfalls attaquirten die Chevauxlegers, als Avant-Garde die feindlichen Geschütze und hieben deren Bedienungsmannschaft nieder. Die beihabenden Raketen steckten Igló in Brand. Eine Division Honved stürzte sich auf den ersten Zug Chevauxlegers mit gefälltem Bajonnet, es entstand ein furchtbares Gemetzel, während die Ortsbewohner aus den Fenstern herabschossen; dennoch wurde der Feind geworfen. Ueber viele Leichen attaquirte der tapfere Oberlieutenant Ludwig Müller des Regiments die Insurgenten, und verfolgte sie weiter bis zum Platze des Ortes. Auf letzterem standen mehrere feindliche Infanteriemassen, ferner eine ganze Reihe von Feuerschlünden, aus denen, wie auf ein Commando, eine kräftige Kartätschenladung den äusserst heldenmüthig vorgedrungenen Chevauxlegers entgegenflog. Gegen 10 Pferde stürzten, mehrere der braven Reiter starben den Heldentod. Durch das Kartätschenfeuer im Rücken, das Infanteriefeuer zur Seite, nebst den Schüssen aus den Fenstern musste sich die herabgeschmolzene Reiter-Abtheilung, über viele Leichen und durch zahllose Bajonnete mit dem Säbel in der Faust einen blutigen Rückweg bahnen, da nämlich in den Seitengässen neue Honved-Abtheilungen erschienen waren. Die Colonne Kiesewetter zog sich nun gegen Kirchdorf, vom Feinde nicht weiter verfolgt, zurück.

Am 5. Februar beim Rückzuge der schwachen Brigade Deym, welche von einer bedeutenden feindlichen Uebermacht am Braniszko-Passe zurückgedrängt worden war, übernahm Rittmeister Friedrich Hein des Regiments mit drei Zügen die Arriere-Garde und hielt durch seine wiederholten entschlossenen Attaquen die feindlichen Hussaren von der Verfolgung ab.

Der am 5. Februar auf Recognoszirung mit einem Zuge nach Szeben marschirte Lieutenant von Bogg des Regiments wurde von seiner Rückzugslinie abgeschnitten, genöthigt sich nach Galizien zu wenden. — Am 8. war Oberstlieutenant Baron Lauingen mit seinem Commando von Miskolz in Kaschau eingerückt.

Nach der am 12. März herausgegebenen Ordre de Bataille wurden beide Divisionen des Regiments zur Truppen-Division des FML. Fürst Franz Liechtenstein in die Cavallerie-Brigade des GM. Parrot, im nunmehrigen III. Armee-Corps des FML. Graf Schlick eingetheilt, jedoch schon mit 1. April war die Ordre de Bataille dieses Corps geändert und die Oberstlieutenants 1. Escadron in der Brigade des GM. Parrot, die Oberstlieutenants 2. jener des Oberstlieutenants Graf Künigl von Graf Latour Infanterie, die 1. Majors-Division hingegen in die Cavallerie-Brigade des Obersten Graf Montenuovo von Baron Kress-Chevauxlegers zugewiesen. FML. Graf Schlick hatte sich am 1. April von Gödöllö gegen Hatvan in Marsch gesetzt, vor letzterem Orte kam es Tags darauf zum Treffen gegen eine so bedeutende feindliche Uebermacht insbesondere an Artillerie, dass der Rückzug über die Zagyva gegen Aszod angetreten werden musste. In diesem Gefechte deckte die Oberstlieutenants 1. Escadron des Regiments, unter Rittmeister von Limpens, mit vieler Kaltblütigkeit die Fussbatterie Nr. 36.

Von den in Galizien zurückgebliebenen zwei Divisionen des Regiments hatte sich schon im Herbste 1848 Oberlieutenant Baron Riefel bei Sambor mit einer Abtheilung bei Ueberwältigung und Zurückbringung einer aus ihrer Station nach Ungarn aufgebrochenen meuterischen Abtheilung des 8. Hussaren-Regimentes rühmlichst hervorgethan. Im Februar 1849 war eine Division, bei der um Stry concentrirten Brigade des GM. Baron Barco zur Beobachtung und Deckung der galizisch-ungarischen Grenze aufgestellt und im April rückten beide Divisionen in den Brigaden der GM. Baron Barco und von Ludwig eingetheilt, mit den übrigen Verstärkungen unter FML. von Vogel nach Ungarn ab.

Im Sommerfeldzuge 1849 hatte das ganze Regiment seine Eintheilung beim nunmehrigen 1. Armee-Corps des FML. Graf Schlick, in der Brigade seines ehemaligen Obersten und langjährigen Regiments-Mitgliedes GM. v. Ludwig. Anfangs Juni hatten die beiden dieser Brigade angehörigen Regimenter Kaiser- und Kress-Chevauxlegers bei Kroatisch-Kümmling ein Lager bezogen und ihre Vorposten bei Baratföld. Am 26. d. M. stand die Brigade mit dem 1. Armee-Corps bei Wieselburg. Am 30. Juni stiessen 4. Escadrons des Regiments, welche die Avant-Garde des 1. Armee-Corps formirten, bei Acs auf eine feindliche Hussaren-Abtheilung, die bei ihrer Annäherung den Ort verliess, und sich hinter den am rechten Ufer des

Czonczobaches liegenden Acser-Wald zurückzog. Eine Escadron folgte dem Feinde, um die Gegend jenseits des Waldes zu recognosziren, während die übrigen drei Escadrons diesseits des Waldes als Reserve blieben. Der Feind, welcher sich gegen Komorn zurückgezogen, rückte gegen 6 Uhr Abends mit zahlreichen Hussaren-Abtheilungen und 3 Batterien wieder vor, und zwang die vor dem Walde postirte Escadron zum Rückzuge. FML. Graf Schlik liess die Brigade Bianchi zur Aufnahme der Avant-Garde in den Wald vorrücken, und FML. Fürst Liechtenstein eilte mit einer 6pfündigen Fussbatterie vor; der Feind versuchte hierauf keinen weitern Angriff, sondern beschränkte sich auf ein erfolgloses Plänkler-Gefecht, welches FML. Graf Schlick bald ganz abbrechen liess, und auf der Höhe von Acs eine feste Position nahm. Die Chevauxlegers hatten in diesem kurzen Gefechte 4 Mann eingebüsst.

In der Schlacht von Komorn am 2. Juli rückte die Cavallerie-Brigade Ludwig über Puszta Harkaly hinaus, jagte eine feindliche Batterie mit ihrer Bedeckung in das Lager zurück und eröffnete die Verbindung mit dem rechts gegen O'Szöny stehenden 4. Armee-Corps. In der zweiten Schlacht von Komorn, am 11. j. M. wurde die Cavallerie-Brigade Ludwig in den offenen Raum zwischen dem Acser-Walde und Puszta Harkaly vorgezogen und die an der rechten Waldspitze placirte Zwölfpfünder-Batterie Nr. 5 verstärkt. Die feindliche Cavallerie-Division Pikety, welche zwischen dem Walde und Puszta-Harkaly durchzubrechen drohte, wurde durch die ausgezeichnete feste Haltung jener Cavallerie-Brigade, wie auch durch das ergiebige Feuer der Cavallerie-Batterie Nr. 2 in Schach gehalten, aber der Feind entwickelte ein so heftiges Geschützfeuer gegen diesen Punkt der Schlachtlinie, dass später die Brigade Ludwig etwas zurückgezogen werden musste, jedoch im weitern Verlaufe jener Schlacht wieder vorrückte und sich daselbst entwickelte. Zwei Escadrons des Regiments, welche auf Kanonenbedeckung waren, rückten auf eine vorgeschobene feindliche Batterie zum Angriffe vor, welche sich aber, ohne ereilt werden zu können, rasch zurückzog, und noch andere feindliche Truppen mit sich fortriss.

Am 13. stand diese Brigade, von welcher die Vorposten bestritten, und den Infanterie-Brigaden Reischach und Sartori einige Abtheilungen zugewiesen waren, mit der Reserve bei Harkaly. Das Regiment machte nun, ohne besondere Vorfallenheiten, für dasselbe die weitere Vorrückung mit dem 1. Armee-Corps mit, lagerte Ende Juli bei Nagy Körös, erreichte am 31. Alpar und Kertesseg und hatte am 4. Aug. Theil an dem Gefechte bei Mako, wo das 1. Armee-Corps die Maros übersetzte und über Csanad, Szt. Miklos, in den nächsten Tagen bei Perjamos, bis Vinga auf der Temesvarer Strasse vorrückte, und gegen die Arader Chaussée Streifungen unternahm, von wo es am 10. gegen Arad aufbrach, bei Dreispitz ein siegreiches Gefecht lieferte, und sodann bei Alt Arad ein Lager bezog. Das Regiment kam nun nicht mehr in's Gefecht.

Im September waren 3 Escadrons des Regiments bei der Zernirung der Festung Comorn den dortigen Infanterie-Brigaden zugetheilt.

Für ihre Tapferkeit in dem Feldzuge 1848 und 1849 wurden folgende Offiziere des Regiments decorirt und zwar die Majors Wilhelm Baron Koller, Ferdinand Baron Kirchbach, die Rittmeister Franz von Limpens Döenraedt, Friedrich Hein, Eduard Baron Riefel, der Oberlieutenant Ludwig Müller, sämmtlich mit dem Militär-Verdienstkreuze; der Regiments-Caplan Hugo Suschitzky erhielt das goldene geistliche Verdienstkreuz.

Das Regiment bezog die Friedensstation Pecsvar, welche es aber im Sommer 1850 mit jener von Essegg in Slawonien vertauschte; 1851 kam der Regimentsstab nach Theresiopel, im Herbste d. J. aber nach Fünfkirchen. Mit Allerhöchster Entschliessung vom 6. Mai 1851 wurde das Regiment zum Uhlanen-Regimente, mit der Nummer 6 und unter Fortführung des Allerhöchsten Namens Sr. Majestät übersetzt. — Im September 1852 wohnte es in der Brigade des GM. Graf Zedwitz den Uebungen des Pester Lagers bei, von wo es in die Stabsstation Kecskemeth abrückte. 1854 stand das Regiment bei dem in Siebenbürgen aufgestellten Observations-Corps und im Juli 1855 bezog es die Stabsstation Körmend in Ungarn. Im September 1857 war dasselbe in der Brigade des GM. Prinz Holstein im Cavallerie-Lager bei Parendorf, von wo es im October die Stabs-Station Baden in Niederösterreich bezog; im April 1858 wurde der Stab nach Tulln verlegt. Im Sommer 1858 war das Regiment in den Lagern bei Neunkirchen und Ternitz divisionsweise den dort liegenden Infanterie-Brigaden zugetheilt, von wo es Ende September in seine früheren Standquartiere in Tulln und Umgegend zurückmarschirte.

Der in der Schlacht bei Solferino, am 24. Juni 1859, bei dem zweiten Inhaber des Regiments, damaligen Commandanten des eilften Armee-Corps FML. von Veigel in Verwendung gestandene Adjutant Oberlieutenant Eduard Ritter von Wiedersperg des Regiments erhielt mittelst Armee-Befehl Nr. 44 ddto. Wien am 15. August 1859 für sein umsichtiges Benehmen das Militär-Verdienstkreuz.

Das Regiment, welches früher aus Ober- und Niederösterreich seine Ergänzungen bezog, war seit 1852 auf die lombardisch-venetianischen Provinzen angewiesen worden, daher wurde in Folge der durch den Praeliminar-Frieden von Villa-Franca 1859 erfolgten Abtretung der lombardischen Gebietstheile, das Regiment mit Allerhöchster Entschliessung vom 17. August 1859 auf den Stand von 2 Divisionen herabgesetzt, jedoch mit 1. März 1860, bei Auflösung der 4. Divisionen sämmtlicher Hussaren- und Uhlanen-Regimenter, durch Erhalt der 4. Division des Uhlanen-Regiments Erzherzog Carl Nr. 3, auf den Stand von 3 Divisionen erhöht und dessen Ergänzung nunmehr aus Galizien angeordnet. Im August 1859 hatte dasselbe seine gegenwärtige Stabsstation Lugos im Banate bezogen. Das Regiment besitzt noch alte Standartenbänder, Geschenke Ihrer Majestät der Kaiserin Maria Theresia.

Maria-Theresien-Ordens-Ritter.

1790 Oberstlieutenant Peter Baron Bolza, † als GM. zu Wien am 23. Feb. 1817.
1799 Major Bernhard von Kees, als Oberstlieutenant und General-Adjutant des G. d. C. Grafen Bellegarde, † an seiner in der Schlacht am Mincio erhaltenen Wunde zu Villa-Franca am 28. Dezember 1800.
1801 Oberstlieutenant Friedrich Graf Degenfeld-Schomburg, † als GM. zu Ramholz in Kurhessen am 9. Februar 1848.
1802 Rittmeister Peter von Gasser, † als GM. zu Brunn bei Wien am 18. Dezember 1840.

Inhaber.

1688 G. d. C. Gustav Hannibal Graf von Löwenschild.
1690 G. d. C. Leopold Anton Graf von Schlick.
1705 Oberst später FM. Gundaker Graf Althann.
1748 Erzh. 1764 König, 1765 Kaiser Joseph II., † am 20. Februar 1790.
1790 Kaiser Leopold II., † am 1. März 1792.
1792 Kaiser Franz I., † am 2. März 1835.
1835 Kaiser Ferdinand I.
1848 Se. Majestät Kaiser Franz Joseph I.

Zweite Inhaber.

1767 G. d. C. Carl Fürst zu Liechtenstein, † zu Wien am 21. Februar 1789.
1790 FML. Ferdinand Graf Harrach, MTOR., † am 26. April 1796.
1797 FM. Heinrich Graf Bellegarde, MTO.-Cdr., † am 22. Juli 1845 zu Wien.
1845 G. d. C. Philipp Joseph Baron Böhm, † am 22. October 1856 zu Olmütz.
1857 FML. Valentin Veigl v. Kriegslohn.

Oberste.

1688 Gustav Graf Löwenschild. } Regts.-Comdt. und zugleich Inhaber.
1690 Leopold Anton Graf Schlick }
1705 Gundaker Graf Althann, zugleich Regts.-Comdt. und Inhaber, 1709 GM.
1709 Johann Rziczansky v. Roziczan } sämmtlich } 1716 GM.
1716 Maximilian Schuknecht } Regiments- } 1717 schwer blessirt.
1717 Leopold Baron Wolf } Commandten. } 1728 GM.
1728 Carl Graf Palffy, Regts.-Comdt., 1734 ein Cürassier-Regiment erhalten.
1734 Nikolaus Graf Palffy † vor d. Feinde in der Schlacht b. Parma 1734.
1734 Philipp Dickweiler 1743 GM.
1743 Johann Baron Soyer 1749 GM.
1749 Franz Baron Stein 1753 GM.
1754 Friedrich Wiese 1758 GM.
1758 Johann Graf Fuchs 1761 GM.
1761 Carl Graf Klobecourt 1771 GM.
1771 Carl Graf Reissig 1773 quittirt.
1773 Franz Graf Colloredo 1777 quittirt mit Generals-Charakter.
1777 Nikolaus Graf Colloredo-Mels 1786 GM.
1786 Johann Chevalier Fitzgerald 1793 GM.
1793 Peter Bar. Bolza, MTOR. 1796 GM.
1796 Franz Baron Pilati 1800 GM.
1800 Carl Bar. Kölbel 1801 GM.

142

1800 Albert de Best, MTOR., supern., 1801 Regts.-Comdt., † zu Wien am 15. Febr.
     1804.
1801 Franz Graf Kinsky, gleich wieder transferirt zu Liechtenstein-Dragoner (1801
     reduzirt).
1804 Joseph Graf Baillet de Latour, Regts.-Comdt., 1808 pensionirt.
1808 Carl Graf Raigecourt, Regts.-Comdt. 1811.
1809 Paul Baron Taxis, 2. Oberst, 1811 transferirt zu Cürassier Nr. 4.
1809 Thadäus Baron Raischaoh, bei Sr. k.k. Hoheit dem Erzh. Ludwig, 1814 GM.
1812 Simon Chevalier Fitzgerald, Regts.-Comdt., 1821 GM.
1812 Vincenz Graf Desfours, bei Sr. k. k. Hoheit dem Erzh. Ferdinand, 1820 GM.
1814 Ernst v. Penz, supern., 1815 transferirt zu Cürassier Nr. 7.
1815 Carl Baron Scheibler, MTOR., 2. Oberst, 1816 transferirt zu Chev.-Leg. Nr. 4.
     (Dragoner Nr. 2.)
1820 Franz Graf Coudenhove, 2. Oberst, 1821 Regts.-Comdt., 1824 zugetheilt bei
     Sr. k. k. Hoheit dem Erzh. Franz Carl, 1830 GM.
1824 Anton Baron Puchner, MTOR., Regts.-Comdt., 1832 GM.
1832 Anton Graf Meraviglia, bei Sr. k. k. Hoheit dem Erzh. Rainer, 1838 GM.
1832 Joseph Edler von Glaeser, Regts.-Comdt., 1838 GM.
1835 Anton Graf Feuerstein, 2. Oberst, 1837 transferirt zu Hussaren Nr. 7.
1837 Carl Baron Strachwitz, bei Sr. k. k. Hoheit dem Erzherzoge Carl Ferdinand,
     1839 transferirt zu Chev.-Leg. Nr. 2. (Uhlanen Nr. 7.)
1838 Carl Baron Moltke, Regts.-Comdt, 1846 GM.
1846 Wenzl Graf Klebelsberg, Adjutant Sr. k. k. Hoheit des Erzh. Ferdinand d'Este,
     1848 in den Armeestand übersetzt.
1846 Gottfried Ludwig v. Reschenbach }   } 1849 GM.
1849 Johann Baron Gorizzutti   } Regiments-Commandanten   } 1854 GM.
1854 Carl Ritter von Brezany   }   } 1859 GM.
1859 Carl Netzer v. Sillthal, Regts.-Comdt., 1859 transferirt zum 8. Dragoner-Regi-
     ment (1860 reduzirt).
1860 August von Waldegg, Regts.-Comdt.

Oberstlieutenants soit 1791.

1791 Peter Baron Bolza, MTOR., 1793 Oberst.
1793 Franz Baron Pilati, 1796 Oberst.
1796 Carl von Schauroth, 1797 Oberst bei Hussaren Nr. 10.
1797 Carl Baron Kölbel, 1800 Oberst.
1800 Bernard Kees, MTOR., 1800 General-Adjutant des G. d. C. Grafen Bellegarde.
1801 Friedrich Graf Degenfeld-Schomburg, MTOR., commandirt bei der Reichs-
     Werbungs-Direction, 1805 Oberst bei Chevauxlegers Nr. 3. (Uhlanen Nr. 8.)
1801 Johann Belloute, 1801 transferirt zu Chevauxleg. Nr. 6. (Uhlanen Nr. 10)
1801 Heinrich Hofmeister, 1803 pensionirt.
1803 Anton Graf Hardegg, 1805 Oberst bei Dragoner Nr. 4. (1860 reduzirt.)
1805 Gustav Prinz zu Hessen-Homburg, 1809 Oberst bei Cürassier Nr. 4.
1809 Carl Graf Klebelsberg, 1810 pensionirt.
1809 Vinzenz Graf Desfours, supern., 1812 Oberst.
1811 Simon Chevalier Fitzgerald, 1812 Oberst.
1812 Michael Civrany, 1814 transferirt zu Chevauxlegers Nr. 7. (Uhlanen Nr. 11.)
1814 Franz Graf Coudenhove, 1820 Oberst.
1814 Mathias von Edelsbacher, 1815 transferirt zu Hussaren Nr 12.
1815 Anton Baron Puchner, MTOR., 1824 Oberst.
1823 Anton Graf Meraviglia, bei Sr. k. k. Hoheit dem Erzh. Rainer, 1832 Oberst.
1824 Cassano von Cingia, 1831 pensionirt.
1831 Joseph Edler von Glaeser, 1832 Oberst.
1832 Anton Graf Feuerstein, 1835 Oberst.
1837 Carl Baron Moltke, 1838 Oberst.
1838 Joseph Graf Karaczay, 1842 pensionirt mit Oberst-Charakter.
1842 Gottfried Ludwig v. Reschenbach, 1846 Oberst.
1846 Georg von Drawetzki, † zu Jaworow am 18. October 1848.

1848 August Baron Lauingen, 1849 pensionirt.
1849 Johann Baron Gorizzutti, Interims-Regts.-Comdt., 1849 Oberst.
1849 Carl Ritter von Brezany, 1854 Oberst.
1850 Wilhelm Baron Koller, bei Ihren k. k. Hoheiten den Erzherzogen Ferdinand Max und Carl Ludwig, 1851 Oberst bei Uhlanen Nr. 1.
1854 Franz v. Limpens-Doenraedt, 1858 pensionirt, nachträglich mit Oberst-Charkt.
1858 Carl Netzer von Silithal, 1859 Oberst.
1859 August von Waldegg, 1859 Regts.-Comdt., 1860 Oberst.
1860 Johann Chevalier Rousseau d' Haponcourt, 1861 pensionirt.
1861 Wilhelm von Dorner.

Majors.

1791 N. Prümer, 1792 pensionirt.
1792 Carl Laokenau, 1796 pensionirt.
1796 Carl Baron Kölbel, 1797 Oberstlieutenant.
1797 Bernard Kees, 1800 Oberstlieutenant.
1800 Gottfried Wohlfarth, 1801 Oberstlieutenant und pensionirt.
1801 Peter Baron Veosey, 1801 Oberstlieutenant bei Hussaren Nr. 7.
1801 Leopold Baron Rothkirch, 1805 Oberstlieutenant bei Chevauxleg. Nr. 3. Uhlanen Nr. 8.)
1802 Joseph Hecht, 1805 Oberstlieutenant und Corps-Adjutant.
1803 Joseph Zierowsky, 1805 pensionirt.
1805 Carl Graf Kiebelsberg, 1809 Oberstlieutenant.
1806 Simon Chevalier Fitzgerald, 1811 Oberstlieutenant.
1809 Michael von Civrany, 1812 Oberstlieutenant.
1811 Mathias von Edelsbacher, 1814 Oberstlieutenant.
1811 Gabriel von Mesmaore, 1819 pensionirt mit Oberstl.-Charakter.
1814 Bassano von Cingia, 1824 Oberstlieutenant.
1814 Cölestin v. Spini, 1816 transferirt zu Chev.-Leg. Nr. 5. (Uhlanen Nr. 9.)
1816 Anton von Puchner, MTOR., 1821 Oberstlieutenant.
1816 Angelo Maria Galeazzi, 1816 transferirt zu Cürassier Nr. 1.
1816 Anton Graf Meraviglia, bei Sr. k. Hoheit dem Erzherzoge Anton, und 1818 dem Erzherzoge Rainer, 1823 Oberstlieutenant.
1818 Vincenz Graf Gatterburg, 1819 transferirt zu Hussaren Nr. 5.
1821 Joseph Glaeser, 1831 Oberstlieutenant.
1824 Carl von Hofmeister, 1832 pensionirt mit Oberstlieutenants-Charakter.
1831 Franz Edler von Knoreck, 1838 pensionirt mit Oberstlieutenants-Charakter.
1832 Joseph Graf Karaczay, 1838 Oberstlieutenant.
1838 Gottfried Ludwig v. Reschenbach, 1842 Oberstlieutenant.
1838 Georg v. Drawetzki, 1846 Oberstlieutenant.
1842 Anton Lewiecki v. Biberstein, 1844 pensionirt.
1844 Ferdinand Hein, 1848 pensionirt mit Oberstlieutenants-Charakter.
1846 Joseph Bukowsky v. Stolzenberg, 1848 Oberstlieutenant bei Chev.-Leg. Nr. 7. (jetzt Uhlanen Nr. 11.)
1848 Horaz Edler von Concorreggio, † vor dem Feinde im Gefechte bei Budamer im Dezember 1848.
1848 Carl Ritter v. Brezany, 1849 Oberstlieutenant.
1848 Wilhelm Baron Koller, 1850 Oberstlieutenant.
1849 Ferdinand Baron Kirchbach, 1850 zugetheilt beim Kriegs-Ministerium, 1853 Oberstlieutenant bei Uhlanen Nr. 5.
1849 Franz von Limpens-Doenraedt, 1854 Oberstlieutenant.
1850 Carl Netzer v. Silithal, 1858 Oberstlieutenant.
1850 August Müller, commandirt beim Armee-Ober-Commando, 1854 Oberstlieutenant bei Uhlanen Nr. 5.
1850 Friedrich Schmidt, 1856 pensionirt.
1854 Heinrich Graf Wurmbrandt, supern., 1854 transferirt zu Uhlanen Nr. 5.
1854 Adolf Baron Buttlar, 1859 pensionirt.
1856 August von Waldegg, 1859 Oberstlieutenant.
1858 Johann Chevalier Rousseau d' Haponcourt, 1860 Oberstlieutenant.

144

1858 Thimoteus Ellis Esquire O Gormann.
1859 Arnold Alexandrowicz, 1859 transferirt zu Uhlanen Nr. 10.
1860 Wilhelm Dorner, 1861 Oberstlieutenant.
1861 Dominik Edler von Mainoni.

Uniformirung des Regiments.

Kaisergelbe Czapka, dunkelgrüne Uhlanka und Pantalons, scharlachrothe Aufschläge, weisse Knöpfe.

Uhlanen-Regiment Nr. 7, Erzherzog Carl Ludwig.

Dieses Regiment wurde 1758 vom G. d. C. Christian Philipp Fürsten von Löwenstein, auf dem Fuss der Chevauxlegers, als Dragoner-Regiment errichtet, und war daher anfänglich stärker als die übrigen Regimenter dieser Waffe, wurde jedoch schon 1761 auf gleiche Stärke mit diesen gebracht.

Im siebenjährigen Kriege, gleich nach seiner Errichtung zeichnete sich dasselbe bei Olmütz 1758 vorzüglich aus, indem es unter dem General Grafen Joseph St. Ignon, am 17. Juni bei dem Dorfe Wisternitz sieben Escadrons des preussischen Dragoner-Regiments Bayreuth überfiel, gegen 200 Mann niederhieb, ein paar silberne Pauken eroberte, 8 Offiziers nebst 257 Mann gefangen nahm, und 400 Pferde erbeutete. Für diese glänzende Waffenthat erhielt das Regiment das Privilegium die silbernen Pauken zu führen, eine um so grössere Auszeichnung, da die Dragoner zur damaligen Zeit nur Trommeln hatten. Der Commandant des Regiments Oberst Marquis Choiseul de Stainville wird bei dieser Gelegenheit wegen dessen ruhmvoller Anführung des Regiments besonders belobt; er wurde 1759 General, 1760 FML., und trat gleichzeitig in französische Dienste. Bald darauf war das Regiment im Juli bei der Eroberung eines feindlichen, zur Belagerung von Olmütz bestimmten Transportes, mit welcher Sieges-Nachricht der Major Baron Voith des Regiments von dem General Siskovics an den FM. Graf Daun, und von diesem nach Wien abgesandt wurde. In diesem Treffen hatte der Hauptmann Sauer des Regiments, gleich bei Beginn desselben mit 100 Dragonern die Bedeckungs-Truppe attaquirt, alle Fahnen und 5 Geschütze erobert, und bei 600 Gefangene gemacht.

Das Regiment betheilte sich ferner an den Gefechten bei Ahrensdorf unweit Stolpen am 16. September, und bei Radeberg am 11. October, wo der Oberstlieutenant JohannJoseph Fürst Liechtenstein mit 30 Mann in feindliche Kriegs-Gefangenschaft gerieth. In der Schlacht bei Hochkirchen am 14. October j. J. war das Regiment eines der thätigsten bei der Verfolgung.

Im Feldzuge 1759 wurde das Regiment am 21. Mai bei der Unternehmung auf Liebau von dem Obersten Baron Voith sehr gut angeführt, konnte aber wie es beabsichtigt war, wegen der vielen Sümpfe jener Gegend im Rücken des Feindes nicht mit der gehörigen Ausgiebigkeit wirken. — Im Juli wurde Major Sauer des Regiments vom FZM. Baron Loudon zur russischen Armee als Courier abgeschickt, um die Nachricht von dem Anmarsche des Königs von Preussen zu überbringen. In der Schlacht bei Kunnersdorf am 12. August (auch häufig Frankfurt an der Oder genannt) hatte das Regiment sich besonders hervorgethan, und 2 zwölfpfündige Kanonen erobert. Im entscheidenden Momente dieser Schlacht, als die Russen schon in Unordnung und auf ihrem linken Flügel geschlagen waren, trug der Oberstlieutenant Joseph Graf Kinsky des Regiments wesentlich dazu bei, dass sich das Gefecht zum Vortheile der kaiserlichen Truppen gestaltete. Während General Loudon die Infanterie in das Feuer führte, fiel Oberstlieutenant Graf Kinsky an der Spitze des Regiments Löwenstein-Dragoner, welches er wegen Verwundung des Obersten zu Anfang und zu Ende der Schlacht als Oberstlieutenant befehligte, mit so viel Entschlossenheit der feindlichen Reiterei in die Flanke, dass dieselbe in Unordnung gerieth, und bei ihrem schnellen Zurückweichen auf ihre eigene Infanterie geworfen, auch diese in Unordnung brachte. Major Sauer war der Erste an der Spitze zweier Escadronen des Regiments über die russischen Verschanzungen hinausgeeilt, hatte die preussische Cavallerie fünfmal attaquirt, und jedesmal über den Haufen geworfen. — So gross die Auszeichnung des Regimentes in dieser Schlacht war, so bedeutend auch sein Verlust. Es zählte an Todten den Oberlieutenant Scotti nebst 25 Mann; an Verwundeten Oberst Baron Voith, Major Klemens Baron Plettenberg (der in der Relation wegen seiner Tapferkeit angerühmt wurde). Hauptmann Potterneck, Oberlieutenant von Veld, die Lieutenants von Dahl, Grünagel, Hartmann nebst 78 Mann; an Vermissten: Hauptmann Aldegonde, die Lieutenants Fischhagen, Rothern und Sabiersky nebst 59 Mann. Oberstlieutenant Graf Kinsky wurde vom General Loudon zur besondern Auszeichnung mit der Nachricht des erfochtenen Sieges an den kaiserlichen Hof nach Wien gesendet, und daselbst von der Kaiserin Maria Theresia mit einer kostbaren Dose und einem Ring beschenkt. Im November j. J. war das Regiment beim Rückzuge des Corps des FZM. Loudon von der k. russischen Armee nach Mähren, unter GM. Graf Bethlen bei der Avant-Garde.

Im Feldzuge 1760 bei der Unternehmung auf Schlesisch-Neustadt hatte das Regiment die Arriere-Garde des preussischen General Golze mit so gutem Erfolge in der rechten Flanke attaquirt, dass die feindliche 300 Mann starke Cavallerie theils zusammengehauen, theils gefangen, und 5 reich beladene Wägen erbeutet wurden. — Aber mit ganz vorzüglicher Auszeichnung kämpfte das Regiment am 23. Juni in der Schlacht bei Landshut, wo es ein feindliches Quarré sprengen half, eine Kanone und 2 Fahnen eroberte. Oberst Baron Voith hatte

10

durch einen kühnen Angriff an der Spitze des Regiments, das feindliche Quarré, in welchem der feindliche Commandant General Fouquet sich befand, mit ausnehmender Tapferkeit gesprengt. General Fouquet, dessen Pferd todt zusammenstürzte, fiel verwundet zu Boden, und war schon in Gefahr von den Dragonern zusammengehauen zu werden, als Oberst Voith schnell herbeieilend, ihn rettete, und auch sogleich ihm sein Pferd anboth. „Ich würde das schöne Sattelzeug mit meinem Blute verderben" sagte der tapfere verwundete General, das Anerbiethen ablehnend. „Mein Sattelzeug wird unendlich gewinnen, wenn es von dem Blute eines Helden bespritzt wird," antwortete der ritterliche Oberst. Hierauf bestieg Fouquet, dem Obersten seinen Degen überreichend, das Pferd, und wurde als kriegsgefangen zu General Loudon abgeführt. — In diesem Treffen hatte sich der 2. Oberst Graf Kinsky nebst dem Oberstlieutenant Graf Rudolf Salburg von Trautmannsdorf-Cürassier (jetzt Nr. 7) durch Anführung von Freiwilligen und einem glänzenden Angriff auf 5 feindliche Grenadier-Bataillons besonders hervorgethan, wesshalb er, so wie für sein rühmliches Verhalten in der Schlacht bei Kunnersdorf, 1762 mit dem Ritter-Kreuz des Maria Theresien-Ordens ausgezeichnet wurde. Eben so wird die Umsicht und Tapferkeit des Major Sauer, der dem General Nauendorf die Vorstellung machte, dass es Zeit sei die feindliche Reiterei anzugreifen, wenn selbe nicht entkommen solle, angerühmt. Der Verlust des Regiments in diesem Treffen betrug; an Todten: Oberlieutenant Werniczek und Lieutenant Gillich nebst 11 Mann und 13 Pferden; an Verwundeten: 16 Mann und 19 Pferde.

Am 17. Juli wurde der Major Baron Berlichingen des Regiments mit einem gemischten Commando von 70 Dragonern und Hussaren, bei einer Recognoszirung von dem feindlichen Rittmeister Roznick des Malachowskischen Hussaren-Regiments gefangen. Am 15. August kämpfte das Regiment in der Schlacht bei Liegnitz, in welcher Oberst Baron Voith durch dessen zweckmässige Führung viel zur bessern Ordnung des Rückzuges beitrug; er selbst wurde hiebei verwundet, und nebst ihm noch 12 Mann und 2 Pferde. Todte zählte das Regiment 1 Mann nebst 9 Pferden, Vermisste 7 Mann und 5 Pferde. — Am 30. September war eine Escadron des Regiments in dem Gefechte bei Lindenwiese, und hat sich unter Hauptmann Kressel und Oberlieutenant Hoffmann gegen die preussischen Dragoner-Regimenter Krockow und Alt-Platen sehr tapfer gehalten.

Im Feldzuge 1761 war das Regiment am 1. October bei der Eroberung von Schweidnitz, bei welcher sich der 2. Oberst Graf Kinsky durch seine Thätigkeit und Klugheit besonders bemerkbar machte. Nicht nur hatte er die Herbeischaffung der Leitern besorgt, sondern auch im Augenblicke der Einnahme mit der Unterstützungs-Reiterei in der Festung alle Unordnung zu verhindern getrachtet, wesshalb Graf Kinsky in der Relation des FZM. Baron Loudon besonders angerühmt wird, ebenso wird Hauptmann Ritter des Regiments wegen seiner thätigen Verwendung belobt. Am 5. Mai d. J. war ein Detachement von 100 Dragonern des Regiments von den preussischen schwarzen Hussaren unter Rittmeister Entier bei Friedberg überfallen worden, und musste 39 Gefangene zurücklassen. — Oberstlieutenant Sauer des Regiments war in diesem Feldzuge mit einem gemischten Commando unter den Befehlen des FML. Baron Ried in Sachsen detachirt. Ein preussisches Frei-Bataillon hatte das Dorf Krumbach besetzt, jedoch bei Aufstellung seiner Pikets einen abgelegenen Seitenweg zu beobachten vernachlässigt, Sauer, der hievon sichere Kundschaft erhalten hatte, machte sogleich den Entwurf zum Ueberfall dieses Postens. Er postirte eine Escadron des Regiments nebst einem kleinen Commando-Hussaren auf den gewöhnlichen Wegen so nahe am Dorfe, als es um nicht vor der Zeit entdeckt zu werden möglich war. Mit den übrigen prellte er durch den erwähnten Seitenweg unvermuthet, und mit einem solchen Ungestüm in das Dorf, dass die Preussen nicht in's Gewehr treten konnten, und sich in grösster Unordnung zerstreuten, wobei 10 Offiziere und 150 Mann gefangen wurden. Als General Hülsen im Lager bei Beimerich stand, machte Oberstlieutenant Sauer den Entwurf, einen seiner Vorposten zu überfallen. Als er nun, um seinen Zweck desto sicherer zu erreichen, ganz nahe beim feindlichen Lager vorbeischleichen wollte, bemerkte er, dass selbes ganz leer zu sein schien, und die Lager-Feuer nur zum Scheine unterhalten wurden. In der That war das feindliche Corps bereits abgerückt. Da Sauer hieraus auf eine heimliche Unternehmung der Feinde schloss, fiel er mit einigen seiner Leute in's Lager, sprengte einigemale auf und nieder, liess wiederholt die Gewehr abfeuern, und machte überhaupt einen so starken Lärm als möglich. Sobald aber die im Lager zurückgelassene Bedeckung in's Gewehr trat, und auf die Dragoner zu feuern anfing, zog sich Oberstlieutenant Sauer ohne den geringsten Verlust schnell zurück. Diese Unternehmung so geringfügig sie auch scheint, hatte sehr wichtige Folgen. Die Arriére-Garde des Hülsen'schen Corps, welches abgerückt war, um mit Tagesanbruch den General Ried zu überfallen, war noch nahe genug, um den Lärm im verlassenen Lager zu hören, und meldete es dem General Hülsen. Dieser dadurch selbst einen Ueberfall vermeinend, liess seine Truppen sogleich umkehren, und marschirte mit grosser Vorsicht seinem eigenen Lager zu Hülfe, und als er den wahren Verlauf der Sache erfuhr, war es schon zu spät den entworfenen Angriff wieder zu unternehmen.

Im Feldzuge 1762 stand Oberstlieutenant Sauer am rechten Ufer der Elbe, und erfuhr, dass der preussische Posten zu Borsdorf in seinen Sicherheits-Anstalten ziemlich nachlässig sei, weil er glaubte durch die Elbe vor allen Ueberfällen genügsam gesichert zu sein. Diese Nachlässigkeit benützte Sauer mit sehr

10*

gutem Erfolge. Er setzte schwimmend mit einem kleinen Commando durch den Fluss, überfiel einen Vorposten, der eben ganz ruhig in der Ablösung begriffen war, hieb einige Leute zusammen, machte 2 Offiziere und 35 Mann zu Gefangenen, und erbeutete 74 Proviant-Pferde. Noch ehe die Preussen vom nächsten Posten zu Hülfe eilen konnten, kehrte Sauer mit seinen Dragonern über die Elbe zurück, und brachte die Beute glücklich in's Lager. Das Zutrauen auf Sauers Tapferkeit war bei seinen Untergebenen unbeschränkt, weil er sich immer selbst an ihrer Spitze der Gefahr ausgesetzt, und in den meisten Affairen mit eigener Faust seinen Mann erlegt hatte. Am 2. August war das Regiment im Treffen bei Töplitz, und im September bei den verschiedenen Operationen der Reichs-Armee in Sachsen betheiligt. In der Schlacht bei Freiberg den 15. October, als die Preussen in Maliogsch in einer daselbst eroberten Redoute standhaften Widerstand leisteten, machte Oberst Baron Voith mit dem Regimente einen kühnen Angriff, drang in die Schanze und machte 3 Offiziere mit 30 Mann gefangen. Oberstlieutenant Sauer, der sich hier abermals mit Ruhm bedeckte, erhielt 1763 für seine wiederholten glänzenden Waffenthaten das Ritter-Kreuz des Maria Theresien-Ordens. Der am 15. Februar 1763 auf dem Lust-Schlosse Hubertsburg in Sachsen unterzeichnete Friede endete den siebenjährigen Krieg, eine glänzende Epoche des Ruhmes dieses erst 5 Jahre seines Bestehens zählenden Regimentes.

Im Jahre 1764 hatte das Regiment zu Jedlersee die feierliche Standartenweihe, im August 1765 waren 3 Escadrons am kaiserlichen Hoflager zu Innsbruck, und fungirten bei den Trauerfeierlichkeiten des am 18. daselbst verstorbenen Kaisers Franz I., 1766 war das Regiment zur Aufwartung in Wien, und 1767 ward dasselbe zum Chevauxlegers-Regimente übersetzt. 1770 war es im Lust-Lager bei Neustadt nächst Olmütz, und produzirte sich vor Kaiser Joseph II. und König Friedrich II. von Preussen.

Im baierischen Erbfolge-Kriege 1778 zwischen Oesterreich und Preussen stand das Regiment unter dem Corps des G. d. C. Fürsten Carl Liechtenstein, bei der Armee des FM. Loudon, in der Nähe von Leitmeritz.

Am 31. Juli im Vorposten-Gefechte bei Giosshübel haben der Major Stegner und Rittmeister Rottmann des Regiments mit ihrer Abtheilung ein feindliches Commando zum Weichen gebracht, wobei der sächsische Oberst Graf Bellegarde nebst 21 Mann gefangen, und 18 Pferde erbeutet wurden. Ueberhaupt machte das Regiment auf den kleinen Streifzügen und Vorposten-Gefechten dieses ohnediess nur kurzen Feldzuges wiederholt Gefangene und Beute; dagegen gerieth bei Gelegenheit einer Fouragirung der Preussen jenseits der Paskopole Oberlieutenant von Schustekh des Regiments in feindliche Gefangenschaft.

Am 5. Februar 1779 bei Gelegenheit des feindlichen Einfalles des General-Lieutenants Möllendorf aus Sachsen, wurde ein bei Brüx auf den äussersten Vorposten unter Rittmeister Damiani stehendes Piket von der preussischen Avant-Garde zuerst angegriffen, und musste nach tapferer Gegenwehr der feindlichen Uebermacht weichen.

Während der Feldzüge 1788 und 1789 gegen die Türken, stand das Regiment in Mähren, mit dem Stabe zu Ungarisch-Brod, und wurde im Frühjahre 1790 nach Galizien zu dem Armee-Corps beordert, welches zu jener Zeit dort gegen die preussische Grenze aufgestellt wurde; 1791 kam der Stab nach Rzeszow in West-Galizien.

Im Jänner 1793 marschirte das Regiment durch Deutschland zur Armee des FM. Prinzen Coburg nach den Niederlanden, wo der Krieg mit der französischen Republik eben ausgebrochen war. — FML. Prinz Ferdinand Würtemberg, zu dessen Corps das Regiment gehörte, hatte am 3. März die Franzosen aus Aachen vertrieben, und diese Stadt besetzt.

Am 4. wurde die Verfolgung des Feindes auf der Strasse gegen Lüttich über Herve fortgesetzt. Bei dieser Gelegenheit hatte FML. Prinz Würtemberg der Majors-Division des Regiments den Befehl ertheilt, einer feindlichen, auf der Höhe von Herve stehenden Batterie von 7 Kanonen entgegenzurücken. Rittmeister von Schustehk rückte mit seiner Escadron trotz des mörderischen feindlichen Feuers gerade auf die Batterie los. Angekommen auf die Entfernung des Kartätschenschusses, fand sich ein Hohlweg vor der Fronte der Batterie, der auf 200 Schritte von ihr parallel mit derselben lief. Rittmeister von Schustehk stürzte sich ohne höheren Befehl der Erste mit seiner Escadron in denselben hinab, und auf der andern Seite wieder hinauf, die andere Escadron folgte der seinigen, die Artilleristen wurden zusammengehauen und die Kanonen erobert. FML. Prinz Würtemberg, als Augenzeuge von Schustehks Entschlossenheit, stellte diesem tapfern Offizier darüber ein sehr ehrenvolles Zeugniss aus. —

Am 20. April hatte eine Escadron des Regiments von 2 Divisionen des Infanterie-Regiments Graf Wenzel Colloredo, (jetzt Nr. 56) unterstützt den Posten Oudin auf das Tapferste vertheidigt. In der Schlacht von Famars am 23. Mai deckte Rittmeister von Schustehk mit seiner Escadron den Angriff der englischen Reiterei auf die zwischen den Dörfern Guerenain und Artro aufgestellten feindlichen Truppen, und nahm bei dieser Gelegenheit zwei zurückgelassene englische Standarten in Schutz, deren Bedeckung nicht hinreichend gewesen wäre, den darauf gemachten Angriff der Feinde vorzuenthalten. Der Herzog Friedrich von York sprach darüber in einem sehr ehrenvollen Zeugnisse, vom 18. Juni aus Estreux bei Valenciennes, seine Zufriedenheit gegen den Rittmeister von Schustehk aus.

Am 23. Juli zeichnete sich Oberst Baron Elsnitz, bei einer Recognoszirung der feindlichen Lager zwischen Cambray und Oisy, während der Belagerung von Valenciennes, mit dem Regimente sehr vortheilhaft aus, indem er mit 200 Chevauxlegers und einer Division von Stuart-Infanterie (jetzt Nr. 18) auf dem linken Ufer der Scarpe, eine Demonstration gegen die vom Feinde besetzte Abtey Deflienes unternommen und zwei französische Piquete verjagt hatte. Am 21. August bei der Eroberung des französischen Lagers bei Ost-Capelle, unter dem hannöverischen General Freitag eroberte eine Division des Regimentes zwei Kanonen, ebenso wird das tapfere Verhalten des Regiments am rechten Flügel der Armee, im Treffen bei Cysoing am 22. October, in der betreffenden Relation vorzugsweise angerühmt.

Im Feldzuge 1794, als am 22. Mai der französische General Pichegru gegen Tournay vorrückte, um die österreichische Armee von dort zu verdrängen, war Major von Schustekh des Regiments beauftragt die Artillerie der Brigade des GM. Graf Bellegarde mit seiner Division rückwärts zu begleiten. Er bemerkte aber gerade zu dieser Zeit, dass die österreichische Cavallerie des rechten Flügels, welche im Vorrücken begriffen war, von der feindlichen Infanterie, welche in den Dörfern Templeuve und Blandain stand, würde aufgehalten werden. Schustekh entschloss sich daher schnell, die feindliche Infanterie aus den zwei genannten Dörfern zu vertreiben. Er theilte seine Division in mehrere kleine Abtheilungen, drang von allen Seiten durch die Gärten in die Dörfer ein, hieb die feindliche Infanterie nieder oder jagte sie hinaus und veranlasste dadurch, dass die österreichische Cavallerie ihren Angriff fortsetzen, und die in der Zwischenzeit sich gesammelte österreichische Infanterie in den Dörfern wieder festen Fuss fassen konnte. Se. Majestät Kaiser Franz gaben dem Major von Schustekh darüber die Allerhöchste Zufriedenheit in den huldvollsten Ausdrücken zu erkennen.

Im Feldzuge 1795 kämpfte das Regiment mit gleicher Auszeichnung in Deutschland. Im Treffen bei Bemmel an der Waal hatte eine Escadron sich bei diesem Dorfe durch glänzende Tapferkeit gegen eine bedeutende feindliche Uebermacht hervorgethan. Am 23. October bei dem Rückzuge der Franzosen von Mainz hat sich Oberst Baron Elsnitz in der Verfolgung des Feindes ausgezeichnet und war von Mühlhain bis Düsseldorf vorgerückt. Am 12. November hatte sich das Regiment unter der tapfern Führung seines genannten Obersten, in der Verfolgung der Feinde bei Türkheim und am Frankenthalerbache vorzüglich ausgezeichnet und verdrängte durch seine raschen Angriffe den Feind · aus Leistadt, Kahlstadt und Ulmstein. Bei dieser Gelegenheit sicherte Oberst Baron Elsnitz, durch eine Vorrückung auf Wartenheim und Hartenburg die rechte Flanke des General

Kray. Am 16. November bei der Avant-Garde hatte das Regiment in Frankenstein den Feind durch wiederholt kräftige Attaquen verjagt und war bis Hochspeyer vorgerückt. Bei allen diesen Gefechten werden die Rittmeister von Provencheres und Graf Schaffgotsche des Regiments wegen ihrer Tapferkeit vorzüglich angerühmt. Am 5. December bei Dalsheim sind 30 Chevauxlegers des Regiments abgesessen und mit Sturm in diess Städtchen gedrungen, eine halbe Escadron, welche den Ort umritt, unterstützte diesen Angriff auf das thätigste, so dass die Franzosen bis Nieder-flörheim vertrieben wurden. Die ersten Tage dieses Monats stand Major von Schustekh des Regiments mit seiner Division bei der Avant-Garde der Armee des FM. Grafen Clerfait, in der Brigade des GM. Baron Kray, in Cantonirungsquartieren hinter der Röer als der Feldmarschall den Angriff auf den französischen General Marceau bei Weissenheim befahl, um diesen von der Röer ganz zu vertreiben, hinter welcher er sich bisher immer verstärkte. Der Feind hatte seine Stellung bei den Dörfern Odernheim und Lethweiler, und wurde am 8. mit so gutem Erfolge angegriffen, dass er mit grossem Verluste seine Position räumen musste. Das Regiment wirkte kräftig zu diesem Erfolge mit und FM. Graf Clerfait sagt in seinem Berichte an den Kriegspräsidenten FM. Graf Wallis, „dass sich Major von Schustekh von Karaczay bei dieser Gelegenheit neuerdings auf das vorzüglichste ausgezeichnet habe." Ausser diesem Stabs-Offizier des Regiments nannte Graf Clerfait auch den Obersten Baron Elsnitz unter den „vorzüglich Ausgezeichneten." Wenige Tage darauf, am 15. hatte sich Major von Schustekh mit seiner Division, bei der Einnahme der feindlichen Position des stumpfen Thurmes bei Trier mit gleicher Tapferkeit hervorgethan. Diese wiederholten vorzüglichen Leistungen hatten im nächsten Capitel des Maria Theresien-Ordens im Mai 1796 die einstimmige Verleihung des Ritter-kreuzes an den tapfern Major Emanuel von Schustekh zur Folge.

Im Feldzuge 1796 war das Regiment bei der in Deutschland operirenden Armee verblieben, und hatte unter der ruhmwürdigen Führung seines tapfern Obersten des Maria Theresien-Ritters Grafen Max Merveld, am 15. Juni im Treffen bei Wetzlar wesentlich zum Siege beigetragen. Eine Division des Regiments hat mit einer Escadron von Nassau-Cürassiere (jetzt Nr. 5) einen zweiten Angriff in die linke Flanke des Feindes unternommen, nachdem bereits einige Hussaren-Escadrons geworfen waren, während fast gleichzeitig eine andere Division des Regiments die feindliche Batterie auf den Höhen von Altenstadten angegriffen, eingenommen, somit das Schicksal des Tages entschieden und drei Kanonen sammt Munitionskarren erobert hatte. Die Rittmeister von Provencheres und Graf Schaffgotsche, welch' letzterer an seiner hier erhaltenen tödtlichen Wunde gestorben ist, werden in der Relation unter den Ausgezeichneten jenes Tages genannt. Am 19. Juni im Treffen bei Uckerad hat Oberst Graf Merveld mit einer Division des Regiments durch eine kräftige Attaque die gefährdete österreichische Infanterie und Geschütze gerettet, und die andrängenden Feinde über den Haufen geworfen. Nebst diesem tapfern Obersten lobt die officielle Relation noch das Wohlverhalten des Rittmeisters Baron Walterskirchen des Regiments. Am 6. August wurde Major von Schustekh in einem der verschiedenen Vorposten-Gefechte in der Gegend von Forchheim durch einen Schuss in den Unterleib schwer blessirt. Am 3. September in der Schlacht bei Würzburg haben zwei Divisionen des Regiments mit zwei von Blankenstein-Hussaren (jetzt Nr. 6) unter General Graf Hadik in zwei feindliche Bataillons eingehauen und selbe theils zersprengt, theils gefangen. Rittmeister Proveneheres und Oberlieutenant Christ des Regiments wurden hiebei verwundet und sowie auch Rittmeister Baron Walterskirchen wegen ihrer hervorragenden Tapferkeit angerühmt. — Am 5. September im Treffen bei Handschuhsheim hatte der Oberlieutenant Graf Mier des Regiments den Franzosen allein 23 Munitionswägen abgejagt, dieselben stets in Flanke und Rücken beunruhigt und viele Gefangene eingebracht; einen Monat später am 4. October in der Gegend von Friedingen war es diesem eben so klugen und umsichtigen als tapfern Offizier gelungen, den französischen Agenten Hausmann, Commissär der vollziehenden Gewalt, aufzuheben. — Am 4. Nobr. bei der Belagerung von Kehl ist eine Division des Regiments mit einer von Lovenehr-Chevauxlegers (1806 reduzirt) den zurückgedrängten österreichischen Posten an der Kinzig zu Hilfe gekommen, beide zusammen trieben nun gemeinsam die Franzosen zurück und eroberten ein schon verlorenes Geschütz wieder. Die Mannschaft des Regiments hat während dieser Belagerung die tägliche Zulage an Wein und Fleisch nicht genommen, sondern den Generalissimus Erzherzog Carl gebeten, selbe der Infanterie, welche an den Tranchéen viele Beschwerden hatte leiden müssen, zuzuwenden.

Im April 1797 war das Regiment im Lager bei Wien, von wo es über Steyermark und Krain in die ihm zugewiesene Cantonirungsstation Treviso im Venetianischen abrückte.

Im Jahre 1798 wurde das Regiment zum leichten Dragoner-Regiment mit der Nr. 4 übersetzt und behielt seine alten Uniform-Farben, grüne Röcke mit scharlachrothen Aufschlägen und weissen Knöpfen bei.

Im Feldzuge 1799 bewährte das Regiment in Italien seinen bisherigen Ruhm. Im ersten und zweiten Treffen von Verona am 26. und 30. März war es ungemein thätig, und als am letztern Tage vor dieser Stadt drei zuerst vom Feinde angegriffene österreichische Infanterie-Bataillone zurückgedrängt wurden, kam es diesen zur Unterstützung und warf mit ihnen vereint den Feind zurück. — Die Rittmeister Graf Nesselrode und Baron Weseleny, sowie auch Lieutenant Sunstenau, Adjutant des Prinzen Hohenzollern, haben sich durch Tapferkeit im Treffen des

26. ausgezeichnet, ersterer war hiebei verwundet worden. Am 5. April im Treffen bei Magnano hat Oberst Graf Nimptsch das Regiment mit hervorragendem Muthe gegen den Feind geführt, zwei Escadrons kamen zum Corps des k. russischen Generallieutenant Fürsten Bagration bei Tortona. Während der Schlacht bei Magnano am 5. April hatte der Dragoner Friedrich Schweigart, bei Isola alta, eine französische Kanone bemerkt, welche die Feinde soeben gegen die Oesterreicher richten und abfeuern wollten. Schweigart stürzte sich mit Blitzesschnelle auf diese Kanone und eroberte sie: dessgleichen hatte an eben diesem Tage der Corporal Kaspar Ohazy des Regiments durch persönliche Entschlossenheit und geschickte Führung seiner Abtheilung Dragoner eine achtpfündige Kanone sammt zwei gefüllten Munitionskarren und 12 Zugpferden erobert. Ohazy und Schweigart erhielten beide die silberne Medaille.

Am 12. Juni waren Abtheilungen des Regiments im Gefechte bei Modena und dem Rückzuge nach Mirandola, und es wird in der betreffenden Relation das umsichtige und muthvolle Verhalten der Rittmeister Graf Nesselrode und Wesseleny besonders angerühmt. Aber ganz vorzüglich war die Haltung des Regimentes in den drei blutigen Schlachttagen an der Trebia. Als die kaiserlich österreichisch-russische Armee am 17. Juni, dem ersten Tage der Schlacht zwischen San Giovanni und dem Tidone-Flusse vorgerückt war, gelang es dem Feinde, während des Gefechtes drei auf dem rechten Flügel postirte Kosaken-Regimenter zurückzuwerfen, die Infanterie zu umgehen und in Flanke und Rücken anzufallen. Oberst Graf Nimptsch erwog die nachtheiligen Folgen, welche dieses Unternehmen nach sich ziehen könnte, und entschloss sich, ohne erst hiezu einen weiteren Befehl abzuwarten, den Feind mit einem Theile des Regiments anzugreifen; in der That wurden auch die Franzosen ungeachtet ihrer Uebermacht mit beträchtlichem Verluste zurückgeworfen, 2 Stabs- und 6 Oberoffiziere und 300 Mann gefangen und der Rest von einigen Abtheilungen des Regiments über den Tidone-Fluss gejagt. Am 18. wurde der Feind, als das kaiserlich russische Armee-Corps gegen die Trebia marschirte, am linken Ufer des Flusses angegriffen und geworfen. Die polnische Legion unter dem General Dombrowski zog sich gegen das Gebirge zurück; als Oberst Graf Nimptsch ihre Bewegung bemerkte, griff er sie mit 2 Escadrons des Regiments voll Muth und Schnelligkeit an, so dass die Legion geworfen und zerstreut, mehrere Oberoffiziere und 230 Mann gefangen genommen, 1 Kanone, 2 Munitionskarren und 1 Fahne erobert wurde. 4 Escadrons des Regiments waren bei der Avant-Garde des Fürsten Bagration. Am 19. dem Tage der eigentlichen Haupt-Schlacht, ward Oberst Graf Nimptsch von dem Generalen und Regiments-Inhaber Baron Karaczay beordert, mit einem Theile des Regiments den rechten Flügel des russischen Armee-Corps zu unterstützen; in dem Augenblicke, als die Russen zum Wei-

chen .gebracht wurden, drang eine starke feindliche Colonne
vor, um ihnen in die Flanke zu fallen, aber Oberst Graf
Nimptsch attaquirte diese Colonne mit kluger Ausdauer, warf
sie und nahm 400 Mann, worunter mehrere Stabs- und Ober-
Offiziere gefangen; hierdurch gewannen die Russen neuen Muth,
Zeit und Gelegenheit vorzudringen und den Angriff zu erneuern
Nimptsch hatte also mit dem Regimente durch diese aus eige-
nem Antriebe unternommene schnelle Attaque zum glücklichen
Ausgange der eben so wichtigen als beispiellos blutigen Schlacht
an der Trebia wesentlichst beigetragen. Am 20. wurde er mit
dem Regimente bestimmt, bei der Verfolgung des Feindes die
Vorhut zu führen und es war ihm zugleich vom Regiments-
Inhaber Baron Karaczay der Befehl zugegangen, weiter zu
dringen; er traf die feindliche Nachhut, gegen 5000 Mann an
Infanterie und Cavallerie stark und mit 8 Geschützen versehen,
bei San Giorgio über der Nura aufgestellt. Ueberzeugt, dass
die feindliche Armee im vollen Rückzuge begriffen und diese
so starke Nachhut zur Deckung desselben bestimmt sei, versprach
sich Oberst Graf Nimptsch von einem entschlossenen und
glücklichen Angriffe den besten Erfolg; er liess das Regiment
deployiren, setzte durch die Nura und griff die feindliche Cavallerie
und Infanterie mit solcher Heftigkeit an, dass sie mit beträchtlichem Verluste geworfen, viele Offiziere mit einigen 100 Mann gefangen, eine Haubitze und eine Kanone erobert wurden. Mittlerweile kam die kaiserlich russische Infanterie, passirte fast
schwimmend die Nura und Oberst Graf Nimptsch verfolgte nun
gemeinschaftlich mit den Russen den Feind, ungeachtet des
durchschnittenen Terrains, unaufhörlich über 4 Stunden, so dass
die Fliehenden bei dieser Verfolgung noch weiter gegen 1200
Mann an Todten, Verwundeten und Gefangenen verloren, und
der Ueberrest das Gewehr strecken musste. — Feldmarschall
Graf Suworow bekräftigt in einem Schreiben an Se. Majestät
den Kaiser Franz das ausgezeichnete Verhalten des
Regiments Baron Karaczay-Dragoner in der Schlacht
an der Trebia, und empfahl den tapfern Obersten Graf
Nimptsch mit noch drei andern Offizieren des Regiments der
Allerhöchsten Gnade. Das Regiment zählte an diesen blutigen
Tagen, ausser dem Verluste vieler seiner braven Mannschaft
noch einen todten und 4 verwundete Offiziere, unter welch'
letzteren auch Rittmeister Baron Walterskirchen. — Unter dem
russischen General Betzerzky hatten sich 50 Dragoner des
Regiments bei jedem russischen Infanterie-Bataillon durch ihre
tapfere Unterstützung vorzüglich ausgezeichnet, welches bei
Bobio die Ligurische, 3000 Mann starke Legion, die in die
rechte russische Flanke einbrechen wollte, angriff und mit dem
Verluste von nahe an 500 Todten und 103 Gefangenen zersprengte.

Am 15. August in der Schlacht bei Novi, wurde der
tapfere Oberst Graf Nimptsch wieder mit einem Theile des

Regimentes auf den rechten Flügel des russischen Armee-Corps postirt, um ihn zu unterstützen; während der Schlacht befahl General Baron Karaczay, unter dessen Befehl Graf Nimptsch auch hier gekämpft, als der Feind auf dem rechten Flügel und im Centrum zu weichen anfing, die Fliehenden anzugreifen; die Anhöhen wurden erstiegen und der in der Ebene mit dem Artillerie-Train zurückziehende Feind, mehrere Male mit Vortheil angegriffen. Oberst Graf Nimptsch bemerkte, dass der Gegner bei dem Dorfe Pasturana durch ein Defilé mit der Artillerie bergab zu passiren begann, er nahm sogleich 2 Schwadronen seines Regiments, griff ihn an und dieser kam in Unordnung, wodurch die Attaque der Russen und dreier Schwadronen des 5. Hussaren-Regimentes, welche General Baron Karaczay veranlasste, begünstigt wurde und den Franzosen nahmhafte Verluste an Todten, Verwundeten und Gefangenen, dann 21 Kanonen und 30 Munitionskarren kostete. — Nebst dem Obersten Graf Nimptsch wird auch Rittmeister Baron Walterskirchen mit vielem Lobe in der Relation erwähnt. Ein Theil des Regiments wurde im August zur Deckung der Belagerung von Seravalle verwendet. —

Im October war das Regiment mit dem ausrückenden Stande von 914 Mann und Pferden in der Dragoner-Division des FML. Fürsten Johann Liechtenstein und der Brigade des GM. Baron Elsnitz in der österreichischen Haupt-Armee im Lager bei Ora an der Stura eingetheilt. Am 4. und 5. November hat dasselbe mit gewohnter Auszeichnung in der Schlacht bei Fossano an der Stura, auch Genola genannt, gekämpft. In der Relation wurden Oberstlieutenant von Provencheres, Rittmeister Baron Walterskirchen, die Lieutenants Esch, Graf Salm und Graf Brigido wegen ihres Wohlverhaltens angerühmt; ebenso zeichnete sich Oberst Graf Nimptsch durch seine umsichtige Führung des Regiments aus. Am 6. war das Regiment im Treffen bei Vignolo, wo Corporal Joseph Altmann für die entschlossene Rettung zweier bereits gefangener Cameraden, deren feindlicher, Begleitung er in den Rücken fiel, die silberne Medaille sich erwarb. — Im selben Monate hatte Oberstlieutenant Provencheres mit seiner Division bei Vertreibung der Feinde von Borgo San Dalmazzo die Avant-Garde geführt, während eine Division des Regiments die rechte feindliche Flanke attaquirte, und sie zwang in ihre letzte Position bei Roccavione zu fliehen. Der commandirende FML. Ott führte sie in Person gegen den Feind. — Der 1800 zum GM. avanzirte Regiments-Commandant Graf Nimptsch erhielt in Folge seiner wiederholten Auszeichnungen in diesem Regimente nachträglich 1801 das Ritterkreuz des Maria Theresien-Ordens.

Im Feldzuge 1800 abermals in Italien, war das Regiment insbesondere in der Schlacht von Marengo am 14. Juni äusserst thätig. In der Haupt- oder mittleren-Colonne eingetheilt, stand es mit dem ausrückenden Stand von 1053 Mann und Pferden in der Brigade des GM. Pilati. Das Regiment hatte mit Kaiser-Dragoner (jetzt Uhlanen Nr. 6) bei Uebersetzung des Fontanone-Grabens bedeutenden Verlust erlitten. — Wachtmeister Altmann, welcher an diesem Tage den von feindlichen Reitern umringten GM. St. Julien rettete, erhielt die goldene Tapfer-keits-Medaille, nachdem er bereits am 6. 1799 bei Vignolo, wegen Rettung zweier Cameraden die silberne erhalten hatte. In der Schlacht am Mincio den 25. December focht das Regiment mit seiner bewährten Tapferkeit, und bei einer von dessen wieder-holten Attaquen war der Major Franceschini geblieben.

Während seines Rückzuges gegen Borghetto gab FML. Prinz Hohenzollern, als der französische Generallieutenant Moncey mit einer starken Abtheilung über Puzeti die Verbindung mit dem General Suchet suchte, dem Oberst von Provencheres des Re-giments den Befehl, mit seinen Dragonern einzuhauen, welche, da die französische Reiterei vom linken Flügel durch schlechte Wege verhindert war, schnell herbeizueilen, die feindliche Abthei-lung versprengten und gegen 100 Mann gefangen machten.

Nach dem Luneviller Frieden rückte das Regiment 1801 in die Stabsstation Dezhejow, 1802 aber nach Bassano und wurde in diesem Jahre wieder zum Chevauxlegers-Regimente mit weissen Röcken und dunkelgrünen Aufschlägen und dem Stande von 4 Divisionen übersetzt, welche es jedoch 1806 abermals mit dunkelgrünen Röcken und scharlachrother Egalisirung, wie auch die bisherigen gelben Knöpfe mit weissen vertauschte.

Im Feldzuge 1805 war das Regiment beim Truppencorps des FML. Baron Hiller in Süd-Tirol eingetheilt, und nach der Ordre de Bataille vom 18. October in der Brigade des GM. Schauroth mit 6 Escadrons zur Deckung des Etschthales, zu Ro-veredo, Trient und Arco aufgestellt, eine Escadron war bei der Truppen-Abtheilung des GM. Prinzen Victor Rohan bei Reute, und eine bei dem zusammengesetzten Streif-Commando des Oberst-lieutenant Graf Spaur von Chasteler-Jäger in Vintschgau. Bei der Ueberrumpelung der Stadt Bassano wirkte die Escadron, welche unter Befehl des GM. Prinz Rohan stand, thätigst mit; im Laufe des November wurden Abtheilungen des Regiments zur Deckung des Pusterthales verwendet, und ausser vielen Hin- und Hermärschen kam das Regiment in diesem Feldzuge zu keiner besondern Thätigkeit. Im Jahre 1806 bezog dasselbe die Friedens-station Warasdin in Croatien, welche es im Jahre 1807 mit jener von Agram verwechselte und von da 1808 nach Pecsvar in Ungarn abrückte.

Bei Ausbruch des Feldzugs 1809 kam das Regiment zum 8. Armee-Corps des FML. Baron Chasteler, in die Division des FML. Graf Albert Gyulay, und der Brigade Wetzl, zur Armee Sr. k. k. Hoheit des Erzh. Johann nach Innerösterreich und Italien. Hier hatte es seinen alten Ruhm auf glänzende Weise bewährt. Am 12. April wurde der Oberst Baron Ludwigsdorf mit der Oberst-Division bei Campo-Formio zur Avant-Garde verwendet, und rückte als Commandant der gesammten Vorposten-Linie am 13. und 14. unter einzelnen Vorposten-Gefechten bis Valvasone vor, allwo sich Abends das ganze Cavallerie-Corps der österreichischen Armee von Italien sammelte. Am 15. April ging die Avant-Garde gegen Pordenone vor. Der Oberst wurde von Cordenons aus mit seiner Division in die linke Flanke des Feindes detachirt. Während dem Marsche forderten Umstände die Zurücklassung der Oberst 1. Escadron, daher der Oberst nur mit einer schwachen Escadron bei Rorai-Grande auf den Feind stiess. Der Oberst schob den Rittmeister Bannitza mit einem Zug rechts vor, um das Gefecht zu beginnen. Den Oberlicutenant Hummel entsendete er mit einem zweiten Zug zur Deckung der linken Flanke. Die andere Hälfte der Escadron führte der Oberst selbst gegen den Feind, welcher Rorai mit einer überlegenen Anzahl Cavallerie besetzt hielt. Der Verlust dieses Punktes hätte den Feind mit Unterbrechung seiner Communication bedroht, daher wurde der Angriff schnell und mit Nachdruck vollführt. Der Oberst kämpfte noch, nachdem er 2 Säbelhiebe erhalten, mit unerschütterlichem Muthe als Muster seiner tapfern Reiter. Erst nachdem er noch 3 andere Hiebe erhalten, schwanden seine Kräfte und er gerieth in Gefangenschaft. Der Regiments-Adjutant Oberlicutenant Aichinger und Oberlieutenant Hummel fochten an seiner Seite mit Auszeichnung. Der erstere wurde blessirt, sein Pferd getödtet, er selbst gefangen. Hummel erhielt mehrere Säbelhiebe. Die Corporale Enzersberger und Hofbauer nebst dem Trompeter Kirsch hatten sich in diesem Gefechte ausgezeichnet. Ein zur Unterstützung nachgekommenes Detachement von Radetzky-Hussaren hatte indess den Chevauxlegers geholfen, den Feind zur Räumung des Ortes zu zwingen. Die obengenannten Corporale und der Trompeter, welche sodann den Oberlieutenant Aichinger aus der Gefangenschaft befreiten, wurden mit silbernen Tapferkeits-Medaillen belohnt. Der aus Pordenone von der Armee zurückgedrängte Feind nahm seine Zuflucht zu einem Hohlweg, durch welchen er die Hauptstrasse zu erreichen und an derselben die Vereinigung seiner Streitkräfte zu bewirken suchte. Rittmeister Martin griff, um diess zu verhindern, die eine Colonne mit seiner Escadron an, und zersprengte dieselbe. Aber die vereinzelten Feinde erkletterten die steilen Wände des Hohlwegs, und hinderten dadurch die weitere Verfolgung. Martin zog sich daher etwas zurück, sammelte seine Escadron, und wiederholte sodann den Angriff, der vollkommen gelang. Er selbst erhielt in diesem Kampfe eine Schusswunde und 3 Bajonnetstiche. Der ganze feindliche Nachzug der Infanterie sammt den beigehabten Geschützen und Munitions-Wägen gerieth den Chevauxlegers in die Hände. Dieses glänzende Gefecht hatte die günstige Entscheidung herbeigeführt. Besonders ausgezeichnet hatte sich der Corporal Christian Hansel, der aus den geschlossenen Reihen der Erste heraussprengte

und den feindlichen Anführer niederhieb. Rittmeister Bannitza
sammelte mehrere Versprengte von fremden Regimentern, und umging mit diesen und seiner eigenen Mannschaft ein bei Fontana
Freda aufgestelltes feindliches Bataillon. Er griff dasselbe an,
drang in die Reihen ein, und eroberte mit eigener Hand den
feindlichen Adler. Das ganze Bataillon wurde gefangen. Eine
Kanone und einige Munitions-Wägen wurden die Beute dieser
tapfern Chevauxlegers.

Am 16. April in der Schlacht von Fontana-Freda gelang
es dem Rittmeister Chevalier Mikulitz, am linken Flügel der
Armee, unweit Porzia mit der ihm unterstehenden 2. Majors
2. Escadron die Niederlage der Gegner zu befördern. Wegen
der Uebermacht des Feindes und dem heftigen Geschütz-Feuer
war die nächststehende Infanterie-Truppe mit ihren 2 Kanonen
bereits gewichen. Dieser schon beinahe ganz umringten Abtheilung kam Mikulitz mit kühnem Angriff zu Hülfe. Er rieb die
gegen ihn, von den im Hinterhalt aufgestellten feindlichen Massen
vorgeschickte, in Plänkler aufgelöste feindliche Compagnie auf,
und durchbrach sodann das von der Haupttruppe gebildete Quarré.
Dadurch konnte jene gedrängte Infanterie-Truppe wieder vorrücken,
und mit der Escadron vereint die noch übrigen feindlichen Abtheilungen vollends zurückwerfen. Diese Angriffe trugen hauptsächlich zum allgemeinen Rückzug des Feindes bei, der damals schon
auf seinem linken Flügel begann. Wachtmeister Leckel und Corporal Weyland, welche die ersten in's feindliche Quarré gebrochen waren, erhielten beide die goldene Tapferkeits-Medaille.
Diese Escadron mit der dazu gestossenen zweiten, haben unter
Anführung des Major Lachowsky dem Feinde in der Ebene
noch gegen 400 Gefangene abgenommen. Am 24. April im
Gefechte bei Murazzo, hatte eine andere Division des Regiments unter Major Baron Walterskirchen sich ausgezeichnet.

Am 27. April machte der Wachtmeister Joseph Dra-
weczky mit 15 Chevauxlegers den Vortrab, welchem 3 Compagnien Grenzer folgten, von Monte-Orso gegen Monte-Forte.
Unterwegs erfuhr er, dass der letzte Ort feindlich besetzt sei.
Mit seinen wenigen Reitern sprengte derselbe entschlossen in
den Flecken, und fand auf dem Platze bei 100 Feinde unterm
Gewehr stehen. Diese gaben eine Decharge auf die Chevauxlegers, wurden aber von diesen angegriffen, geworfen und durch
den ganzen Ort verfolgt. Nun konnten die für die Behauptung
von Monte-Forte wichtigen Punkte besetzt werden. Derselbe
Wachtmeister trug sich am 28. April in einer äusserst stürmi-
schen Nacht an, mit 4 Reitern eine Patrouille auf dem Weg
nach Soave zu machen. Er ritt auf einem steilen, für Cavallerie
beinahe ungangbaren Steinwege bis an das Thor von Soave.
Hier liess er 2 Mann zurück. Mit den übrigen beiden rückte
er weiter durch die Stadt, verjagte die dort angetroffene feindliche Vedette, und trieb das ausser dem Stadtthore aufgestellte

Cavallerie-Piket bis zu dem benachbarten feindlichen Lager. Soave wurde nun von österreichischer Infanterie besetzt. Wachtmeister Drawetzky erhielt die goldene Tapferkeits-Medaille.

Bei dem in Tirol operirenden Corps standen 3 Escadrons des Regiments den verschiedenen Infanterie-Brigaden Escadrons- und Flügelweise zugetheilt. — Der Feind wollte die bei Branzoll stehende österreichische Avant-Garde aufheben. Um diesen Plan zu vereiteln, wurde am 17. April der Corporal Anton Weiss mit 8 Chevauxlegers bei Lenove über die Etsch geschickt. Dieser Unteroffizier warf die zu jenem Versuch bestimmte feindliche Abtheilung, und verfolgte sie bis in die engsten Gebirgspässe, wo sie mit Hilfe der Jäger theils gefangen theils niedergemacht wurde. Corporal Weiss erhielt die silberne Tapferkeits-Medaille. Ebenso auch der Corporal Paul Link, welcher den bei dem Angriffe nächst Trient schon umringten Oberstlieutenant Graf Leiningen mit Hilfe der Gemeinen Johann Dikam und Franz Belmann am 19. April aus der augenscheinlichen Gefahr der Gefangenschaft glücklich errettete. Am 20. April verbrannte der Feind die Brücke bei Lavis, und besetzte das jenseitige Ufer mit Geschütz, um die Herstellung derselben zu verhindern. Corporal Clemens Wolf setzte mit 10 Chevauxlegers über den angeschwollenen reissenden Avisio, fiel dem Feinde in den Rücken, und nöthigte ihn abzuziehen. Dann wurde die Brücke wieder hergestellt. Der Corporal erhielt die silberne Tapferkeits-Medaille. Der Pass Strub wurde nach hartnäckigem Widerstande gegen die 16000 Mann starke feindliche Macht endlich geräumt. Die noch übrige schwache Infanterie warf sich in die Gebirge. Oberlieutenant Wieser des Regiments aber mit 3 Corporalen und 30 Chevauxlegers stellte sich bei Waidring auf, um den Feind zu beobachten. Diese kleine Reiter-Abtheilung muss jedoch vor den mit Geschütz vorrückenden 3 feindlichen Cavallerie-Divisionen weichen. Sie setzte in einem Abstand von nur 300 Schritten vom Feinde den Rückzug gegen Erpfendorf fort. Der Corporal Dietze, welcher mit 4 Mann den Nachtrab machte, und plänkelnd folgte, stellte sich hinter ein vorstehendes Haus, und lauerte auf den vorausreitenden feindlichen Offizier. Bei dessen Annäherung schoss er diesen vom Pferde, und hemmte dadurch die Verfolgung in so weit, dass die Abtheilung einen Vorsprung gewann, und ihre Schwäche in der vom Bäumen und Gräben durchschnittenen Gegend verbergen konnte. Als der feindliche, 60 Reiter zählende Vortrab endlich dennoch einen Angriff unternahm, jagte Oberlieutenant Wieser denselben bis zur Anhöhe von Waiding zurück, und verschaffte sich dadurch für den Rest des Tages Ruhe. Nachts befahl General Fenner den Rückzug. Nach einem Marsche von 3 Stunden musste Oberlieutenant Wieser wieder umkehren, und im Trab und Gallopp zur Unterstützung des Landsturmes von St. Johann eilen. Als er diesem Ort nahte, kam ihm ein zurückweichendes

Corps von 2000 Bauern entgegen. Diesem folgte eine ungefähr 100 Mann starke feindliche Cavallerie-Truppe nach. Oberlieutenant Wieser hatte seine 33 Mann in Plänkler aufgelöst, und hielt das Vorrücken dieser Feinde so lange auf, bis ihre Haupttruppe nachkam. Diese griff nun ernstlich an, wurde aber von den Chevaux-legers durch eine Carabiner-Salve in Unordnung gebracht, und zog sich zurück. Oberlieutenant Wieser benützte diesen Augenblick, um seinen eigenen Rückzug auszuführen. Zu seiner Sicherung liess er einen, bei der schmalen Brücke von St. Johann stehenden Wagen in die Quere stellen. Dadurch war der Feind aufgehalten, und Wieser kam in St. Johann ohne Verlust an. Den 13. Mai musste das bei Söll gestandene Corps des FML. Marquis Chasteler vor dem mit 16000 Mann anrückenden Feinde zurückweichen. Derselbe überwand durch seine Uebermacht alle Hindernisse, welche ihm die Tapferkeit der österreichischen Truppen entgegensetzte. Er drang über Wörgel bis gegen Kundel vor. Rittmeister Haimann formirte mit der Oberstlieutenants-Division die Arriere-Garde, er schied nun diese, welche nur mehr 80 Reiter zählte in 3 Abtheilungen. Bei Annäherung des Feindes fiel er mit der ersten Abtheilung, in dessen Vortrab, hieb die meisten feindlichen Soldaten nieder, und warf die fliehenden auf ihre Unterstützung. Diese rückte nun zwar bis zu der zweiten Abtheilung der Chevauxlegers vor, wurde jedoch auf die nämliche Art wie der Vortrab abgewiesen. Auch ein dritter feindlicher Angriff wurde mit gleicher Tapferkeit zurückgeschlagen. Die Chevaux-legers wurden nun von der Infanterie aufgenommen, führten jedoch während des weitern Rückzuges noch 3 kraftvolle Angriffe auf die feindliche Avant-Garde aus, um diese in ihrem Vordringen aufzuhalten. Die Division war in den 6 Attaquen von 80 auf 30 Reiter zusammengeschmolzen. Der Feind verfolgte dieselbe bis vor das Thor von Rattenberg. Dieses versperrten Rittmeister Haimann und die Oberlieutenants Altmann und Wieser, und hielten dadurch den Feind von dem Eindringen ab. Der Rückzug wurde nun vom Feinde ungestört bis Schwatz fortgesetzt. Die Relation des FML. Marquis Chasteler rühmte das ausgezeichnete Verhalten des Rittmeister Haimann, der Oberlieutenants Altmann und Wieser, des Wachtmeister Hauser und Corporal Dietze, dann der Chevauxlegers Spatzil, Vadel, Kreutz, Kaul und Mohr. —

Am 28. Mai hatte Rittmeister Henrion gegen den französischen General Deroy ein heftiges Gefecht mit seiner Escadron rühmlichst bestanden. Rittmeister Bannitza Maria Theresien-Ordens-Ritter war Militär-Commandant im Pusterthale, machte als solcher mehrere glückliche Streifzüge gegen Belluno, welches er am 12. Mai besetzte, und warf den von Vicenza durch das bellunesische Gebirge vorgedrungenen feindlichen General Castella vor Candola über die Piave zurück. Rittmeister Sturm hatte sich durch Energie und Tapferkeit in einem Gefechte bei Brixen ausgezeichnet. Rittmeister Hißmer machte einen höchstabenteuerlichen und äusserst gewagten Streifzug über das kärnthnerische, salzburgische und steierische Hochgebirge, und drang bis Judenburg vor. Bei einem gegen Ende Mai unternommenen Streifzug des Oberstlieutenants Graf Leiningen von Trient nach Bassano führte der Oberlieutenant Schaupp des Regiments den Vortrab. Auf die Nachricht, dass der Feind bei Bassano hinter einen Aufwurf und Graben Posto gefasst, griff Schaupp am 24. Mai diese Stellung muthvoll an, und hatte den Feind bereits aus derselben vertrieben, als eine Musketenkugel seinem Leben ein Ende machte. — Den 18. Juli rückten bei Murau in Baiern die österreichischen Infanterie-Colonnen des Major Theimer, und und Hauptmann Baron Taxis auf der dortigen Strasse gegen Weilheim vor, um diesen Ort zu nehmen. Oberlieutenant Altmann bemerkte plötzlich, nach 2stündigem Marsche den Feind in der Flanke unsere Colonne zu umgehen trachtend. Die vorzüglichen Anstalten, welche Altmann durch zweckmässige Aufstellung einiger Jäger und Tiroler-Landes-Schützen-Compagnien traf, vereitelten das feindliche Unternehmen. Aber bald entspann sich das heftigste Feuer auf der ganzen Linie, die feindliche Cavallerie griff mehrmals unser Centrum an, wurde jedoch immer wieder zurückgeworfen. Da gelang es ihr beim dritten Angriff bedeutend verstärkt die Mitte zu durchbrechen, und sich zweier bei den Colonnen befindlichen Geschütze zu bemächtigen. In diesem entscheidenden Augenblicke führt Altmann 20 Chevauxlegers mit heldenmüthiger Entschlossenheit der feindlichen, weit überlegenen Reiterei entgegen, wirft sie über den Haufen, erobert die verlorenen Geschütze wieder, und macht überdiess mehrere Gefangene. Der Feind, durch diesen kühnen Angriff überrascht, wagt keine weitere Beunruhigung der Colonne, und zieht sich zurück, wodurch die schon zerstreute Infanterie sich wieder sammeln konnte. Oberlieutenant Altmann erhielt 1810 den Maria Theresien-Orden. In einem Gefechte bei Neumarkt wurde Rittmeister Baron Etsen gefangen. In Kärnthen waren gleichfalls Abtheilungen des Regiments beschäftigt. Am 2. Juni stiess Corporal Johann Nowak mit 5 Mann auf der Villacher Strasse auf eine feindliche Infanterie-Patrouille, und nahm dieselbe 1 Sergeant und 7 Grenadiere gefangen. Der bereits erwähnte Rittmeister Martyn hatte sich am 5. Juni freiwillig angeboten, mit 60 Mann Infanterie und 40 Chevauxlegers die linke Flanke des FML. Marquis Chasteller zu decken, er drang durch das Feldkirchner Thor in das Städtchen St. Veit in Kärnthen ein, griff die feindliche Besatzung an, welche auch nach kurzem Widerstande die Flucht ergriff, und dem Sieger 123 Gefangene überliess, auch befreite Martyn 25 österreichische Infanteristen aus des Feindes Händen, behauptete St. Veit bis den 6. Abends, und sicherte dadurch die Bewegungen des FML. Marquis Chasteller. Der tapfere Martyn erhielt 1810 das Maria Theresien-Kreuz. —

11

Bei dieser Unternehmung hatte sich Corporal Johann Milczak besonders ausgezeichnet, der mit einer Avant-Garde von 10 Mann Infanterie und 10 Chevauxlegers die weit zahlreichern feindlichen Patrouillen warf. ' Auch drang er mit der stürmenden Infanterie der Erste durch das Thor von St. Veit in die Stadt ein. Bei einem Ausfalle des Feindes am 6. Juni aus Klagenfurt fielen die Corporals Johann Enzersberger und Johann Hofbauer mit ihren Bereitschaften die hervorbrechenden feindlichen Tirailleurs an, und warfen sie auf ihre Haupttruppe zurück. Hiedurch entstand eine Unordnung unter dem Feinde, der sich in die Stadt zurückzog, wodurch die weit schwächeren österreichischen Truppen ihren Marsch ungestört fortsetzen konnten. In der Nähe von Villach bei dem Dorfe Treffen stiess Corporal Johann Silva am 7. Juni mit 5 Mann auf eine wenigstens 2mal stärkere feindliche Cavallerie-Patrouille. Der Gemeine Franz Nobel drang der Erste in die Feinde ein. Seine Cameraden folgten, und die Patrouille wurde versprengt, der feindliche Offizier blieb todt am Platze. Nobel hatte 9 Säbelhiebe erhalten.

Im Mai war bei der Brücke von Gospich in Dalmatien die dort aufgestellte Infanterie und das Geschütz in drohender Gefahr eine Beute des Feindes zu werden, da eilte Lieutenant Tiedemann mit dem vierten Zuge der 1. Majors- 2. Escadron herbei, schlug den Feind zurück und verschaffte der Infanterie die Zeit sich zu sammeln und wieder vorzurücken. Bei diesem Angriff zeichnete sich vorzüglich der Corporal Jaszinelk und die Chevauxlegers Landa und Kabatsch aus, welche zwei ihrer schon gefangenen Cameraden aus der Gefangenschaft befreiten. Corporal Langer, welcher mit 6 Mann eine 30 Mann starke feindliche Abtheilung überraschte und zum Rückzuge zwang, verdient besonders erwähnt zu werden.

Ende Juni war das Regiment mit der Armee des Erzh. Johann in Ungarn. Am 24. Juni griffen 120 feindliche Reiter bei Sümegh das Piquet an, auf welchem Corporal Adam Dimerling mit 6 Gemeinen stand. Diese leisteten eine Viertelstunde den entschlossensten Widerstand bis die Unterstützung herbeikam und mit dem Piquet vereint den Feind zurückschlug. Die Chevauxlegers Johann Eberl und Franz Hoffmann zeichneten sich bei diesem Vorfall aus. Einen gleichen noch bewundernswerthern Widerstand leistete derselbe Corporal am 29. Juni bei Rendeich, welchen Posten er mit 6 Mann gegen 50 feindliche Reiter eine Stunde vertheidigte, bis die Verstärkung ankam, mit welcher der Feind vertrieben und Rendeich behauptet wurde. Nach dem beendeten Feldzug erhielt das Regiment die Friedensstation Wels in Oberösterreich, 1811 aber jene von Debreczin in Ungarn.

Im Jahre 1812 wurde es zum österreichischen unter dem Befehl des FM. Fürsten Schwarzenberg stehenden Auxiliar-Corps nach Galizien gezogen und mit O'Reilly - Chevauxlegers (jetzt

Uhlanen Nr. 8) in der Cavallerie-Brigade des GM. von Zech-
meister eingetheilt. Im Juli rückte das Auxiliar-Corps gegen
Russland vor, und traf am 8. in Pruszany ein. Die ebenerwähnte
Brigade, bei welcher das Regiment zugetheilt war, wurde nach
Kobrin entsendet, von wo sie Detachements gegen Pinsk und
Radno zur Verbindung mit der Infanterie unterhielt. Am 12.
August während des Gefechts bei Gorodeczna rückte diese
Brigade zur Verstärkung des 7. Corps unter Reynier vor, bei
Podubnie erfolgte ein Zusammenstoss mit der sächsischen Brigade
Sahr und dem Feinde. Die Brigade Zechmeister bedrohte in
dieser Schlacht den Rücken des linken Flügels der Russen.
Das Regiment machte mehrere Attaquen in die linke Flanke
von zehn, gegen das Centrum der Brigade Zechmeister vorrückenden, von 2 Dragoner-Regimentern unterstützten Escadrons
tartarischer Uhlanen, deren Front von dem sächsischen Dragoner-Regimente Polenz nebst einigen Escadrons sächsischer
Hussaren angegriffen wurde. Der Feind war mit bedeutendem
Verluste nach seiner Soutienlinie zurückgeworfen und Tags darauf von der ganzen österreichisch und sächsischen Cavallerie
auf der Strasse nach Kobryn weiter verfolgt, insbesondere war
es die Brigade Zechmeister, welche mehrere feindliche Tirailleurs abschnitt und 2 starke russische Cavallerie-Abtheilungen
zu einem präcipitirten Rückzug gegen Kobryn bewog. Am 15.
August bestand diese Brigade bei Ploski noch ein unbedeuten-
des Gefecht mit der russischen Arriere-Garde. Der Feind
wurde nun auf seinem weitern Rückzuge von den beiden Armee-
Corps (österreichischen Auxiliar und (7. sächsisches) Corps Reynier)
unter mehreren Gefechten über den Muchaviec, den Przrbiec,
die Wyszowska, die Turia und den Styr verfolgt. Als aber
die Truppen Tschitschakows im September am Styr anlangten,
befahl Fürst Schwarzenberg seinen beiden Corps den Rückmarsch
anzutreten. Oberstlieutenant Baron Walterskirchen des Regiments
führte mit vieler Umsicht ein Streif-Commando, welches dem
Feinde viel Schaden beifügte, und mehrmals Munitions- und
Proviantvorräthe erbeutete. Das Regiment formirte auf dem Rückzuge bald die Avant- oder die Arriere-Garde des Auxiliar-
Corps, bezog Ende Februar 1813 seine Winterquartiere an der
galizisch-russischen Grenze, wo es einen starken Patrouillendienst
zu unterhalten hatte und Ende April bei Krakau ins Lager
rückte.

Im Mai 1813 marschirte das Regiment, nachdem es schon
1812, eine Division aufgelöst und in die andern vertheilt hatte,
mit 6 Escadrons zu der in Böhmen sich sammelnden Armee
des FM. Fürsten Schwarzenberg. Bei Ausbruch des Feldzuges im August 1813 wurde das Regiment in die Brigade
des GM. Baron Baumgarten des IV., vom G. d. C. Graf
Klenau befehligten Armee-Corps eingetheilt und war am 27.
in der Schlacht bei Dresden, von wo es nach dem Rückzuge

11 ?

der alliirten Haupt-Armee in die Gegend von Kommotau abrückte und dort lagerte. Anfangs September wurden 4 Escadrons des Regiments zur Infanterie-Division des FML. Mayer abgegeben und Oberstlieutenant Baron Gasser mit seiner Division dem Streif-Corps des GL. Thielemann zugewiesen. Am 20. j. M. setzte sich das IV. Armee-Corps gegen Sachsen in Bewegung; das Streif-Corps Thielemanns hatte am 24. zwischen Altenburg und Gösnitz ein Gefecht mit einer derartigen feindlichen Uebermacht, dass es weichen musste. Der Corporal Mathias Schifferth des Regiments wurde mit 12 Mann zur Verstärkung der Plänkler vorgeschickt. Er hielt durch sein wohlgeleitetes Feuer die Feinde im Vorrücken auf, und deckte auf diese Weise den Rückzug bis zur Brücke bei Möckern. Hier stellte er sich auf, liess die Hälfte seiner Mannschaft absitzen und auf den nachrückenden Feind feuern. Während Schifferth dadurch den Feind beschäftigte, gewann eine Abtheilung Kosaken Zeit, eine Attaque auszuführen, durch welche der feindliche Vortrab in Unordnung gerieth. Aber gar bald verstärkt, warf der Vortrab später die Kosaken zurück, tödtete mehrere derselben und nahm einige gefangen. In diesem Augenblicke stürzte sich Corporal Schifferth mit seinen 12 Chevauxlegers in die Flanke der feindlichen Reiterei, zerstreute dieselbe und gewann dadurch den übrigen Kosaken Zeit, sich über die Brücke zurückzuziehen. Corporal Schifferth erhielt die goldene Taferkeits-Medaille und das k. russische Georgskreuz 5. Classe. — Am 26. bemächtigte sich jenes russisch-österreichische Streif-Commando der Stadt Altenburg nach kurzem Kampfe, bei welcher Gelegenheit die anwesende Division des Regimentes 1 Mann todt, 3 Mann und 5 Pferde verwundet hatte. An eben diesem Tage standen von den beim IV. Armee-Corps eingetheilten 4 Escadrons des Regiments, 2 unter FML. Baron Mohr in Henzbank, und 2 unter GM. Schaeffer besetzten Gross-Waltersdorf.

In den ersten Tagen Octobers rückte das Armee-Corps in Sachsen vor, und die 4 Escadrons des Regiments waren am 4. im Gefechte nächst Chemnitz, und am 6. October im 1. Gefechte bei Pennig waren 2 Escadrons unter GM. Graf Desfours anwesend, und machten einige Attaquen, besonders aber war es im 2. dortigen Gefechte, wo sich die Abtheilungen des Regiments am 7. besonders auszeichneten. Der Angriff eines walachischen Grenz-Bataillons auf dem sogenannten dortigen Galgenberge war bereits gelungen, als eine als Reserve aufgestellte feindliche Infanterie-Masse anrückte, und die Walachen zurückschlug. Zugleich brach eine Reiterschaar hervor, um in die Weichenden einzuhauen. In diesem gefahrvollen Augenblicke stürzte sich Rittmeister Werner des Regiments mit seiner Escadron auf die feindlichen in der Entwicklung begriffenen Lanzenträger, und zwang sie mit Hinterlassung vieler Todten und 30 Gefangenen in die Thalschlucht der Mulde zu flüchten. Dieser glänzende

Angriff entschied das Gefecht. Die Walachen rückten neuerdings vor, das erschreckte feindliche Fussvolk verliess den Galgenberg und flüchtete nach Pennig. FML. Baron Mohr liess nun den gegen Rochlitz weichenden Feind durch 2 Escadrons des Regiments und Abtheilungen von O'Reilly Chevauxlegers (jetzt Uhlanen Nr. 8) bis Elsdorf verfolgen. Die Relation des General-Stabs-Offiziers der Colonne spricht sich folgendermassen aus: „Hohenzollern und O'Reilly-Chevauxlegers haben sich in diesem Gefechte sehr ausgezeichnet, und den alten Ruhm des österreichischen Cavalleristen bewährt." — Tags darauf am 3. im 3. Gefechte bei Pennig griff die Oberst 1. Escadron des Regiments den mit Uebermacht bei Pennig wieder vorgerückten Feind kräftigst an, und warf ihn zurück. Der Corporal Gottfried Roth war bei Verfolgung des Feindes aus eigenem Antrieb mit 8 Chevauxlegers auf einen Umweg bis an die Brücke der Mulde vorgegangen, und hatte den über dieselbe zurückziehenden Feind durch sein Plänkeln unaufhörlich beunruhigt. Er hielt sich dort so lange, bis die österreichische Infanterie kam, und die Brücke besetzte. Dadurch wurde dieselbe dem noch zurückgebliebenen Theile der Feinde versperrt, und diese mussten durch den Fluss gehen, um das jenseitige Ufer zu erreichen. Dem Corporal Roth wurde in diesem Gefechte zuerst sein Pferd erschossen, dann der rechte Arm zerschmettert. Er ging dennoch nicht zurück, und hielt mit dem ihm noch übrig gebliebenen 6 Chevauxlegers standhaft den Feind auf, bis die Infanterie angekommen war. Corporal Roth erhielt für sein ausgezeichnetes Benehmen die goldene Medaille.

In den Gefechten bei Pennig von 6. bis 8. October hatte das Regiment nur geringen Verlust: Rittmeister Prinz Friedrich Hohenzollern nebst 3 Mann verwundet, und 2 Todte und 1 blessirtes Pferd.

Am 10. October war Oberstlieutenant Baron Gasser mit seiner Division beim Thielemann'schen Corps im Gefechte bei Naumburg und Stössen betheiligt: — die Division hatte 2 Mann 3 Pferde todt, den Oberlieutenant Berghaus mit 2 Pferden vermisst.

Am 14. October bei Liebertwolkwitz, als 1200 französische Cürassiere die Kosaken und Hussaren der leichten russischen Division Pahlen angegriffen hatten, sandte G. d. C. Graf Klenau eine Escadron des Regiments unter Oberlieutenant Kottmayer nebst einer von Erzh. Ferdinand-Hussaren in die linke Flanke der feindlichen Cürassiere. Der Angriff dieser beiden österreichischen Escadronen hatte den glänzendsten Erfolg; die französischen Cürassiere wurden geworfen, und die russischen Kosaken und Hussaren gewannen Zeit, sich wieder zu formiren. Das Regiment hatte an diesem Tage ziemlich gelitten; Rittmeister Graf Cajetan Alberti, 4 Mann und 13 Pferde blieben todt, — Rittmeister Werner, Oberlieutenant Baron Josef Söll, Lieutenant Baron Saamen, 15 Mann und 16 Pferde waren verwundet. — Mit grösseren Verlusten kämpfte das Regiment auf dem äussersten rechten Flügel gegen Marschall Macdonald mit dem IV. Armee-Corps am 16. October, dem ersten Schlachttage von Leipzig, bei Fuchsheim, Gross-Pösa und dem Universitäts-Walde. Am 18. dem dritten Schlachttage nahm das IV. Armee-Corps Liebertwolkwitz, Holzhausen und Zuckelhausen in Besitz. G. d. C. Graf Klenau verfolgte mit seiner Cavallerie, darunter die 4 Escadrons des Regiments den Feind, welcher von den tapfern Reitern bis hinter Stöttering zurückgeworfen wurde. G. d. C. Graf Klenau belobt in seiner Relation vorzugsweise das tapfere und umsichtige Benehmen des Obersten Löderer vom Regimente. Diesem war am ersten Schlachttage sein Pferd erschossen worden, er setzte sich auf ein Dienstpferd. — Als dieses nun ebenfalls blessirt wurde, in dem Augenblicke, als der Oberst eine Attaque auszuführen hatte, ging das Pferd, durch die Wunde wild gemacht, mit seinem Reiter durch, rannte unaufhaltsam gegen den Feind zu, und Oberst Löderer lief Gefahr sein Leben oder doch die Freiheit zu verlieren. Da sprengte der Stabs-Trompeter Carl Paupie seinem Obersten nach, hielt dessen Pferd auf im Angesichte des Feindes, und unter dem heftigsten Feuer stieg er von seinem Pferde ab, und übergab es dem Oberst, welcher dadurch wieder in den Stand gesetzt wurde, das Regiment gegen den Feind anzuführen. Paupie erhielt für sein aufopferndes Benehmen die goldene Medaille.

Der Verlust des Regiments in den drei Tagen der Leipziger Schlacht betrug: Oberlicutenant Josef Kottmayer, 14 Mann nebst 43 Pferden an Todten, Major von Portenschlag, Rittmeister Moriz Hoyer, Oberlicutenant Josef Wieser, die Lieutenants Josef Baroni von Berghof und Anton Graf Wurmbrand, 45 Mann und 32 Pferde an Verwundeten, und 13 Mann 7 Pferde an Vermissten. — Nach dieser Schlacht kam das IV. Armee-Corps und mit ihm das Regiment zur Einschliessung Dresdens. —

Am 30. October hatte sich Oberstlicutenant Bar. Gasser bei der Einnahme Rothenburgs durch das Thielemann'sche Corps besonders ausgezeichnet, da er mit dem k. russischen Oberst Grafen Orlof der Erste in genannten Ort eingedrungen war. Der tapfere Oberstlicutenant Gasser erhielt in Folge seiner ausgezeichneten Verwendung während seiner Zutheilung bei den Russen den k. russischen Annen-Orden I. Classe und den Wladimir-Orden IV. Classe.

Nach erfolgter Uebergabe Dresdens wurde das Regiment Ende November unter GM. Baumgarten nach Italien beordert, wo es den Feldzug 1814 mitmachte. Es hatte nun in der Brigade des oben genannten GM. seine Eintheilung in der Truppen-Division des FML. von Fenneberg, in der von FM. Graf Bellegarde befehligten Armee. In den Gefechten des 8. und 9. Februar 1814 am Mincio waren 3 Escadrons des Regiments zur

Verstärkung der Brigade Bogdan, am Abende des 9. bei Pozzolo aufgestellt, die 3 andern Escadrons der Infanterie-Division des FML. Pflacher überwiesen. Das Regiment hatte in diesem Feldzuge keine Gelegenheit zur Auszeichnung, und marschirte nach dessen Beendigung nach Siebenbürgen, später von da nach Galizien, wo 2 Divisionen nach Rohatyn, 2 nach Tarnopol dislozirt wurden.

1815 bestimmt zur Armee an den Rhein aufzubrechen, wurde es bei der durch die Siege Wellingtons und Blüchers veränderten Sachlage Europa's, nach mehreren Märschen zurückbeordert, und bezog im Herbste 1815 die Friedensstation Zolkiew in Galizien, welche es 1832 mit jener von Saros-Patak in Ungarn verwechselte, 1840 rückte das Regiment nach Gross-Topolcsan und 1841 nach Troppau in Schlesien. — Während dieser langen Friedens-Epoche war Fürst Friedrich Schwarzenberg, des unsterblichen Siegers von Leipzig ältester Sohn als Major (1828 bis 1833) Mitglied des Regiments. Dieser unter seinem Autornamen bekannte verabschiedete Lanzknecht hatte mit seinem für alles Höhere begeisterten Sinn, mit höchster Bewilligung als beurlaubter Stabs-Offizier das Regiments seine Dienste während des Kampfes der französischen Armee von Algier 1830 der legitimen weissen Fahne der Bourbons geweiht, und war für seine bewiesene Tapferkeit auf den Ebenen der Metidjab, von dem Oberfehlshaber des k. französischen Expeditions-Heeres Grafen Bourmont mit der Ehren-Legion ausgezeichnet worden.

Zur Unterdrückung des Aufstandes in Galizien war das Regiment Ende Februar 1846 dahin beordert worden, und wurde zu Krakau und Umgegend dislozirt, wo bei dem am 26. April 1848 dort ausgebrochenen Aufstande, die daselbst stationirten Abtheilungen des Regiments mit den übrigen Truppen zur Aufrechthaltung der Ordnung thätigst mitwirkten.

Bei Eröffnung des Feldzuges gegen die ungarischen Insurgenten im Dezember 1848 wurde die Oberstlieutenants-Division des Regiments in die Brigade des GM. von Wyss, Division Csorich des II., vom FML. Graf Wrbna befehligten Armee-Corps, und die 1. Majors-Division in die Brigade des GM. Fürst Lobkowitz, beim Corps des FML. von Simunich eingetheilt. Letztere war am 16. Dezember im Treffen bei Tyrnau, wo der Oberlieutenant Friedrich Baron Fahnenberg des Regiments verwundet wurde. Eine halbe Escadron des Regiments war der von ihrem Sammelplatz Teschen gegen die ungarische Grenze vorgerückten mobilen Colonne des Oberstlieutenants Frischeisen von Palombini-Infanterie zugetheilt. Am 4. Dezember überschritt diese den Jablunka-Pass, nachdem Tags zuvor eine Compagnie und 12 Chevauxlegers den Pass besetzt, und die dort angebrachte Verrammlung weggeräumt hatten. Einige tausend Rebellen, die sich in Csacza gesammelt hatten, zogen sich beim Erscheinen dieser Truppe eiligst zurück. Später, da diese Colonne aus 4 Infanterie-Compagnien, einer halben Raketten-Bat-

terie und der halben Escadron des Regiments bestehend zu
schwach war, um gegen eine bedeutende feindliche Uebermacht
vor, und Massen sich sammelnden Landsturmes hinter sich, mit
Erfolg wirken zu können, wurde sie bedeutend verstärkt und
deren Commando dem GM. Götz übertragen, welcher am 31.
Dezember die Offensive ergriff, und gegen die ungarischen Bergstädte vorrückte.

Am 20. Dezember schon hatte FML. Simunich den Major
Erwin Graf Neipperg des Regiments mit einer halben Escadron,
einem Infanterie-Bataillon, einer Jäger-Compagnie, einer halben
Batterie und 2 Raketten-Geschützen von Tyrnau in's Obere Waag-
thal entsendet, um dieses zu säubern und die Verbindung mit der
Colonne des Oberstlieutenants Frischeisen aufzusuchen, der sich
aber am 12. gegen Jablunka wieder zurückgezogen hatte.

Am 11. Jänner 1849 war GM. Wyss mit seiner Brigade
auf eine feindliche Arriere-Garde bei Jpoly-Sagh gestossen, welche
er rasch zurückwarf und sie durch 2 Escadrons des Regiments
und 2 von Civalart-Uhlanen nebst einer Cavallerie-Batterie auf
der Strasse nach Leva verfolgen liess, wobei dem Feinde einige
Pferde abgenommen und 20 Gefangene gemacht wurden. Der
Verlust der beiden Escadrons belief sich nur auf 2 Verwundete und
3 todte Pferde. Am 15. wurde die Brigade Wyss bis Leva vorgeschoben, von wo sie sich gegen Verebély wandte, die Abtheilungen des Regiments waren aber beim Gros der nachgerückten
Truppen-Division Csorich in Leva verblieben. Oberlieutenant Bar.
Bujanovics des Regiments, ein sehr gewandter findiger Offizier,
war vom GM. Wyss nach Neutra entsendet worden, um dem FML.
Simunich aufzusuchen, dessen Verbindung am 17. mit der Division Csorich auch hergestellt wurde.

Am 16. Jänner war Major Graf Neipperg vom FML. Simunich mit einem Streif-Commando von einer halben Escadron
des Regiments, 6 Infanterie-Compagnien und einer halben Raket-
ten-Batterie in's Neutrathal detachirt, um sowohl eine feindlichen
Entsatz der Festung Leopoldstadt zu hindern, als im Verein mit
dem gleichfalls zu diesem Zwecke detachirten GM. Sossay den
Marsch des FML. Csorich gegen Schemnitz zu unterstützen. —
Am 18. Jänner wurde Oberlieutenant Julius Graf Attems des Regiments mit seinem Zuge dem gegen die Bergstädte operirenden
Streif-Corps des Obersten Collery vom 12. Jäger-Bataillon zugewiesen, und war im Gefechte bei Hoderich am 22. Jänner gegenwärtig. In der offiziellen Relation des FM. Fürsten Windisch-
Grätz wird der Oberlieutenant August Baron Bujanovics; in jener
des FML. Graf Schlick der Rittmeister Eduard Baron Geusau des
Regiments wegen ihrer ausgezeichneten Verwendung angerühmt.

Im Monate März war die beim Corps des FML. Simunich
eingetheilte Division des Regiments bei der Cernirung Komorns.

Bei dem am 18. April bei Dukla conzentrirten, zur Verstärkung der Armee nach Ungarn abrückenden Corps des FML.

Vogel waren 2 Escadrons des Regiments in der Brigade des GM.
v. Benedek eingetheilt.

Am 10. April im Treffen bei Waitzen war die Oberstlieutenants-Division des Regiments unter Oberstlieutenant Bar.
Gustav Lauingen, nebst noch einer, vom Rittmeister Grafen Caboga befehligten Halb-Escadron anwesend. Diese Abtheilungen standen
en Fronte mit imponirender Ruhe im heftigsten Kanonenfeuer.

Bei einem von den Insurgenten aus Komorn unternommenen
Ausfalle gegen die der Palatinal-Linie entgegenstehende Brigade
Sossay vortrefflich geleitet und unterstützt, von einer in's Detail
gehenden Kenntniss der Aufstellung der kaiserlichen Truppen,
hatte Oberlieutenant Carl Baron Venningen des Regiments sich
durch Geistesgegenwart und Muth ausgezeichnet, indem er einen
Theil der von den Csikos im Stalle überfallenen Cavallerie-Abtheilungen dadurch rettete, dass er allein mit der Pistole in der Hand
sich den feindlichen Reitern entgegenstellte, und hiedurch seinen
Leuten Zeit zum Satteln und Zäumen ihrer Pferde gab.

Im Sommer-Feldzuge 1849 war das ganze Regiment
in der Avant-Garde-Brigade des GM. Benedek beim IV. Armee-
Corps des FML. Baron Wohlgemuth, später Fürst Franz Liechtenstein eingetheilt.

Am 28. Juni in der Schlacht bei Raab bildete das Regi
ment im ersten Treffen den rechten Flügel des Corps, und brach
gegen den offenen Raum zwischen der verschanzten Linie und dem
Flusse Rabnitz vor. Kaum hatte der Feind den Aufmarsch des
IV. Armee-Corps und die Entwicklung der Cavallerie am rechten
Flügel wahrgenommen, als er mit bedeutenden Cavallerie-Massen,
etwa 2 Regimentern, aus dem offenen Raum vor der Wiener-Vor-
stadt hervorbrach, und die rechte Flanke des Corps, besonders
der aufgefahrenen Batterien bedrohte. Aber die raschen Bewegungen, welche der Oberst und Commandant dieses Regiments Baron
Siegenthal mit seinen Chevauxlegers dagegen ausführte, und wodurch er die rechte Flanke der Hussaren zu gewinnen wusste,
hielten sie vom ferneren Vorrücken ab. Mehrere Male wiederholte
sich ihr Versuch, scheiterte aber immer an der festen Haltung
des Regiments, und als auch die schwere Cavallerie-Brigade Bar.
Lederer in Staffeln zur Umgehung der Hussaren in Bewegung
gesetzt wurde, zog sich die feindliche Reiterei, ohne ein ernstes
Gefecht angenommen zu haben, innerhalb der Verschanzungen
zurück. Während die Infanterie der Brigade Benedek die innere
Stadt Raab besetzte, rückten 2 Divisionen des Regiments mit ihrer
Cavallerie-Batterie auf dem Wege nach Szent Ivány vor und
machten viele Gefangene. Das ganze IV. Armee-Corps mit Ausnahme der Infanterie-Brigade Benedek, besetzte noch am Abend
des 28. die Höhe von Szabadhegy.

In der Schlacht bei Komorn am 2. Juli wurde Nachmittags die Brigade Benedek in O'Szöny mit bedeutender Uebermacht angegriffen. Das Dorf selbst besetzte GM. Benedek mit

11 Infanterie-Compagnien, den Rest der Brigade hatte er links ausserhalb desselben aufgestellt. Gegen Abend zog sich GM. Benedek über erhaltenen Befehl fechtend und in schönster Ordnung gegen Mocsa zurück, wo das IV. Armee-Corps lagerte. Oberst Eduard Baron Bersina v. Siegenthal, Oberstlieutenant Gustav Bar. Lauingen, die Majors Erwin Graf Neipperg, Mathias Graf Montmorency, die Oberlieutenants Theodor Schmidt und Carl Gelan und Lieutenant Eduard von Müllenau erhielten für ihr tapferes Benehmen bei Raab und Komorn am 28. Juni und 2. Juli die Allerhöchste Zufriedenheit.

In der zweiten Schlacht bei Komorn am 11. Juli wurden 4 Escadrons des Regiments der zwischen Harkaly und Csem in Schlachtordnung formirten Grenadier-Division Herzinger zugewiesen, während die übrigen 4 bei der hinter Puszta-Harkaly in Reserve gestellten Brigade Benedek verblieben. Auf diesen letzten Punkt richtete sich im Verlaufe der Schlacht das conzentrische Feuer von 4 bis 5 feindlichen Batterien mit ausserordentlicher Heftigkeit. Die tapfern Truppen dieser Brigade, beseelt durch den bekannten Heldenmuth ihres Führers, wichen während mehrerer Stunden des mörderischen Geschützkampfes nicht, und imponirten durch diese kaltblütige Ruhe derart dem Feind, dass er zu keinem Angriffe zu schreiten wagte. Die am rechten Flügel der Division Herzinger verwendeten 4 Escadrons des Regiments hatten alle rechts von Csem in zerstreuter Ordnung vorbrechenden feindlichen Cavallerie-Abtheilungen in Schach gehalten, bis die Grenadier-Division Herzinger selbst entschieden zum Angriff vorging, und dem weichenden Feinde am Fusse nachrückte. Das Regiment hatte an diesem Tage einigen Verlust an Todten und Verwundeten erlitten, unter den erstern befand sich der Rittmeister Carl von Künstlern.

Das Regiment, bei der weitern Vorrückung stets in der Avant-Garde-Brigade Benedek, hatte im Verlaufe des Monats Juli Theil an der Besetzung Szolnoks, und wurde abtheilungsweise zu Streifungen gegen Czibakhaza-Alpar und Csongrád verwendet.

In der Schlacht von Szöreg am 5. August übernahm Oberst Baron Siegenthal des Regiments, nach Verwundung des tapfern GM. Benedek, das Commando dieser Brigade. Als gegen Ende der Schlacht 6 feindliche Hussaren-Escadrons vor Szöreg noch Stand hielten und die weitere Vorrückung des IV. Armee-Corps jenseits des Dammes aufzuhalten trachteten, — übersetzte eine Division des Regiments rasch den Damm und brach unter Mitwirkung der durch Major Weber des Generalstabs vom äussersten linken Flügel eiligst herbeigebrachten Cavallerie-Batterie Nr. 20 bald auch diesen letzten geringen Widerstand der Insurgenten. Das Regiment wurde nach der Schlacht gegen Desyk auf dem Wege nach Zombor vorgeschoben, bis welch' letzteren Orte es am 6. vorrückte.

Am 9. August in der Schlacht bei Temesvar stand das
IV. Armee-Corps bei Hodony, seine Avantgarde, bei welcher
das Regiment bis auf die Arader Strasse bei Mersidorf vorgeschoben, um die allenfalls von Temesvar gegen Arad abziehen-
den feindlichen Truppen und Transporte anzugreifen und abzu-
fangen. Rittmeister Moriz von Medvey des Regiments, welcher
ein Streif-Commando führte, stiess bei Orczidorf auf eine von
Insurgenten-Abtheilungen begleitete Geschütz- und Bagage-Co-
lonne, jagte die Bedeckung auseinander, nahm zwei Stück 24-
pfündige, zwei Stück 18-pfündige Kanonen, 260 Bagagewägen
in Besitz, mehrere Insurgenten-Offiziere, dann 280 Mann und 82
Pferde gefangen. Das Regiment in der Brigade seines Obersten
war bei Mersidorf auf eine zwei Bataillons und 4 Escadrons starke Insurgenten-Abtheilung gestossen, welche aber mit
einigen Kanonenschüssen in der Richtung gegen Temesvar zurückgeworfen, und von den Chevauxlegers verfolgt wurde. Nun
wurde aber die Brigade Siegenthal von der Verfolgung des
Feindes zurückbeordert über Szent András zur Ueberschreitung
des Nyaradbaches östlich vom genannten Orte im Rücken der
feindlichen Stellung disponirt und, nachdem diess auf der Arader Chaussé-Brücke geschehen, wandte sich selbe links zur Umgehung des sogenannten Jagdwaldes bei Temesvar und zur Ab-
schneidung der Verbindungen gegen Arad. — Diese Brigade bezog nach der Schlacht ihr Lager bei Kovácsi nächst der Arader Chaussé, nachdem sie längst dem Jagdwald und gegen
Gyarmatha gestreift und abermals viele Gefangene eingebracht
hatte. — In der weiteren Verfolgung des flüchtigen Feindes
rückte das IV. Armee-Corps bis Facset, während ein Theil der
Brigade Siegenthal, bestehend aus 6 Escadrons des Regiments,
einem Infanterie-Bataillon und einer Batterie von Rakitta aus
nach Birkis in das Maroschthal entsendet wurde, um das Corps
des Insurgentenführers Graf Vecsey aufzusuchen und zu verfolgen. Als die Avantgarde dieser Colonne auf den Anhöhen von
Birkis ankam, entdeckte man die Colonnen des feindlichen Corps,
welches bei Soborsin die Marosch überschritten hatte, und sich
über Tót-Varád längs dem Flusse hinzog. Major Graf Neipperg
des Regiments eilte mit der Avantgarde bis an den Fluss gegenüber von Tót-Varad vor, konnte zwar die am andern Ufer
mehr als eine Stunde weit fortgeeilte feindliche Colonne nicht
mehr erreichen, zwang jedoch durch einige Kanonenschüsse ihren
ganzen Bagagetrain zum Halten. Rittmeister Baron Gousau setzte
mit einem Zug seiner Escadron über die Marosch, schnitt die Wa-
gen-Colonne ab, nahm eine Escadron Hussaren gefangen und
den ganzen Train von 2000 Wagen in Beschlag. Am 18. August
entsendete Major Graf Neipperg den Rittmeister von Medvey mit
seiner Escadron über Tót-Várad auf der Strasse von Villagos
vor, um die Spur des Feindes zu verfolgen. Da in Erfahrung gebracht wurde, dass Vecséy sich in das Gebirge gewendet und über

Baja und Szlatina seinen Zug genommen, so schlug Rittmeister Medvey die gleiche Richtung ein. Der schlechte Weg und die finstere Nacht zwangen ihn, in Baja zu rasten, in dessen Nähe er 5 Stück zwölfpfündige Geschütze und 2 Munitionswagen, theils zerbrochen, theils in Koth stecken geblieben, vorfand. Am 19. mit Tagesanbruch setzte Rittmeister Medvey die Verfolgung über Szlatina bis auf den Gebirgskamm fort, und fand zum Theil in die tiefen Schluchten hinabgeworfen sämmtliches Geschütz ohne Bespannung, welches Vecsey zu retten versucht hatte. Viele Hussaren und Honveds, welche umherlagerten, streckten freiwillig die Waffen. 71 Geschütze verschiedenen Kalibers, dann 62 Munitionswägen und andere Fuhrwerke fielen auf diese Art in die Hände der Chevauxlegers. Die Zahl der auf diesem Zuge gemachten Gefangenen belief sich auf 1200. Mit diesem glücklichen Streifzuge des Rittmeisters v. Medvey schliesst die Kriegsthätigkeit des Regiments in diesem Feldzuge.

Für ihr tapferes und umsichtiges Benehmen vor dem Feinde wurden nun folgende Offiziere des Regiments decorirt: Mit der eisernen Krone III. Classe: Oberstlieutenant Erwin Graf Neipperg und die beiden Rittmeister Moriz von Medvey und Amand Graf Merveld.

Mit dem Militär-Verdienstkreuze: Der inzwischen zum General-Major avancirte Oberst Eduard Baron Bersina von Siegenthal, Oberst Gustav Baron Lauingen, Oberstlieutenant Erwin Graf Neipperg, die Majors Mathias Graf Montmorency und Eduard Baron Geusau, die Rittmeister Andreas Gottesmann, Heinrich Graf Caboga, Theodor Schmidt, die Oberlieutenants Carl von Gelan, Julius Graf Attems und Eduard von Müllenau. Es erhielten noch ferner Rittmeister Graf Caboga und Oberlieutenant Graf Attems den kaiserl. russischen Wladimir-Orden IV. Classe mit der Schleife, Rittmeister Leopold von Lingg, welcher dem Generalstabe des k. russischen General-Lieutenants von Lüders in Siebenbürgen zugetheilt war, den k. russ. Annen-Orden III. Classe mit der Schleife, mit welchem auch Lieutenant Adolf Kees betheilt wurde.

Das Regiment bezog nun die Stabs-Station Raab in Ungarn, welche es 1850 mit jener von Körmend und später mit Pecsvár verwechselte. Im November 1850 rückte es zu der in Böhmen aufgestellten Armee mit dem Stabe nach Melnik, von wo es im Februar 1851 wieder nach Ungarn in die Stabsstation Kecskemet marschirte.

Mit Allerhöchstem Befehlschreiben vom 6. Mai 1851 wurde das Regiment zum 7. Uhlanen-Regiment mit dunkelgrünen Czapken und weissen Knöpfen übersetzt.

Im September 1852 machte das Regiment in der Division des FML. Baron Ottinger, Brigade des GM. Baron Minutillo die Uebungen des Lagers bei Pest mit, von wo es die Stabsstation Fünfkirchen bezog. — Im Jänner 1853 rückte das

Regiment nach Croatien, wo es an der Grenze bei Warasdin und später in Agram bis zur Schlichtung der montenegrinischen Angelegenheiten verblieb, und im Monate März jenes Jahres seine frühere Station wieder bezog. Im Frühjahre 1854 rückte das Regiment über Siebenbürgen mit dem österreichischen Occupations-Corps in die Donau-Fürstenthümer, wurde in die Moldau nach Jassy bestimmt, von wo es 1856 nach Bukarest abrückte. Anfangs 1857 trat das Regiment mit den übrigen Truppen des Occupations-Corps seinen Rückmarsch in die k. Erbstaaten an und erhielt die Friedensstation Zolkiew in Galizien, wo es am 5. September 1858 auf solenne Weise das Fest seines so ruhmvollen hundertjährigen Bestandes unter seinen hochverehrten Oberten Fürsten Emerich Thurn und Taxis feierte. Bei dieser Gelegenheit erhielt das Regiment von Ihrer Majestät der Kaiserin-Witwe Karoline Auguste, Ihrer k. k. Hoheit der Frau Erzherzogin Margaretha, Gemalin des durchlauchtigsten Herrn Regiments-Inhabers, wie auch von Ihrer k. Hoheit der Herzogin von Berry, und der Fürstin Thurn-Taxis, gebornen Fürstin Oettingen-Spielberg prachtvolle Standartbänder. Ein militärisches Caroussel, von Offizieren des Regiments geritten, wie auch ein im Regimente alljährlich übliches Wettrennen beendeten würdig jene erhebende militärische Feier.

Im Mai 1859 erhielt das Regiment seine Bestimmung zu dem in Böhmen und Mähren unter Commando Sr. k. k. Hoheit des FML. Erzherzogs Ernst gebildeten II. Cavallerie-Corps, wohin es über West-Galizien und Mähren abrückte, und in der Gegend von Kollin mit dem Stabe daselbst dislozirt wurde.

Nach der in Folge des Präliminarfriedens von Villafranca anbefohlenen Auflösung des II. Cavallerie-Corps wurde das Regiment in seine gegenwärtige Friedensstation Mediasch in Siebenbürgen beordert, wo es im März 1860 seine 4. Division theils aufgelöst, theils einige Unter-Offiziere, Mannschaft und Pferde an das neu zu errichtende Freiwilligen-Uhlanen-Regiment abgegeben hatte.

Maria-Theresien-Ordens-Ritter.

1762 Oberst Joseph Graf Kinsky (siehe Inhaber bei Uhlanen Nr. 9).
1763 Oberstlieutenant Carl von Sauer, als FML, † zu Tyrnau am 13. Nov. 1800.
1796 Major Emanuel von Schustekh (siehe Inhaber bei Cürassier Nr. 9).
1806 Rittmeister Joseph von Hillmer, † zu Wien am 14. Mai 1826.
1809 Rittmeister Peter Chevalier Martyn, als Oberstlieutenant, † zu Arad am 21. Mai 1827.
1810 Oberstlieutenant Joseph Altmann, † zu Unterrain bei Botzen, am 14 April 1831.

Inhaber.

1758 G. d. C. Christian Philipp Fürst zu Löwenstein-Wertheim, MTO-GK.
1781 G. d. C. Carl Graf Richecourt, † 1789.
1789 FML. Andreas Baron Karaczay, MTO-Cdr., 1801 2. Inhaber bei EH. Ferdinand-Dragoner Nr. 2 (1801 reduzirt).

174

1801 FM. Friedrich Anton Prinz zu Hohenzollern-Hechingen, MTO-Cdr., Capitän der
ersten Arcieren-Leibgarde, † zu Wien am 5. April 1844.
1844 FML. Friedrich Anton Prinz zu Hohenzollern-Hechingen, † zu Pystian in
Ungarn im Dezember 1847.
1848 Se. k. k. Hoheit FML. Erzherzog Carl Ludwig.

Zweite Inhaber.

1848 G. d C. Peter Leopold Graf Spannochi.

Oberste.

1758 Jakob Marquis de Choiseul-Stainville, Regts.-Comdt., 1759 GM. trat 1760 in
französische Dienste.
1759 Carl Baron Voith, Regts.-Comdt., 1763 pensionirt.
1759 Joseph Graf Kinsky, 2. Oberst, 1762 MTO-R. und Oberst bei Würtemberg-
Dragoner (jetzt Cürassier Nr. 11).
1763 Carl Baron Sauer, MTO-R., Regts.-Comdt. 1773 GM.
1773 Joseph Graf Fekete de Galantha, Regts.-Comdt., 1779 GM.
1779 Joseph Graf Kolonitz, Regts.-Comdt, 1789 GM.
1789 Achaz Bettenegg, Regts.-Comdt., 1791 GM.
1791 Johann Lajos, Regts.-Comdt., 1792 pensionirt.
1792 Anton Baron Elsnitz, Regts.-Comdt., 1796 GM.
1796 Maximilian Graf Mervold, Regts.-Comdt., MTO-R. 1796 GM.
1796 Joseph Graf Nimptsch, Regts.-Comdt., 1800 GM.
1800 Carl von Provencheres, Regts.-Comdt., 1806 GM.
1806 Leopold Baron Ludwigsdorf, Regts.-Comdt., 1809 pensionirt mit GM.-Charakter.
1807 Theophil von Zechmeister, 2. Oberst, 1809 Regts.-Comdt, 1810 GM.
1809 Franz von Müller, beim Hofkriegsrathe, † zu Wien am 19. April 1821.
1810 Mathias Loederer, Regts.-Comdt. 1814 pensionirt mit GM.-Charakter.
1813 Carl Baron Scheibler, MTO-R., supernumerär, 1815 transferirt zu Chev.-Leg.
Nr. 1. (Uhlanen Nr. 6).
1814 Peter Baron Gasser, MTO-R., supernumerär, 1815 transferirt zu Chev.-Leg.
Nr. 6 (Uhlanen Nr. 10).
1815 Franz Baron Fichtel, MTO-R., Regts.-Comdt., 1828 GM.
1828 Philipp Baron Bechtold, Regts.-Comdt., 1833 GM.
1833 Hannibal Fürst Thurn-Taxis, Regts.-Comdt., 1840 GM.
1839 Carl Baron Strachwitz, supernumärer, 1840 pensionirt.
1840 Franz Holtsche, Regts.-Comdt., 1848 GM.
1845 Valentin Veigl v. Kriegslohn, Commandant der Central-Equitation zu Salzburg,
1849 GM.
1848 Eduard Baron Bersina v. Siegenthal, Regts.-Comdt., 1849 GM.
1849 Gustav Baron Lauingen, Regts.-Comdt., 1853 GM.
1850 Theophil Graf Coudenhove, 2. Oberst, 1850 pensionirt.
1852 Eugen Graf Wrbna-Freudenthal, 2 Oberst, 1852 transferirt zu Uhlanen Nr. 10.
1852 Maximil. v. Krapf, 2. Oberst, 1853 Regts.-Comdt. 1854 Stadt-Comdt. zu Eger.
1854 Emerich Fürst zu Thurn-Taxis, Regts.-Comdt., 1859 GM.
1859 Rudolf Baron Berlichingen, Regts.-Comdt.

Oberstlieutenants.

1758 Johann Joseph Fürst zu Liechtenstein später Oberst bei Bucow-Cürassier (jetzt
reducirt).
1759 Carl Baron Voith, 1759 Oberst.
1759 Joseph Graf Kinsky, aggregirt, 1759 2. Oberst.
1760 Carl Sauer, 1763 Oberst.
1761 Baron Plettenberg, aggregirt.

1785 bis 1790 unbekannt.
1790 N. Rottmann, 1792 pensionirt.
1792 Joseph Graf Nimptsch, 1795 transferirt zum 2. Carabinier-Regiment (Cürassier Nr. 1).
1794 N. Ambschel, 1795 transferirt zu Coburg-Dragoner (1801 reduzirt).
1795 Wilhelmi v. Willenstein, 1796 Oberst bei Cürassier Nr. 2.
1796 Emanuel Baron Schustekh, MTO-R., 1797 Oberst bei Hussaren Nr. 8.
1796 Carl von Provencheres, 1800 Oberst.
1800 Leopold Baron Ludwigsdorf, 1806 Oberst.
1800 Carl Graf Raigecourt, 1807 Oberst bei Chev.-Leg. Nr. 1 (Uhlanen Nr. 6.)
1806 Theophil Zechmeister, MTO-R., 1807 Oberst.
1807 Mathias Löderer, 1810 Oberst.
1807 Ludwig Graf Fiquelmont, 1809 Oberst bei Chev.-Leg- Nr. 4 (Dragoner Nr. 2).
1810 Adam Baron Walterskirchen, † am 21. April zu Wien 1813.
1813 Peter Baron Gasser, MTO-R., 1814 Oberst.
1815 Raimund Graf Thurn, 1819 pensionirt mit Oberst-Charakter.
1820 Ignaz Thum, 1826 transferirt zu Cürassier Nr. 3.
1826 Philipp Baron Bechtold, 1828 Oberst.
1828 Johann Portenschlag von Ledermayer, 1832 Oberst bei Cürassier Nr. 5.
1832 Wenzel Baron Rochepine, 1833 pensionirt.
1833 Johann Graf Breuner, 1837 Oberst bei Hussaren Nr. 6.
1837 Adolf Prinz zu Schwarzburg-Budolstadt, 1838 transferirt zu Chev. Leg. Nr. 7 (Uhlanen Nr. 11).
1838 Carl Baron Eckarth, 1840 pensionirt.
1840 Friedrich von Brodorotti, Inhabers-Adjutant, 1845 pensionirt, nachträglich mit Oberst-Charakter.
1840 Ludwig Graf Sommery, 1848 quittirt mit Oberst-Charakter.
1848 Gustav Baron Laulngen, 1849 Oberst.
1849 Erwin Graf Neipperg, 1850 Oberst bei Dragoner Nr. 2.
1850 Leopold Graf Stürgkh, 1852 Oberst bei Uhlanen Nr. 4.
1852 Emerich Fürst Thurn-Taxis, 1854 Oberst.
1853 Moriz v. Medvey, supernumerär, 1854 pensionirt.
1854 Gustav Fürst zu Oettingen-Spielberg, 1859 pensionirt.
1859 Rudolf Baron Berlichingen, 1859 Oberst.
1859 Ludwig Fürst zu Windisch-Grätz.

Majors.

1758 Carl Baron Voith, 1759 Oberstlieutenant.
1758 Carl Sauer, 1760 Oberstlieutenant.
1759 Baron Plettenberg, 1761 Oberstlieutenant.
1760 Baron Berlichingen.
1760—1778 unbekannt.
1778 Stegner, 1780 abgängig.
1786 Rottmann, 1790 Oberstlieutenant.
1790 N. Birago, 1792 pensionirt.
1791 Ambschel, 1794 Oberstlieutenant.
1794 Szlinsky, 1795 pensionirt.
1794 Emanuel Baron Schustekh, MTO-R., 1796 Oberstlieutenant.
1796 Ludwig Graf Wallmoden-Gimborn, 1798 Oberstlieutenant bei Uhlanen Nr. 1.
1797 Leopold Baron Ludwigsdorf, 1800 Oberstlieutenant.
1800 N. Franzeschini, † vor dem Feinde am 25. Dezbr. 1800 in der Schlacht am Mincio.
1800 Leopold Baron Rothkirch, 1801 transferirt zu Chev.-Leg. Nr. 1 (Uhlanen Nr. 6).
1801 Carl Graf Raigecourt, 1806 Oberstlieutenant.
1801 Theophil Zechmeister, MTO-R., 1806 Oberstlieutenant.
1803 Mathias Löderer, 1807 Oberstlieutenant.
1806 Adam Baron Walterskirchen, 1810 Oberstlieutenant.
1806 Ludwig Graf Fiquelmont, 1807 Oberstlieutenant.
1807 Anton Lachowski, † zu Gross-Kanischa am 14. Dezbr. 1809.

1809 Nikolaus Henrion, 1810 pensionirt.
1809 Peter Baron Gasser, MTO-R., 1813 Oberstlieutenant.
1810 Franz von Kilment, 1811 transferirt zu Chev.-Leg. Nr. 3 (Uhlanen Nr. 8).
1813 Johann Portenschlag von Ledermayer, 1828 Oberstlieutenant.
1814 Anton Graf Meraviglia, 1810 transferirt zu Chev.-Leg. Nr. 1 (Uhlanen Nr. 8).
1814 Heinrich Chevalier de Mikulits, 1815 pensionirt.
1815 Joseph Bottard, 1816 pensionirt.
1816 Carl Diller v. Bildstein, 1823 pensionirt.
1823 Carl Dunst von Adelsheim, 1828 pensionirt.
1828 Wenzel Baron Roehepine, 1832 Oberstlieutenant.
1828 Fürst Friedrich zu Schwarzenberg, 1830 beurlaubt, 1833 quittirt mit Oberst-
     lieutenants-Charakter.
1830 Johann Graf Breuner, 1833 Oberstlieutenant.
1832 Johann Ritter von Sonnenstein, 1837 pensionirt.
1833 Ludwig Graf Dessewffy, 1835 pensionirt.
1835 Franz Holtscho, 1839 Oberstlieutenant bei Dragoner Nr. 4.
1825 Friedrich von Brodorotti, Inhabers-Adjutant, 1840 Oberstlieutenant.
1837 Ludwig Graf Sommery, 1840 Oberstlieutenant.
1839 Franz von Pauli, † zu Leipnik am 11. August 1844.
1840 Camillo Graf Nimptsch, 1844 pensionirt.
1841 Arthur Graf Segur, 1848 Oberstlieutenant bei Cürassier Nr. 1.
1844 Franz Hoffer, 1847 pensionirt.
1844 Gustav Baron Leuingen, 1848 Oberstlieutenant.
1847 Erwin Graf Neipperg, 1849 Oberstlieutenant.
1848 Leopold Graf Stürgkh, supernumerär, 1850 Oberstlieutenant..
1848 Mathias Graf Montmorency-Marisco, 1852 pensionirt mit Oberstlieutenants-
     Charakter.
1849 Eduard Baron Geusau, 1852 pensionirt.
1849 Moriz von Medvey, 1853 Oberstlieutenant.
1850 Hugo Fürst zu Windisch-Grätz, 1852 transferirt zu Dragoner Nr. 4.
1852 Leo Bar. Miltitz, 1854 pensionirt, 1857 quittirt, Hofmarschall Sr. k. Hoheit des
     Herzogs von Nassau.
1852 Franz von Kostyan, 1854 Oberstlieutenant bei Uhlanen Nr. 3.
1853 Carl Rachovin von Rosenstern, 1854 pensionirt.
1854 Leopold Lingg v. Lingyenfeld, 1858 pensionirt.
1854 Günther Graf Stolberg-Stolberg, 1855 transferirt zu Uhlanen Nr. 5.
1855 Rudolf Baron Berliohingen, Vice-Equitations-Commandant zu Wien, 1857 beim
     Regimente in die Wirklichkeit, 1859 Oberstlieutenant.
1855 Alexander Graf Thurn-Valsassina, † zu Gratz am 24. September 1858.
1855 Leop. Fischer, 1857 Vice-Equitations-Comdt., 1858 Oberstl. bei Uhlanen Nr. 4.
1858 Ludwig Baron Hügel, 1858 transferirt zu Uhlanen Nr. 10.
1858 Ludwig Fürst zu Windisch-Grätz, 1859 Oberstlieutenant.
1858 Wilhelm Bannitza.
1859 Carl Gelan.
1859 Julius Cäsar Graf Attems, 1861 transferirt zu Uhlanen Nr. 5.
1859 Maxm. Ritter v. Rodakowski, 1860 transf. zum freiwilligen Uhlanen-Regiment.

Uniformirung des Regiments.

Dunkelgrüne Czapka, Uhlanka und Pantalons, scharlachrothe
Aufschläge, weisse Knöpfe.

Uhlanen-Regiment Nr. 8, Erzh. Ferdinand Maximilian *).

Diess Regiment wurde laut der mit Sr. Majestät Kaiser Carl VI.
den 29. Jänner 1718 abgeschlossenen Convention zu Anspach

---

*) Diese historische Skizze bildet den kurzen Auszug der von mir verfassten, Wien,
aus der k. k. Hof- und Staatsdruckerei 1860 erschienenen Geschichte dieses Regiments.

Anmerkung des Verfassers.

von dem Markgrafen Friedrich Wilhelm von Brandenburg Anspach als Dragoner-Regiment auf eigene Kosten errichtet. Der erste Aufstellungsplatz des Regiments war Donauwörth in Baiern, jedoch schon im Mai 1718 erhielt es den Befehl im Mailändischen Gebiete seine Standquartiere zu beziehen. Die Adjustirung bestand in scharlachrothen Röcken mit lichtblauen Auf- und Umschlägen.

Ende Juli 1718 rückte das Regiment nach Neapel ab, und betrat bei Abruzzo am 2. September d. J. den neapolitanischen Boden, wo 8 Compagnien nach Sta. Maria die Capua, 5 inclusive der Grenadier-Compagnie nach Aversa dislozirt wurden. Während des nun ausgebrochenen Krieges gegen Spanien wurden mit dem kaiserlichen Heere des FM. Grafen Mercy am 27. Mai 1719. 838 Dragoner mit 877 Pferden des Regiments nach der Insel Sicilien überschifft, und wirkten am 20. Juli 1719 in der ungünstigen Schlacht von Francavilla mit. Im folgenden Jahre wurde das Regiment aus Sicilien gezogen, 1720, und erhielt seine Standquartiere im Neapolitanischen, von wo es erst 1728 nach Ober-Italien zurückmarschirte, und theils im Mantuanischen, theils im Mailändischen Gebiete bequartirt wurde.

Im Feldzuge gegen Frankreich, Spanien und Sardinien stand das Regiment 1733 unter den Befehlen des FM. Grafen Mercy, war am 29. Juni 1734 in der Schlacht bei Parma, am 15. September beim Ueberfalle des FM. Grafen Königsegg auf das Lager von Guistello, und am 19. j. M. in der Schlacht bei Guastalla. 1735 war das Regiment seines schwachen Standes wegen in die vom FML. Prinzen Sachsen-Hildburghausen befehligte Reserve eingetheilt, und erhielt nach dem Wiener Frieden im selben Jahre seine Standquartiere in der Lombardie, wo es während der Türkenkriege 1736—1739 verblieb. —

Im November 1741 erhielt das Regiment den Befehl durch das Etsch- und Pusterthal über Judenburg und Admont nach Oberösterreich zu dem gegen die Baiern und Franzosen aufgestellten Corps des FM. Grafen Khevenhüller zu stossen. Am 30. Dezember d. J. vereinigte es sich zu Waidhofen an der Ybbs mit diesem, und machte die Winter-Expedition 1742 in diesem Lande mit. Im September j. J. stand das Regiment in der Brigade Kalkreuter am äussersten rechten Flügel des 2. Treffens der in Oberösterreich und Baiern operirenden Armee des FM. Grafen Khevenhüller, und bezog zwischen Ried und Mansee im Innviertel die Winterquartiere.

Im Mai 1743 stand das Regiment bei dem in der Gegend von Altheim stehenden Corps, welches die Stadt Braunau am Inn zu beobachten hatte, dieses Corps vom G d. C. Grafen Hohenembs befehligt, rückte Mitte Mai gegen Braunau vor, um den Franzosen den Uebergang über den Inn zu wehren. Das Regiment bezog bei Neumarkt im Salzburgischen eine Cantonirung. Im Herbste d. J. erhielt dasselbe seine Bestimmung zu

12

Armee des Prinzen Carl von Lothringen am Ober-Rhein, und rückte über Donauwörth in die Oberpfalz, bezog aber im October in der Gegend von Straubing die Winterquartiere. Am 11. Juli 1744 war das Regiment unter FML. Graf Preising an der Forcirung von Lauterbach betheiligt. Im August rückte es mit dem Heere des Prinzen Carl von Lothringen nach Böhmen, und erhielt im Dezember seine Winterquartiere in Jassena und Umgegend, jedoch im selben Winter wurde es nach Mähren im Hradischer Kreis verlegt.

Im April 1745 rückten die österreichischen Truppen in Oberschlesien ein, und 100 Dragoner des Regiments wirkten im zusammengesetzten Commando des Obersten Baron Buccow eingetheilt, am 27. Mai bei der Ueberrumpelung von Kosel mit. Am 22. d. M. im Gefechte bei Neustadt hatte das Regiment die von der preussischen Reiterei geworfenen Infanterie-Regimenter Esterhaszy (Nr. 37) und Olgiloy (1809 reduzirt) mit vieler Tapferkeit unterstützt, ward aber durch einen Angriff des preussischen Cürassier-Regimentes Gessler getrennt, und erlitt einen Verlust von 5 Mann 7 Pferden an Todten, 21 Mann 18 Pferden an Blessirten, und 6 Mann an Vermissten.

Das Regiment blieb während dieses Feldzuges an der österreichisch-preussisch-schlesischen Grenze, und hatte zahlreiche Streif-Commanden und angestrengten Patrouillen- und Vorposten-Dienst. Am 20. October wurde dasselbe nebst 2 kaiserlichen Hussaren-Regimentern in Hatschein von dem preussischen Wartenbergischen Hussaren-Regimente überfallen, wobei ein Corporal in feindliche Gefangenschaft gerieth, und 21 Dragoner theils verwundet theils vermisst waren. Nach dem am 25. Dezember zu Dresden abgeschlossenen Frieden erhielt das Regiment seine Friedens-Quartiere im Pressburger Comitate in Ungarn.

Im Frühjahre 1746 schon, erhielt das Regiment den Befehl zu der in Ober-Italien gegen die spanisch-sicilianisch und französischen Truppen operirenden Armee des FZM. Grafen Browne zu stossen, wo es im Juni eintraf, und seine Eintheilung am äussersten rechten Flügel des zweiten, vom G. d. C. Baron Linden befehligten Treffens erhielt.

In dieser kämpfte es am 22. Juli an der Trebia, und am 10. August in der Schlacht bei Rotto-Fredo, wo es an dem Fluss Tidone ein heftiges Gefecht bestand, und den Verlust von 2 Mann 5 Pferden an Todten, den Oberstlieutenant Baron Stappel, 4 Mann und 2 Pferde an Verwundeten hatte. Im September erhielt das Regiment seine festen Standquartiere im Mantuanischen Gebiete. 1748 wurde dasselbe nach Mailand, 1749 nach Abbiate-Grasso verlegt, bis es 1753 die Lombardie verliess, und im Pesther und Bacser Comitate in Ungarn dislozirt wurde, von wo es im Juli 1756 in das Lager bei Kittsee abrückte, und aus diesem Anfangs August nach Mähren, wo es seine Eintheilung zum Corps des FZM. Fürsten Piccolomini, welches bei Königgrätz ein Lager bezogen hatte, erhielt. Am 2. October daselbst eingerückt, wurde dasselbe schon im November wieder nach Mähren zurückbeordert, und bezog im Brünner Kreise seine Winterquartiere.

Im zweiten Feldzugs-Jahre des siebenjährigen Krieges 1757 rückte das Regiment Ende März nach Oberschlesien, von wo es im Mai zur Haupt-Armee des FM. Grafen Daun beordert, am 8. in die Nähe von Böhmisch-Brod bei selber eintraf. In dieser war dasselbe 650 Pferde stark am linken Flügel des zweiten Treffens unter dem G. d. C. Grafen Stampach eingetheilt, und nahm rühmlichen Antheil an dem für Oesterreichs Waffen so denkwürdigen Siege bei Planian oder Kolin am 18. Juni. Das Regiment hatte sich an diesem Tage durch Tapferkeit und Bravour besonders hervorgethan, und wurde im Verlaufe der Schlacht mit dem nun längst reduzirten Dragoner-Regimente Jung-Modena von seinem wackern Obersten Grafen O'Donell gegen den Feind geführt; die entschlossenen Attaquen dieser beiden Regimenter sowohl gegen die preussische, bekanntlich ausgezeichnete Infanterie wie auch Reiterei hatten glänzenden Erfolg, aber auch blutige Opfer gekostet. Der Verlust des Regiments bestand: Lieutenant Titz, 7 Mann 19 Pferde an Todten, Oberstlieutenant Graf Pompeati, die Hauptleute Tumlier und von Potz, Lieutenant Heimack und Fähnrich Alexandrini nebst 29 Mann und 80 Pferde an Verwundeten, endlich 2 Offiziere 14 Mann und 29 Pferde an Vermissten. FM. Graf Daun erwähnt desselben in seinem Berichte an die Kaiserin Maria Theresia mit Auszeichnung, und Oberst Graf O'Donell wurde zum General, Oberstlieutenant Graf Pompeati zum Obersten, beide ausser ihrer Rangstour befördert.

Im Juli stand das Regiment zur Beobachtung des Rückzugs der preussischen Armee in der Gegend von Leitmeritz und focht am 7. September im Treffen am Moysberge, wo es mit den sächsischen Chevauxlegers die Flanken der Infanterie deckte, und den kaum nennenswerthen Verlust eines verwundeten Mannes und Pferdes hatte. Am 12. November war das Regiment bei der Eroberung der Festung Schweidnitz durch den G. d. C. Grafen Nadasdy, wie auch an dem Siege des FM. Grafen Daun bei Breslau am 22. j. M. betheiligt. Ebenso war dasselbe in der ungünstigen Schlacht bei Leuthen am 5. Dezember, in welcher vom Regimente die Oberstlieutenants Baron Muffel und von Haake gefangen, Major von Feilitzsch blessirt wurden. Nachdem das Regiment bei den Gefechten und Angriffen von Breslau vom 10. bis 20. Dezember anwesend war, bezog es in Politschka, Ullersdorf und Borowa die Winterquartiere. Sein Total-Verlust in diesem Feldzugsjahre bestand aus 1 Offizier, 3 Unteroffizieren und 48 Drogonern an Todten.

Im Feldzuge 1758 gerieth bei der am 16. April erfolgten Einnahme der auf's Tapferste vertheidigten Festung Schweidnitz, Lieutenant Riechle des Regiments in Kriegsgefan-

12*

genschaft. Das Regiment, inzwischen in das Corps des FML.
De Ville eingetheilt, war in diesem Feldzuge bei der Cernirung
von Neisse verwendet worden, welche vom 4. August bis 6. November dauerte, und erhielt im Dezember seine Winterquartiere
theils in Mähren, theils in Oberschlesien.

Bei Eröffnung des Feldzugs 1759 erhielt das Regiment wieder seine Eintheilung zu der aus Böhmen nach Sachsen vorrückenden Haupt-Armee des FM. Grafen Daun, welcher durch
seine Bewegungen die Vereinigung eines österreichischen Corps
mit den Russen vorzubereiten suchte. Ohne in ein entscheidendes Gefecht verwickelt gewesen zu sein, wurde das Regiment
aus dem Lager bei Bautzen am 16. September zum Armee-Corps
des FML. Baron Loudon beordert, welches in Schlesien die Winterquartiere bezog.

Im Februar 1760 in Folge hofkriegsrechtlichen Rescripts
vom 6. wurde das Regiment mit leichteren Pferden beritten gemacht und auf den Fuss der Chevauxlegers gesetzt.

Am 31. Mai 1760 im Gefechte bei Töpliwoda attaquirten
600 Dragoner des Regiments im Verein mit 300 Hussaren das
feindliche Bataillon des Mosel'schen Infanterie-Regiments, welches
sich aber in einem Quarrée auf das Tapferste vertheidigend, bis
Neisse zurückzog. Das Regiment zählte hiebei 4 verwundete Offiziere und 20 Mann und Pferde theils todt, theils blessirt.

Am 23. Juni rieb FZM. Baron Loudon das preussische Corps
des General Fouquet bei Landshut auf. Die Dragoner des Regiments attaquirten mit Löwenstein-Dragoner (jetzt Uhlanen Nr. 7),
dann den Hussaren-Regimentern Nadasdy (Nr. 9) und Bethlen (Nr. 10) unter General Nauendorf ein feindliches Quarrée,
welches sie theils niederhieben, theils sprengten bei Schmiede-
berg. General Fouquet wurde hiebei vom Obersten Baron Voith
von Löwenstein-Dragonern gefangen. Die beiden Dragoner-Regimenter Löwenstein und Sachsen-Gotha erscheinen in der Relation des FZM. als besonders ausgezeichnet erwähnt. Der Verlust
des Regiments an diesem Tage betrug an Todten: 1 Mann und
5 Pferde, an Verwundeten 8 Mann 14 Pferde.

Am 15. August in der Schlacht bei Liegnitz anwesend,
hatte das Regiment den Lieutenant Meiner von Löwenstein nebst
6 Mann und 6 Pferde verwundet, 4 Mann und 2 Pferde vermisst, 5 Pferde todt.

Im October wurde das Regiment zum Corps des FML.
Wolfersdorf, welches die Gegend von Landshut zu decken
und die feindliche Besatzung von Schweidnitz zu beobachten hatte, beordert, und bezog später in Schlesien seine
Winterquartiere. Die Reserve-Compagnie desselben war während
der Vermählungs-Feierlichkeiten des Erzherzogs Josef mit der
Prinzessin Isabella von Parma zu Wien zur Aufwartung am Allerhöchsten Hoflager commandirt.

Beim Beginn des Feldzuges 1761 war das Regiment wieder unter den Befehlen des FZM. Baron Loudon in Schlesien verwendet. Am 31. Juli auf dem Rückzuge des G. M. Grafen Draskovich nach Jägerndorf gerieth Oberstlieutenant Graf Christallnig mit einem Hauptmann und 70 Dragonern des Regiments in feindlich e Gefangenschaft. Die Winterquartiere bezog das Regiment bei Jägerndorf.

Im Feldzuge 1762 wurde das Regiment beim Corps des General Beck eingetheilt, und kämpfte im Treffen des 16. August bei Peyle oder am Fischerberge, wo es nur 1 Mann und 12 Pferde todt, 3 Pferde verwundet hatte.

Nach dem Hubertsburger Frieden erhielt das Regiment 1763 seine Friedensquartiere in der Lombardie mit dem Regimentsstabe zu Codogno. Im Jahre 1768 gab es seine Grenadier-Compagnie zur Errichtung des 2. Carabinier-Regiments Graf Altbann (jetzt Cürassier Nr. 1) ab, und erhielt 1769 die Nummer 37 unter den übrigen Cavallerie-Regimentern; 1770 überraschte das Regiment eine neue Uniformirung, nämlich weisse Collets mit lichtblauen Aufschlägen, blaue Westen (bei den Offizieren mit silbernen Einfassungsborden), gelblederne Beinkleider, weisse Knöpfe.

1773 wurde das Regiment im Stuhlweissenburger und Tolnaer Comitate in Ungarn dislozirt, von wo es Anfangs Jänner 1778 bei Ausbruch des bairischen Erbfolge-Krieges mit Preussen mit 2 Divisionen in den Klattauer Kreis nach Böhmen abrückte, eine aber zu dem zur Besetzung Baierns bestimmten Corps des FML. Baron Langlois beordert wurde, bis Straubing marschirte und von da über Cham nach Fürth zum Regimente im Februar 1778 wieder einrückte.

Das Regiment erhielt seine Eintheilung zu der von Sr. Majestät Kaiser Josef II. befehligten Haupt-Armee in Böhmen und zwar auf dem vom G. d. C. Baron Voghera commandirten äussersten rechten Flügel des zweiten Treffons. — Anfangs April wurde eine Division in der Gegend von Lobositz dem Commando des Infanterie - Obersten von Weinberg zugewiesen, welche mehrere kleinere Cavallerieposten auf der Strasse nach Aussig längs der Elbe auszustellen, und bis Aussig, Milleschau und Linay zu patrouilliren hatte. Die andern 2 Divisionen standen in der Gegend von Gitschin, jedoch wurde Ende April das ganze Regiment zu dem Corps des G. d. C. Fürsten Liechtenstein eingetheilt, welches bei Leitmeritz Cantonirungen bezogen hatte; im August aber stand das Regiment bei der Armee des FM. Loudon in der Gegend von Brandeis. So hatte das Regiment in diesem Jahre wiederholt veränderte Eintheilungen, vielfache Märsche und Bewegungen, ohne dass es zu einem Gefechte gekommen wäre. Im October wurde dasselbe zum 2. Vorposten-Cordon des FML. Josef Graf Kinsky eingetheilt und zwischen Brüx und Postelberg cantonirt. Bei dem am 5. Februar

erfolgten Einbruche des preussischen General-Lieutenants von
Möllendorf mit einem starken feindlichen Corps aus Sachsen, stand Oberstlieutenant Graf Auersperg des Regiments zwischen Brüx und Jonsdorf zur Unterstützung der äussersten Vorposten mit seiner Division aufgestellt. Der Andrang der feindlichen Uebermacht war heftig, die österreichischen Vorposten
wurden geworfen, die Division bis Brüx zurückgedrängt, wo sie
noch länger energischen Widerstand leistete, und durch die mittlerweile aus der Gegend von Postelberg herangerückten 2 andern
Divisionen verstärkt in der offenen Gegend zwischen Brüx und
dem Dorfe Dehlen den Rückmarsch des Infanterie-Regiments
Fürst Ulrich Kinsky (jetzt Nr. 36) mit ausgezeichneter Tapferkeit in kleine Trupps vertheilt, durch wiederholte Attaquen gegen die ungestümen Angriffe der feindlichen Reiterei deckte.
Hinter Dehlen gab der Feind die Verfolgung auf und trat am
6. Februar seinen Rückmarsch an. In diesen Gefechten hatte das
Regiment den Rittmeister Henetzel, 4 Dragoner und 4 Pferde
als todt zu beklagen. Lieutenant Brühl mit 85 Mann und 71
Pferden, ebenso 18 im Spitale zu Brüx befindliche kranke Dragoner und 9 marode Pferde geriethen sämmtlich in feindliche Gefangenschaft. — Die Relation des FML. Graf Kinsky sagt: „Der
„Oberstlieutenant Graf Auersperg habe mit seiner Division allen
„nur möglichen, einer Truppe angemessenen Widerstand gelei-
„stet, mit so vieler Tapferkeit als Vorsicht, und ist die beson-
„dere Aufmerksamkeit und in diesem Augenblick wirksame Ein-
„sicht des Obersten Graf Berchtold und Major Kepner, als des
„ganzen Lobkowitz'schen Regiments nicht genugsam zu loben."
     Das Regiment blieb nun bis zum Friedensabschluss zu Te-
schen (am 10. Mai) in der Umgegend von Postelberg, und rückte
im Monate Juni 1779 zur Aufwartung in die Residenzstadt Wien,
wo es nunmehr definitiv zum Chevauxlegers-Regimente
übersetzt wurde, die Nummer 28 erhielt, ohne jedoch seine
Uniformirung abzuändern. 1781 rückte das Regiment nach Ost-Galizien, wo es die Stabsstation Zolkiew bezog, 1787 erhielt es von dem
aufgelösten Uhlanen-Corps eine Escadron mit dem Befehle, eine zweite
zu errichten, welche Uhlanen-Division nun die zweite Majors-Division des Regiments formirte, weisse Kurtka und Leibeln mit Klappen
und Aufschlägen von der blauen Egalisirungsfarbe des Regiments,
jedoch nach polnischem Schnitt, und blauen ungarischen Beinkleidern
erhielt. Die Mannschaft gelbe, die Offiziere weisse Czapka.
     Am 25. September 1787 wurde das Regiment zu der in
Ungarn sich concentrirenden Armee beordert, und rückte demzu-
folge am 2. November in die ihm zugewiesene Cantonirungsstation Kecskemet ein, bezog aber noch am 19. d. M. seine
Winterquartiere in Miskolcz und Umgegend.
     Am 9. Februar 1788 erklärte Oesterreich der Pforte den
Krieg, und den 26. März rückte das Regiment auf den Kriegsschauplatz, und stand nach der Ordre de bataille vom 3. April j. J.

am äussersten linkon Flügel des zweiten Treffens, in der Brigade
des GM. Graf Harrach zu Zombor-Kernjnya Csonoplia und Stani-
schitz cantonirt. Die Uhlanen-Division des Regiments rückto aber
am 15. in das Lager bei Alt- und Neubanovce. —
Am 20. traf das Regiment bei der Armee in Syrmien ein,
und am selben Tage ward die Uhlanen-Division in's Lager bei
Beschania zur Deckung des dortigen Dammes beordert. Am 22.
griffen die Türken die Vorposten am Beschanier-Damm an. Eine
halbe Uhlanen-Escadron des Regiments mit einer eben solchen
des Regimentes Kinsky (jetzt Uhlanen Nr. 9) versuchten unter
Major Baron Bolza des Regiments eine Attaque, allein da die
Türken aus den vorliegenden Gestrüppen ein heftiges Kleingewehrfeuer eröffneten, und überdiess die dort aufgestellte kaiserliche Infanterie zurückgedrängt wurde, mussten die Uhlanen
Anfangs weichen, sammelten sich aber bald wieder, und unternahmen mit herzhafter Bravour einen zweiten Angriff gegen die
mit wildem Allahruf anstürmenden Musclmänner, deren eine beträchtliche Anzahl von ihnen niedergemacht wurde. Die halbe
Uhlanon-Escadron des Regiments hatte 7 Mann 10 Pferde todt,
8 Mann 22 Pferde blessirt.

Bei einem Ausfalle der Türken aus Belgrad setzten etliche
1000 Spahis auf Plätten über die Save, und rückten gegen das
zwischen Semlin und Beschania ausgerückte Corps des FML.
Baron Gemmingen. Zwei Divisionen österreichischer Cürassiere,
die sich ihnen entgegenwarfen, mussten weichen. Da aber Major
Vogel von Wurmser-Hussaren (Nr. 8) mit seiner Division, und
gleichzeitig der Rittmeister Graf Rottermund des Regiments,
der sich schon bei der Attaque des Majors Baron Bolza am
24. April hervorgethan, mit einer halben Uhlanen-Escadron einen
kühnen Flanken-Angriff vollführte, zogen sich die Türken mit
beträchtlichem Verlust zurück.

Ende August wurde das zur Verstärkung des vom FML.
Grafen Wartensleben befehligten Corps in's Banat abgesandte
Regiment vor Karansebes aufgestellt, und zur Beobachtung der
Strasse nach Mehadia verwendet. Bei dem Rückzuge von Lugos,
in der unglücklichen Nacht vom 20. auf den 21. September
waren auch einige Abtheilungen des Regiments bei der Arrière-
Garde betheiligt, wobei Oberlieutenant Piking blessirt wurde.
Während dieser Zeit blieb die Uhlanen-Division bei dem Corps
des FML. Baron Gemmingen zwischen Semlin und den Beschanier-Damm, und bezog in Syrmien die Winterquartiere, die
Chevauxlegers-Divisionen aber, nachdem noch 2 einige Zeit bei
der Belagerung von Sabacz verwendet worden waren, erhielten
im Bacser Comitate ihre Winterquartiere.

Im April 1789 war das Regiment in dem, vom G. d. C.
Grafen Josef Kinsky befehligten Corps zur Belagerungs-Armee
von Belgrad bestimmt, bei Iregh dessen Uhlanen-Division aber
bei Semlin cantonirt.

Am 1. Juni wurden alle 4 Divisionen des Regiments zu dem bei Semlin conzentrirten Corps des FZM. Fürsten v. Ligne eingetheilt, aber schon Anfangs September bezog das Regiment nebst mehreren andern Truppen unter den Befehlen des FML. Prinzen Waldek bei Szurczin in der Nähe des Savestromes ein Lager. Am 18. d. M. standen die 3 Chevauxlegers-Divisionen des Regiments bei der Beobachtungs-Armee vor Belgrad, die Uhlanen-Division aber am linken Save-Ufer bei dem Brückenkopf von Semlin. —

Am 8. October hatte FM. Baron Loudon die Eroberung von Belgrad bewirkt, und das Regiment bezog Ende d. M. seine Winterquartiere in Zentha und Umgegend. Major Baron Bolza, welcher inzwischen als Flügel-Adjutant des FZM. Fürsten Ligne die Reihen des Regiments verlassen hatte, erhielt in der Promotion vom 19. Dezember 1790 für seine kühne, bereits weiter oben angeführte Waffenthat vom 22. April 1788 den Maria Theresien-Orden.

Anfangs Februar 1790 wurde das Regiment in eine Cantonirung bei Neuhäusel verlegt, jedoch nach ganz kurzem Aufenthalte daselbst zu der in Mähren und Schlesien gegen Preussen aufgestellten Beobachtungs-Armee gezogen, und bei Neutitschein im österreichisch Schlesien bequartirt, von wo es 1791 in die ihn zugewiesene Friedens-Station Olesko in Galizien abrückte.

Mit 1. November 1791 gab es seine Uhlanen-Division zur Errichtung des gegenwärtigen ersten Uhlanen-Regiments ab.

1792 wurde der Regimentsstab nach Zolkiew verlegt, und 1793 erhielt das Regiment seine Dislozirung im Rzeszower Kreise. Oberstlieutenant Marquis Sommariva wurde aber mit seiner Division zu der, in den Niederlanden unter den Befehlen des Prinzen Coburg gegen die französischen Republikaner operirenden Armee beordert, und langte im Herbste 1793 daselbst an. Am 24. October bei der Vertheidigung von Orchies hatte eine halbe Escadron des Regiments im Vereine mit einer halben Chevauxlegers-Escadron Kaiser-Carabiniere (jetzt Cürassier Nr. 1) drei Kanonen erobert. Oberstlieutenant Marquis Sommariva und Rittmeister Graf Belcredi werden in der betreffenden Relation wegen ihres Wohlverhaltens angerühmt. Auch hatte sich Cadet-Wachtmeister Franz Lieb als Ordonnanz beim GM. Baron Kray commandirt, durch Umsicht und Tapferkeit bemerkbar gemacht. Ende October nahm General Kray Marchiennes durch Ueberfall und führte dadurch die gänzliche Räumung von Flandern herbei. Die Oberstlieutenants-Division des Regiments hatte thätigen Antheil daran genommen, und die Relationen heben das tapfere Benehmen des Oberstlieutenants Marquis Sommariva, und des Rittmeister Thiery hervor. Wachtmeister Ferdinand Nowak, Corporal Franz Measchütz, die Chevauxlegers Alois Wihla und Joseph Hanglmann dieser Division hatten für Auszeichnung die silberne Medaille erworben.

Am 1. Jänner 1794 brachen die übrigen Divisionen des Regiments aus dem Rzeszower Kreis nach dem Kriegsschau-Platz auf, marschirten über Mähren, Böhmen, den grössten Theil Deutschlands, passirten bei Köln den Rhein, und rückten am 22. April in's Lager bei Catillon, wo selbe an der am 20. d. M. geschlagenen Schlacht Theil genommen, am 2. Mai rückte die Oberstlieutenants-Division nach einjähriger Detachirung wieder beim Regimente ein.

In der Affaire von Landrecies am 16. April war Ober-lieutenant Friedrich Wurm des Regiments bei einer Attaque der Oberstlieutenants 2. Escadron unter Rittmeister Graf Stadel im Handgemenge von seiner Abtheilung getrennt, verwundet, und nur durch den muthvollen aufopfernden Beistand des Gemeinen Daniel Herbinger gerettet worden.

Im Monate Mai an den Ufern der Sambre hatte das Regiment abtheilungsweise mehrere kleinere Gefechte zu bestehen, in welchen sich namentlich in der Nähe der Abtey von Bonne Esperance die Oberst-Division des Regiments unter Führung des tapfern Rittmeister Grosser, durch zweckmässige Unterstützung der Infanterie hervorthat, ebenso die Majors-Division bei Vertreibung des Feindes von Binch, wobei von den Chevauxlegers einige Mann gefangen und mehrere Pferde erbeutet wurden. —

In der Schlacht bei Charleroy am 16. Juni war das Regiment thätigst verwendet worden. Oberstlieutenant Marquis Sommariva machte mit seiner Division die Avant-Garde von der rechten, vom FML. Graf Latour befehligten Angriffs-Colonne, kam stark in's Gedränge, und musste von der schnell nachrücken-den Oberst-Division unterstützt werden. Rittmeister Rencke wurde hiebei tödtlich blessirt.

Am 20 bei einer Recognoszirung des Oberst Graf Hohen-zollern von Kavanagh-Cürassier (jetzt Nr. 4) kam die Oberst 2. Escadron unter Rittmeister Grosser zu einem Vorposten-Gefecht, wobei nur 1 Corporal verwundet, und 1 Pferd erschossen wurde.

Am 26. Juni in der Schlacht von Fleurus hatte das Regiment in der vom FML. Otto befehligten Colonne mit aller Aus-zeichnung gekämpft, ja einige seiner Abtheilungen hatten den Feind sogar aus seinen Verschanzungen vertrieben.

Am 26. Juli wurde die Majors 1. Escadron zur Verhütung von Excessen in die Stadt Lüttich commandirt. Tags darauf wurde die österreichische Vorposten-Kette von den Franzosen ange-griffen uud zersprengt. Die bedeutende feindliche Uebermacht rückte rasch in die Stadt Lüttich vor, und verdrängte die öster-reichische Besatzung, welche überdiess von den Einwohnern aus Fenstern und Thüren beschossen wurde. In dieser gefahrvollen Lage machte ein Zug obengenannter Escadron die Arriere-Garde, zeichnete sich hiebei sehr aus, und Corporal Half rettete zwei Kanonen, die von der Infanterie im Stiche gelassen worden waren. Half erhielt die goldene Medaille.

Ende August war das Regiment divisionsweise in der Umgegend der Festung Luxemburg vertheilt, um deren Approvisionirung zu decken. Im October beim allgemeinen Rückzuge der österreichischen Armee über den Rhein passirte das Regiment bei Mühlheim den Rhein, bezog nach verschiedenen Hin- und Hermärschen und Cantonirungen in den Reichsstiftern Essen und Werden seine Winter-Quartiere und versah den ganzen Winter die Vorposten am Rhein zwischen der Roer und Lippe.

Im Mai und Juni 1795 kam das Regiment in die Gegend von Mannheim, im Juli in das Lager bei Schwetzingen, und im August in jenes bei Grotzingen. Das Regiment gehörte nun zu der vom G. d. C. Graf Wurmser befehligten Ober-Rhein-Armee und ausser einem starken Vorposten-Dienst und beständigen Hin- und Herbewegungen fiel für dasselbe in diesem Feldzuge bis zur Berennung des festen feindlichen Lagers bei Mannheim am 18. October nichts Erhebliches vor. — G. d. C. Graf Wurmser liess in der Nacht vom 17. auf den 18. die Truppen, die er zum Angriffe auf das am rechten Rhein-Ufer vor Mannheim stehende französische Corps bestimmt hatte, in drei Colonnen zusammenziehen. Das Regiment befand sich bei der rechten, welche GM. Fröhlich befehligte. Die andern beiden stiessen früher als die rechte auf die feindlichen Vorposten. Einige Schüsse fielen, der Feind wurde allarmirt, die Ueberraschung vereitelt. Mit möglichster Schnelligkeit formirten sich die Franzosen vor ihren Lagern. Zwar war der Tag bereits angebrochen, aber dichter Nebel lag noch auf der Gegend, und liess die Truppen nicht 3 Schritte vor sich irgend einen Gegenstand erkennen, die Folge davon war, dass die österreichische Cavallerie auf die Fronte der französischen Infanterie stiess, von einem verheerenden Gewehrfeuer empfangen wurde, und mit grossen Verlusten aus diesem Feuer zurückwich. Doch hatte sie sich schnell wieder gesammelt, und den Angriff von Neuem mit grösster Tapferkeit vollführt. Die feindlichen Lager wurden erobert, und die Franzosen in die Stadt getrieben. Beträchtlich war der Verlust des Regimentes bei diesen wiederholten Angriffen. Dem Major Grosser und Rittmeister Moekeln wurden die Pferde unterm Leibe getödtet, und beide Offiziere schwer blessirt; der Rittmeister Friedrich Fürst Schwarzenberg, ein 21jähriger hoffnungsvoller Offizier, der sich an diesem Tage seines Namens würdig geschlagen hatte, erhielt eine Schusswunde in den Unterleib und starb daran am 18. November zu Weinheim. Er war ein jüngerer Bruder des spätern unsterblichen Siegers von Leipzig. Oberlieutenant Jelecki, die Lieutenants Visconti und Unruh waren leicht verwundet. Nebst diesen hatte das Regiment 20 Mann 73 Pferde todt, 52 Mann und 65 Pferde blessirt.

In seinem Berichte an den FM. Graf Wurmser vom 29. October sagt GM. Fröhlich: „Er fühle sich verbunden, das Lob-„kowitz'sche Chevauxlegers-Regiment, welches dreimal das grosse „feindliche Lager angriff, wegen seines besondern Muths und

„bezeugter Thätigkeit anzuempfehlen." Einige Abtheilungen des
Regiments waren vom 7.—11. Dezember bei der Vertheidigung
von Edisheim, während welcher sich Oberstlieutenant Marquis
Sommariva und Oberlieutenant von Zerboni ausgezeichnet hatten,
letzterer befreite 30 gefangene österreichische Infanteristen, nachdem er fünf ungestüme Angriffe des Feindes mit kaltblütiger
Entschlossenheit zurückgewiesen hatte.

Am 16. Jänner 1796 bezog das Regiment in der Umgegend von Heidelberg seine Winterquartiere. Dasselbe kam
Anfangs Juni in das Lager von Oggersheim, und hatte im
Verlaufe der Monate Juni und Juli den Gefechten bei Schwetzingen, Mannheim und Frankenthal beigewohnt; am 5. Juli wurde
Radstadt nach hartnäckigem Widerstande von den kaiserlichen
Truppen geräumt, bei welcher Gelegenheit dem Rittmeister Bils
ein Fuss abgeschossen wurde, und derselbe in feindliche Gefangenschaft gerieth.

Anfangs August wurde das Regiment in die Gegend von
Regensburg beordert, kämpfte am 20. August bei Fusswangen,
am 22. bei Teining, und am 24. in der Schlacht bei Amberg,
wo es den Oberlieutenant Borowitzka unter seine Todten zählte.

Im October hatte Rittmeister von Sardagna des Regiments freiwillig ein Streif-Commando übernommen, und der im
Rückzuge begriffenen Armee des französischen General Moreau
durch seine unermüdete Wachsamkeit beträchtlichen Schaden zu-
gefügt. Am 6. October überfiel Sardagna mit seinen Chevauxlegers bei Mühlen ein feindliches Corps, warf dieses, und machte
viele Gefangene, worunter der feindliche Commandant General
Joba, 2 Stabs- und 4 Ober-Offiziere sich befanden. Wenige
Tage nachher bei Irndorf in Breissgau nahm Sardagna den
französischen General Vauban nebst 7 Offizieren gefangen, welche
sich ohne hinreichende Bedeckung ganz unbesorgt in die Land-
schaft gewagt hatten, um in der Gegend von Friedlingen einen
Lagerplatz zu suchen.

In der Schlacht von Emondingen am 19. October,
in welcher Erzherzog Carl Moreau neuerdings geschlagen hatte,
zeichnete sich Oberstlieutenant Baron Dinnersberg · mit seiner
Division bei der 1. Colonne vorzüglich aus, und wird im Berichte Sr. k. k. Hoheit sehr angerühmt.

Die glänzenden Angriffe des Obersten Sommariva und seiner
braven Chevauxlegers hatten in diesem Feldzuge hauptsächlich
zur längern Erhaltung Radstadts beigetragen, und mit der vorzüglichen Thätigkeit und Auszeichnung in der Verfolgung Moreau's schliessen sich die Waffenthaten des Regimentes in Deutschland, welch' letzteres noch im Dezember der Belagerung von
Kehl beigewohnt, und die Vorposten am Rhein versehen hatte.

Im Jänner 1797 wurde das Regiment zu seiner Erholung in's Vorarlbergische abgeschickt, wo es im Februar seine
Standquartiere zwischen Bregenz und Feldkirchen bezog.

188

Von 31 Bewerbern erkannte, laut Bestätigung Sr. k. Hoheit des Erzh. Generalissimus, de dato Mannheim den 23. März, die Medaillen-Commission fünf Individuen des Regiments die silberne Medaille zu, und zwar: dem Gemeinen Joseph Killian, welcher in der Schlacht bei Amberg bei der Attaque auf ein feindliches Infanterie-Quarré der Erste in dasselbe eingedrungen war, dem Cadeten Anton von Nowakowski, welcher eigenhändig den energischen Widerstand leistenden französischen General Joba am 6. October 1796 gefangen genommen, dem Wachtmeister Mathias Pittelmayer und Cadeten Alois Hohenheisser, beiden wegen umsichtiger Führung der Plänkler, ersterer bei Neustadt, letzterer im Gefechte bei Radstadt, dem Corporalen Franz Denk wegen ausgezeichneter Bravour und Lebens-Rettung des Rittmeister Grafen Auersperg im Gefechte bei Teining. Die übrigen 26 Bewerber erhielten theils Geld-Geschenke, theils öffentliche Belobungen. —

Im Monate März 1797 rückte das Regiment erst nach Tirol, von da nach Salzburg, im April nach Steiermark und in der zweiten Hälfte dieses Monats wieder nach Salzburg und Linz. Die Oberstlieutenants - Division wurde in's Lager bei Wien gezogen. Anfangs Mai marschirte das Regiment nach Laibach, nachdem es bei Cilli die Oberstlieutenants-Division wieder an sich gezogen hatte. Es blieb mit abwechselnder Cantonirungsstation in Krain, bis es nun im Jänner 1798 in das Venetianische marschirte, und in Padua, Vicenza, Rovigo, u. s. w. bequartirt wurde. Das Regiment wurde in diesem Jahre zum leichten Dragoner-Regiment mit der Nummer 10 übersetzt, und erhielt dunkelgrüne Röcke mit lichtblauen Aufschlägen und weissen Knöpfen.

Ende März 1799 eröffnete der französische General Scherer gegen die österreichische Armee des FZM. Baron Kray in Italien den Feldzug. Im Treffen bei Verona am 26. März war das Regiment divisionsweise bei den 3 Angriffscolonnen vertheilt, Oberst Sommariva hatte sich an diesem Tage abermals mit Ruhm bedeckt. Wenige Tage später am 30. griffen die Franzosen die Position von Verona wiederholt an, und drückten die österreichischen Vorposten bis an die Mauern dieser Stadt zurück. Das Regiment rückte nun zur Unterstützung vor, der Feind wurde über die Etsch zurückgetrieben und die Brücke abgebrochen. In diesem Treffen, wo hauptsächlich die Tapferkeit des Regiments zur Niederlage des französischen General Serurier beitrug, wurde der Oberlieutenant Ernst Graf Haugwitz verwundet.

Am 5. April, in der siegreichen Schlacht von Magnano, war das Regiment bei der mittleren Colonne des FML. Baron Zopf eingetheilt.

An diesem Tage hatte das Regiment wegen ungünstiger Beschaffenheit des Terrains nicht vereint wirken können, sich daher nur in kleinern Abtheilungen vor die etwas in Unordnung gerathene Infanterie gesetzt und durch wiederholte Attaquen den Feind so lange aufgehalten, bis die Infanterie Zeit hatte sich zu sammeln.

In dieser gefahrvollen Lage hielt das Regiment, unter Führung seines tapfern Obersten Sommariva, sich aufzuopfern bereit, so lange Stand, bis Verstärkung anlangte. Marquis Sommariva erhielt in Folge dessen ausser Capitel von Sr. Majestät Kaiser Franz mit Allerhöchstem Handschreiben vom 17. April das Ritterkreuz des Maria Theresien-Ordens. Rittmeister von Sardagna hatte an diesem Tage durch seine wiederholten entschlossenen Attaquen zur Sicherung der Artillerie-Reserve beigetragen, ebenso hatte der zweite Oberst Fürst Thurn-Taxis mit einer Escadron des Regiments mit dem günstigsten Erfolge in die linke Flanke des Feindes attaquirt, und die französische Cavallerie daselbst zum Weichen gebracht.

Der Verlust des Regiments betrug an diesem Tage an Todten: 12 Mann und 39 Pferde, an Verwundeten: 7 Offiziere, 68 Mann und 99 Pferde; an Gefangenen: den Rittmeister Jelecki nebst 7 Mann und 6 Pferden; endlich an Vermissten: 8 Mann und 9 Pferde. In diesem Treffen hieb der Gemeine Michael Heiss den Obersten Sommariva, der von drei französischen Hussaren umringt war, glücklich heraus, und rettete ihm so das Leben oder mindestens die Freiheit. Heiss erhielt die silberne Medaille. — Am 27. April überschritt das Regiment mit der vorrückenden russisch-österreichischen Armee die Adda, war in der linken, von GdC. Baron Melas befehligten Colonne eingetheilt, und rückte am 28. in Mailand ein. — Am 29. wurde der französische General Colanche nebst seinem Adjutanten und Feldgepäck von dem Lieutenant Baron Leslie des Regiments, der auf Vorposten stand, gefangen und nach Mailand gebracht. Am Nachmittage des 9. Mai rückte das Regiment nebst einigen Infanterie-Bataillons gegen die Festung Tortona. Am 12. unternahm der russische Marschall Graf Suwarow persönlich an der Tête des Regiments und eines Pulks donischer Kosaken eine Recognoszirung gegen Alessandria. Am 16. waren es vorzüglich die Attaquen des escadronsweise verwendeten Regiments, welche im Treffen bei Marengo den Rückzug des Feindes bewirkten. In dieser Affaire erhielt Oberst Sommariva einen Streifschuss, der ihn aber nicht kampfunfähig machte, Rittmeister von Zerboni und Lieutenant Benesch beide Prellschüsse; nebst diesen Offizieren waren noch 16 Mann und 33 Pferde verwundet, 2 Mann und 11 Pferde todt.

Bei dem Einmarsche der russisch-österreichischen Armee in Turin am 26. Mai formirte das Regiment die Avantgarde, und wurde beim Herausmarsche aus der Stadt in das Lager von Orbassano, aus der vom Feinde besetzten Citadelle lebhaft jedoch ohne Erfolg beschossen.

Besondern Ruhm erwarb sich das Regiment in der dreitägigen Schlacht an der Trebia vom 17. bis 19. Juni. Am 1.

Schlachttage war Oberst Marquis Sommariva bei der Verfolgung des Feindes mit dem Regimente in thätiger Verwendung. Am 18. hatte das Regiment in der dritten oder linken vom G. d. C. Baron Melas befehligten Colonne seine Eintheilung und machte im Vereine mit den russischen Kosaken einige erfolgreiche Attaquen. Aber mit ganz besonderer Auszeichnung focht dasselbe am dritten Tage dieses blutigen Kampfes. Insbesondere hat die Oberst-Division, bei dem Angriffe des Feindes auf die Colonne des k. russischen Generallieutenants von Förster, mit dem Regimente Levenehr-Dragoner (1860 reducirt) vereint, den kühnen Gegner geworfen und verfolgt. Als die Franzosen zum Angriffe des linken Flügels der österreichisch-russischen Armee eine Cavallerie-Colonne von 2000 Pferden vorrücken liessen, stürzte sich FML. Fürst Johann Liechtenstein mit 3 Escadrons des Regiments auf dieselbe, warf sie auf die Tête ihrer nachfolgenden Infanterie und liess ihnen keine Zeit zum Aufmarsch. Als sich die feindlichen Reiter zu einem zweiten Angriff sammeln wollten, fiel Fürst Liechtenstein mit den erwähnten Abtheilungen des Regiments, unterstützt von dem nachrückenden Grenadierbataillon Wouvermanns, dieselben mit erneuertem Ungestüm an, und warf sie unter das Kartätschenfeuer der feindlichen Batterien. Dem tapfern Fürsten wurde sein Pferd unterm Leibe erschossen und drei von ihm wieder bestiegene Dienstpferde blessirt. Um den Feind in Schach zu halten, bis die in Unordnung gerathene Infanterie sich wieder formiren konnte, mussten die 3 Escadrons längere Zeit im heftigsten Kartätschen-Feuer des Feindes stehen bleiben, wobei sie vielen Schaden erlitten. Das Regiment hatte in dieser dreitägigen Schlacht, insbesondere am 19. nachstehenden Verlust: die Oberlieutenants Graf Mensdorff und Königstetten, letzterer Adjutant des FML. Fürsten Liechtenstein, 18 Mann und 55 Pferde todt; Oberst Fürst Thurn-Taxis, die Rittmeister Molitor und Prinz Ysenburg, die Oberlieutenants Graf Lebecque, Unruh, Mitkrois, Lieutenant Rolle nebst 86 Mann und 114 Pferde verwundet, endlich 3 Mann und 3 Pferde vermisst. Oberlieutenant Unruh starb nach wenigen Tagen an seiner Wunde. — G. d. C. Baron Melas sagt in seiner Relation: „er finde keinen Ausdruck den Muth und die ausharrende Standhaftigkeit der gesammten Truppen zu schildern. Vom Regimente Lobkowitz-Dragoner rühmt er vorzüglich die Standhaftigkeit der Stabs- und Oberoffiziere während des feindlichen Kartätschen-Feuers." — Am dritten Tage hatte Rittmeister von Sardagna durch eine kühne Attaque mit seiner Schwadron dem bereits geworfenen Centrum der Russen Zeit zur Herstellung der Ordnung verschafft. Von den braven Dragonern hatten sich vorzüglich ausgezeichnet: Kadet Ludwig Graf Velo von der Majors-1. Escadron, der, als alle Offiziere derselben kan.pfunfähig wurden, sich an der Spitze derselben stellte und entschiedene Proben von Einsicht und Tapferkeit vor den Augen des FML. Fürst Liechtenstein ablegte. Graf Velo erhielt die goldene Medaille. Der Corporal Ferdinand Kloss, die Gemeinen Leopold Tempes und Jakob Schibuwi, welche im stärksten Feuer dem Fürsten Lichtenstein ihre Pferde anboten, erhielten die silberne Medaille. Der Corporal Franz Weiss, welcher den mit seinem todtgeschossenen Pferde gestürzten Oberlieutenant Graf Mensdorff; desgleichen der Corporal Anton Müller, welcher den in derselben Lage sich befindlichen Rittmeister Graf Auersperg mit dem Säbel in der Faust herausgehauen, erhielten Beide die silberne Medaille. Der Dragoner Christian Gress, welcher den schwer verwundeten Oberlieutenant Graf Lebecque im heftigsten Kartätschen-Feuer auf seine Schultern geladen und in Sicherheit gebracht hatte, erhielt die silberne Medaille, ebenso der Corporal Josef Jacob wegen vorzüglicher Verrichtung unter äusserst schwierigen Umständen eines vom FML. Fürst Liechtenstein gegebenen sehr wichtigen Auftrages.

Am 15. August in der Schlacht bei Novi war das Regiment divisionsweise vertheilt, und unterstützte, ungeachtet eines sehr ungünstigen Terrains, die Infanterie auf das Vortheilhafteste. Durch eine tapfere Attaque des Rittmeister von Sardagna mit der Oberst- 1. Escadron, welcher auch die Oberstlieutenants-Division folgte, auf den Höhen von Rotolli in der rechten feindlichen Flanke wurde es dem GM. von Lussignan möglich, sich im Besitz der, dem feindlichen Centrum nächstgelegenen Höhen zu setzen. — Tags darauf wurde ein Detachement des GM. Graf Nobili, bei welchem sich die Majors-Division befand, und welcher hinter Serravale zur Beobachtung Arquatas stand, angegriffen und zurückgedrückt, bei welcher Gelegenheit Oberlieutenant Suchaneck des Regimentes verwundet wurde.

Im Gefechte bei Marenne am 17. September hatte Oberlieutenant Graf Pitzenberg des Regiments mit seinem Zuge 2 Kanonen erobert.

Das Regiment zählte an jenem Tage, an Todten, Verwundeten und Vermissten: 14 Mann und 11 Pferde. Oberlieutenant Graf Pitzenberg wurde als Courier mit der Sieges-Nachricht nach Wien gesandt. Die betreffende Gefechts-Relation nennt den Major Graf Harrach des Regiments unter den Ausgezeichneten.

Am 23. September waren Abtheilungen des Regiments im Gefechte bei Pinerola und am 28. unter dem Commando des GM. Graf Nobili, 3 Escadrons in jenem bei Castelleto. In diesem hatte Rittmeister Molitor eine bereits verlorene Kanone wieder erobert, Oberlieutenant Graf Colombo war bei dieser Gelegenheit todt geblieben, Rittmeister Klein leicht verwundet worden. — Der Gemeine Andreas Slopeczki, welcher an diesem Tage den Adjutanten des FML. Fürsten Liechtenstein, Oberlieutenant Leidreutter durch Uebergabe seines Pferdes, aus einer sehr gefahrvollen Lage rettete, erhielt die silberne Medaille. Im Laufe des Monats September hatten 6 Mann des Regiments für ihre Tapferkeit öffentliche Belobungen erhalten.

Am 11. Oktober hatte das Regiment bei einer Recognoszirung zu Madonna del Olmo ein kleines Gefecht zu bestehen, wobei es einen Totalverlust von 12 Mann und 13 Pferden hatte. Am 18. Oktober bei Ronchi stand Rittmeister von Sardagna mit der Oberst 1. Escadron auf Vorposten und rettete durch seine wohlangebrachten Attaquen den angegriffenen linken Flügel vor Aufreibung. Bei dieser Gelegenheit wurde Lieutenant Braunhofer schwer blessirt, und die Escadron hatte noch 7 Mann, 14 Pferde verwundet, 2 Mann und 2 Pferde todt.

Bei dem am 20. Oktober erfolgten Angriffe des FML. Ott auf Bainette wirkten 4 Escadrons des Regiments mit, und verloren im Ganzen 10 Mann und 6 Pferde.

In der zweitägigen Schlacht bei Genola am 4. und 5. November kämpfte das Regiment in der Dragoner-Division des FML. Fürst Liechtenstein. Am 4. war die Oberst-Division bei der Avant-Garde. Rittmeister von Sardagna und Lieutenant Limpens wurden blessirt, letzterer starb an seiner Wunde. Am 5. war das Regiment bei den Colonnen des FML. Baron Elsnitz und GM. Graf Bellegarde vertheilt. Bei der Verfolgung des Feindes griff Oberstlieutenant Grosser mit der Oberstlieutenants- 1. Escadron den feindlichen Nachtrab rasch an, zersprengte ihn und eroberte 2 Kanonen.

Das Regiment wurde beim Observations-Corps,⁕ während der Belagerung der Festung Cuneo eingetheilt und stand im Lager bei Vignola, von wo es Ende Dezember bei Casale über den Po abrückte, und in der Umgegend von Mailand und Lodi seine Winterquartiere bezog.

Das Regiment verliess am 12. März 1800 seine Winterquartiere, bezog erst eine Cantonirung in der Lomelina, von wo es am 1. April in das Lager bei Alessandria abrückte, und am 20. eine Cantonirung in der Umgegend von Aqui, am 29. aber bei Turin erhielt. — Inzwischen hatten die Feindseligkeiten mit den Franzosen wieder begonnen, und am 19. Mai war das Regiment im Gefechte bei Strambino in der Umgegend von Ivrea. Am 1. Juni wurde das Regiment an den Po beordert, um den Uebergang des Feindes über diesen Fluss so viel als möglich zu beobachten und zu hindern. Am 9. passirte ein Theil der französischen Avantgarde bei Pavia den Po, an welchem Rittmeister Sardagna mit der Oberst-Division auf Vorposten stand. Ungestüm drangen die Franzosen auf der Strasse gegen Voghera vor, um sich eines k. Artillerieparkes zu bemächtigen, der eben daselbst im Anzuge war. Sardagna aber zwang den Feind durch wiederholte tapfere Attaquen zum Aufgeben seines Unternehmens. Tags darauf ward er aber von feindlicher Uebermacht umringt, bahnte sich glücklich mit dem Säbel in der Faust einen Weg durch die feindlichen Colonnen, und rückte nach 3 Tagen mit seinen tapfern Dragonern, nach anstrengenden Gebirgsmärschen, beim Regimente wieder ein.

In den am 9. Juni stattgehabten unglücklichen Gefechten des FML. Ott bei Castoggio und Montebello befanden sich einige Escadrons des Regiments.

In der Schlacht bei Marengo am 14. Juni hatte das Regiment mit seiner allgemein anerkannten Bravour gefochten. Dasselbe war in der zweiten oder linken von FML. Ott befehligten Colonne eingetheilt, 2 Escadrons im Vortrab, welchen GM. Baron Gottesheim befehligte, und 4 in der Infanteriebrigade des GM. Sticker. — Im Verlaufe dieser entscheidenden Schlacht war das Regiment mit dem Infanterie-Regiment Baron Spleny (jetzt Nr. 51) zur Erhaltung der Bormidabrücke vom Generaladjutanten Oberst Grafen Radetzky persönlich gegen den Feind geführt, und wehrte mit musterhafter Kraft-Anstrengung die ungestümen Angriffe des Feindes ab. Dem Grafen Radetzky wurde an der Fronte des Regimentes ein Pferd unterm Leibe getödtet. — In diesem blutigen Kampfe erhielt der Commandant des Regiments Oberst Fürst Maximilian Joseph Thurn-Taxis an der Spitze seiner wackeren Reiter eine schwere Contusion am Kopfe, welche ihn nöthigte sich vom Kriegs-Dienste zurückzuziehen, ausser ihm waren noch Major Molitor, Lieutenant Grosser, und eine beträchtliche Anzahl Mannschaft verwundet, wie auch mehrere Mann und Pferde todt.

Tags darauf wurde zu Alessandria ein Waffenstillstand abgeschlossen, und die österreichische Armee zog sich hinter den Mincio zurück, an dessen Ufern das Regiment nun mit vielfach veränderten Cantonirungen bis zum Wiederbeginn der Feindseligkeiten in der zweiten Hälfte Dezember stehen blieb. — Am 25. und 26. Dezember überschritt der französische General Brunne mit 70000 Mann den Mincio, und es kam mit der nun vom G. d. C. Grafen Bellegarde befehligten, um 20000 schwächern österreichischen Armee zur blutigen Schlacht. An dieser hatte das Regiment ehrenvollen Antheil genommen, aber beträchtliche Verluste erlitten. Es zählte an Todten: Lieutenant Franz Landgraf Fürstenberg, 7 Mann und 24 Pferde; an Verwundeten: Rittmeister Suchanek, Cadet Visconti, 43 Mann und 54 Pferde, an Vermissten: Cadet Dohnel, 6 Mann und 10 Pferde. Rittmeister von Sardagna befand sich wieder unter den Ausgezeichneten.

Im Gefechte des 26. bei Valeggio deckte das Regiment mit Bussy-Jäger unter General Frimont die Flanke und den Rückzug der Armee, war noch 11 Tage bei der Arriére-Garde und marschirte bis Cerviniano im Friaulischen, wo es wegen des am 16. Jänner 1801 für Italien abgeschlossenen Waffenstillstandes in eine Cantonirung in der Umgegend von Krainburg in Krain beordert wurde, und Ende Jänner 1801 daselbst eintraf.

Nach dem zu Lünneville abgeschlossenen Frieden marschirte das Regiment am 13. April 1801 in die Friedensstation Tarnow in Galizien, wo es eine Division des oben aufgelösten Dragoner-Regiments Kronprinz Ferdinand erhielt, und im Beginn von 1802 wieder zum Chevauxlegers-Regimente mit der Nummer 3

13

übersetzt wurde. Es erhielt nun weisse Röcke mit scharlachrothen Krügen und Aufschlägen nebst gelben Knöpfen.
Am 15. Februar rückte dasselbe in die Dislocation von
Siedlec in West-Galizien ab. Rittmeister von Sardagna erhielt
für seine vielfachen Auszeichnungen in den letzten Feldzügen
vermöge Capitelsbeschluss in der Promotion vom 5. Mai 1802
das Ritter-Kreuz des Maria Theresien-Ordens.
Am 1. September 1805 rückte das Regiment in das
Exerzier-Lager bei Krakau, wo es aber zum Weitermarsche beordert, nach wenig Tagen aufbrach, und am 10. October in der
Gegend von Wels in Oberösterreich einrückte. — Das Regiment
erhielt seine Eintheilung zum Corps des FML. Baron Kienmayer und bezog Mitte October eine Cantonirung bei Reichers-
berg im Innviertel. Am 19. hatte ein Streif-Commando des Regiments bei Wert mit den Franzosen einen blutigen Zusammenstoss, und verlor im Ganzen 17 Mann und 5 Pferde.
Anfangs November rückte das Regiment erst gegen Wien
und sodann nach Mähren. — Dasselbe war in der Avant-Garde
der am 2. Dezember zur Schlacht bei Austerlitz vorrückenden
Armee. Die Avant-Garde eröffnete im dichten Nebel des Morgens
den Angriff auf das Dorf Tellnitz. Im weitern Verlaufe dieser
welthistorischen Schlacht deckte das Regiment im Verein mit
Szekler-Hussaren den Rückmarsch des linken Flügels (der Russen),
welchen die Division Vandamme am Fusse folgte. Zwei französische Dragoner-Regimenter wurden von dem diesseitigen
Regimente und den Hussaren mit grosser Tapferkeit mehrmals
zurückgeschlagen. Ungeachtet eines heftigen Kartätschen-Feuers
behauptete das Regiment mit seltener Ausdauer und Unerschrockenheit seine Stellung auf der Höhe zwischen Tellnitz und dem
Satschaner-Teiche, wodurch die russische Infanterie Zeit gewann,
ihren Rückmarsch über den Damm auszuführen. Die aufopfernde
Tapferkeit des Regiments O'Reilly-Chevauxlegers, die ausgezeichnete Führung seines entschlossenen Obersten Grafen Degenfeld
sind in den Tafeln der Geschichte des gigantischen Kampfes
der Drei Kaiser-Schlacht bei Austerlitz mit unauslöschlichen Lettern
eingetragen. An Todten, Verwundeten und Gefangenen hatte
das Regiment 26 Mann und 45 Pferde. Die Oberlieutenants
Gaeszler und Hohenheisser, welche sich an diesem Tage durch
besondere Bravour hervorgethan, waren verwundet. Oberst Graf
Degenfeld hebt besonders in seinem Berichte aus Saitz am 6.
die entschlossene und ruhige Haltung der Oberstlieutenants-Division im stärksten Kartätschen-Feuer mit vielem Lobe hervor.
Am 10. Dezember bezog das Regiment eine Aufstellung in der
Umgegend von Ostrau.
Der seit Mitte November mit seiner Division und einer
Escadron Schwarzenberg-Uhlanen auf Streif-Commando detachirte
Major von Scheither des Regiments hatte durch einen Ueberfall
in der Nähe von Göding einen französischen Obersten nebst 3

Offiziern und 60 Mann gefangen genommen, überdiess viele Pferde erbeutet, und dem Feinde einen Verlust von 70 Todten und Blessirten beigebracht, während sein eigener Verlust nur 2 Todte und 9 Verwundete betrug. Major Scheither belobt vorzüglich das tapfere Benehmen des Oberlieutenants Graf Johann Pötting, welchem er vorzugsweise den glücklichen Ausgang jenes Unternehmens zuschreibt.

Nach dem Pressburger Frieden rückte das Regiment im Jänner 1806 nach Lauffen im Salzburgischen, im Herbste d. J. wurde der Stab nach Ried und 1808 nach Wels verlegt.

Bei Ausbruch des Feldzugs 1809 sammelte sich das Regiment Anfangs März in seiner Stabs-Station Wels, und hatte seine Eintheilung in das VI. Armee-Corps des FML. Bar. Hiller, Brigade des GM. von Provencheres erhalten. Es verblieb den ganzen Monat März in seiner conzentrirten Aufstellung, 2 Escadrons standen bei dem Commando des Obersten Adler v. Jordis-Infanterie (Nr. 59) bei Altheim zur Beobachtung der baierischen Grenze aufgestellt.

Am 2. April wurde das Regiment der Division des FML. Baron Jellacic, welche nach Salzburg detachirt war, zugewiesen. Am 9. April wurde Oberlieutenant Reinl mit seinem Zuge dem zusammengesetzten Commando des Oberstlieutenants Baron Taxis in Tirol, welches sich später mit den vorrückenden Truppen des FML. Marquis Chasteller vereinte, zugetheilt.

Am 11. April rückte die Division Jellacic in 2 Colonnen aus Salzburg gegen Baiern vor, bei der ersten unter General Provencheres befanden sich 3 Escadrons des Regiments; bei der zweiten unter FML. Baron Jellacic die übrigen. Am 16. trafen beide Colonnen fast zu gleicher Zeit in München ein. Am 17. stiessen Patrouillen des Regiments beiMosach auf feindliche Vorposten und brachten einige französische Hussaren als Gefangene ein. — In Folge des unglücklichen Ausgangs der Schlachten bei Eckmühl und Regensburg erhielt die Division Jellacic den Befehl, sich nunmehr auf die Vertheidigung des Salzburgischen Gebietes zu beschränken, und sich dahin zurückzubewegen.

Am 28. bei Waging kam es mit einigen Abtheilungen des Regiments und der baierischen Avant-Garde zum Gefecht, aber nachdem der baierische General Graf Preising mit seiner Cavallerie heranrückte, mussten die Chevauxlegers den Rückzug antreten. Am 29. bestritt das Regiment die Vorposten an der Saal, und dehnte sich von Reichenhall bis zum Einfluss der Saal in die Salza aus. Am selben Tage um 1 Uhr Nachmittags von der Vorhut des bairischen General Wrede's angefallen, hielten die Abtheilungen des Regiments dessen Marsch auf, und schlugen sich bei Anthering, ohne ein einziges Geschütz durch volle 4 Stunden gegen die ganze mittlerweile nachgerückte Division Wrede; erst als die Colonne Jellacic Hellbrun erreichte, zogen sie sich in bester Ordnung zurück, und vereinigten sich gegen 10 Uhr Nachts

13*

mit dieser. Das Regiment hatte einen Verlust von 20 Mann an Todten und Verwundeten zu beklagen, unter den letztern der Oberlieutenant Panz.

Das rasche Vordringen Wrede's bestimmte den FML. Baron Jellacic seinen Rückzug nach Loffers und Golling zu nehmen. Oberst Baron Rothkirch deckte ihn mit dem Regimente bis an den Gebirgspass. Theils Mangel an Fourage, theils die geringe Aussicht Gelegenheit zur Verwendung eines grössern Cavallerie-Körpers zu finden, veranlasste FML. Baron Jellacic nur 3 Züge der Oberst 1. Escadron (der 4. war wie bereits gesagt in Tirol) bei sich zu behalten, und die andern 7 Escadrons zum Anschluss an das Corps des FML. Baron Hiller über Radstadt zu befehligen. Bei Lietzen angelangt, erhielt das Regiment Nachricht von dem in Folge der Schlacht von Ebelsberg vollzogenen Rückzuge des VI. Armee-Corps gegen Wien, rückte daher über den Semmering und Wiener-Neustadt zu dem auf dem Marchfelde lagernden Heere Sr. k. k. Hoheit des Erzh. Carl, nachdem es auf höhern Befehl den Major Graf Auersperg mit der 2. Majors-Division nach Pressburg zur Deckung des dortigen Brückenkopfes detachirt hatte.

In der zweitägigen Entscheidungs-Schlacht von Aspern am 21. und 22. Mai war das mit 5 Escadrons ausgerückte Regiment der 3. vom FML. Prinz Hohenzollern befehligten Colonne beigegeben. Am 21. bei dem grossen Angriffe der französischen Reiterei auf das österreichische Zentrum, nahten mehrere feindliche Cürassier-Regimenter der 2. und 3. Colonne. Da stellten sich die 5 Escadrons kühn den Eisenreitern entgegen, wurden aber durch den mächtigen Anprall zurück und auf die Infanterie-Massen geworfen. Am 22. bei Tagesanbruch erhielt Oberst Baron Rothkirch den Befehl mit seinen Escadrons sechs französische Bataillons anzugreifen, die in geschlossener Colonne gegen Aspern vorrückten. Schon während des Anreitens dem feindlichen Geschützfeuer ausgesetzt, erlitten sie namhafte Verluste, ohne durch das Gelingen ihrer Attaquen für die gebrachten Opfer entschädigt zu werden. Mit Tapferkeit widerstanden sie den mehrmaligen Angriffen der Franzosen im Verlaufe jenes Tages, und am Nachmittage befreite Oberst Baron Rothkirch mit seinen Tapfern durch einen herzhaften Angriff eine bereits verlorene geglaubte österreichische Batterie. Das Regiment hatte an beiden Schlachttagen grosse Verluste erlitten. Major Caspar von Danzer, Oberlieutenant Johann Lisckiewicz nebst 17 Mann und 78 Pferde waren getödtet, Rittmeister Joseph Graf Tige, Lieutenant Bernhard Meihirth nebst noch 7 Offiziers, 116 Mann und 79 Pferde verwundet, 13 Mann und 16 Pferde vermisst.

Die offizielle Relation nennt unter den Helden von Aspern den Obersten und Regiments-Commandanten Leopold Bar. Rothkirch, den gebliebenen Major Caspar von Danzer, und den Rittmeister Carl Baron Wuesthof des Regiments. FML. Prinz Hohenzollern spricht sich in seinem Berichte, das Regiment betreffend, folgendermassen aus: „Auch den 5 Escadrons von O'Reilly-Chevaux-

„legers unter dem GM. von Provencheres darf ich das gerechte „Lob seiner besonders guten Verwendung nicht versagen. Ritt- „meister Baron Wuesthof war während der ganzen Schlacht frei- „willig zur Bedeckung der Artillerie, wo es erforderlich war, ver- „wendet worden. Ich bedauere ungemein den Verlust des braven „Majors Danzer von O'Reilly u. s. w."

Der Gemeine Georg Domschütz, welcher mit Selbstaufopfe- rung und Bravour den vom Feinde umringten mit seinem getöd- teten Pferde gestürzten Lieutenant Beustöhr herausgehauen hatte, erhielt die silberne Medaille.

Ende Juni rückte die 2. Majors-Division zu dem in March- felde lagernden Regimente wieder ein, welches Anfangs Juli, zu dem vom G. d. C. Fürsten Johann Liechtenstein befehligten Caval- lerie-Reserve-Corps eingetheilt worden war.

In der Schlacht bei Wagram am 5. Juli machte das Regiment mit grösster Entschlossenheit am linken Flügel wieder- holte Attaquen gegen die feindlichen Infanterie-Massen, welche aber, da die Artillerie nicht mehr im Stande war, die Reiterei mit nöthigen Nachdruck zu unterstützen, keinen hinreichenden Erfolg haben konnten. Um 1 Uhr Nachmittags des 6. Juli wurde der Befehl zum Rückzuge gegeben. Die ganze Cavallerie des linken Flügels führte noch einen allgemeinen Angriff gegen die feindliche Reiterei aus, wodurch diese zurückgeworfen, und der Infanterie Raum zum Abmarsche gewonnen wurde. Jene Cavallerie deckte nun den Rückzug des IV. Armee-Corps nach Bokflüss und Hohen- leuthen, und setzte in den folgenden Tagen den Rückmarsch der Armee nach Mähren fort. Der Verlust des Regiments vom 5. — 9. Juli war bedeutend: Rittmeister Friedrich Baron Degenfeld, 49 Mann und 89 Pferde waren todt, Rittmeister Alois Hohenheisser, die Oberlieutenants Thomas Wurrisch, Dzwonkowski, Anton Baron Helversen, und Lieutenant Alois Baron Helversen nebst 45 Mann und 19 Pferden verwundet; der Regiments-Commandant Oberst v. Sardagna, die beiden verwundeten Oberlieutenants Wurrisch und Dzwonkowski, 14 Mann und 15 Pferde gefangen; 49 Mann und 34 Pferde endlich vermisst.

Die officielle Relation belobt vom Regimente dessen Com- mandanten Oberst Sardagna, und den Oberstlieutenant Graf Auers- perg, welch' letzterer mit der 1. Majors-Division dem IV. Armee- Corps des FML. Fürst Rosenberg zugetheilt war. Eben so wurde im Armee-Befehle für sein pflichtgetreues aufopferndes Benehmen der Oberarzt Franz Warady öffentlich belobt.

Am 12. Juli stand das Regiment im Lager bei Grosshem- schitz, und nach mehreren vorübergehenden Cantonirungen in Mähren und Ober-Ungarn bezog dasselbe nach abgeschlossenem Wiener Frieden im November die Stabs-Station Bochnia in Galizien, welche es im Sommer 1811 mit jener von Grodeck nächst Lemberg ver- wechselte, und Anfangs 1812 in die Stabs-Station Zolkiew abrückte.

Bei Ausbruch des Feldzugs 1812 gegen Russland erhielt das Regiment seine Eintheilung zu dem, vom FM. Fürst Schwarzenberg befehligten Auxiliar-Corps, rückte am 9. Juni mit Zurücklassung der 1. Majors-Division aus seinen Friedens-Stationen in's Feld, und überschritt am 15. die Grenze des Herzogthums Warschau. Am 10. August im Gefechte bei Pruszana war dasselbe auch am 11. in der Schlacht bei Podubnic, und folgte den gegen den Feind vorrückenden österreichischen und sächsischen Cavallerie-Abtheilungen als Unterstützung. Als eine dieser letztern im Verlaufe der Schlacht von einer feindlichen überlegenen Reiter-Truppe zurückgeworfen wurde, rückte die Oberst 2. Escadron des Regiments vor, warf sich in die Flanke des Feindes, und brachte ihn zum Weichen. Bei dieser Gelegenheit wurde Lieutenant August Baron Godart von mehreren russischen Kosaken und Uhlanen umringt, jedoch durch den Gemeinen Adam Kornberger, welcher hiebei 2 Lanzenstiche erhielt, gerettet. Kornberger erhielt die silberne Medaille.

Am 24. besetzte Oberst Graf Auersperg mit 4 Escadrons des Regiments einer von Kaiser-Hussaren und einem Grenz-Bataillon vom Warasdiner-Kreutzer-Regiment das Dorf Krimini. — Schon beim Anrücken gegen dasselbe attaquirte Oberlieutenant Treutler ein feindliches, aus 50 Kosaken bestehendes Piket und warf es zurück. In Orte selbst waren über 4 Escadrons russischer Dragoner und Kosaken, wie auch einige Abtheilungen Hussaren aufgestellt, welche Anfangs Widerstand leisten wollten. Rittmeister Baron Wuesthof und Oberlieutenant Treutler drangen mit solcher Entschlossenheit auf sie ein, dass sie zu weichen begannen; das Gefecht endete mit dem Rückzuge des Feindes. Der Verlust des Regiments betrug 3 Mann und 3 Pferde an Todten, und 1 Verwundeten. In seiner Relation an FML. Bar. Frimont belobt Oberst Graf Auersperg das muthige und entschlossene Benehmen des Rittmeisters Baron Wuesthof und Oberlieutenants Treutler vom Regimente.

Am 19. September bei einer Recognoszirung gegen Guidawa kamen aus dem russischen Lager Schwärme von Kosaken, Kalmuken, Tartaren und Baschkiren, welche einige österreichische und sächsische Cavallerie-Abtheilungen zum Weichen brachten. Da liess der eben anwesende FM. Fürst Schwarzenberg den General Zechmeister mit 2 Escadrons des Regiments eine Attaque auf diese Reiterschwärme unternehmen, welche nun auf ihre Unterstützung zurückgeworfen wurden.

In der Nacht vom 20. auf den 21. September standen 3 Escadrons des Regiments mit 70 Pferden sächsischer Cavallerie und einer Escadron polnischer Uhlanen im Lager bei Nieswicz, als um ¼4 Uhr Morgens die Aviso-Vedetten Feuer gaben, eine bedeutende Uebermacht feindlicher Reiterei mit fürchterlichem Geschrei sich auf die Posten stürzte, und mit selben zugleich auf das Lager losjagte, welches mit dem Rücken an einen Sumpf gelehnt, eine äusserst ungünstige Aufstellung hatte und nun von allen Seiten vom Feinde umringt wurde. Die Vertheidigung war unmöglich geworden. Der Feind, welcher den Angriff mit 600 Kosaken, 300 Hussaren und 300 Dragonern unter Führung des General Lambert unternahm, warf die Sachsen und Polen auf die 3 Escadrons des Regiments, welche hiedurch, da sie eben im Aufsitzen begriffen waren, fortgerissen wurden, ihre durch den fürchterlichen Lärm scheu gewordenen Pferde nicht bändigen und erhalten konnten, und dadurch von dem nachfolgenden Feind erreicht, theils gefangen, theils niedergehauen wurden. Mehrere retteten sich durch die Moräste. Der Verlust des Regiments war beträchtlich. Die Rittmeister Karl Baron Wuesthof, Franz Kohlmannhuber, Alois von Hohenheisser, die Oberlieutenants: Alois von Vallegio, Johann von Treutler, der hiebei verwundete Oberlieutenant August Baron Godart nebst dem Regiments - Cadeten Ludwig von Losenau, dann gegen 100 Mann und Pferde geriethen in feindliche Gefangenschaft. Feldgepäck, Lagergeräthschaften, Waffen und über 100 Pferde waren die Beute der Russen.

Das hiedurch bedeutend geschwächte Regiment wurde im weiteren Verlaufe dieses Feldzugs noch als Avant- und Arriere-Garde zum Patrouillen- und Vorpostendienst, Recognoszirungen und Streif-Commanden verwendet, kam aber zu keinem grösseren Gefechte mehr, und rückte am 1. März 1813 in der Umgegend von Busko in die Winterquartiere, Ende April aber bezog es bei Krakau ein Lager. Hier erhielt es bei erfolgter Auflösung des Auxiliar Corps die Bestimmung nach Böhmen und erhielt Ende Mai in der Umgegend von Daschitz Cantonirungsquartiere.

Bei Ausbruch des Feldzuges 1813 erhielt das Regiment seine Eintheilung in das Cavallerie-Corps des G. d. C. Erbprinzen von Hessen-Homburg.

In der Schlacht bei Dresden am 27. August stand das Regiment als Reserve für die Infanterie - Divisionen Bianchi und Chasteller aufgestellt, kam zwar nicht in Thätigkeit, erlitt aber dennoch einen Total- Verlust von 9 Mann und 16 Pferden.

Mitte September wurde das Regiment dem IV. Armee-Corps des G. d. C. Grafen Klenau zugetheilt; bei dessen Vorrückung in Sachsen war das Regiment thätigst grösstentheils abtheilungsweise verwendet, und zwar am 2. Oktober bei der Recognoszirung von Freiberg, am 3. im Gefechte an der Flöha am 4. in jenem von Chemnitz. — Im Gefechte bei Pennig am 6. Oktober hatten 2 Escadrons des Regiments nebst 2 von Hohenzollern Chevauxlegers ein ziemlich hitziges Gefecht gegen polnische Lanziers, welches mit dem Rückzuge dieser letztern endete. Lieutenant Baron Godart nebst 4 Mann und 10 Pferden waren verwundet, 2 Mann und 6 Pferde todt geblieben. — Das Regiment war ferner in den Gefechten bei Liebertwolkwitz am 13. und 14. Oktober. Am letzteren Tage hatte es viel durch das

feindliche Geschützfeuer gelitten und zwar: 11 Mann 41 Pferde
todt, 16 Mann und 7 Pferde verwundet.
Am 16. Oktober focht G. d. C. Graf Klenau mit dem
IV. Armee Corps auf dem äussersten rechten Flügel gegen
Marschall Macdonald bei Fuchsheim, Gross-Pösa und dem Uni-
versitäts-Walde. Endlich hatten sich die Franzosen mit ihrer
an Truppen weit überlegenen Macht der Anhöhe bei Liebertwolkwitz, die mit 3 Geschützen gekrönt war, bemächtigt, und
die am Fusse dieser Höhe postirten 3 Kanonen gewonnen.
Oberstlieutenant Alfred Fürst zu Windisch-Grätz des Regiments
hatte diese für das Corps sehr gefährliche Wendung der
Dinge kaum wahrgenommen, als er auch sogleich, aus eigenem
Antriebe mit seiner Division unter dem heftigsten feindlichen
Feuer vorrückte, sich selbst an die Spitze der Oberstlieutenants
1. Escadron setzte und die im Sturmschritte hervorbrechende
feindliche Infanterie-Masse, die bereits der Kanonen Meister
geworden, mit kaltblütigster Verwegenheit attaquirte, wobei es
ihm gelang ihr eine halbe Batterie zu nehmen. Im selben
Augenblicke liess Fürst Windisch-Grätz das in die Flanke kommende französische Garde-Cavallerie-Regiment durch die Oberstlieutenants 2. Escadron, welche zur Unterstützung aufgestellt
war, angreifen. Die französische Garde-Cavallerie wurde alsbald zurückgeworfen, und durch diese beiden so kühnen
Attaquen, für die eben vorrückende k. russische und k. preussische Batterie wie nicht minder für die österreichische Infanterie
Zeit gewonnen, das Dorf Seifertsheim zu besetzen, und die
Franzosen mit einem wirksamen Feuer zu empfangen, wodurch
überdiess den rückwärts aufgestellten russischen und österreichischen Cavallerie-Abtheilungen die Möglichkeit verschafft wurde,
sich in Ordnung und ohne bedeutenden Verlust hinter die
Gräben von Fuchsheim zurückzuziehen.
Diese so glänzende und erfolgreiche Waffenthat, in Folge
deren Oberstlieutenant Fürst Windisch-Grätz unter den Ausgezeichneten in der Relation der Leipziger Schlacht genannt wird,
wurde sogleich von Sr. Majestät dem Kaiser Alexander von
Russland durch die Verleihung des k. russischen Wladimir-
Ordens III. Classe an den tapfern Fürsten thatsächlich anerkannt, welcher nachträglich mittelst Handbillet Sr. Majestät des
Kaisers Franz de dato Paris am 2. Mai 1814 das Ritterkreuz
des Maria Theresien-Ordens erhielt. — Oberlieutenant Baron
Helversen wurde bei diesen Attaquen schwer verwundet, so dass
er in den ersten officiellen Verlust-Eingaben als todt aufgeführt
wird. Der G. d. C. Erbprinz von Hessen-Homburg belobt in der
Relation die gute Verwendung des Oberlieutenants von Stein-
feld des Regiments. Wachtmeister Johann Zartl, welcher eine
Kanone erobert hatte, wurde mit der goldenen Tapferkeits-
Medaille belohnt. — Noch am Abende desselben Tages, bei
den erneuerten Stürmen der Franzosen auf Seifertsheim, unter-

stützte das Regiment durch seine wiederholten entschlossenen
Attaquen die Bajonett-Angriffe der Infanterie auf das Zweck-
mässigste. Am 18. Oktober nahm das IV. Armeecorps Liebertwolkwitz, Holzhausen und Zuckelhausen in Besitz. G. d. C. Graf
Klenau verfolgte den Feind, und es wurde dieser mit Wegnahme
von drei Geschützen von der Cavallerie dieses Corps, darunter
auch O'Reilly Chevauxlegers, bis Stöttering zurückgeworfen. Das
Regiment war nun bei der Verfolgung des Feindes thätig, und
überschritt, ohne weitere besondere Vorfallenheiten am 20. Dezember bei Lauffenburg den Rhein.

Es hatte nun seine Eintheilung zur leichten Division des
FML. Fürst Moriz Liechtenstein, und die Brigade des GM. Prinz
Gustav Hessen-Homburg erhalten. Anfangs Jänner 1814 bewachte
das Regiment mit dem 2. Jägerbataillon zu Salins das Fort
St. André, in welcher Aufstellung es bis Ende Jänner verblieb.
Am 14. Jänner hatte der auf Vorposten mit einer halben Escadron stehende Oberlieutenant Baron Piers einen heftigen Angriff
eines weit überlegenen Feindes zu widerstehen, erhielt bei
dieser Gelegenheit 5 Wunden, und hatte seine Rettung nur der
heroischen Selbstaufopferung und Bravour des Corporal Johann
Hartlaub, der hiebei in Gefangenschaft gerieth, wie der Chevauxlegers Wurho Blaszak und Jakob Rieger zu danken, welche 1815
sämmtlich mit der silbernen Tapferkeits-Medaille belohnt
wurden. Der Verlust des Regiments betrug: an Todten 16 Mann
und 19 Pferde; an Verwundeten: Oberlieutenant Baron Piers
und ein Pferd; an Gefangenen: 6 Mann und 6 Pferde.

Am 1. und 4. Februar hatte das Regiment zwischen
Maisons blanches und Grand Vacheries heftige Vorpostengefechte
zu bestehen. Im erstoren war der Oberlieutenant Torchiana
nebst 3 Mann und 8 Pferden verwundet, 1 Mann und 6 Pferde
todt; im zweiten wurde Lieutenant Gottl, 4 Mann und 15 Pferde
verwundet; 1 Mann und 4 Pferde todt. In der betreffenden
Relation rühmt FML. Fürst Moriz Liechtenstein vorzugsweise das
kluge und tapfere Benehmen des Rittmeister Baron Wucsthof
und Lieutenant Gottl des Regiments. Am 15. waren Abtheilungen des Regiments im Gefechte bei Moret, wo sie nur äusserst
geringen Verlust erlitten. Am 22. wurde Rittmeister Schmelzer
bei Villemaur, wo er mit der Oberst I. Escadron auf Feldwache stand, gegen Abend von 400 feindlichen Reitern angegriffen, welche jedoch durch eine kühne Attaque der Chevauxlegers zum Rückzuge bewogen wurden. Corporal Adam Neubauer
welcher mit Tollkühnheit einen französischen Offizier mitten
unter den Gegnern zum Gefangenen machte, erhielt später die
silberne Medaille.

Am 23. wurde die Vorpostenkette der leichten Division
Fürst Moriz Liechtenstein durch eine Massa von 5000 Reitern der
feindlichen Division Roussel, hinter welcher die Gerard's folgte,
zurückgedrängt. Die Cavallerie der Division Liechtenstein, darunter

das Regiment machte einige muthvolle Angriffe, musste aber dennoch der Uebermacht des Gegners weichen, welcher aber, als er in seiner rechten Flanke durch die österreichische Cürassier-Brigade Seymann plötzlich bedroht wurde, sich bis unter den Höhen von Mongueux zurückzog. Der Verlust des Regiments in diesem Gefechte in der Umgegend von Troyes war bedeutend. Es hatte 20 Mann und 14 Pferde als todt, Rittmeister Vallegio nebst 30 Mann und 37 Pferden als verwundet, den Rittmeister Kohlmannhuber, Oberlieutenant Grivelly, 20 Mann und 15 Pferde als gefangen, endlich 15 Mann und 18 Pferde als vermisst zu beklagen.

Anfangs März unterhielt die Division Fürst Moriz Liechtenstein die Verbindung zwischen den beiden Flügeln der Hauptarmee und bewegte sich an den Ufern des Armancon und der Yonne in der Gegend von Chanceaux und Auxerre, während der Operationen der verbündeten Armeen gegen Paris Ende März im Rücken derselben und stand im April zu St. Florentin.

Nach abgeschlossenem Pariser Frieden trat das Regiment gleich der übrigen Armee seinen Rückmarsch über Süd - Deutschland an, und traf Anfangs August in der Friedensstation Rzeszow in Westgalizien ein.

Im Mai 1815 kam das Regiment ins Lager bei Krakau, und war zu dem in Niederösterreich formirten ersten Reserve-Corps bestimmt. In Folge der, durch die Schlacht bei Waterloo veränderten politischen Sachlage wurde dasselbe beordert die Friedensstation Tarnopol in Ostgalizien zu beziehen. Im Frühjahr 1821 marschirte das Regiment in die Stabsstation Ungarisch-Brod in Mähren, von wo es im April 1822 zur Aufwartung in die Residenzstadt Wien abrückte. Die Oberstlieutenants - Division wurde nach Wels, die zweite Majors-Division nach Salzburg detachirt. Im Mai 1823 marschirte das Regiment nach Ungarn, wo es die Station Gyöngyös und später Debreczin bezog.

Im Sommer 1825 rückte das Regiment abermals nach Galizien in die Stabsstation Horodenka. — In Folge der 1831 in russisch Polen ausgebrochenen Revolution musste eine mobile Colonne unter FML. Baron Bertoletti die Bewegungen des polnischen Insurgentenheeres an den diesseitigen Weichselufern beobachten und jeden Durchbruch polnischer Truppen auf österreichisches Gebiet verhindern. Dieser Colonne war die zweite Majors-Division des Regiments unter Major von Stahel zugetheilt. Der polnische General Ramorino meldete sich bei den Vorposten der Chevauxlegers, welche Oberlieutenant Baron Bussek befehligte, und wurde von dieser Division des Regiments bei Zalesie auf österreichischem Gebiete übernommen und entwaffnet. In diesem Jahre war der Stab des Regiment nach Grodek nächst Lemberg verlegt worden, aber schon im April 1832 erhielt das Regiment Marschbefehl nach Siebenbürgen, wo es Anfangs Juni die Stabsstation Reps bezog, welche es 1836 mit Nagy Enyed verwechselte. In dieser sehr zerstreuten Dislozirung blieb es bis zum Ausbruche des siebenbürgischen Feldzuges 1848.

Schon beim ersten Beginne der noch nicht offen ausgesprochenen Feindseligkeiten und dem Hervortreten der magyarischen Separationsgelüste waren es vorzüglich Oberst Graf Waldstein und Rittmeister Emerich von Babarczy des Regiments, welche mit aller Energie denselben entgegenarbeiteten und zur Aussteckung der kaiserlichen Fahnen und Farben in den sächsisch- und romanischen Ortschaften durch patriotische Aufrufe beitrugen. — Mit 18. Oktober 1848 wurde von Seite des Landes - Commandirenden G. d. C. Baron Puchner der Kriegszustand in Siebenbürgen proclamirt.

Schon Anfangs Oktober hatte die Oberstlieutenants-Division des Regiments unter Rittmeister von Schroer sich in Szas-Varos konzentrirt, und durch ihre feste Haltung und energisches Einschreiten im Hatzeger und Maros - Thal den Aufruhr niedergehalten, bereits früher Streifungen gegen Deva und Vayda Hunynad unternommen, und einen kaiserlichen Pulvertransport, der von der ungarischen Szas-Varoser Nationalgarde unter einem ehemaligen k. Offizier Namens Thiery hätte aufgehalten werden sollen, gerettet.

Am 5. November griff Rittmeister von Kalchberg mit der Oberstlieutenants 1. und 1. Majors 2. Escadron des Regiments, nebst einer Compagnie des Infanterie - Regiments Erzherzog Karl Ferdinand Nr. 51 das bei Radnoth aus 2000 Mann bestehende Szekler Lager an, versprengte dasselbe nach einem kurzen Gefecht und machte den Commandanten mit 2 Offizieren und 125 Mann zu Gefangenen. — Die in Klausenburg und Szamosfalva dislocirte zweite Majors 2. Escadron des Regiments wurde am 27. September in diesen beiden Orten mit Uebermacht und List, während einer Fouragirung in einer kleinen Kaserne, wie auch den einzeln liegenden Quartieren von den Rebellen überfallen, die Mannschaft entwaffnet, deren Pferde weggenommen, und die Offiziere als: Major Graf St. Quentin, Rittmeister Webe Weston, Oberlieutenant Baron Dercseni, die Lieutenants Truskolaski, Conrad Heidmann und der Brigade-Adjutant Lieutenant Lichtenthal gefangen gehalten und bewacht. Nur dem Gemeinen Jatzko Statzko war es selbst nach der Entwaffnung gelungen, sich seines Pferdes und seiner Waffen zu bemächtigen und unter vielen Gefahren sich zu der bei Szas-Regen stehenden Colonne des k. Oberstlieutenants Urban durchzuschlagen, wofür der wackere Mann in der Folge mit der kleinen silbernen Medaille ausgezeichnet wurde.

Die zweite Majors 1. Escadron, welche flügelweise in Lechnitz und Valaszut dislocirt war, hatte auf die Nachricht jener Entwaffnung durch die Umsicht und Energie der beiden Rittmeister Eisl und Baron Bechtold vor einem gleichen Lose bewahrt, sich nach Szas-Regen gezogen, sich daselbst in der zweiten Hälfte Oktober an die Colonne des Oberstlieutenants Urban vom 2. Romanen-Regiment geschlossen, und deckte im Gefechte bei Szt. Ivan am 3. den Rückzug der kaiserlichen Infanterie aus jenem Dorfe, wobei sie zwar lebhaft beschossen wurde, jedoch nur 2 Mann nebst einigen leicht blessirten Pferden verlor. Tags darauf am 1. November wurde dieses Gefecht fortgesetzt, die kaiserlichen Vorposten von dem übermächtigen Feinde zurückgeworfen, und der Rückzug gegen Batos angetreten, den die zweite Majors 1. Escadron abermals deckte. In letzterm Orte vereinte sich ein in Eilmärschen aus Galizien zurückkehrendes Remonten-Geleits-Commando des Regiments, 120 Mann stark unter Rittmeister Bolberitz mit dieser Escadron, diese beiden Abtheilungen wurden componirte zweite Majors Division genannt. Am 13. November wurde die Avantgarde der aus Galizien am 5. und 6. in Siebenbürgen eingerückten Brigade Wardener, an welche sich die Colonne Urban angeschlossen hatte, bei Szamos Ujvar von bedeutenden feindlichen Streitkräften angegriffen. Rittmeister Emil Baron Bechtold des Regiments welcher mit einer halben Escadron an der Strasse bei Valaszut vorpostirt war, hieb sich auf das Tapferste mit dem Feinde herum, bis durch eine gelungene Attaque des Rittmeister Bolberitz und dem kühnen Bajonett-Angriff einer Division des Infanterie-Regiments Sivkovich der Feind zurückgedrängt wurde. Am 16. bei Szamosfalva wurde der Feind von der Brigade Wardener angegriffen und bis hinter den Ort zurückgedrängt, bei welcher Gelegenheit Rittmeister Bolberitz mit einem Zuge jenen Ort vom feindlichen Landsturm säuberte und diesen eine Strecke weit verfolgte.

Am 20. bei der Einnahme Klausenburg's vereinigte sich jene componirte II. Majors-Division mit den unter Oberstlieutenant Losenau in der Brigade des Generals Kaliany stehenden 4 Escadrons des Regiments als Oberstlieutenants 1., Oberst 2. und 1. Majors-Division. Die Oberst 1. Escadron war bei dem in der Haromszek gegen die aufrührerischen Szekler operirenden Streif-Corps des Rittmeister Baron von der Heydte seit Anfangs November detachirt worden, dessgleichen die Oberstlieutenants 2. Escadron zur Deckung des Romanenlagers bei Blasendorf, sowie zur Beobachtung der Gegend von Thorda Enyed und Tövis.

Schon am 22. wurde Oberstlieutenant Losenau mit der Oberstlieutenants 1. Oberst 2. Escadron und 6 Zügen der II. Majors Division nebst 2 Infanterie-Bataillons und einer Sechspfünder-Batterie gegen Banffy Hunyad westlich von Klausenburg abzurücken befehligt, wo er nach einem unbedeutenden Gefechte am 24. bei Gyalu am 26. einrückte und bis zur Vorrückung gegen Czucza am 19. Dezember in dieser Aufstellung blieb.

Indessen war die erste Majors-Division an der Offensivoperation des Oberstlieutenants Urban gegen die vom Feinde stark besetzte Stadt Dees betheiligt. Major Baron Bussek des Regiments wurde mit der 1. Escadron befehligt, den Feind, der die Gässen von Dees füllte, zu attaquiren und zu vertreiben. Leider konnte er sich nur mit Vieren formiren, da ein Damm und eine schlechte Brücke ohne Geländer keinen andern Vormarsch zuliess. Die feindliche Infanterie aus ihrer, in Häusern und hinter Zäunen gut gewählten und gedeckten Position, empfing die kühnen Angreifer mit einem heftigen wohlgenährten Einzelfeuer. Beim ersten Anprall verlor die Escadron 14 Mann und 8 Pferde todt, 2 Mann verwundet. In diesem Moment ertönte von rückwärts der Befehl sich zurückzuziehen. Der Zuruf Názád (Zurück) wurde aber von den vordersten 16 Mann nicht gehört, während die übrigen Chargen und Mannschaft der Escadron, im Schritte zurückgehend, Folge leisteten. Aber Major Baron Bussek, Rittmeister Lambert mit den 16 Chevauxlegers drangen mit ungestümer Tapferkeit durch mehrere Gassen, trotz dem heftigsten Geschützfeuer bis auf den grossen Stadtplatz vor, und wurden durch die hinter ihnen nachrückende, feindliche Infanterie derart eingeschlossen, dass Gefangennehmung oder Vernichtung das Los der wackeren Reiter zu werden drohte. Rittmeister Lambert ein ausgezeichneter Offizier wurde durch 2 Schüsse mit gehacktem Blei aus einem Fenster getödtet. Mit dem Säbel in der Faust, immer an der Spitze seiner Braven, erkämpfte sich der tapfere Major Baron Bussek durch eine vom Feinde gefüllte Gasse den Rückzug, und erreichte die mittlerweile zum Angriffe vorrückende Haupttruppe des Oberstlieutenant Urban. Das sechste offizielle Armeebulletin drückt sich über die Affaire von Dees unter andern folgendermassen aus: „die erste Majors-Division vom Erzherzog Ferdinand Maximilian Chevauxlegers hatte Wunder der Tapferkeit gethan. Mit todesverachtender Bravour hatten die braven Chevauxlegers unter der kühnen Anführung des Major Baron Bussek, dessen Mantel von sieben Kugeln durchbohrt war, die in den engen Gässen sich ihnen entgegenstellenden feindlichen Infanterie-Klumpen attaquirt, zersprengt und niedergehauen." — Von Dees rückte die erste Majors-Division nach Klausenburg und von da gegen Kronstadt, wo sie im Gefechte bei Hidweg anwesend, und im Corps des FML. Gedeon mit der Oberst 1. Escadron bis Mitte Jänner 1849 verblieb.

Im Gefechte bei Czucza am 19. Dezember, welchen die unter Befehl des Oberstlieutenants Losenau und seit 18. GM. Wardener stehenden 4 Escadrons des Regimentes beiwohnten, kam jedoch nur die Oberstlieutenants 1. Escadron ins Gefecht. Bereits waren einige kaiserliche Infanterie-Abtheilungen im engen Körösthale vom Feinde zurückgedrückt worden, als obige Escadron unter Rittmeister von Schroer zur Attaque beordert wurde, welcher sich auch Major Graf St. Quentin freiwillig anschloss. Entschlossen rückte diese Escadron, ihre Offiziere, ausser den beiden obgenannten Rittmeister Baron Bechtold, Oberlieutenant Polborn, die Lieutenants von Truskolaski und von Hitzgern an der Tête en Colonne vor, und kam sogleich in das heftigste Kleingewehrfeuer des die Höhe des Thales besetzt haltenden Feindes. Sie musste sich nun mit einem Verluste von 17 Mann und 22 Pferden theils todt, theils blessirt zurückziehen. Major Graf St. Quentin, ein hochgeachteter Stabs-Offizier, fiel hier von 2 Kugeln getödtet. Der Divisions-Trompeter Peter Scharoch und Gemeiner Ivan Plyta, welche mehrere hart bedrängte Infanteristen herausgehauen hatten, und die letzten beim Rückzuge waren, erhielten die grosse silberne Medaille.— Der feindliche Vorpostens-Commandant Oberst Riczko, ein ehemaliger kaiserlicher Offizier, übersandte auf Ansuchen des Oberstlieutenant Losenau den Leichnam des Grafen St. Quentin mit einem Schreiben, in welchem er sagt, er wolle nur Helm und Schärpe zum Andenken an den gefallenen Helden zurückbehalten. —

Am 24. wurde der Rückzug gegen Klausenburg bei der strengsten Kälte angetreten, den die braven Vorposten der 2. Flügel der 2. Majors 1. Escadron unter Oberlieutenant Conrad Haidmann als äusserste Arriere-Garde deckten. — Der Rückzug wurde weiter über Enyed fortgesetzt, und am 1. Jänner 1849 stand Oberstlieutenant Losenau mit den 4 Escadrons in der Gegend von Karlsburg.

Die Oberstlieutenants 2. Escadron des Regiments, seit Anfangs November detachirt, war der zur Entsetzung der Festung Arad am 8. Dezember in's Banat abrückenden Colonne des Oberstlieutenants Berger von Bianchi Infanterie (Nr. 55), zugetheilt, welche sich am 14. Dezember bei dem Orte Engelsbrunn nächst Arad mit der aus Temesvar dahin abgerückten Colonne des GM. Graf Leiningen vereinte. Schon am Hinmarsche hatte die genannte Escadron unter ihren umsichtigen Commandanten Rittmeister Graf Alberti den Ort Lippa am 11. von zwei feindlichen Szekler-Compagnien gesäubert, und mehrere Gefangene eingebracht. Am 14. Dezember in der Schlacht bei Arad war die Escadron mit 4 Escadrons Schwarzenberg-Uhlanen am linken Flügel aufgestellt, und hatte mit diesen eine Umgehung zu demonstriren, ohne an diesem Tage zu irgend einer Attaque zu kommen.

Am 17. trat die Siebenbürger-Colonne ihren Rückmarsch an, und am 2. Jänner 1849 vereinte sich diese Escadron in der Gegend von Karlsburg mit den dort stehenden 4 Escadrons unter Oberstlieutenant von Losenau.

Am 2. Jänner 1849 brachen diese Abtheilungen nach Mikeshaza, in der Gegend von Mediasch auf, wo sie einige Tage verblieben. Die zwei grossen in der furchtbarsten Kälte am 2. und 3. zurückgelegten Märsche hatten dem Oberlieutenant Konrad Haidmann und 10 Chevauxlegers ihre Glieder gekostet, da sich dieselben die Füsse erfroren.

Die Oberst 2., und 1. Majors 2. Escadron stiessen von dort zu dem in der Gegend von Mediasch stehenden Haupt-Corps des FML. Baron Puchner, während die Oberstlieutenants-Division unter Oberstlieutenant Losenau in die Stellung bei Mihaczfalva abrückte, bis 19. dort verblieb, und nach einigen in dieser Zeit unternommenen Streifungen gegen Tövis und Enyed am 20. Abends vor Hermannstadt eintraf.

Die oben genannten beim Haupt-Corps des FML. Baron Puchner stehenden 2 Escadrons des Regiments nahmen am 15. Theil an der Vorrückung desselben gegen Maros-Vasarhely, aber ein kühner Angriff des übermächtigen Gegners bei Galfalva am 16. zwang die österreichischen Truppen zum Rückzuge. Nach dem ungünstigen Gefechte bei Sikofalva am 17., als die feindliche Cavallerie fortwährend den Rückzug beunruhigte, wurde auf dem Berge bei Balastelke Front gemacht, und die beiden als äusserste Arriere-Garde an der Queue marschirenden Escadrons des Regiments zur Attaque befehligt. Die 2. Majors-1. Escadron jagte zu Vieren vorwärts, und durchbrach eine Hussaren-Division, welche durch den raschen Anprall geworfen wurde. Der Interims-Escadrons-Commandant Oberlieutenant Ludwig von Hepperger, ein junger unternehmender Offizier, immer vorwärts stürmend, vom feuerigsten Muthe beseelt, jagte auf eine zweite feindliche Abtheilung, die Suite des Insurgenten-General Bem. Inzwischen war das Appel-Signal von Seite des Arriere-Commandanten ertönt, aber in der Kampfeshitze nicht gehört, und so kam es, dass Oberlieutenant Hepperger, als er eben im Begriffe stand, den Insurgenten-General Bem selbst niederzuhauen, von dessen Adjutanten Grafen Teleki einen schweren Kopfhieb erhielt, bewusstlos zusammenstürzte, und in feindliche Gefangenschaft gerieth, aus welcher sich Anfangs August nach vielen Leiden und Beschwerden dieser umsichtige Offizier unter den grössten Gefahren bei Lippa muthvoll ranzionirte. — Die ein Jahr später im Hamburg erschienene Schrift des Insurgenten-Obersten Czets, des Generalstabs-Chefs Bems, erwähnt mit bewundernder Hochachtung des tapfern Hepperger kühne Waffenthat. Nebst diesem Offizier waren noch 8 Chevauxlegers theils blessirt theils gefangen. — Tags darauf rückte das Corps bei Hermannstadt ein.

In der, am 21. dort geschlagenen Schlacht stand die Oberstlieutenants-Division unter Rittmeister von Schröer am rechten Flügel der Schlacht-Ordnung, die Oberst 2., und 2. Majors 1. Escadron am linken. — Rittmeister Schröer machte mit der Oberstlieutenants 1. eine gelungene Attaque, wobei er nur einige verwundete Pferde zu beklagen hatte, die andern Escadrons, welche, im stärksten Kanonenfeuer zur Unterstützung in's Zentrum vorgezogen wurden, hatten einen Todten, 2 verwundete Mann und ebenso einige Pferde. Das rechtzeitige freiwillige Erscheinen des Oberstlieutenants Losenau mit seiner Brigade hatte wesentlich zum günstigen Erfolge dieser Schlacht beigetragen, und es wurde diesem tapfern Offizier noch am Schlachtfelde vom Commandirenden FML. Baron Puchner dessen eifrigste Anempfehlung zur Verleihung des Maria Theresien-Ordens zugesagt, ein Versprechen, dessen Erfüllung aber der baldige Heldentod Losenau's unmöglich machte. Die Brigade Losenau, und mit dieser die Oberstlieutenants-Division verfolgte den fliehenden Feind bis Gross-Scheuern.

Am 22. Jänner vereinigte sich die aus dem Szeklerlande kommende Truppen-Division Gedeon mit dem Corps des FML. Puchner, und somit rückte die 1. Majors-Division und die Oberst 1. Escadron wieder zum Regimente, welches nun das erste Mal in diesem Feldzuge ganz vereint war.

Bei dem am 24. unternommenen Angriffe auf das vom Feinde besetzte Stolzenburg stand das Regiment in der Reserve.

In der am 4. Februar bei dem Orte Salzburg geschlagenen siegreichen Schlacht machten die Oberst- und 2. Majors-Division am rechten, die Oberstlieutenants- und 1. Majors-Division am linken Flügel wiederholte erfolgreiche Attaquen, und hatten den Verlust an 20 Mann und Pferden, theils getödtet, theils verwundet zu beklagen. Die beiden Regiments-Cadeten Vincenz Graf Nemes und Ludwig von Szabo, welch' letzterer hier ein Auge verlor, hatten sich durch hervorragende Tapferkeit der Art bemerkbar gemacht, dass beide die kleine silberne Medaille erhielten, und vom Commandirenden selbst am Schlachtfelde noch zu Offiziers befördert wurden. —

Rittmeister Graf Alberti war mit der Oberstlieutenants 2. Escadron befehligt worden, gleich nach der Schlacht dem flüchtigen Feinde am Fusse zu folgen, um über dessen Rückzugs-Linie Bericht zu erstatten. Abends 8 Uhr erreichte Graf Alberti Reissmarkt, wo sich der Feind gesetzt hatte, rückte unter dem Schutze der Dunkelheit vor, und allarmirte den Feind durch zu Pferde mitgenommene Tambours, so dass dieser an die Anwesenheit grosser Infanterie-Massen glaubte. Die Insurgenten verliessen nach Mitternacht den von ihnen angezündeten Ort, und Rittmeister Graf Alberti erhielt von den indessen mit seiner Brigade nachgerückten Obersten von Losenau den Befehl, von der ferneren Verfolgung abzulassen. Am 5. war die Verfolgung fortgesetzt, und um 3½ Uhr Nachmittags eröffnete der vor Mühlenbach angelangte Oberst Losenau bis zur Dämmerung ein Geschützfeuer gegen diese Stadt und deren östliches Bem, wo sich Bem mit den Resten seines Corps hinter deren Mauern hielt. Rittmeister Graf Alberti erbat sich von seinem Obersten die Erlaubniss, mit seiner nur aus 70 Mann bestehenden Escadron die Strasse gegen Szas-Varos im Rücken des Feindes recognosziren zu dürfen, wohin er über Petersdorf abrückte. Vor Tages-Anbruch war es ihm gelungen, eine von Szas-Varos anrückende Infanterie-Abtheilung von 6 Offizieren und 140 Mann gefangen zu machen, auch sendete er den Lieutenant Truskolaski seiner Escadron zu Bem mit der Aufforderung zur Capitulation, welche aber dieser verweigerte. Während dieser Parlamentär-Unterhandlung zeigte sich im Rücken der Chevauxlegers abermals eine ziemlich starke feindliche Abtheilung am Marsche nach Mühlenbach. Graf Alberti rückte ihr mit seinen Chevauxlegers rasch entgegen, welche überrascht hier kaiserliche Truppen zu finden im Angesichte des von den Ihren noch besetzten Mühlenbachs die Waffen streckte. Eine 3pfündige Feld-Kanone, 20 Offiziere, 4 Aerzte, 450 Mann vom Feldwebel abwärts, 8 gefüllte Munitionskarren, 12 Rüst- und Bagage-Wägen fielen in die Hände des tapfern Alberti's, welcher kaum Zeit hatte, seine Gefangenen in Sicherheit zu bringen, als bereits die feindliche Avant-Garde aus Mühlenbach vorrückte, so wie gegen diesen Ort die österreichischen Colonnen im Anmarsche waren.

Die Verfolgung wurde gegen Szas-Varos fortgesetzt, die Oberstlieutenants- und 2. Majors-Division blieben aber als Reserve in Mühlenbach zurück, die beiden andern rückten vor. Am 8. und 9. kam es an der Strelbrücke bei Piski zum blutigen Zusammenstoss, an beiden Tagen kam es zu wiederholten, mit abwechselndem Glücke unternommenen Cavallerie-Attaquen. Oberlieutenant Joseph Geringer rettete mit edler Aufopferung den sich durch einen Sturz mit seinem getödteten Pferde beschädigten Kameraden Oberlieutenant Kreb, indem er ihm sein Pferd übergab, und ungeachtet der Annäherung der Hussaren seine Abtheilung zu Fuss erreichte. Major Baron Bussek that sich an der Tête seiner Division wieder durch todesmuthige Tapferkeit hervor.

Das Regiment hatte aber schmerzliche Verluste erlitten. Oberst von Losenau war tödtlich durch 2 Kugeln im Rückgrad blessirt, Oberlieutenant Hugo Wagner durch den gewaltigen Luftdruck eines Zwölfpfünders getödtet worden. — Ein feindliches Bataillon hatte durch Aufsteckung weisser Fahnen und Tücher Miene gemacht, sich zu ergeben, doch kaum hatte sich das ihnen an der Brücke gegenüberstehende Bataillon Bianchi genähert, so feuerte das Insurgenten-Bataillon auf dasselbe. Bei dieser Gelegenheit war der näher gegen die Brücke gerittene Oberst von Losenau verwundet. Er wurde von dem Divisions-Trompeter Schindler und Corporal Sikorski schwer blessirt aus dem feindlichen Feuer gebracht, auf einen mit Ochsen bespannten Schlitten gelegt, und unter den heftigsten Schmerzen nach Hermannstadt geführt, wo dieser tapfere Commandant und älteste Veteran des Regiments, in dessen Reihen er nun nahe an 40 Jahre diente, zur allgemeinen Trauer am 12. seine Heldenseele verhauchte, und feierlichst auf dem dortigen Friedhofe unter Begleitung des ganzen Regiments österreichisch und russischer Truppen beerdigt wurde. Mit ihm verlor die Armee einen ihrer fähigsten Köpfe und tüchtigsten Reiter-Offiziere, wie auch Bem, sein einstiger Schul-Kamerad und unleugbar intelligente und tapfere Gegner sich noch am Schlachtfelde bei Erhalt dieser Nachricht aussprach. Corporal Schindler erhielt für sein pflichtgetreues aufopferndes

14

Benehmen in der Folge die grosse silberne Medaille. Die Brigade Stutterheim, in welcher die 1. Majors-Division, wurde bei dem nun erfolgten Rückzuge der kaiserlichen Truppen gegen Hermannstadt in der Nacht vom 11. auf den 12. zu Alvincz überfallen, Oberlieutenant Apfler des Regiments hatte auf Geschütz-bedeckung mit seinem Zuge die beihabenden Kanonen nach Karls-burg in Sicherheit gebracht.

Nach einem mehr als 14tägigen Stillstand der Operationen war das Regiment am 3. März unter Commando des Oberstlieu-tenant Baron Bussek im Treffen bei Mediasch.

Während das siebenbürgische Armee-Corps des FML. Baron Puchner den 4. und 5. gegen Schäsburg vorrückte, war Ober-lieutenant Polborn mit seinem unterstehenden 2. Flügel der Oberst-lieutenants 1. Escadron als Besatzung nebst mehreren andern Truppen-Abtheilungen in Mediasch geblieben, Rittmeister Graf Al-berti aber mit der Oberstlieutenants 2. Escadron und einen Zug Sivkovich-Infanterie (Nr. 41) zur Streifung im kleinen Kockelthale beordert, von wo er nach einem 4tägigen anhaltenden Marsche am 9. Nachmittags nach Mediasch zurückkehrte.

Am 10. bei Tages-Anbruch erhielt Graf Alberti die Meldung von den ausgeschickten Patrouillen, dass der Insurgenten-General Bem mit seinem Corps im vollen Anrücken sei, — worauf Alberti sogleich Allarm blasen liess, und seine Chevauxlegers am Aus-gange der Stadt sammelte, wo jene Escadron in der drohen-den Gefahr vernichtet zu werden, in fester unerschütterlicher Hal-tung den Rückzug der Infanterie zu decken stehen blieb. Der Rückzug wurde gegen Hermannstadt angetreten, gegen 7 Uhr Morgens rückten 3 Escadrons feindlicher Hussaren zum Angriffe mit 2 Geschützen vor. Mit imponirender Ruhe zog sich nun Graf Alberti mit seinen Chevauxlegers bis hinter Klein-Kapos zurück, die Hussaren verfolgten rasch, am Ausgange des Dorfes lässt Graf Alberti die Chevauxlegers attaquiren, welche nach kurzem Hand-gemenge 2 Hussaren-Abtheilungen warfen, und aus dem Dorfe hinaustrieben. Der Verlust der Chevauxlegers betrug nur 2 Todte und mehrere Verwundete, jener des Feindes wenigstens 30 Mann. Lieutenant Carl von Stein hatte sich bei der Verfolgung durch Umsicht und Bravour hervorgethan, dessgleichen Corporal Storm durch seine Tapferkeit, in Folge dessen er die grosse silberne Medaille erhielt.

Diese Abtheilung des Regiments traf am Abend dieses Tages bei Hermannstadt ein, nahm Tags darauf Theil an dem dortigen Treffen unter den Befehlen des k. russischen Obersten Skariatin. und vereinigte sich mit den übrigen Abtheilungen des Regiments bei Giresau. — Die siebenbürgisch-österreichische Armee nahm nach dem unglücklichen Ausgang des Treffens der Russen bei Her-mannstadt seinen Rückzug nach Kronstadt. Im Orte Sarkany wurde die, die Arriere-Garde bildende Oberstlieutenants-Division des Re-giments am 18. überfallen, da sie eben im Ausrücken zum Abmarsche begriffen war. Die feindliche Avant-Garde nahm in der Schnelligkeit zwei im Marsche nach Kronstadt begriffenen Positions-Geschütze weg. Rittmeister Emil Baron Bechtold und Lieutenant v. Stein warfen sich mit den wenigen einzelnen Leuten, die sich gesammelt, auf den Feind, und entrissen demselben die bereits verlorenen Geschütze glücklich wieder, worauf die Division lebhaft von der feindlichen Avant-Garde beschossen, ohne weiteres Hinderniss den Marsch gegen Zeiden antrat, wo der Feind einen abermaligen Angriff am 19. versuchte. — Ebenso fanden bei dem am 20. und 21. erfolgten Rückzuge des siebenbürgischen Armee-Corps in die Walachei ganz unbedeutende Arriere-Garde-Gefechte am Temesser-Pass statt. Am 25. März kam das Regiment nach Plojestie, wo es bis 11. April verblieb, sodann nach Oressowa aufbrach, und von dort mit dem nun von FML. von Malkowsky befehligten Corps in's Banat abrückte, und bei Domaschne bis 15. Mai stehen blieb, mit Ausnahme der Oberst-Division, die in der Avant-Garde-Brigade Van der Nüll nach Weisskirchen detachirt wurde, und an der Vertheidigung dieses Ortes gegen die Angriffe des Insurgenten-Corps Perczels Theil nahm, und auch einige Leute und Pferde verlor. — Das siebenbürgisch-österreichische Armee-Corps marschirte zum zweiten Male in die Walachei zurück, und bezog am 17. Mai, die Grenze bei Orssowa bewachend ein Lager bei Czernetz, wo es an Cholera und Typhus-Epidemien viele seiner Braven verlor, auch das Regiment hatte starke Verluste an Unteroffizieren und Mannschaft. Der Oberarzt Dr. Perdisch des Regiments zeichnete sich in dieser Epoche durch edle aufopfernde Erfüllung seiner Pflicht besonders aus. —

Das siebenbürgische Armee-Corps, seit Anfangs Juni vom FML. Graf Clam-Gallas befehligt, brach am 23. Juni von Czernetz gegen Siebenbürgen auf, und war über den Törzburger Pass am 16. Juli in der Gegend von Kronstadt angelangt. Am 23. im Treffen bei Szemeria und Szepsi Szt. Gyorgy standen die beiden Majors-Divisionen des Regiments im Zentrum, und entsandten Plänkler gegen die, aus dem brennenden Dorfe Szemeria zeitweise vorrückenden feindlichen Infanterie-Abtheilungen. Der Attaque der am rechten Flügel stehenden, vom Rittmeister Graf Nemes geführten Oberstlieutenants-Division setzte ein breiter unübersetzbarer Graben ein unvorhergesehenes Hinderniss, bei welcher Gelegenheit sie stark beschossen wurde. Am 1. August nach dem Gefechte bei Büksad wurde das Regiment zur Verfolgung des Feindes beordert, dessen Arriere-Garde es bei Csik-Tusnad noch antraf. Rittmeister Nahlik des Regiments attaquirte mit der Oberst-Division ein feindliches Bataillon, und sprengte es auseinander. Bei dieser Gelegenheit hatte diese Division einen Mann und mehrere Pferde todt, Rittmeister Nahlik durch einen Schuss am Fusse verwundet, zu beklagen. Letzterer in Folge dessen vom Pferde gestürzt, und in Gefahr gefangen zu werden, wurde vom Wachtmeister Johann Sikorski glücklich herausgehauen; da dieser Unteroffizier sich schon

14*

bei Piski um den verwundeten Obersten Losenau verdient gemacht hatte, erhielt er die goldene Medaille. Die 2. Majors-Division verjagte noch einige feindliche Infanterie-Abtheilungen in die nahe liegenden Wälder.

Am 22. August rückte das Regiment mit dem Armee-Corps in Klausenburg ein, wo es bis Anfangs September blieb, und dann seine angewiesene Friedens-Dislocation bezog. die Oberstlieutenants-Division in Maros-Vasarhely, der Stab mit der Oberst-Division in Mediasch und Umgegend, die 1. Majors-Division bei Hermannstadt, die 2. bei Elisabethstadt. —

Nun kömmt noch Einiges über die detachirten Abtheilungen des Regiments zu sprechen, deren vier waren. Die erste von ihnen war ursprünglich ein Remonten-Commando unter Führung des Wachtmeister Slipko, und bestand im November 1848 aus 1 Wachtmeister, 4 Corporals und 32 Mann, später vermehrte es sich durch Ranzionirte und Versprengte auf 1 Wachtmeister, 7 Corporals und 47 Mann. In der Colonne des Obersten Urban hatte dieses Detachement an den Gefechten bei Dees, Szamos-Ujvar und Klausenburg thätigen Antheil genommen, nach dem Gefechte bei Czucsa half es den Rückzug gegen Nyeres am 19. decken. Corporal Caspar Scheffel brachte die Anzeige des Oberst Losenau aus Banffy-Hunyad beim Obersten Urban ein, dass sich das Corps des GM. Wardener über Klausenburg gegen Hermannstadt zurückziehen werde. Corporal Scheffel hatte mit 4 Mann durch die feindlichen Vorposten und Patrouillen sich 4mal durchschlagen müssen, und 3 Mann verloren. Während des Rückzuges der Urbanischen Colonne gegen Klausenburg wurde Corporal Scheffel mit 13 Mann in diese Stadt gesandt, um selbe zu recognosziren. Wiewohl feindliche Husaren, Honveds und Einwohner ihm die Strasse zu sperren suchten, hieb Scheffel sich nicht nur durch, sondern rettete sogar einige Bagage-Wägen österreichischer Offiziere. Auf seinem Rückweg mit mehreren feindlichen Streifparteien kämpfend, brachte Scheffel nicht nur seine 13 Mann, sondern auch 2 gefangene Husaren und 4 Beutepferde zu seiner Colonne. Er erhielt die goldene Tapferkeits-Medaille. —

Am 1. Jänner wurde dieses Detachement von Lieutenant Carl Heinz übernommen, und kämpfte während des Winter-Feldzuges in der Colonne des Obersten Urban mit Auszeichnung in den Gefechten: bei Lechnitz und Bistritz am 1. und 2. Jänner, bei Borgo-Brund am 23. Jänner, bei Watra-Dorna am 2. Februar, bei dem Ueberfalle von Moroseni am 5. Februar und bei Baiersdorf am 15. — Im Sommer-Feldzuge wurde es bei dem Gefechte von Borgo-Brund am 22. Juni mit einigen k. russischen Kosaken-Abtheilungen zur Verfolgung des Feindes verwendet, auch machte es in den Gefechten bei Wallendorf mehrere gelungene Attaquen, und brachte 4 gefangene Husaren und 2 erbeutete Munitionskarren ein. Um über die Operationen des k. russischen 5. Armee-Corps (unter General-Lieutenant v. Lüders) Nachrichten zu erhalten, entsendete der k. russische

Generallieutenant Grottenhjelm am 4. Juli den Lieutenant Heinz
mit dem Detachement und 50 Kosaken über Szás - Regen
gegen Maros-Vásárhely ab, um die Verbindung mit jenem Corps
aufzusuchen. Lieutenant Heinz nahm dem Feinde bei Nagy-Sajo
einen Provianttransport von 104 Wägen ab, und zerstreute die Bedeckungs-Mannschaft; in Szás-Regen, wo er am 5. mit Tages-
anbruch eintraf, ein eben daselbst angelangtes Honved-Bataillon,
nachdem 50 Mann getödtet und 88 gefangen wurden, gänzlich
auseinander sprengte, bemächtigte er sich sämmtlicher auf der
Post befindlichen Briefschaften, aus denen über die Bewegungen
des k. russischen 5. Armee-Corps die neuesten Nachrichten zu
entnehmen waren. — Am 10. Juli im Gefechte bei Bistritz
zeichnete sich das Detachement durch lebhafte Verfolgung des
Feindes und Gefangennehmung von 5 Hussaren und 13 Honved
aus. Ebenso nahm es Theil an den Gefechten vor Szeret-Falva
am 16. Juli und Szás-Regen am 23. Am 23. August rückte
das Detachement zu Klausenburg beim Regimente wieder ein,
nachdem es in der ganzen Zeit nur 2 Mann und 7 Pferde vor
dem Feinde, 7 Mann aber im Spitale verloren hatte. Ausser
dem bereits genannten, mit der goldenen Medaille betheilten
Corporal Scheffel wurden noch 8 Mann theils mit grossen, theils
mit kleinen silbernen Medaillen, Wachtmeister Penninger mit
dem k. russischen St. Georgskreuz 5. Classe und 6 Gemeine
mit Belobungen betheilt.

Mit gleich rühmlicher Auszeichnung hatte sich das in der
belagerten Festung Karlsburg befindliche Detachement des Regiments bewährt. Dasselbe bestand aus 3 Offizieren, 5 Unteroffizieren und 65 Mann. Dasselbe war die ganze Zeit der vom 15.
März bis 12. August dauernden Belagerung zu den zahlreichen
Ausfällen, nächtlichen Recognoszirungen, Parlamentär-Ritten und
starken Patrouillendienst verwendet worden. Nachdem es die
mehrfachen Bombardements im Monat April und Juni bestanden,
stand es in den letzten zwei Monaten beinahe täglich dem Feinde
gegenüber, besonders ausgezeichnet hatte es am 9. und 15.
Juli gekämpft.

Am 1. Tage wurde der Wachtmeister Anton Mroszink durch
einen Schuss am Vorderfusse schwer blessirt, nachdem er sich
durch wiederholte hervorragende Tapferkeit die goldene
Medaille verdient hatte. — Am 15. unternahm der Comman-
dant des Detachements Oberlieutenant Hermann Bartsch, welcher
seit April mit eben so viel Umsicht als Entschlossenheit in allen
Gefechten seinen Chevauxlegers als hervorragendes Beispiel vorleuchtete, — eine Schwarm-Attaque auf eine feindliche halbe
Rakettenbatterie, erbeutete, Stative, Rakettenstangen, Munition und
Brandeltaschen, und jagte die feindliche, auf Bedeckung stehende
Infanterie-Compagnie in wilde Flucht, worauf er mit seinen
Trophäen in die Festung unter dem Beifallsrufe der Garnison
einrückte.

Ein Tags darauf am 16. Juli erschienener Festungs-Commandobefehl belobte öffentlich das tapfere Benehmen der Oberlieutenants Hermann Bartsch und Andreas Graf Thürheim, so wie der Unteroffiziers und ganzen Mannschaft „dieser ausgezeichneten Cavallerie-Abtheilung" und drückte den Dank des Festungs-Commandanten Oberst von August mit der Versicherung aus, dieses brave Benehmen seiner Zeit zur höchsten Kenntniss zu bringen. Der Gemeine Johann Hollub, welcher dem, mit seinem blessirten Pferde gestürzten Oberlieutenant Graf Thürheim am Rückwege in die Festung ohne Aufforderung zu Hülfe eilte und vor den nachsprengenden feindlichen Hussaren trotz des heftigen Feuers rettete, erhielt die goldene Tapferkeits-Medaille.

Am 31. Juli unternahm Oberlieutenant Bartsch mit 25 Chevauxlegers mitten durch das feindliche Lager eine Schleichpatrouille bis Hermannstadt, wo er, nach zwei mühevollen Nachtmärschen, unter beständiger Nachspürung des Feindes anlangte, und in der Suite des k. russischen General-Lieutenants Lüders das Treffen am 3. August mitmachte. — Jenes Detachement rückte mit 2 goldenen, 3 grossen und 2 kleinen silbernen Medaillen, nebst 3 k. russischen St. Georgskreuzen V. Klasse zum Regimente ein.

Major v. Schröer des Regiments war aus dem Lager bei Czernetz im Monate Mai zu dem in Essegg befindlichen Regiments-Depot abgeschickt worden, um aus den dort eingetroffenen Ergänzungs-Transporten eine Division zusammenzusetzen und zu organisiren, was im Monate Juni bewerkstelligt wurde. Wegen der erschwerten Communication wurde diese componirte Division des Regiments zur Südarmee des Banus FZM. Baron Jellacic beordert, wo sie sich thätigst verwenden liess, mehrere kleine Gefechte rühmlichst bestand, und im September über Lugos nach Siebenbürgen zum Regimente einrückte, mit zwei im Gefechte bei Bata am 22. Juli erworbenen silbernen Medaillen,

Oberlieutenant Adolf Thalmayer des Regiments befand sich mit 20 Chevauxlegers in der Festung Temesvar und theilte mit dessen tapfern Vertheidigern alle Schicksale jener langwierigen und harten Belagerung, bis er, Ende August, sich mit der componirten Division des Majors von Schröer vereinigte.

In Folge ihrer Auszeichnungen vor dem Feinde wurden folgende Offiziere des Regiments decorirt: Oberstlieutenant Carl Baron Bussek und Rittmeister Emil Baron Bechtold mit dem Orden der eisernen Krone III. Klasse und dem Militär-Verdienstkreuze, Major Friedrich Graf Alberti mit dem Ritterkreuze des Leopold-Ordens. Mit dem Orden der Eisernen Krone III. Klasse ferner: Rittmeister Ludwig Bolboritz, die Oberlieutenants Ludwig von Hepperger, Carl Stein von Nordenstein, und Carl Heinz. Mit dem Militär-Verdienstkreuze Rittmeister Emerich von Babarczy und die Oberlieutenants Hermann Bartsch und Carl Apfler. — Kaiserliche russische Decorationen erhielten: der Oberst Regiments-Commandant Adolf Schönberger den k. russischen St. Annen-Orden II. Classe mit der Krone; denselben III. Classe mit der Schleife; Major Friedrich Graf Alberti, die Oberlieutenants Hermann Bartsch, Carl Stein von Nordenstein, und denselben Orden IV. Classe: Oberlieutenant Karl Heinz. — Unter die brave Mannschaft waren 32 Tapferkeits-Medaillen und zwar 4 goldene, 15 grosse und 13 kleine silberne Medaillen, nebst 4 k. russische St. Georgskreuzen V. Classe vertheilt worden.

Im Juli 1850 bezog das Regiment die Stabsstation Ujpecs im Banat, von wo es im November d. J. bis Kecskemet vorgeschoben wurde.

In Folge Allerhöchsten Befehlschreibens vom 4. Dezember 1850 wurden für das Regiment bei Eintritt der nächsten Monturs - Kategorie dunkelgrüne Waffen-Röcke und Pantalons, mit kirschrothen Aufschlägen und gelben Knöpfen bestimmt, welche Adjustirung aber bei der Mannschaft nicht ins Leben trat, da mit Allerhöchstem Befehlschreiben vom 6. Mai 1851 das Regiment zum Uhlanon-Regiment mit der Nummer 8 und der am Schlusse angegebenen Adjustirung übersetzt wurde.

Nachdem das Regiment im Februar 1851 die Stabsstation Alt-Arad bezogen hatte, wurde demselben das freudige Glück zu Theil, in der öffentlichen Auszeichnung seines einstigen Commandanten auch sein eigenes Verdienst anerkannt zu sehen. Das k. k. siebenbürgische Armee - Corps hatte dem tapferen Obersten Losenau zu Karlsburg in Form eines Obelisken ein Denkmal zu setzen beschlossen. Se. Majestät der Kaiser bewilligten nicht nur allergnädigst dieses Ansuchen, sondern geruhten selbst, während Ihrer Allerhöchsten Anwesenheit in Karlsburg am 23. Juli der Grundsteinlegung beizuwohnen und den ersten Mörtelwurf zu legen. Das Regiment war durch eigends dahin abgesandte Offiziere und decorirte Mannschaft vertreten. Die beiden Denkschriften, welche bei der Grundsteinlegung in den Grundstein eingeschlossen wurden, lauten:

„Ludwig Losy von Losenau, dem tapfern Obersten und Commandanten des Chevauxlegers-Regiments Erzherzog Ferdinand Max, treu seinem Kaiser, am 9. Februar 1849 an der Spitze einer Abtheilung seiner wackeren Reiter, in dem mördorischen Gefechte an der Brücke bei Piski von einer feindlichen Kugel tödtlich getroffen, am 11. desselben Monats in Hermannstadt gestorben, als Denkmal seiner Gediegenheit und seines Heldenruhmes, das k. k. siebenbürgische Armee-Corps."

In dessen Namen zu Karlsburg am 23. Juli 1852.

Carl Fürst zu Schwarzenberg,

k. k. FML. und Commandant des 12. Armee-Corps.

„Es gereicht meinem Herzen zur vollen Befriedigung, durch die eigenhändige Grundsteinlegung des in der Nähe dieser heldenmüthig vertheidigten Festung auf dem Schlachtfelde gefallenen Obersten von Losenau, Meiner treuen und tapferen Armee einen wiederholten Beweis zu geben, wie sehr Ich dieselbe auch in ihren Helden ehre."

Karlsburg den 23. Juli 1862.

Franz Josef m. p.

Im September 1852 war das Regiment im Lustlager bei Pest und wurde in mehreren ausländischen Berichten, namentlich der seither eingegangenen Wehr-Zeitung als das bestberittenste leichte Cavallerie-Regiment angerühmt. Anfangs Oktober bezog das Regiment wieder seine frühere Stabsstation, von wo es im Juli 1853 nach Ruma in Syrmien abrückte. Am 14. Juli 1854 wurde dasselbe mittelst Dampf und Schleppschiffen nach Pancsowa überschifft, und nach Siebenbürgen in Marsch gesetzt, wo es im August d. J. auf den Kriegsfuss gesetzt, bei Szt. Katolna eine Dislozirung bezog, jedoch schon im September zum Occupations-Corps der Donaufürstenthümer gehörig in die Walachei abrückte, mit dem Regimentsstabe und der 2. und 3. Division zu Buzeo und Umgegend, die erste Division zu Plojestie und die 4. zu Galatz dislozirt wurde. Im September 1855 kam die erste Division nach Krajowa, die drei andern mit dem Stabe nach Bukarest.

Im Mai 1856 rückte das Regiment nach Theresiopel, im August 1857 in ein Lager bei Pest und von da in die Stabsstation Tolna.

Im April 1859, zum II. neu zu formirenden Cavallerie-Corps bestimmt, brach das Regiment nach Mähren auf, wo es die Stabsstation Wessely bezog. Ende Juli marschirte dasselbe wieder nach Ungarn in die Stabsstation Raab. Mit 1. März 1860 gab es seine 4. Division zu dem neu errichteten freiwilligen Uhlanen Regiment ab, und Ende Jänner 1861 bezog das Regiment seine gegenwärtige Stabsstation Rakos Palota bei Pest.

Maria-Theresien-Ordens-Ritter.

1799 Oberst Regiments-Commandant Hannibal Marquis Sommariva (siehe Inhaber bei Cürassier Nr. 5).
1802 Rittmeister Simon von Sardagna (siehe Oberste).
1806 Der Regiments-Inhaber FML. Andreas Graf O'Reilly das Commandeurkreuz.

Regiments-Inhaber:

1718 Oberst Wilhelm Markgraf zu Brandenburg-Anspach-Onolzbach, gest. zu Onolzbach am 7. Jänner 1723.
1723 Oberst Carl Wilhelm Markgraf zu Brandenburg-Anspach-Onolzbach seine Stelle resignirt 1726.
1726 FM. Johann August Prinz zu Sachsen Gotha † zu Roda am 8. Mai 1767.
1767 FML. Johann Graf Bettoni † zu Wien 1773.

1773 FM. and MTOR. Joseph Fürst Lobkowitz, † zu Wien am 6. März 1802.
1803 G. d. C. Andreas Graf O'Reilly, MTOR.-Cdr., † zu Penzing bei Wien am 5. Juli 1832.
1832 FML. Bartholomäus Graf Alberti, † den 11. April 1836 zu Wien.
1836 G. d. C. Paul Baron Wernhardt, MTOR., † den 13. September 1846 zu Wien.
1846 Se. k. k. Hoheit Erzherzog Ferdinand Maximilian, k. k. Vize-Admiral und Marine-Ober-Commandant.

Zweite Inhaber.

1846 FML. Philipp Baron Bechtold, † zu Linz am 9. November 1862.
1862 FML. Carl Graf Bigot de St. Quentin.

Oberste.

1718 Der Regiments-Inhaber Wilhelm Markgraf zu Brandenburg-Anspach-Onolzbach.
1718 N. Graf Czeyka, Regts.-Comdt., 1725 GM.
1723 Der Regiments-Inhaber Carl Wilhelm, Markgraf zu Brandenburg-Onolzbach.
1726 Der Regiments-Inhaber Johann August, Prinz zu Sachsen-Gotha, 1730 GM.
1735 Georg Baron Kalkreuter, Regts.-Comdt., 1742 GM.
1742 Friedrich Arnold v. Winkelmann, Regts.-Comdt., 1746 GM.
1746 Franz Baron Levenehr, 1748 pensionirt.
1748 Heinrich Baron Stappel, 1753 GM.
1753 Heinrich Isak de Petit, 1753 pensionirt.
1733 Carl Graf O'Donell, 1757 GM.
1757 Franz Graf di Pompeati, 1768 GM.
1768 Ernst Baron Blankenstein, 1775 GM.
1775 Joseph Graf Berchtold, 1779 GM.
1779 Joseph Graf Auersperg, 1788 transferirt zu Graf Harrach-Cürass. Nr. 7.
1788 Michael Melas, 1789 GM.
1788 Georg Lud. Bar. Buccow, MTOR., † den 5. Octob. im Lager bei Belgrad 1789.
1789 Andreas Keppner, 1790 GM.
1790 Carl Baron Mack, MTOR., 1793 General-Adjut. des Prinzen Coburg.
1793 Paul Baron Winkler, 1796 GM.
1796 Hannibal Marquis Sommariva, 1799 MTOR. und GM.
1798 Max. Joseph Fürst Thurn-Taxis, 2. Oberst, 1799 Regts.-Comdt., 1800 quittirt mit GM.-Charakter.
1799 Bernhard Grosser, 2. Oberst, 1800 Regts.-Comdt., 1805 pensionirt als GM.
1801 Anton Picking, 2. Oberst, 1801 transferirt zu Kavanagh-Cürassier, (jetzt Nr. 4)
1805 Friedrich Graf Degenfeld-Schomburg, MTOR., Regts.-Comdt., 1807 quittirt mit Militär-Charakter.
1805 Alois Graf Harrach, Dienst-Kämmerer Sr. k. k. Hoheit des Erzherzogs Anton, 1809 GM.
1807 Leopold Baron Rothkirch, Regts.-Comdt. 1809 GM.
1809 Simon v. Sardagna, MTOR., Regts.-Comdt., 1812 Platz-Comdt. in Lemberg.
1812 Johann Heinrich Graf Auersperg, Regts.-Comdt., 1819 quittirt mit Militär-Charakter.
1813 Heinrich Graf Hardegg, MTOR., supern., 1813 transferirt zum 6. Dragoner-Regiment (jetzt 12. Cürassier-Regiment.)
1819 Aurelius Chevalier Provasi, Regts.-Comdt., † den 13. October 1824 zu Debreczin.
1824 Carl Baron Wuesthoff, Regts.-Comdt., 1832 pensionirt als GM.
1827 Wilh. v. Lobenstein, 2. Oberst, 1828 Commandant des 6. Chevauxleger- (jetzt 10. Uhlanen) Regiments.
1832 Franz Graf Kesselstadt, Regts.-Comdt., 1833 beurlaubt, † den 14. August 1834 zu Trier.
1833 Carl v. Stahel. Regts.-Comdt., 1840 GM.
1840 Carl Baron Schwarzenau, Regts.-Comdt., 1848 GM.
1841 Alois v. Hollner, 2. Oberst, 1848 Regts.-Comdt., und GM.

sämmtlich Regiments-Commandten.

218

1848 Adam Graf Waldstein-Wartenberg, Regts.-Comdt., 1849 pensionirt.
1848 Eduard Ritter v. Schobeln, supern., 1849 General-Adjutant des FM. Fürsten zu Windisch-Grätz.
1849 Ludwig Losy v. Losenau, Regts.-Comdt., † an den Folgen seiner bei Piski erhaltenen tödtlichen Verwundung am 11. Februar 1849 zu Hermannstadt.
1849 Adolf Schönberger, Regts.-Comdt., 1849 transferirt zu Hussaren Nr. 3.
1849 Joseph Edler v. Berger, Regts.-Comdt., 1852 GM.
1851 Anton Baron Dobrzensky, 2. Oberst, 1852 Regts.-Comdt., 1858 GM.
1858 Heinrich Graf Coudenhove, Regts.-Comdt. 1860 in päpstliche Dienste getreten.
1860 Carl Baron Simbschen, Regts.-Comdt.

Oberstlieutenants.

1730 Georg Baron Kalokreuter, 1735 Oberst.
1735 Hannibal Baron Schmerzing, 1738 Oberst des jetzigen 2. Cürassier-Regiments.
1738 Friedrich Arnold von Winkelmann, 1742 Oberst.
1742 Franz Baron Levenehr, 1746 Oberst.
1746 Heinrich Baron Stappel, 1748 Oberst.
1748 von Weisky, 1750 pensionirt.
1750 Isak de Petit, 1753 Oberst.
1751 August v. Wiedebach, aggregirt, 1753 transferirt zu einem andern Cavallerie-Regiment.
1753 Carl Graf O'Donell, 1753 Oberst.
1753 Franz Graf di Pompeati, 1757 Oberst.
1757 Baron Muffel, 1761 pensionirt.
1757 von Haake, aggregirt, 1758 pensionirt.
1761 Leopold Graf Christallnig, 1765 quittirt.
1765 Baron Reitzenstein, 1767 pensionirt.
1767 Ernst Baron Blankenstein, 1768 Oberst.
1768 Sigmund Baron Knebel, 1771 Oberst des jetzigen 7. Cürassier-Regiments.
1773 Joseph Graf Auersperg, 1779 Oberst.
1779 Georg Ludwig Baron Buccow, MTOR., 1789 Oberst.
1789 Andreas Keppner, 1789 Oberst.
1789 Paul Baron Winkler, 1793 Oberst.
1793 Hannibal Marquis Sommariva, 1796 Oberst.
1796 Peter Baron Dinnersberg, 1797 Oberst des 1801 aufgelösten Cürassier-Regiments Baron Zeschwitz.
1797 Bernard Grosser, 1799 Oberst.
1799 Alois Graf Harrach, 1803 Dienst-Kämmerer Sr. k. k. Hoheit des Erzh. Anton, 1803 Oberst.
1803 Adam Müller, 1806 pensionirt.
1806 Heinrich Baron Scheither, MTOR. 1806 General-Adjutant des FM. Prinzen Ferdinand Würtemberg.
1806 Leopold Baron Rothkirch, 1807 Oberst.
1807 Simon v. Sardagna, 1809 Oberst.
1809 Johann Heinrich Graf Auersperg, 1812 Oberst.
1812 Joseph v. Legedics, 1813 General-Adjutant des FM. Grafen Bellegarde.
1813 Alfred Fürst zu Windisch-Grätz, 1813 Oberst des jetzigen 8. Cürassier-Regts.
1814 Franz Graf Bigot de St. Quentin, 1823 Oberst des jetzigen 11. Cürassier-Regiments.
1823 Johann v. Bradatsch, General-Commando-Adjutant in Galizien, † zu Lemberg am 9. Februar 1827.
1823 Carl Baron Wuesthoff, 1824 Oberst.
1825 Johann von Weiss, 1825 pensionirt.
1825 Wilhelm von Lobenstein, 1827 Oberst.
1828 Franz Graf Kesselstadt, 1832 Oberst.
1832 Carl von Stahel, 1833 Oberst.
1833 Johann Graf Strassoldo-Grafenberg, 1835 pensionirt mit Oberst-Charakter.
1835 Johann Baron Burits de Bornay, 1838 transferirt zu Hussaren Nr. 6.

1838 Carl Baron Schwarzenau, 1840 Oberst.
1840 Alfred Graf Paar, 1841 transferirt zu Hussaren Nr. 6.
1848 Adam Graf Waldstein-Wartenberg, 1848 Oberst.
1848 Ludwig Losy v. Losenau, 1849 Oberst.
1849 Carl Baron Bussek, 1850 pensionirt.
1850 August Niemetz, 1854 pensionirt.
1853 Emerich Baron Babarczy, 1854 pensionirt.
1854 Heinrich Graf Coudenhove, 1858 Oberst
1858 Carl Baron Simbschen, 1860 erst Regiments-Commandant dann Oberst.
1860 Gustav Fischer.

Majors.

1726 Georg Baron Kalckreuter, 1730 Oberstlieutenant.
1730 Hannibal Baron Schmerzing, 1735 Oberstlieutenant.
1735 Friedrich Arnold von Winkelmann, 1738 Oberstlieutenant.
1738 Franz Baron Levenehr, 1742 Oberstlieutenant.
1742 N. Baron Reitzenstein, 1744 pensionirt.
1744 Heinrich Baron Stappel, 1746 Oberstlieutenant.
1746 N. v. Wolsky, 1748 Oberstlieutenant.
1748 Isak de Petit, 1750. Oberstlieutenant.
1750 Georg Ludwig Baron Freydel, 1755 pensionirt.
1753 Franz Graf di Pompeati, 1753 Oberstlieutenant.
1755 Baron Muffel, 1757 Oberstlieutenant.
1757 N. von Feilitzsch, 1758 pensionirt.
1758 Leopold Graf Christallnigg, 1761 Oberstlieutenant.
1760 v. Gottrau aggregirt, 1761 pensionirt.
1761 N. Baron Reitzenstein, 1765 Oberstlieutenant.
1762 Friedrich Prinz zu Ysenburg, aggregirt, trat 1763 in spanische Kriegs-Dienste.
1765 Ernst Baron Blankenstein, 1767 Oberstlieutenant.
1767 Sigmund Baron Knebel, 1768 Oberstlieutenant.
1768 Joseph Graf Auersperg, 1773 Oberstlieutenant.
1773 N. Baron Basselli zu Süssenberg, 1779 pensionirt.
1778 Andreas Keppner, 1789 Oberstlieutenant.
1785 Peter Baron Bolza, 1789 Oberstlieutenant bei Kaiser-Chevauxlegers (jetzt Uhlanen Nr. 6.)
1789 Paul Baron Winkler, 1789 berstlieutenant.
1789 Hannibal Marquis Sommariva, 1793 Oberstlieutenant.
1793 N. Graf Auersperg, 1794 pensionirt.
1794 Bernard Grosser, 1797 Oberstlieutenant.
1797 Alois Graf Harrach, 1799 Oberstlieutenant.
1797 Max Graf Stadel, supern., 1798 transferirt zum jetzigen 8. Cürassier-Regiment.
1799 Ignatz Molitor, 1806 pensionirt mit Oberstlieutenants-Charakter
1802 Heinrich Baron Scheither, MTOR., 1806 Oberstlieutenant.
1805 Simon v. Sardagna, 1807 Oberstlieutenant.
1806 Johann Heinrich Graf Auersperg, 1809 Oberstlieutenant.
1807 Caspar von Danzer, † vor dem Feinde den 21. Mai 1809 in der Schlacht von Aspern.
1809 Alois Haenke, 1811 pensionirt mit Oberstlieutenants-Charakter.
1809 Ernst Graf Haugwitz, † den 7. Juli 1811 zu Medica in Galizien.
1809 Georg Baron Wimpffen, † den 25. November 1810 zu Lossonz in Ungarn.
1810 Franz Chevalier Germain, 1811 transferirt zu Uhlanen Nr. 2.
1812 Franz von Kliment, 1814 transferirt zu Cürassier Nr. 7.
1813 Wilhelm von Suchanek, 1822 pensionirt mit Oberstlieutenants-Charakter.
1814 Carl Baron Wuesthoff, 1823 Oberstlieutenant.
1814 Gabriel Ogorelitza, 1815 pensionirt.
1814 Johann Bradatsch, General-Commando-Adjutant in Galizien, 1823 Oberstlieut.
1814 Angel Maria Galeazzi, 1815 transferirt zu Chevauxlegers Nr. 1. (jetzt Uhlanen Nr. 6.)

1822 Ludwig Graf Tige, 1828 quittirt mit Militär-Charakter.
1823 Joseph Schmidl von Seeberg, 1823 transferirt zu Cürassier Nr. 2.
1823 Andreas Bezard, 1824 pensionirt.
1825 Franz Graf Kesselstadt, 1828 Oberstlieutenant
1828 Anton Chevalier Hein, 1832 pensionirt, nachträglich mit Oberstlieutenants-Charakter.
1828 Anton Friedrich Kunz, 1830 pensionirt.
1830 Carl Stahel, 1832 Oberstlieutenant.
1832 Johann Baron Burits de Bornay, 1835 Oberstlieutenant.
1832 Carl Baron Schwarzenau, 1838 Oberstlieutenant.
1835 Johann Carl Wiechmann, 1838 pensionirt.
1838 Anton Kreszer v. Baumgarten, 1843 pensionirt mit Oberstlieutenants-Charakt.
1838 Alexander Baron Piers, 1842 pensionirt mit Oberstlieutenants-Charakter.
1840 Adam Graf Waldstein-Wartenberg, 1848 Oberstlieutenant.
1842 Ludwig Losy von Losenau, 1848 Oberstlieutenant.
1843 Anton Itar. Caballini v. Ehrenburg, 1846 pensionirt, nachträglich mit Oberstlieutenants-Charakter.
1846 Carl Baron Busseck, 1849 Oberstlieutenant.
1848 August Graf Bigot de St. Quentin, † vor dem Feinde im Gefechte bei Caucsa am 25. Dezember 1848.
1848 Joseph Graf Klebelsberg, † zu Bistritz in Siebenbürgen am 8. November 1848.
1849 Armand Ritter von Kalchberg, † zu Schässburg am 1. März 1849.
1849 Joseph Wieser, 1849 quittirt.
1849 August Niemetz, 1850 Oberstlieutenant.
1849 Joseph Schröer v. Engenberg, 1853 pensionirt.
1849 Carl Eisl, † zu Udvarhely in Siebenbürgen am 16. Februar 1850.
1849 Friedrich Graf Alberti di Poya, 1852 beurlaubt, 1853 quittirt mit Oberstlieutenants-Charakter.
1850 Franz Nablik, 1853 pensionirt.
1850 Emerich Baron Babarezy, in der Central-Kanzlei zu Wien, 1853 Oberstlieutenant.
1852 Alexander Grünwald, 1857 pensionirt mit Oberstlieutenants-Charakter.
1853 Carl Tekusch, 1859 pensionirt.
1854 Olivier Graf Wallis Freiherr v. Carighmain, 1859 Oberstlieutenant bei Cürassier Nr. 4.
1857 Gustav Fischer, 1860 Oberstlieutenant.
1859 Sigmund Kanz, 1862 pensionirt mit Oberstlieutenants-Charakter.
1859 Ferdinand von Molnár, 1860 transferirt zu Cürassier Nr. 9.
1860 Ludwig Müller.

Uniformirung des Regiments.

Scharlachrothe Czapka und Aufschläge, dunkelgrüne Uhlanka und Pantalons, weisse Knöpfe.

Uhlanen-Regiment Nr. 9 Fürst Carl Liechtenstein.

Dieses Regiment wurde 1640 als Dragoner-Regiment von dem Oberstlieutenant Johann de la Corona auf eigene Kosten errichtet. Der von Sr. Majestät Kaiser Ferdinand III. ausgefertigte Bestallungsbrief datirt von Regensburg den 28. August 1640, ernennt den Oberstlieutenant de la Corona zum Oberst-Inhaber und Commandanten des Regiments, dessen Stärke darin auf 8 Compagnien, jede zu 100 Dragoner, im Ganzen also 800 Mann bestimmt wird. — Nach der damals üblichen Aufforderung

nach der „Nothdurft der Zeiten" zu jedem geforderten Kriegs-
dienst sich willig brauchen zu lassen, und dem jedesmaligen
„unserer Armada fürgestellten höheren General - Offizier in allen
billigen Dingen, wie es ehrlichen Kriegsleuten zusteht, Gehor-
samm zu leisten, und gehörigen Respect zu bezeigen u. s. w."
wird an folgenden Gebühren festgestellt: Für den Obersten 1000 fl.
Rheinisch, für jeden Capitän 340 fl. Rheinisch, die sich mit den
Leuten nach Discretion vergleichen sollen, für jedes in der
Musterung „gutgemachte" Pferd 12 fl. Rheinisch und oben soviel
zum Anrittgeld. — Musterungen sollten aber alle Monate von
den Muster-Commissären abgehalten werden.

Oberst de la Corona führte das neu errichtete Regiment
zur Armee des FZM. Baron Golz nach Schlesien, wo dieser
gegen die Schweden an der Oder stand. Am 31. Mai 1642
theilte das Regiment standhaft die Anstrengungen der kaiserlichen Truppen unter dem FM. Herzog von Sachsen-Lauenburg,
als dieser die Festung Schweidnitz, welche von den Schweden
belagert wurde, vergebens zu entsetzen versuchte. Gegen die
hierauf in Mähren eingedrungenen schwedischen Heeres-Abthei-
lungen unternahm Oberst Corona mit seinen Dragonern wiederholte Streifzüge, und fügte denselben vielen Schaden zu; so
überfiel er am 4. Juli die schwedische Besatzung in Littau
nächst Olmütz, machte viele Feinde nieder und nahm den
Commandanten nebst 3 Rittmeistern und 72 Mann gefangen.
Am 2. November war das Regiment in der Schlacht bei
Breitenfeld und bezog nach derselben die Winterquartiere bei
Rakonitz in Böhmen Im Frühjahre 1644 wohnte das Regiment der Blokade von Gross-Glogau bei, und nahm hierauf
an der Expedition Theil, welche der k. Generallieutenant Graf
Gallas zur Unterstützung der Dänen unternommen hatte, als
dieselben von den Schweden unter General Torstenson überfal-
len wurden. — Im Jahre 1645 ward die Vertheidigung der
Städte Pardubitz und Pilsen dem Regimente anvertraut, dessen
Stab sich in letzterer Stadt befand. Im Oktober d. J. scheiterte
an der Entschlossenheit des Oberstlieutenants Graf Strassoldo des
Regiments der Versuch der Schweden sich der Stadt Pardubitz durch einen Handstreich zu bemächtigen. — Im Feldzuge
1647 bei der k. Haupt-Armee in Böhmen eingetheilt, hatte das
Regiment im Oktober an der Wiedereroberung der Schanze bei
Königswart Theil, welche Oberst de la Corona am 15 d. M.
bewirkte, hiebei den Schweden 4 Kanonen abnahm, und 3 Offiziere nebst 50 Mann gefangen machte. Nach dem Abschlusse
des Westphälischen Friedens (zu Münster) den 24. Oktober 1648
verblieb das Regiment in Böhmen und wurde 1650 durch die
beiden aufgelösten Dragoner-Regimenter „Bachonchay und Gallas"
auf 8 Compagnien ergänzt, der Stab war in Eger. 1653 wurden
nebst mehreren andern Truppen auch 4 Compagnien dieses
Regiments zum Schutze Ober-Ungarns gegen die Türken beor-

dert. Ein Detachement hievon unter Major Lamier, welcher sich nebst einer Compagnie Piccolomini - Cürassier am 31. Juli d. J. von Neuhäusel am Marsche nach Fülek befand, stiess bei Lewenz auf 800 türkische Reiter, welche ihre mitgeschleppte Beute nach Gran in Sicherheit bringen wollten. Obwohl nur 250 Mann stark, griff Major Lamier die Türken entschlossen an, schlug sie mit einem Verluste von 100 Todten in die Flucht, und nahm ihnen nebst dem geraubten Schlachtvieh eine grosse Anzahl Pferde. — Im Jahre 1657 war das Regiment, unter dem von Oesterreich für Polens Schutze aufgestellten Auxiliar-Corps, zur Deckung Schlesiens bei Glatz concentrirt; im Frühjahre 1658 aber von da nach Ungarn verlegt.

Nach Eröffnung des Feldzuges 1661 gegen die Türken theilte das Regiment die Entbehrungen und Beschwerden der kaiserlichen Haupt-Armee unter FM. Graf Montecucoli auf den Zug nach Siebenbürgen, der im August d. J. zur Unterstützung des durch die Türken von dort vertriebenen Fürsten Kemeny unternommen, die Besetzung Klausenburgs zur Folge hatte. Ende September kehrte das Regiment mit der übrigen Armee wieder nach Ungarn zurück, wo es 1662 in den verschiedenen festen Plätzen Ober-Ungarns vertheilt wurde, wo wo mehrere Abtheilungen desselben an den damaligen Kriegsereignissen in Siebenbürgen Antheil nahmen. Anfangs Jänner d. J. wurde der nunmehrige Regiments-Inhaber Oberst Gerart mit einem kleinen zusammengesetzten Corps kaiserlicher Reiterei, worunter sich Abtheilungen des Regiments befanden, dem Fürsten Kemeny zugetheilt, um dessen Gegner Apaffy stürzen zu helfen. Ungeachtet der dringenden Vorstellungen des Obersten Gerart liess sich Kemeny in zeitraubende Unterhandlungen ein, welche zur Folge hatten, dass er am 23. Jänner von Mehemed Pascha, während seine Truppen fouragirten, angegriffen, und trotz des tapfern Durchbruches der kaiserlichen Reiterei, Oberst Gerart an der Spitze seiner Dragoner geschlagen wurde. Kemeny selbst blieb am Schlachtfelde. — Der Hauptmann Sahier des Regiments mit seiner Compagnie am 5. Februar aus Ungarn zur Verstärkung der kaiserlichen Besatzung nach Klausenburg entsendet, nahm an der heldenmüthigen Vertheidigung dieses Platzes Theil, welcher von Apaffy während des Frühjahres vergebens belagert wurde. Am 27. Mai hatte ein Offizier des Regiments, welcher mit einer Abtheilung desselben in Bethlen stand, mit einer andern Compagnie kaiserlicher Cavallerie vereint, zwei Escadrons Apaffy Husaaren in Bistritz angegriffen, dieselben mit einem Verlust von 30 Todten in die Flucht geschlagen, 2 Offiziere mit mehreren Husaaren gefangen gemacht, und 2 Standarten erobert. Als im September d. J. 4 Compagnien des Regimentes nach Mähren, der Stab nach Ungarisch-Brod verlegt wurden, blieb Oberstlieutenant Hagen des Regiments mit den übrigen in Nagy Banya Kallo und einigen andern Plätzen von Ober-Ungarn zurück. 1663 stand ein Theil des Regiments bei der kaiserlichen Hauptarmee in Ungarn unter FM. Graf Montecucoli. Oberstlieutenant Hagen wurde befehligt, im August sich mit 5 Compagnien des Regiments nach Neuhäusel zu werfen.

Hier halfen dieselben, bis zur erfolgten Capitulation, zu Fuss drei Stürme zurückzuschlagen, bei deren letzten Oberstlieutenant Hagen verwundet wurde. Nur 197 Mann, worunter 41 Blessirte und Kranke, kehrten gegen Ende September zum Regimente zurück, welches jetzt bei Nyarasd stand. Im Laufe dieses Monats wirkte ein Detachement des Regiments unter Lieutenant Müller tapfer zur Vertheidigung des Schlosses Freistadel mit, wodurch mehrere Stürme des Feindes abgeschlagen, und derselbe zur Aufhebung der Belagerung gezwungen war. Nach Abzug der Türken bezog das Regiment die Winterquartiere in Böhmen, mit dem Stabe in Czaslau.

Bei Beginn des Feldzuges 1664 wurde es zur Haupt-Armee gezogen, die sich unter Montecucoli, in der Mitte Mai zu Ungarisch-Altenburg sammelte. Mit derselben rückte es im Juni an die Mur, und nahm am 30. d. M an der Vertheidigung des Ufers dieses Flusses Theil, über welchen die Türken nach Einnahmen des Forts bei Serinvar vergebens den Uebergang zu erzwingen suchten. Bei dieser Gelegenheit hatte dasselbe 11 Todte und 32 Verwundete. — Am 25. Juli war das Regiment beim Vortrab der Armee, und wohnte am 1. August der siegreichen Schlacht bei St. Gotthardt bei, in der es 22 Todte und 24 Verwundete, hierunter Hauptmann Gautius verlor. — Nach Abschluss des zwanzigjährigen Waffenstillstandes zwischen Oesterreich und der Pforte am 10. August zu Vásvár kehrte das; Regiment, mit Ausnahme einer Compagnie, die in Ober-Ungarn verblieb, nach Böhmen und Schlesien zurück. — Im Jänner 1665 ward dasselbe nach Steiermark verlegt, und in Radkersburger und Cillier Kreise dislozirt. Im November 1666 begleitete dasselbe die kaiserliche Braut Margaretha Theresia Infantin von Spanien, auf ihrer Durchreise nach Steiermark, zur Vermählung mit Kaiser Leopold I. (12. Dezember 1666 zu Wien.)

In Folge der Unruhen, welche 1670 in Ungarn zum Ausbruche kamen, wurde nebst andern Truppen auch dieses Regiment aus Steiermark dahingezogen, und wohnte im April d. J. der Einschliessung und Bezwingung der ungarischen Missvergnügten in Czakathurn bei. In diesem und den nächsten 2 Jahren half das Regiment in mehreren Expeditionen die innern Feinde dieses Landes bekämpfen. — 1673 waren 5 Compagnien des Regiments in verschiedenen festen Plätzen Ober-Ungarns vertheilt, die übrigen mit dem Stabe standen in Neutra.

Diese Gegend wurde im Oktober durch 200 Türken beunruhigt; 150 Dragoner und einige Hussaren zur Aufsuchung des Feindes entsendet, erreichten denselben bei Aba. Nach einem hitzigen Gefechte wurden die Türken mit einem Verluste von 60 Todten, worunter deren Anführer, und mehreren Verwundeten in die Flucht geschlagen und bis Neuhäusel verfolgt; die gefangenen Christen aber befreit. Der Verlust der kaiserlichen Reiter, die bei dieser Affaire viele Pferde erbeuteten, bestand in drei Todten und 7 Verwundeten. — Im Frühjahre 1675 rückten 5 Compagnien des Regiments mit dem Stabe aus Ungarn, allwo die übrigen 5 Compagnien fortan verblieben, (die Dragoner hatten seit 1647 zehn Compagnien) zu dem Corps des FML. Cob, welches sich zur Unterstützung des Churfürsten von Brandenburg bei Gross-Glogau sammelte, und mit demselben dessen Zug nach Pommern mitmachte, sodann aber den Winter über nach Schlesien zu stehen kam. — In Pommern hatte das Regiment von einem schwedischen Leib-Regimente ein paar Cürassier-Pauken erobert, welche es als besondere Auszeichnung durch lange Zeit (bis 1756) zu führen das Privilegium hatte. Gräffer gibt irrig dieses Faktum im Jahre 1657 an. 1676 abermals mit den Brandenburgern gegen die Schweden vereint, wohnten jene 5 Compagnien des Regiments im August der Belagerung und Einnahme der Festung Anslarn, und im September jener des Forts Demin in Pommern bei, wo der Regiments-Inhaber GM. Gerart am Platze blieb; — später bezogen sie die Winterquartiere in Obersächsischen. Im Juli 1677 den Truppen zugetheilt, welche Oesterreich dem Könige von Dänemark gegen die Schweden zu Hülfe sandte, hatten die vorerwähnten 5 Compagnien des Regiments sammt dem Stab, nach ihrer Vereinigung mit den Dänen zu Rostok, an der Eroberung der Insel Rügen Theil genommen; 1678 rückten dieselben nach Ungarn, wo nunmehr das ganze Regiment die Kämpfe gegen die Kuruzen mitmachte. 1682 marschirten 7 Compagnien über Jablunka in die Standquartiere nach Schlesien, die andern 3 Compagnien bezogen dieselben in Mähren.

Bei Ausbruch des Türkenkrieges 1683 stand das Regiment unter dem Corps seines nunmehrigen Inhabers FML. Graf Schulz an der obern Waag. Dasselbe wohnte mit der Haupt-Armee des Prinzen Karl v. Lothringen dem Gefechte in der Brigittenau bei Wien am 16. Juli d. J. bei und hatte mit den Dragoner-Regimentern Styrum und Herbeville (beide längst reducirt) den ersten Andrang des Feindes auszuhalten. FML. Schulz wurde an diesem Tage, an der Tête des Regiments verwundet. Am 12. September kämpfte das Regiment in der siegreichen Schlacht bei Wien, welche den Entsatz der Residenz zur Folge hatte, zog sodann mit der kaiserlichen Armee nach Ungarn, und rückte nach der Eroberung von Gran, — am 27. Oktober — nach Rima Szombath. Nach der Concentrirung der k. Truppen, zum Feldzug 1684 an der Waag, wurde das Regiment zur Haupt-Armee eingetheilt, in welcher dasselbe dem siegreichen Gefechte bei Waitzen am 10. Juni und hierauf der Belagerung von Ofen beiwohnte. Nach Aufhebung dieser Belagerung am 30. November kam dasselbe nach Ober-Ungarn zu stehen. Eine Abtheilung des Regiments befand sich, während jener Epoche beim Corps des Inhabers FML. Graf Schulz, der in der Zips mehrere feste

Plätze eroberte, und am 17. September eine Partei Tököly's in ihrer Verschanzung bei Eperies geschlagen hatte. — Während des Feldzuges 1685 beim Corps des FML. Graf Schulz war das Regiment am 2. September bei der Eroberung von Eperies und am 17. Oktober bei der Belagerung von Kaschau, deren Besatzung am 25. kapitulirte. Im Feldzuge 1686 zog das Regiment mit der kaiserlichen Haupt-Armee am 6 Juni zur Belagerung von Ofen, wo es am 14, August an dem Sieg über den Gross-Vezier Soliman Theil nahm, indem es, am rechten Flügel des Heeres eingetheilt, daselbst mit dem Dragoner-Regimente Seran vereinigt, den linken Flügel der Türken durchbrach, und so dem Infanterie-Regimente Lodron (reducirt), welches vom Feinde stark bedrängt war, zu Hülfe kam. Nach Erstürmung Ofens am 2. September wurde dasselbe auf dem Zuge gegen Essegg am 23. September dem Corps des Markgrafen Ludwig von Baden zugewiesen, und kam im November nach Ober-Ungarn in die Winterquartiere. Im Feldzuge 1687 war das Regiment wieder unter Commando des Herzogs von Lothringen in Ungarn, wohnte am 12. August der Schlacht bei Mohacs bei, rückte sodann am 16. mit dem Corps des General Dünewald nach Slavonien, allwo nach der Einnahme von Essegg und von Poszega, im Herbste d. J. 5 Compagnien in jede dieser beiden Städte bequartiert wurden. Im Feldzuge 1688 bei der kaiserlichen Hauptarmee in Süd-Ungarn, wirkte das Regiment am 22. bei der Eroberung von Titel mit. Am 6. September bei dem Sturm auf Belgrad bezog es seine Winterquartiere in Serbien. — Im Feldzuge 1689 wurde das Regiment in die kaiserliche Armee, welche unter dem Markgrafen Ludwig von Baden sich bei Hassan-Bassa-Palanka in Serbien versammelte, eingetheilt. Während dieser Epoche befand sich der Oberstlieutenant Baron Orlik des Regiments mit einem Commando von 60 Dragonern auf dem Marsche von Lippa über Szegedin zum Regimente. Am 28. Juni stiess er in der Ebene von Csanad auf 300 türkische Reiter. In diesem kritischen Augenblicke formirte Oberstlieutenant Baron Orlik mit dem beihabenden Train eine Wagenburg, und besetzte dieselbe mit einigen Dragonern, mit dem Reste seiner Mannschaft aber rückte er dem so bedeutend überlegenen Feinde beherzt entgegen, und schlug denselben nach einem hitzigen Gefechte in die Flucht. Am 16. Juli wurde er mit zusammengesetzter Cavallerie, worunter auch eine Abtheilung dieses Regiments gegen Kruschewacz entsendet, um den Feind aufzusuchen, und unternahm eine genaue Recognoszirung des türkischen Lagers, welches an der serbischen Morava stand. — Der nunmehrige Regiments-Inhaber, Oberst Graf Kiesl deckte durch eine Vorrückung mit dem Regimente am 12. August gegen Passarowitz die Bewegungen der Armee. Am 29. und 30. August wohnte das Regiment der Schlacht bei Potoschin (Patazin) an der Morava bei, an welchem Tage es durch sein entschlos-

15

senes Vorrücken, mit dem Dragoner-Regimente Seran (1775 reducirt) vereint, den Rückzug des Feindes bewirkte und sich hierauf des türkischen Lagers alldort bemächtigte. Am 24. September in der siegreichen Schlacht bei Nissa half das Regiment im Verein mit Seran-Dragoner die türkische Reiterei zurückwerfen. Am 14. Oktober bei Eroberung von Widdin war eine Abtheilung des Regiments unter Oberstlieutenant Baron Orlik abgesessen und half die feindlichen Verschanzungen links an der Donau zu erstürmen. Der tapfere Oberstlieutenant Orlik fiel hiebei, von einer feindlichen Kugel tödtlich getroffen, als er nach Einnahme der erwähnten Stadt an der Spitze einiger Dragoner zugleich mit dem fliehenden Feind in das Kastell einzudringen suchte, und dabei persönlich 4 Türken niedergemacht hatte.

Im Dezember rückte das Regiment unter dem Corps des FML. Heissler in die Walachei. — Im Feldzuge 1690 zog das Regiment nach Siebenbürgen, wohnte am 21. August dem Treffen bei Tohany bei, und wurde dann, als Siebenbürgen vom Feinde gereinigt war, nach Ober-Ungarn in die Winterquartiere verlegt. Während der Campagne 1691 stand das Regiment bei der Haupt-Armee unter Markgrafen Ludwig von Baden, der am 19. August mit 45000 Mann das türkische Heer bei Szalankamen geschlagen hatte, welches allein über 100000 Mann an Reiterei zählte. In der Relation dieser Schlacht wird von diesem Regimente, damals Rabutin-Dragoner, die rühmlichste Erwähnung gemacht, dass dasselbe, nach den entscheidenden Cavallerie-Attaquen des linken Flügels, bei Verfolgung der fliehenden feindlichen Reiterei, im Rücken des verschanzten türkischen Lagers eingedrungen war, und alldort wesentlich zur Eroberung desselben und der Vernichtung des Feindes beigetragen habe. Der Verlust des Regiments an diesem Tage bestand in 21 Todten und 6 Verwundeten; unter letzteren Major Fischer nebst einem Adjutanten. Hierauf dem Corps des FM. Herzog von Croy zugetheilt, der Slavonien vom Feinde reinigte, bezog das Regiment nach diesem Streifzug seine Winterquartiere in Nieder-Ungarn. — Das Jahr 1692 verging ohne entscheidendes Unternehmen, nur unter steter Beobachtung des Feindes, da überdiess verheerende Krankheiten ausgebrochen waren, bis im November die Winterquartiere bezogen wurden, wobei das Regiment nach Croatien zu stehen kam.

Im Juli 1693 rückte dasselbe unter dem FM. Herzog von Croy zur Belagerung von Belgrad. Nach Aufhebung derselben am 10. September zog es nach Ungarn, und wurde nach Pesth verlegt. —

Im Jahre 1694 stand das Regiment bei dem Corps des General Grafen Guido Starhemberg. Im Juni 1696 hatte sich dasselbe mit der Haupt-Armee im Lager an der Maros vereinigt, und rückte mit derselben unter dem Churfürsten Friedrich von

Sachsen am 3. Juli gegen Semlin, sodann aber zur Belagerung von Temesvar, die am 9. j. M. begonnen wurde. Das Regiment wohnte am 26. Juli der Schlacht von Ollaschin bei, und zog hierauf mit dem Corps seines nunmehrigen Inhabers G. d. C. Grafen Rabutin nach Siebenbürgen. Im Feldzuge 1697 rückte dasselbe über Deva an die Theiss, allwo am 2. September die Wieder-Vereinigung mit der, unter den Befehlen des Prinzen Eugen von Savoyen stehenden k. Haupt-Armee erfolgte. Das Regiment kämpfte am 11. j. Mts. in der siegreichen Schlacht bei Zenta, in welcher die Reiterei abgesessen war, und mit der Infanterie zugleich das feindliche Retranchement erstürmt hatte.

Am 26. trennte sich G. d. C. Graf Rabutin abermals mit seinem Corps von der Haupt-Armee im Lager bei Klein-Kanisa und das Regiment zog nach Siebenbürgen zurück. Von hier hatte Oberstlieutenant Graeven mit 500 Dragonern des Regiments an dem Streifzuge Theil genommen, welchen Graf Rabutin gegen Ende October über Karansebes bis an die Donau und das Temesvarer Banat unternahm, und alldort am 6. November Ujpalanka erstürmte. Bei Eroberung dieser Palanka hatte sich Hauptmann Beaumont des Regiments durch sein entschlossenes Benehmen besonders ausgezeichnet. Derselbe war mit 100 Freiwilligen gegen die rechte Flanke des Feindes vorgerückt, und sprang, dem heftigen feindlichen Geschütz- und Musketenfeuer trotzend, mit seinen Leuten in den Fluss Karasch, watete bis am halben Leibe im Wasser, und drang mit Ueberwindung aller Hindernisse in die Palanka ein. Die über 800 Mann starke Besatzung wurde nun grösstentheils niedergemacht, 60 Mann gefangen und 16 Fahnen nebst 11 Kanonen erobert. In den ersten Tagen Septembers 1698 war das Regiment mit dem Corps des G. d. C. Grafen Rabutin über Deva in's Banat gerückt, kehrte aber in Folge der Friedens-Unterhandlungen zu Carlowitz 1699 nach Siebenbürgen zurück, und kämpfte daselbst 1703 gegen die Rebellen, welche sich mit Franz Rakoczy in Verbindung gesetzt hatten, der gleichzeitig Ungarn insurgirte.

Am 11. September 1704 wohnte das Regiment unter Befehl seines Inhabers FM. Grafen Rabutin dem Gefechte gegen die Insurgenten unweit Hermannstadt bei, und war später bei der Entsetzung des Schlosses Deva. Auf dem Zuge nach Klausenburg half das Regiment am 8. October die Insurgenten schlagen, welche sich bei 13000 Mann stark bei Botta vereinigt hatten. Hiebei war der Oberst von Graeven des Regiments, der sich mit diesem am rechten Flügel der Kaiserlichen befand, bereits umgangen, als derselbe durch einen entschlossenen Angriff des Feindes linke Flanke trennte, und gänzlich in Unordnung brachte. Die Rebellen ergriffen hierauf mit dem Verluste von 2000 Todten, Verwundeten und Gefangenen die Flucht. 40 Fahnen, 4 Kanonen und 2 paar Pauken fielen in die Hände der Sieger. Am 27. November bestand Oberst Graeven, welcher sich mit 900

15*

Pferden, worunter auch Abtheilungen des Regiments auf einem Streifzug gegen Kronstadt befand, unweit Sarkány ein hartnäckiges Gefecht mit 6000 Kurutzen. Durch den Muth und die Ausdauer des Obersten Graeven mit seiner Truppe wurde der so bedeutend überlegene Feind mit einem Verluste von 250 Todten und Verwundeten in die Flucht geschlagen. Das kaiserliche Detachement hatte bei diesem mit so viel Standhaftigkeit errungenen Siege 400 Todte und Verwundete verloren.

Im folgenden Jahre 1705 nahm das Regiment an der Vertheidigung von Hermannstadt Theil. Im Jahre 1706 befand sich dasselbe im Corps seines Inhabers Grafen Rabutin auf einem Zug gegen die Insurgenten nach Ober-Ungarn, wo es bei Csongrad die Theiss übersetzte, über Szolnok und Erlau gegen Kaschau vorrückte, und 1707 mit diesem Corps nach Ofen kam. Eine Abtheilung des Regiments befand sich unterdessen in dem kleinen Corps des Obersten Graf Tige, welches von Debreczin nach Siebenbürgen zog, und die dortigen festen Plätze von den Insurgenten reinigte.

Im August rückte das Regiment aus seiner Cantonirung an der Raab abermals mit dem Corps des Grafen Rabutin nach Siebenbürgen, wo es im Winter nach Schässburg verlegt wurde. Unter FML. Kriechbaum machte das Regiment im Juli 1708 den Zug gegen Weissenburg (Karlsburg) und Mühlenbach mit.

Am 31. August 1709 kämpfte eine Abtheilung desselben bei Szomkert, wo FML. Graf Montecucoli auf einem Streifzuge an die grosse Szamos die Insurgenten mit einem Verluste von 300 Todten und Verwundeten geschlagen hatte, und hiebei 6 Offiziers und 30 Mann gefangen machte.

Anfangs Jänner 1711 rückte das Regiment aus Siebenbürgen nach Ober-Ungarn, wo es sich am 11. j. M. mit dem Corps des FM. Graf Palffy zu Debreczin vereinigte. Im October erhielt das Regiment im Eisenburger Comitate sein Standquartier und rückte am 22. Mai 1712 zur Krönung Kaiser Carl VI. als König von Ungarn zur Aufwartung nach Pressburg.

Bei Fortsetzung des spanischen Erbfolge-Krieges im Jahre 1713 stand das Regiment gegen die Franzosen bei der kaiserlichen Armee in Deutschland. Mit 10 Compagnien im Lager bei Oberhausen angelangt, rückte es am 9. September von dort in die Ebene von Penoz, nächst Hornberg, und bezog im Dezember die Winterquartiere in Baiern. Nach dem Radstadter Frieden 1714 wurde das Regiment nach Steiermark, und mit 4 Compagnien nach Kärnthen verlegt. 1715 errichtete dasselbe eine Grenadier-Compagnie.

Bei Ausbruch des Türkenkrieges 1716 war das Regiment mit 10 Compagnien (1094 Pferde stark) am 21. Juli im Lager bei Keresztur, und hatte sich zur Schlacht bei Peterwardein am 5. August mit der Haupt-Armee des Prinzen Eugen vereinigt, der den vielfach überlegenen Feind mit namhaften

Verlusten geschlagen, und dessen ganzes Lager mit 168 Kanonen, 160 Fahnen, nebst den übrigen Kriegs-Vorräthen erobert
hatte. An diesem Tage war das Regiment unter den Befehlen
des General Grafen Ebergeny mit der übrigen Cavallerie betheiligt, die Türken in der linken Flanke anzugreifen und der
Infanterie Zeit zu gewinnen, sich zu sammeln. Im September
bei der Belagerung der Festung Temesvar bezog das Regiment
nach deren Einnahme (am 14. October) im Trentschiner und
Liptauer Comitate in Ober-Ungarn die Winterquartiere.

Bei Eröffnung des Feldzugs 1717 rückte dasselbe mit
12 ordinären und einer Grenadier-Compagnie in der k. Haupt-
Armee des Prinzen Eugen, am 9. Juni aus dem Lager bei
Peterwardein zur Belagerung von Belgrad, die am 19. begonnen
wurde. —

Am 17. August in der vor jener Festung gelieferten
Haupt-Schlacht, welche mit der totalen Niederlage und wilden
Flucht der Türken endete, kämpfte das Regiment am linken
Flügel des kaiserlichen Heeres, und hatte bedeutende Verluste
erlitten, und zwar: 6 Offiziere, 67 Mann, 214 Pferde an Todten,
1 Offizier, 58 Mann und 58 Pferde an Verwundeten, mithin im Ganzen
7 Offiziere, 125 Mann, 272 Pferden. Die getödteten Offiziere des
Regiments waren die Hauptleute Klintschik, Wanatzki und Bar.
Latucky; die Fähnrichs Mitterod, Wolf und Baron Weichel; —
blessirt war Lieutenant Schwerd. Dem Obersten und Inhaber
Grafen Rabutin (Sohn des vorigen Inhabers) wurde die Auszeichnung zu Theil, mit der freudigen Sieges-Botschaft und der
Nachricht der Einnahme Belgrads an's kaiserliche Hoflager nach
Wien abgesandt zu werden. Als sich die Armee am 4. October
im Lager bei Belgrad trennte, erhielt das Regiment seine Win-
terquartiere im Neograder Comitate.

Während der Friedens-Unterhandlung mit der Pforte 1718
stand dasselbe bei der k. Haupt-Armee im Lager bei Semlin.
Nach dem Friedensschlusse von Passarovitz (am 21. Juli) rückte
das Regiment mit dem Corps des G. d. C. Grafen Ebergeny am
24. Juli in's Lager bei Poskin, im November aber nach Pesth,
von wo es in den Jaczygier und Kumanier District, wie auch in
das Heveser Comitat verlegt wurde.

Von 1719 bis 1725 stand ein Theil des Regiments in Ober-
Oesterreich mit dem Stabe in Linz, der andere Theil aber in
Steiermark; 1726 rückten 6 Compagnien unter dem Obersten Du
Mesnil nach Böhmen, die übrigen nach Mähren. 1727 marschirten
4 Compagnien in das Luxemburgische, allwo sie in St. Hubert
und Neuve-Chateau zu stehen kamen, die übrigen aber waren in
ihren früheren Stationen zurückgeblieben. 1730 kam das Regiment
in die Lombardie, von wo es 1733 nach Böhmen gezogen, und im
August mit der Stärke von 679 Pferden dem österreichisch-sächsischen Observations-Corps zugetheilt wurde, sodann die Winter-
Quartiere in Schlesien bezog, von wo dasselbe bei Begin~ ª~~

Feldzuges 1734 gegen die Franzosen durch Böhmen und das Baireuthische zur Reichs-Armee am Rhein abrückte. Es nahm dort Theil an den Defensiv-Operationen, mit welchen Prinz Eugen das Eindringen des Feindes nach Würtemberg und Schwaben verhinderte. Eine Abtheilung des Regiments befand sich während dieser Zeit bei dem kleinen Corps des FML. Baron Müfling, welches im August nach Altbreisach rückte, als dieser Platz von den Franzosen bedroht wurde. Die Winterquartiere bezog das Regiment bei Rothenburg nächst Hornberg. 1735 war dasselbe bei der k. Armee am Rhein geblieben, und wurde im Herbste d. J. in dem schwäbischen Kreis und die Grafschaft Mindelheim bequartirt.

Im Kriege zwischen Russland und der Pforte 1736 hatte Oesterreich in Ungarn eine Armee aufgestellt, bei welcher das Regiment seine Eintheilung in das Corps des FML. Fürsten zu Liechtenstein erhielt; im November bezog es im Pressburger Comitate die Winterquartire. Nach der Kriegserklärung Oesterreichs an die Pforte brach das Regiment am 7. April 1737 zur k. Haupt-Armee auf, die sich im Lager bei Semlin sammelte, und wohnte mit derselben unter FM. Baron Seckendorf dem Zuge nach Nissa bei, der am 29. Juni angetreten wurde. Nach Einnahme dieser Stadt durch Capitulation am 23. Juli rückte dasselbe mit dem Corps des FM. Graf Khevenhüller zur Belagerung von Widdin, aber noch während derselben zum Corps des FZM. Graf Wallis in die Walachei. Als dieser letztere zum Rückzuge nach Siebenbürgen genöthigt wurde, blieb das Regiment über den Winter daselbst stehen. Im Feldzuge 1738 war das Regiment im siegreichen Treffen bei Kornia am 4. Juli, und zeichnete sich unter der entschlossenen Führung seines Obersten Grafen Schellard durch seinen tapfern Angriff bei Kanischa aus. Der Verlust des Regiments bestand in 2 verwundeten Offizieren, 4 todten und 20 verwundeten Dragonern, 5 todten und 9 verwundeten Pferden. Am 2. September half ein Detachement des Regiments unter dem GM. Graf Ciccri, der nur 1200 Mann befehligte, ein feindliches Corps, welches über 3000 Mann stark war, schlagen.

Im November bezog das Regiment in Kaschauer Districte seine Winterquartiere. Im Frühjahre 1739 rückte dasselbe zum Corps des FZM. Graf Neioperg, welcher im April bei Arad lagerte, am 22. Juli aber sich mit der Haupt-Armee unter dem FM. Graf Wallis vereinigte. Mit dieser war das Regiment am 29. Juli im Treffen bei Pancsowa, wo es durch eine rasche Wendung dem eingedrungenen Feind in die Flanke fiel, und durch die gleichzeitige Vorrückung des Cürassier-Regiments Palffy (1801 reducirt) unterstützt den Feind beinahe völlig vernichten half, wo über 400 Türken niedergehauen, und viele Gefangene gemacht wurden; das Lager bei Pancsowa dem kühnen Sieger überlassend, zogen sich die Türken eilends gegen Ujpalanka zurück. Das Regiment verlor hiebei an Todten 1 Mann und 3 Pferde, an Verwundeten 1 Offizier, 18 Mann und 8 Pferde. Bei Auflösung der Armee im Lager bei Semlin am 18. September 1739 wurde dasselbe in das Pressburger Comitat verlegt.

Im österreichischen Erbfolgekriege stand das Regiment Anfangs unter FM. Graf Neipperg gegen die Preussen und kämpfte am 10. April 1741 in der Schlacht bei Mollwitz, in welcher die österreichische Cavallerie vergebens durch mehrere beherzte Angriffe den Sieg zu erringen suchte. Das Regiment hatte folgenden Verlust: 8 Mann und 23 Pferde todt; Oberst Baron Bechinie, Hauptmann de Negri, die Lieutenants Matzenkopf, Penth und von Unruhe nebst 19 Mann und 18 Pferden verwundet. — Im November d. J. unter dem Grossherzog von Toskana an dem Entsatze von Prag theilnehmend, bezog das Regiment im Dezember die Winterquartiere in Böhmen.

Im Feldzug 1742 war dasselbe mit der Haupt-Armee unter dem Prinzen Karl von Lothringen in der unglücklichen Schlacht bei Czaslau am 17. Mai, wobei es einen Verlust von 3 verwundeten Offiziers, 3 todten und 11 verwundeten Dragonern, 9 todten und 9 verwundeten Pferden, und an Vermissten 9 Mann und 18 Pferde erlitten hatte.

Nach dem Breslauer Frieden am 11. Juni 1742 zog das Regiment mit dem Prinzen von Lothringen gegen die Franzosen. Gegen Ende Juli war dasselbe bei der Belagerung von Prag, nahm sodann an den weiteren Operationen gegen das französische Heer Theil, war bei der Verfolgung desselben, ging bei Altaich am 12. November mit der kaiserlichen Haupt-Armee über die Donau, und wurde nach Aufhebung der, Anfangs Dezember begonnenen Belagerung von Braunau, am 15. d. M. in den Bezirk zwischen Lauffen, Ried und Scherding in Cantonirung verlegt. Bei Eröffnung des Feldzugs 1743 gegen die Franzosen und Baiern war das Regiment Anfangs Mai nach Vilshofen, von da aber am 15. nach Aichendorf detachirt, und vereinigte sich mit der Haupt-Armee, als diese an die Isar vorrückte. Dasselbe wohnte am 26. Mai dem Uebergange bei Altenaich am linken Donauufer bei, allwo das verschanzte Lager der Franzosen bei Deggendorf erobert wurde. Am 6. Juni übersetzte das Regiment bei dem kleinen Corps des General Brovne die Donau im Rücken der französischen Armee, und half den Feind mit Verlust von vielem Gepäck aus Fischersdorf, Pläting und Straubing vertreiben. Nach dem Rückzuge der Franzosen aus Baiern und der Besetzung dieses Landes durch die österreichischen Truppen rückte dasselbe unter dem Prinzen von Lothringen nach Altbraisach am Rhein.

Nach dem misslungenen Versuche der Oesterreicher, diesen Fluss am 3. und 4. September zu übersetzen, zog das Regiment am 21. Oktober in die Cantonirung nach Schwaben, mit dem Stabe in Spaichingen. — 1744 war dasselbe bei Neckar - Ulm mit der kaiserlichen Haupt-Armee unter dem Prinzen von Loth-

ringen konzentrirt, ging mit dieser bei Lauffen über den Neckar
und nach dem Rückzuge der Baiern, in Verfolgung derselben,
am 4. Juli bei Schreck über den Rhein.
Am 23. August kehrte die k. Haupt-Armee bei Rheinheim
über den Fluss zurück, da der Prinz Karl von Lothringen nach
Böhmen eilte, wo die Preussen eingefallen waren. Das Regiment selbst trennte sich am 18. September von dieser zu Dietfurt, und kam in das Corps seines nunmehrigen Inhabers G. d. C.
Grafen Bathianyi, der in Baiern bei Rain am Lech stand;
Anfangs November aber vor der Uebermacht des Feindes über
den Inn zurückwich.
Am 21. März 1745 überschritt dieses Corps bei Braunau
den Inn und rückte abermals nach Baiern vor. Das Regiment
nahm nun Theil an der am 29. März erfolgten Eroberung von
Vilshofen, im April an dem Zug über Dingelfingen nach Landshut und am 15. d. M. an dem Gefechte gegen die französischen
und pfälzischen Truppen bei Pfaffenhofen. In dieser hatte die
österreichische Avantgarde, worunter eine Abtheilung des Regiments, den Feind überrascht, und die ersten 40 Reiter die vor
Pfaffenhofen aufgestellten feindlichen Truppen hinter die Mauern
jener Stadt zurückgetrieben. Da die Infanterie noch nicht angelangt war, sassen 200 Dragoner ab, stürmten rasch an das Thor,
hieben dasselbe sogleich ein, und drangen des feindlichen Widerstandes ungeachtet in den Ort, aus welchem der Feind eiligst
seinen Rückzug antrat. Das Regiment hatte folgenden Verlust:
3 Offiziere, 2 Mann und 1 Pferd verwundet, 4 Pferde todt. —
Am 22. April ging dasselbe unter FM. Graf Traun
zur Vereinigung mit der Nieder-Rhein-Armee, Anfangs Juni,
über Mergentheim nach Gellichhausen am Main, mit dieser aber
sodann unter dem Grossherzog von Toskana bei Hörsheim über
diesen Fluss am 16. Juli, und am 30. bei Heidelberg ins Lager
Hier war die Armee bis zum 4. Oktober verblieben, und im
November bezog das Regiment im schwäbischen Kreise Canto-
nirungs-Quartiere.
Ende Mai 1746 brach dasselbe unter dem Corps des
Generalen Grafen Palffy aus dem Lager bei Sintheim in die
Niederlande auf, und stiess am 25. Juni, nachdem es bei Kaisers-
werth den Rhein passirt hatte, zur alliirten Haupt-Armee. Mit
dieser machte es die Operationen an der Maas mit, und war
am 11. Oktober in der Schlacht bei Rocoux. Im November
kam das Regiment in die Winterquartiere in der Grafschaft
Reifferscheidt nach Blankenheim und Umgegend zu stehen.
Im März 1747 rückte dasselbe an die Maas, am 30. April
aber zum alliirten Herre bei Brecht. Am 2. Juli war es in der
Schlacht bei Lawfeld dem verbündeten Corps zugetheilt, welches
unter FM. Grafen Bathianyi bei Udenbosch stand; Anfangs
November aber bezog es im Fürstenthume Limburg Cantoni-
rungs-Quartiere.

Im März 1748 war das Regiment in die konzentrirte Stellung zwischen Mastricht und Rüremonde gerückt. In Folge der Friedenspräliminarien von Aachen ging es mit dem österreichischen Heere über die Maas (am 12. Mai) in die Demarcations-Aufstellung bei Herzogenbusch, hierauf am 24. Juni in das Luxemburgische und Ende September in den Pilsner Kreis nach Böhmen, von dort aber in die Friedens-Quartiere im Oedenburger Comitate nach Ungarn.

Das Regiment stand 1749 im Oedenburger und Pressburger, 1751 im Neutraer Comitate, 1753 nach Böhmen verlegt, wurde es 1755 dem Lager bei Königgrätz beigezogen.

Im siebenjährigen Kriege gegen Preussen war das Regiment im Juli 1756 zur österreichischen Haupt-Armee unter FM. Graf Browne ins Lager bei Kolin gezogen, bei welcher jedoch nur die Grenadier-Compagnie verblieb, als Browne am 14. September gegen Budin vorrückte. Das Regiment kam nun zum Corps des FZM. Fürsten Piccolomini, der aus Mähren am 16. September anlangte, und im Lager bei Königgrätz, hinter der Adler, den ganzen Feldzug hiedurch unbeweglich verblieb. — Eine Abtheilung des Regiments kämpfte unter dem zusammengesetzten Detachement des Obersten Luszinsky von Festetics Hussaren (jetzt Nr. 3) am 21. September in dem ungünstigen Gefechte bei Zaskrna, wo nebst dem verwundeten Lieutenant Bechinie 71 Mann des Regiments in feindliche Kriegs-Gefangenschaft geriethen. In der ersten Hälfte Oktober nahm Hauptmann Unruhe des Regiments mit seiner Compagnie an der gelungenen Expedition Theil, welche Oberstlieutenant Gersdorf von Birkenfeld Cürassier (reduzirt 1775) mit 100 Slavoniern, 200 Dragonern und einigen Hussaren gegen den feindlichen Oberstlieutenant Werner unternommen hatte, der bei Reichenau brandschatzte. In diesem Orte hatte das österreichische Detachement am 16. den Feind überfallen, 2 Offiziers mit 50 Mann niedergemacht und 15 Mann gefangen. Dem Oberslieutenant Werner war es jedoch gelungen, mit Zurücklassung einiger Reitpferde sich nebst mehreren seiner Leute durch die Flucht zu retten. — Mittlerweile war die Grenadier-Compagnie des Regiments, unter der Haupt-Armee, am 1. Oktober in der unglücklichen Schlacht bei Lobositz. Die Compagnie, welche mit der übrigen anwesenden Cavallerie an Tapferkeit wetteiferte, und deren Hauptmann Graf Erdödy verwundet wurde, hatte 5 Todte und 6 Verwundete, ferner 21 Todte und 8 blessirte Pferde. Sie wohnte hierauf dem Zuge bei, der vom FM. Graf Browne mit einem zusammengesetzten Corps am 7. Oktober zur Befreiung der sächsischen Armee von Budin aus gegen das preussische Lager in Pirna unternommen wurde. Unentschlossenheit von Seite der Sachsen und Elementar-Ereignisse vereitelten aber dieses Unternehmen, und die Oesterreicher kehrten daher am 14. wieder nach Budin zurück. Das Regiment erhielt in Dobrowitz und Umgegend seine Winterquartiere.

Im Frühjahr 1757 waren 8 Compagnien des Regiments mit dessen Grenadieren unter FML. Graf Maquiere bei Katzau, die übrigen 4 kämpften unter dem Corps des FZM. Graf Königsegg bei Reichenau und verloren hiebei 13 Mann nebst 10 Pferden. Mit der Haupt-Armee des Herzog Karl von Lothringen war das Regiment am 6. Mai in der Schlacht bei Prag, nach deren ungünstigen Ausgang sich 4 Compagnien desselben nach Prag warfen, und thätigen Antheil an der Vertheidigung dieser nun belagerten Stadt hatten; dagegen das Regiment, welches sich nach Beneschau zurückzog, zur Ausrüstung mit Feld-Requisiten nach Mähren abrückte. Der Verlust desselben am 6. Mai bestand: 32 Mann, 17 Pferde todt, 6 Mann, 1 Pferd verwundet; die Fähnriche Baron Sikingen, Graf Wratislaw, Graf Klenau, Graf Mikes, nebst 111 Mann und 106 Pferden waren in feindliche Kriegsgefangenschaft gerathen. — Nach seiner Wiedervereinigung mit der kaiserlichen Haupt-Armee am 30. Juni im Lager bei Szelakowitz rückte das Regiment mit derselben nach Schlesien, und war am 23. November bei der Eroberung des verschanzten Lagers des Herzog von Bevern bei Breslau, welcher die Einnahme dieser Stadt mittelst Capitulation folgte. In der unglücklichen Schlacht bei Leuthen deckte es mit Erzherzog Ferdinand Cürassier (jetzt Nr. 8) den Rückzug des linken Flügels und hatte starke Verluste erlitten. 14 Mann und 29 Pferde hatte das Regiment als todt, den Obersten Graf Vitzthum, die Hauptleute Rippenhausen, Grafenthal, Graf Erdödy, Graf Berchtold von Reineri, die Lieutenants Lenz und Baron Bechinie, die Fähnrichs Rosemark und Lasberg nebst 47 Mann und 35 Pferden als verwundet, und endlich 58 Mann und 58 Pferde als vermisst zu beklagen. Die Winterquartiere bezog dasselbe in der Gegend von Wellisch in Böhmen.

Im Feldzuge 1758 abermals bei der Haupt-Armee eingetheilt, war das Regiment am 14. Oktober in der siegreichen Schlacht bei Hochkirchen, und verlor dabei 7 Mann nebst 6 Pferden an Todten und Verwundeten. Im November wohnte dasselbe der Belagerung von Dresden bei, und kehrte sodann nach Böhmen in die Cantonirung von Predlitz zurück.

Der Feldzug 1759 verging ohne entscheidendes Unternehmen. Das Regiment stand Anfangs in der Haupt-Armee des FM. Graf Daun in Böhmen, später in der Lausitz, kam im Oktober nach Sachsen zur Reichs-Armee, lagerte erst bei Oschatz, später bei Plauen, und bezog die Winterquartiere bei Dresden.

In der Campagne 1760 war das Regiment wieder in der Haupt-Armee des FM. Graf Daun, wohnte am 19. Juli dem Entsatze von Dresden bei.

Im August rückte es mit der Haupt-Armee bis Löwenberg, und war am 17. September unter GM. Graf d'Ayasasa an dem Gefechte bei Kunzendorf betheiligt, wo es bei der Gefangennehmung von 2 Offizieren und 100 Mann mitwirkte, die Grenadiere des Regiments aber eroberten 2 Kanonen, und hatten allein einen Offizier todt, nebst 21 Mann todt und verwundet verloren. In der Schlacht bei Torgau, am 3. November, fand das Regiment Gelegenheit zur Auszeichnung. Dasselbe, welches Tags vor der Schlacht vorwärts Heiden detachirt worden war, zog sich beim Anrücken der feindlichen Uebermacht fechtend auf die Haupt-Armee zurück, und wurde daselbst von dem G. d. C. Baron Buccow zur Unterstützung der Artillerie beordert, die am rechten Flügel aufgefahren war. Von dem lebhaften Feuer derselben unterstützt, schlug das Regiment mit einer Abtheilung Savoyen-Dragoner (jetzt Nr. 1) vereint, die Angriffe der preussischen Reiterei standhaft zurück, und verhinderte das weitere Vordringen derselben. Die Grenadier-Compagnie des Regiments entriss dem Feinde eine österreichische Fahne vom Infanterie-Regimente Puebla (jetzt Nr. 26); der Verlust des Regiments, welches kurz darauf die Cantonirung bei Komotau in Böhmen bezog, bestand an jenem Tage: an Todten 26 Mann und 18 Pferde; an Verwundeten: Hauptmann Graf Auersperg und Lieutenant Czernovicz nebst 29 Mann und 38 Pferden; gefangen und vermisst waren Hauptmann Graf Berchtold und Lieutenant Grauh nebst 63 Mann und 48 Pferden.

In der zweiten Hälfte Mai 1761 wurde das Regiment zur Vertheidigung des Passes bei Wartha in's Erzgebirge detachirt, rückte Anfangs Juli zum Corps des FZM. Grafen Lascy zur Beobachtung des Feindes am rechten Elbe-Ufer nächst Dresden, und kam sodann den Winter über nach Steinbach, Beerwalde und Gross-Dittmannsdorf in Sachsen zu stehen.

Im Feldzuge 1762 dem detachirten Corps des G. d. C. Fürsten Löwenstein zugetheilt, nahm das Regiment am 2. August an dem siegreichen Treffen bei Töplitz Theil, wo es sich durch mehrere glänzende Attaquen auszeichnete, und einen Gesammt-Verlust von 20 Mann und 22 Pferden erlitt. In der Nacht vom 3. auf den 4. August half es den Angriff des preussischen Generalen Kleist zurückschlagen, und hatte an Verwundeten: 5 Mann und 6 Pferde verloren. Vom 27. bis 30. September wohnte das Regiment der Expedition des G. d. C. Graf Hadik gegen die feindlichen Vorposten im Erzgebirge bei, sowie auch als das Löwensteinische Corps die Preussen aus der Gegend von Frauenstein zum Rückzuge nach Freiburg gezwungen hatte.

Am 29. Oktober kämpfte das Regiment, nunmehr in der verbündeten Reichs-Armee eingetheilt, im unglücklichen Treffen bei Freiberg, und hatte in diesem, nebstdem in feindliche Kriegsgefangenschaft gerathenen Major von Grafen einen Verlust von 18 Mann, 21 Pferden an Todten; 2 Offiziers, 19 Mann und 19 Pferden an Verwundeten, und 67 Mann nebst 63 Pferden an Vermissten und Gefangenen.

Am 24. November rückte das Regiment in den Saazer Kreis nach Böhmen und nach dem Friedensschlusse zu Hubertsburg vom 15. Februar 1763 in die Standquartiere im Neutraer Comitate nach

Ungarn. — Unter dem Obersten Grafen Alexander Erdödy erhielt das Regiment 1767 für die seit seiner Errichtung durch 126 Jahre in so vielen Kämpfen ruhmvoll geführten Paniere neue Standarten, deren feierliche Weihe im Beisein des Inhabers FM. Fürsten Karl Bathianyi von dem Erzbischof von Kalotsa zu Ickervár vollzogen wurde. In diesem Jahre nahm das Regiment am Uebungslager zu Kittsee Theil, während eine Compagnie zur Aufwartung nach Wien kam. 1769 stand dasselbe in Sümegher Comitate, rückte 1770 in das Lustlager bei Laxenburg nächst Wien, und kehrte sodann in das Bacser und Baranyer Comitat nach Ungarn zurück.

In diesem Jahre vertauschte das Regiment seine bisherigen scharlachrothen Röcke mit himmelblauen Aufschlägen (bei den Offiziers von Sammt) mit dem weissen Kollet und lichtblauen Aufschlägen und erhielt blaue Westen, gelblederne Beinkleider und gelbe Knöpfe.

1773 in das Sümegher Comitat verlegt, rückte das Regiment 1775 nach Zydaszow in Galizien, und wurde daselbst 1777 zum Chevauxlegers-Regimente übersetzt.

Im bairischen Erbfolgekriege gegen Preussen kam das Regiment Anfangs Juli 1778 auf den linken Flügel der Armee unter dem FM. Baron Loudon bei Niemes in Böhmen zu stehen. Unter den von hier aus detachirten Commando's stand Rittmeister Wilhelm des Regiments mit 80 Pferden sowohl des eigenen als des Hussaren-Regiments Baron Graeven (jetzt Nr. 4) bei Rumburg, allwo er am 30. ein ungleiches Gefecht mit dem Feinde zu bestehen hatte. Derselbe wurde nämlich vom GM. De Vins an jenem Tage beordert, die Avantgarde eines gegen Rumburg vorrückenden preussischen Corps anzugreifen. Mit vieler Entschlossenheit attaquirte Rittmeister Wilhelm den ihm weit überlegenen feindlichen Vortrab, und drückte denselben auch etwas zurück, als er von der Uebermacht des Feindes zum Weichen gebracht, das Unglück hatte, mit dem Pferde zu stürzen und nebst etlichen 20 Chevauxlegers, die stark verwundet waren, in feindliche Kriegs-Gefangenschaft gerieth. — Am 13. September stiess das Regiment zum Corps des FML. Grafen Colloredo bei Turnau und suchte den Feind durch kleine Streif-Commanden zu beunruhigen. Oberlieutenant Brückel des Regiments hob am 29. eine feindliche Patrouille bei Ullersdorf auf, und machte einige Gefangene; Rittmeister Canisius des Regiments bestand am 30. ein hartnäckiges Gefecht mit 20 Chevauxlegers gegen ein weit überlegenes feindliches Detachement bei Maffersdorf, welches er auch von dort vertrieb. Den Winter über war das Regiment in die Umgegend von Johannesthal verlegt, und bestritt die Vorposten bei Kratzau. Nach Abschluss des Teschner Friedens im Mai 1779 bezog dasselbe die Standquartiere zu Pecsvar in Ungarn, von wo es 1781 nach Bataszek verlegt wurde, 1782 aber wieder nach Pecsvar zurückkehrte. Als 1783 an der türkischen Grenze ein Truppencorps konzentrirt wurde, kam das Regiment mit dem

Stabe nach Warasdin in Kroatien zu stehen; 1784 aber wieder nach Pecsvar, von wo es 1786 dem Pester Lager beigezogen wurde, nachdem es gleichzeitig eine Uhlanen-Division (welche die II. Majors-Division formirte) errichtet hatte. 1787 kam dasselbe in das Uebungslager bei Földvar nächst Pest, wo am 26. Juli die Uhlanen-Division ihre Standartweihe feierte.

Im selben Jahre, als Oesterreich bei den Feindseligkeiten der Türken gegen Russland einen Grenzkordon an der türkischen Grenze zog, wurde Anfangs Oktober das diesseitige Regiment dahin befehligt, stand bei dem Corps zwischen der Drau und Donau, und rückte Ende d. M. nach Ruma in Syrmien.

Bei Ausbruch des Türkenkrieges 1788 kam das Regiment, dessen Uhlanen-Division zur Haupt-Armee an der Donau eingetheilt wurde, zu dem Corps des FML. de Vins nach Kroatien. Hier schlug die Oberstlieutenants-Division vereint mit dem Oguliner Grenz-Regimente am 25. März eine mehr als 1000 Mann starke Abtheilung tapfer zurück, welche den österreichischen Kordon bei Rakowicza Dressnik und Drekowa Seliste angegriffen hatte. Am 29. April war das Regiment unter dem G. d. C. Fürsten Karl Liechtenstein bei der Belagerung von Dubitza. Am 22. bewirkte Oberst Baron Bubenhofen mit 3 Zügen des Regiments und einer Division Warasdiner-Kreuzer eine mit vieler Vorsicht ausgeführte Recognoszirung des Feindes bis an dessen Tschartake Ravna Barina. Während des Sturmes auf Dubitza am 25. April bei der Vertheidigung der Laufgräben wurde von den Türken eine Hussaren-Escadron hart bedrängt, ebenso ein österreichisches Quarrée in Unordnung gebracht, als Major Baron Schubirz des Regiments mit kühner Entschlossenheit, 'und aus eigenem Antriebe mit seiner Division eine Attaque ausführte. 166 Feinde wurden von den Chevauxlegers niedergemacht, die übrigen aber hart verfolgt. Die Division des Regiments verlor im Ganzen 11 Mann und 9 Pferde. Am 26. Juni half eine Division des Regiments eine feindliche Abtheilung zurücktreiben, die bei Czerkowino die Unna übersetzt hatte.

Mittlerweile hatte die Uhlanen-Division, die mit der Haupt-Armee nach Semlin gerückt war, alldort am 22. April unter GM. Baron Stader den Angriff des Feindes bei Beschania zurückzuschlagen, mitgewirkt, und verlor im Ganzen 5 Mann und 8 Pferde.

Am 22. Juli bei einem Angriffe von 4000 Türken war der Rittmeister Graf Franz Rosenberg des Regiments mit 2 Zügen seiner Uhlanen, unterstützt von einem Zug Wurmser-Hussaren (jetzt Nr. 8) dem Feinde in die linke Flanke gefallen, wodurch er zum Rückzuge gezwungen war. Als er aber bedeutend verstärkt mit 2 Geschützen nach einer Stunde wieder erschien, und in seiner Uebermacht alle Feldwachen zurückdrängte, war wieder Graf Rosenberg mit seiner Uhlanenschwadron am Thäti[...]

betheiligt, den Feind durch kraftvolle Attaquen zum Rückzuge
zu zwingen. In der Relation des GM. Baron Wenkheim wurde
dieses tapfern Offiziers die rühmlichste Erwähnung gethan, und
Graf Rosenberg erhielt 1790 das Ritterkreuz des Maria
Theresien-Ordens. Der Verlust der Uhlanen betrug im Ganzen nur 7 Mann und 8 Pferde.

Am selben Tage hatte das Regiment beim Corps in Kroatien
den Oberlieutenant und Brigade-Adjutanten Döllner verloren,
der bei einem feindlichen Angriffe auf die Posten am linken
Flügel der Kaiserlichen im Lager bei Czeroliani von einer
Lanze tödtlich getroffen wurde. Am 9. August befanden sich 2 Divisionen des Regiments
bei dem Uebergang über die Unna und dem Ueberfalle des Fein-
des bei Bogovstan, welcher die Vertreibung des Feindes und die
Eroberung des ganzen türkischen Lagers mit 6 Kanonen, vieler
Munition und aller Kriegsgeräthe, sowie die zweite Belagerung
von Dubitza zur Folge hatte. Im September war ein Theil des
Regiments bei der Belagerung von Novi; um die Unterstützungen
des Feindes von Novi abzuziehen, streifte am 14. September Oberst
Poharnik mit einem zusammengesetzten Commando an der Koranna
gegen Jzaehach und Bihach. Der mit seiner Division dabei zugetheilte Oberstlieutenant Fürst Johann Liechtenstein des Regiments schlug mit seinen Chevauxlegers durch eine kräftige
Attaque die aus Bihach entgegengerückten bei 1000 Mann starken feindlichen Abtheilungen zurück; Oberlieutenant Baron Rasp
des Regiments aber deckte mit einem Zuge Chevauxlegers
nebst einer Abtheilung Grenzer den spätern Rückzug nach
Dresnik und Rakowitza, der ohne Verlust bewirkt wurde. Mit
der Erstürmung. von Novi am 4. Oktober, von wo eine Escadron des Regiments die feindlichen Kriegsgefangenen nach Divor
abzuführen hatte, wurden die Operationen in Bosnien beendet,
allwo das Regiment Anfangs' Dezember die Winterquartiere
nächst Kurilovecz bezog.

Im Feldzuge 1789 waren sämmtliche 4 Divisionen des
Regiments bei dem Corps in Bosnien zugetheilt. Zwei Divisionen
im Juni zur Belagerung von Berbir beigezogen, gingen noch
während derselben zur Vertheidigung des kaiserlichen Hauptma-
gazins nach Cyvitovich, und deckten sodann am 22. Juli die
grosse Fouragirung, welche GM. Baron Bubenhofen mit einem
zusammengesetzten Detachement im Koranna-Thale bewirkt hatte.

Mittlerweile stand eine dritte Division des Regiments bei
Rakowitza, die Uhlanen-Division aber unter GM. v. Jelacic an
der Unna zwischen Jessenowatz. Novi und Dubitza, allwo dieselben mehrere kleinere Gefechte zu bestehen hatte.

Am 21. August wirkte ein Zug Uhlanen bei dem Angriff
des GM. Jelacic gegen 800 Türken bei Dubitza mit, sowie die im
Koranna-Thale stehenden 4 Escadrons des Regiments am 5. September die bei Voinich und Jeszenina bedrängten Posten that-

kräftigst unterstützten. Am 13. September war eine Uhlanen-
Escadron des Regiments bei dem Zuge des GM. Jellacic gegen
3000 Türken betheiligt, welche die kaiserliche Grenzmiliz zurück-
drängen wollten, durch das rechtzeitige Eintreffen aber dieses
Corps in die Flucht geschlagen wurden. Ende September rückte
das Regiment in die Cantonirung in und bei Draganich, und
blieb im Feldzuge 1790 abermals in Bosnien unter den Befehlen des FZM. Baron De Vins. Während im Juni die Uhlanen-
Division und 4 Chevauxlegers-Escadrons des Regiments zur Vertheidigung des Cordons an der Unna und im Koranna-Thale vertheilt standen, waren die noch übrigen 2 Escadrons desselben
bei der am 22. begonnenen Belagerung von Czettin. Bei Erstürmung dieser Festung am 20. Juli war der Oberst Fürst Johann
Liechtenstein des Regiments unter den ersten der Freiwilligen,
welche die Bresche erstiegen, und Alles, was Widerstand bot,
niedergemacht hatten. Oberst Fürst Liechtenstein erhielt für sein
tapferes Benehmen in der Promotion vom 19. Dezember 1790
das Ritter-Kreuz des Maria Theresien-Ordens.
　　Mittlerweile waren 4 Escadrons des Regiments bei einem
Streifzug des GM. Jellacic am 11. Juli zur Verhinderung eines
Entsatzes betheiligt. Am 9. October wurde ein Waffenstillstand
abgeschlossen, und das Regiment rückte mit Zurücklassung seiner
Uhlanen-Division zu Jasska in Croatien zur Krönung Kaiser
Leopold II. als König von Ungarn (15. November) nach Pressburg, und sodann zur Aufwartung nach Wien. 1791 bezog dasselbe die Standquartiere in Ostrau und Umgegend in Mähren,
und gab mit 1. November seine Uhlanen-Division zur Errichtung des 1. Uhlanen-Regiments (gegenwärtig Graf Civalart) ab.
　　Nach Ausbruch des ersten Krieges gegen die französische Republik marschirte das Regiment am 20. Mai
1792 mit 6 Escadrons aus Mähren zur kaiserlichen Armee an
den Rhein, ging mit dieser in der Nacht vom 1. auf den 2.
August bei Mannheim über jenen Fluss, und war am 3. bei
der Recognoszirung und dem dabei stattgehabten Gefechte mit
den Franzosen bei Rühlsheim und Knittelsheim. — Nach der
Vorrückung zur Belagerung von Thionville nahm dasselbe am
31. an der Recognoszirung zwischen Thionville und Metz Theil.
Major von Stipsicz des Regiments streifte am 1. September mit
200 Pferden über die Mosel. Hierauf wohnte das Regiment den
am 8. begonnenen Operationen der Verbündeten in der Cham-
pagne bei, und kam nach dem Rückzuge derselben von Verdun
am 22. October auf den österreichischen Cordon ins Luxemburgische, welcher sich von Neufschateau rechts bis Namur
ausdehnte.
　　Im Feldzuge 1793 stand das Regiment bei dem kleinen
Corps, welches unter FML. Baron Schröder im Lager bei Arlon
aufgestellt war, und wo den einzelnen Abtheilungen des Regiments auf Vorposten reichliche Gelegenheit zur Auszeichnung

geboten wurde. So patrouillirte am 18. März Corporal Kurzweil, der in St. Leger auf Piket stand, von da mit 12 Chevauxlegers gegen Ethe, als er erfuhr, dass 30 Franzosen bei Gommery vorgedrungen waren, um in diesem Orte zu plündern. Mit gehöriger Vorsicht rückte Corporal Kurzweil sogleich gegen den Feind, der durch seine Vedetten hievon avisirt, sich bereits an den Wald bei Gommery aufgestellt hatte, fiel denselben mit nur 6 Chevauxlegers an, und hieb persönlich mehrere Franzosen nieder. Durch einen zufällig herbeigekommenen Uhlanen-Wachtmeister mit 16 Mann unterstützt, wurden die Franzosen vollends in die Flucht geschlagen und über die Grenze verfolgt. Corporal Kurzweil erhielt die silberne Medaille. Am 28. März streifte Corporal Tauber mit 7 Mann eben von St. Leger gegen Virton, als eine feindliche, 5000 Mann starke Colonne gegen letzteren Ort im Anzuge war. Entschlossen stürzte dieser Corporal mit seinem kleinen Detachement der feindlichen Colonne entgegen, und schlug sich an der Spitze derselben so wacker herum, dass hiedurch das weitere Vordringen des Feindes, der über diesen unerwarteten Angriff stutzte, durch einige Stunden gehemmt wurde. Inzwischen hatten die Einwohner Zeit gewonnen, ihre Habseligkeiten in Sicherheit zu bringen, und vor der Plünderungssucht der Franzosen zu retten. Auf Einschreiten der Gemeinde Virton kam dieses tapfere Benehmen des Detachements zur höheren Kenntniss, und nebst Corporal Tauber erhielten sämmtliche 6 Chevauxlegers die silberne Medaille. Lieutenant Pantzer des Regiments, welcher am 11. Mai mit 12. Chevauxlegers in der Gegend von Differdang patrouillirte, und daselbst auf eine, 150 Mann starke feindliche Abtheilung gestossen war, schlug die Franzosen nach einem hartnäckigen Gefechte, wobei er selbst verwundet wurde, und ein Pferd unterm Leibe verlor, mit einem Verluste von 8 Todten und mehreren Verwundeten in die Flucht. Corporal Hölzel, der gleichfalls sein Pferd verloren hatte, und Gemeiner Schröck retteten den Lieutenant Pantzer, als dessen Pferd getödtet wurde, und zwar ersterer zu Fuss aus der Mitte der Feinde. Hölzel erhielt die goldene, Schröck die silberne Medaille. — Am 6. Juni war der Cadet Anton Plächel der Erste, welcher mit 20 Chevauxlegers zwischen Arlon und Nieder-Eltern in eine 300 Mann starke anrückende französische Carabiniers-Abtheilung einhieb, wodurch selbe in Unordnung gerieth, dass die Oberst-Division des Regiments Gelegenheit fand, durch eine vortheilhafte Attaque sämmtliche Carabiniere theils zusammen zu hauen, theils gefangen zu nehmen. Bei der Recognoszirung, welche der Feind am 7. bei Longville unternahm, bestand das Regiment ein sehr ernsthaftes Gefecht vor Sainte Croix unweit Arlon. Rittmeister Graf Wrbna hieb mit 70 Chevauxlegers in 500 Franzosen, rettete ein schon umrungenes österreichisches Infanterie-Bataillon, und schlug den Feind mit grossen Verluste zurück. Rittmeister Graf Wrbna

sank, von einer feindlichen Kugel getödtet, und Oberlieutenant
Baron Seeger, der sich ebenfalls sehr ausgezeichnet hatte,
wurde schwer verwundet. Rittmeister von Ankenbrandt setzte das
Gefecht mit gleicher Tapferkeit fort, und hinderte die abermaligen Angriffe der mittlerweile sich wieder sammelnden Franzosen,
wesshalb er in der Relation sich einer ehrenvollen Erwähnung verdient gemacht hatte. Nebst den genannten Offizieren hatte das
Regiment an diesem Tage an Todten, Verwundeten und Vermissten 22 Mann und 15 Pferde verloren. — Am 9. rückte der Feind
in 4 starken Colonnen vor, um das Corps des FML. Schröder bei
Arlon anzugreifen. 4 Escadrons des Regiments kämpften von halb 12
Uhr Mittags bis 8 Uhr Abends gegen die französische Uebermacht, deren Stärke auf 26000 Mann geschätzt wurde. In 6 Attaquen vernichteten sie mehrere feindliche Bataillons, sowie auch das
erste Carabinier-Regiment und eroberten die Leibstandarte des
letztern nebst 3 Kanonen. Da Abends eine neue feindliche Brigade am Kampfplatze erschien, mussten die österreichischen Truppen
der Uebermacht weichen, und sich bis Mammern zurückziehen.
Auf diesem Rückzuge zeichnete sich insbesondere der Rittmeister
Graf Carl Kinsky des Regiments aus, welcher wiederholto beherzte
Attaquen gegen einen weit überlegenen Gegner machte, und einen
Munitionskarren eroberte, eben so der Lieutenant Johann von Baum,
der mit seinem Zuge durch einige wohl angebrachte Angriffe zur
Sicherung des geordneten Rückzuges viel beitrug. Das Regiment
verlor in diesem Treffen an Todten: den Rittmeister Ladislaus Graf
Falkenhain, Oberlieutenant Baron Frankenstein, Lieutenant Graf
Schaaffgotsche und 15 Gemeine. Blessirt wurden: der Rittmeister
von Kleinhardt, die Oberlieutenants Graf Szereny und von Hövel
nebst 40 Mann. Der Verlust an Pferden betrug im Ganzen 60.
Rittmeister Albert von Stahel rettete in diesem Treffen 2 Compagnien vom Regimente Graf Franz Kinsky Nr. 47, die sich ganz
verschossen hatten, indem er mit seiner Escadron dem Feinde so
lange die Spitze bot, bis sich jene Compagnien hinter ihn zurückziehen konnten. Lieutenant von Baum rettete den Major v. Sala-
rolli des genannten Regiments. Dieser war von seinem Bataillon
im Gewühle des Kampfes getrennt, und von Feinden umrungen
worden, als ihn der genannte Offizier der drohenden Gefahr der
Gefangenschaft durch sein rasches Heransprengen entriss. Im Verlaufe des Gefechtes wurde Lieutenant Baum gefangen, und von 4
französischen Hussaren weggeschleppt, als ihn Cadet Plaechl mit
2 Chevauxlegers befreite, und 2 Hussaren mit eigener Hand tödtete.
In der offiziellen Relation wird das Verhalten des Regiments mit
besonderem Lobe erwähnt, wie insbesondere der hervorragenden
Bravour des Oberstlieutenants Baron Hochberg, der wegen Erkran-
kung des Obersten das Regiment commandirte, und des Majors
von Gosztonyi gedacht. Zur Belohnung ihrer erprobten Tapferkeit erhielten 3 Mann die goldene und 27 die silberne Medaille. Gegen Ende Juli mit der k. Haupt-Armee in der Nie-

16

derlande unter FM. Prinz Coburg vereinigt, wohnte das Regiment
am 8. August der Eroberung des feindlichen Lagers zwischen Bouchain und Cambray bei, und stand sodann während der Belagerung von Le Quesnoy bei Solesmes auf Vorposten, wo am 4. September eine französische Cavallerie-Abtheilung den österreichischen
Unteroffiziers-Posten rasch angriff; Oberlieutenant Schnarrer des
Regiments aber eilte mit einer halben Escadron desselben und den
nächsten Piketen herbei, und machte einen Stabs- nebst einen
Oberoffizier mit 17 Mann sammt ihren Pferden gefangen. — Ein
feindliches Corps von 7000 Mann und 18 Kanonen war am 12. September zum Entsatze der bereits in der vorhergehenden Nacht
gefallenen Festung Le Quesnoy in 2 Colonnen vorgerückt. Das diesseitige Regiment stand unter seinem Obersten Fürst Liechtenstein
nebst 5 Compagnien O'Donell Frei-Corps auf den Vorposten bei
Saulzoir, vertheidigte sich durch 4 Stunden und hielt den Feind
in seinem Vordringen bei Villers en Cauchie auf. Oberst Fürst
Liechtenstein brachte durch die rasche Vorrückung einiger Escadrons die feindliche Cavallerie zum Weichen, und diese zog sich
gegen Cambray. Zwei feindliche Kanonen hinderten das Vorrücken unserer Cavallerie zur Verfolgung des Feindes. Oberlieutenant Baum dicss wahrnehmend, warf sich ohne Befehl mit
einem einzigen Zuge auf die Kanonen, versprengte die ziemlich
starke Bedeckung, bemächtigte sich der Geschütze, und ermöglichte dadurch dem Oberst Fürst Liechtenstein mit dem Regimente ungehindert vorzurücken. — Die nun von ihrer Cavallerie
verlassene französische Infanterie wurde theils durch die zweckmässigen Anstalten des Obersten und durch eine kraftvolle Attaque des Rittmeister Graf Carl Kinsky mit 3 Zügen, bei welcher
der Feind 60 Mann verlor, theils durch die entschlossene Mitwirkung sämmtlicher Escadrons des Regiments und einiger her-
angekommener der Regimenter Kaiser-Hussaren, Nassau-Cürassier
und des emigrirten französischen Dragoner-Regiments Royal-Alle-
mand, ungeachtet des lebhaftesten Kartätschenfeuers immer mehr
und mehr gegen Avesnes le sec gedrängt, bis sie endlich ein
grosses und ein kleines Quarrée zusammen aus 5 Bataillons bestehend formirte. In diese Quarrées brach nun das Regiment
unter der glänzenden Anführung seines tapfern Obersten Fürst
Liechtenstein in die Fronte, während die übrigen genannten Cavallerie-Abtheilungen in die rechte und linke Flanke derselben
eindrangen. Das Resultat dieses Angriffes war ein glänzendes,
wenige Franzosen entkamen, und wurden bis unter die Kanonen
der Festung Bouchain von den tapfern Reitern verfolgt.

Der blutige Kampf dieses Tages wurde durch 2000 österreichische Reiter allein, ohne Infanterie und Geschütz zu Ende
geführt. Der Feind hatte den beträchtlichen Verlust an Todten,
Verwundeten und Gefangenen nahe an 4000 erlitten. Dagegen
war jener des Regiments, welches nach dem Zeugnisse der anwesenden Generale das Meiste zum erfochtenen Siege beitrug,

sehr gering. Denn es zählte den Oberlieutenant Schwarz und 10 Gemeine an Todten. Rittmeister Graf Kinsky, die Oberlieutenants Scherer und Pulszky nebst 32 Mann an Verwundeten. Beträchtlicher war der Verlust an Pferden, deren 34 todt und 70 verwundet waren. — In der Relation dieses Treffens, in welchem 18 Kanonen, ? Haubitzen, 5 Fahnen und alle Munitionskarren, nebst 3000 Feuergewehren und 60 Pferde in die Hände der Sieger fielen, werden vom Regimente folgende Offiziere besonders belobt: Oberst Fürst Liechtenstein. Oberstlieutenant Baron Hochberg, Major von Gosztonyi, die Rittmeister Graf Kinsky, Ankenbrand, Graf Traun, Vernet, Stetten, Theurer, Stahl, dann die Oberlieutenants Graf Ferdinand Bubna und von Baum, welch letzterer nachträglich mit Promotion vom 7. Juli 1794 das Ritterkreuz des Maria Theresien-Ordens erhielt. 24 Mann des Regiments wurden mit Tapferkeits-Medaillen belohnt, unter welchen sich der bereits mit der silbernen betheilte Corporal Josef Weber besonders auszeichnete und durch die Eroberung einer Kanone und Gefangennehmung eines feindlichen Offiziers die goldene verdient hatte.

Am 29. September eroberte Fürst Liechtenstein mit einer Division des Regiments die feindlichen Verschanzungen bei St. Remy Malbatie nebst 3 Kanonen und 5 Munitionswägen und machte 26 Gefangene. Ausgezeichnet hiebei hatte sich Oberlieutenant Schmidt durch geschickte Führung der Avantgarde. (Bei diesem Gefechte hatten eine Division Latour-Dragoner und die Mahony-Jäger mitgewirkt, erstere jetzt Nr. 2, letztere längst reduzirt). Rittmeister Ankenbrand und Oberlieutenant Graf Bubna haben sich bei Vertreibung des Feindes aus Bois de Beaufort durch ihr tapferes Benehmen einer ehrenvollen Erwähnung in der Relation verdient gemacht.

Am 15. Oktober hat das Regiment bei Barilemont 2 Kanonen erobert, und bezog am 17. die Winterquartiere in Bavay.

In diesem Feldzuge überhaupt wurden 12 goldene und 71 silberne Medaillen nebst 2 Geldbelohnungen im Regimente vertheilt.

Im April 1794 stand das Regiment bei der Belagerung von Landrecy unter dem Reserve-Corps des FZM. Baron Alvinczy, dessen Uebergang über die Sambre am 21. d. M. in eine neue Aufstellung Oberst Fürst Liechtenstein mit dem Regimente herzhaft deckte. — An jenem Tage verlor das Regiment den Oberlieutenant Schmidt, der bei Grand Blocus den Tod fand. Am 26. April nahm das Regiment Theil an dem Sieg bei Cateau und Catillon, wo Oberst Fürst Liechtenstein den Feind über Neuville zurückjagte und eine Kanone nebst mehreren Munitionswägen eroberte. Am 13. Mai kämpfte eine Escadron des Regiments unter dem Corps des FZM. Graf Kaunitz nächst Rouveroy, wobei sich Rittmeister Theumern durch sein tapferes Benehmen auszeichnete; der Verlust jener Escadron betrug im Ganzen 10 Mann und 18 Pferde.

16 *

Am 21. hatte sich Fürst Liechtenstein mit dem Regimente durch dreimaliges Einhauen in den weit überlegenen Feind auf der Anhöhe vor Cense de Faynel ausgezeichnet. Das Regiment verlor hiebei nebst den verwundeten Lieutenant Duca Pignatelli, 51 Mann und 52 Pferde.

In der Affaire bei Grandreng am 24. Mai attaquirte Cadet Plächel, der bereits im Jänner d. J. die goldene Medaille erhalten hatte, mit 20 Chevauxlegers eine offene Schanze, und vertheidigte sich so lange, bis die Haupttruppe anrücken konnte.

Am selben Tage wurde durch 3 Escadrons des Regiments, bei Verfolgung des Feindes aus den Verschanzungen bei Erquelinne, der Feind grösstentheils in die Sambre gesprengt und 9 Kanonen erobert. Nebst dem Oberst Fürst Liechtenstein hatten sich vorzüglich ausgezeichnet der Oberstlieutenant von Gosztonyi, Major Stahel und Oberlieutenant Baron Brettlak. Der Verlust des Regiments betrug nebst dem verwundeten Lieutenant Tarotzy im Ganzen 18 Mann und 44 Pferde.

Am 3. Juni in der Schlacht bei Charleroi, sowie am 16. d. M. bei der dritten Entsetzung dieser Festung, hatte das Regiment zur Eroberung von 12 Kanonen, 31 Munitionswägen nebst vielem Train wesentlich mitgewirkt. Als am letztern Tage die Arriere-Garde der österreichischen Armee von 5000 feindlichen Reitern mit 20 Kanonen auf der Strasse von Charleroi verfolgt wurde, und man dem Gegner wegen des rechts und links von der Strasse liegenden Waldes nicht beikommen konnte, nahm Cadet Plächel aus eigenem Antriebe 30 freiwillige Chevauxlegers und suchte durch Umwege den feindlichen Nachtrab zu beunruhigen. Da jedoch die Dichte des Waldes es unmöglich machte zu Pferde vorzudringen, liess Plächel seine Reiter absitzen, und griff zu Fuss mit dem Carabiner in der Hand das Centrum dieses Nachtrabes an, wodurch der Feind, in der Meinung von einer grösseren Infanterie-Abtheilung im Rücken genommen zu sein, in solche Unordnung gerieth, dass ihm mehrere Kanonen und Munitionskarren durch den tapfern Cadeten abgenommen wurden.

Ausgezeichnet hatten sich an diesem Tage Rittmeister Graf Kinsky, der mit seiner Schwadron auf der Anhöhe von Junet dem Feinde 2 Kanonen abnahm; Lieutenant Baron Meuden, Ordonanzoffizier des FZM. Baron Alvinczy, der die Attaquen des Regiments freiwillig mitmachte. Das Regiment hatte 14 Mann und 43 Pferde todt, den Rittmeister Graf Traun, die Oberlieutenants Barzer und Baron Brettlak nebst 30 Mann und 41 Pferde blessirt.

Am 26. Juni kämpfte das Regiment in der Schlacht bei Fleurus. In dieser hatte Cadet Plächel, in Abwesenheit des Zugs-Commandanten 30 Mann, des Regiments und 20 Mann des emigrirten Chevauxlegers Regiments-Bourbon unter sein Commando erhalten. Der ihm gegenüberstehende Feind zählte 400 Hussa-

ren, welche Plächel ungeachtet dieser fünffachen Ueberzahl
angriff, selbst mehrere erlegte, 40 Mann gefangen nahm und
eben so viele Pferde erbeutete. — Beim Rückzuge der Verbündeten hemmte Rittmeister Dischinger bei der äussersten Nachhut das Vordringen des Feindes. Der Verlust des Regiments
bestand ausser dem verwundeten Oberlieutenant von Baum, 8
Mann, 6 Pferde an Todten, 24 Mann und 19 Pferde an Verwundeten. Im Juli stand das Regiment unter GM. Baron Kien-
maier an den Ufern der Maas auf Vorposten, machte beim
Rückzuge der k. Armee aus den Niederlanden die Arriere-
Garde, überschritt am 6. Oktober bei Köln den Rhein und bezog
die Winterquartiere zu Münster. Für die, bei verschiedenen Gelegenheiten in diesem Feldzuge sich ausgezeichneten Individuen
der Mannschaft erhielt das Regiment 19 silberne Tapferkeits-Medaillen. In der Promotion vom 7. Juli d. J. hatte Oberst von
Stipsicz das Ritterkreuz des Maria Theresien-Ordens
für seine ausgezeichneten Leistungen als Generaladjudant im Feldzuge 1793 erhalten.

Im Winterfeldzuge 1795 gegen die Franzosen in Holland war das Regiment im Auxiliar-Corps des FZM. Baron Alvinczy
eingetheilt. Dasselbe kam nach dem Rückzuge dieses, im Februar,
aus Holland, allwo es durch die ungewöhnlich strenge Kälte viel
erlitten hatte, wieder in die Gegend von Münster, und rückte sodann im April zur Armee unter FM. Graf Clerfait am Ober-Rhein.
Hier stand es im Mai bei Rohrbach und am 1. Juni im Lager bei
Mainz. Am 11. war es nach Bürstedt in Kantonirung verlegt,
ging am 2. Juli bei Feidenheim in's Lager, kam am 7. August in
Garnison nach Mannheim und am 29. in Kantonirung bei Bohlingen,
bis es sich im September mit der Heeres-Abtheilung des G. d. C.
Graf Wurmser bei Freiburg vereinigte. In diesem Monate hatte
sich am 21. die pfälzische Festung Mannheim den Franzosen ergeben. Im Oktober langte das Regiment mit der Ober-Rhein-Armee
unter G. d. C. Graf Wurmser in der Gegend jener Festungen.
Am 18. Oktober hat sich der Major Graf Karl Kinsky des Regiments mit seiner Division in eine zehnfach überlegene, in Masse
den Angriff erwartende feindliche Cavallerie, von welcher kurz
vorher mehrere österreichische Hussaren-Escadrons zurückgeprallt
waren, gestürzt, und ihre Reihen durchbrochen. Unterstützt von
Oberst Stipsicz mit einer 2. Division des Regiments brachten die
Chevauxlegers den Feind in Unordnung. Nun hieben auch die
übrigen Regimenter ein, und vernichteten diese Massen von Feinden. Lieutenant Plächel verfolgte deren Trümmer bis an das Thor
von Mannheim. Oberlieutenant Pulszky hat den General Devay,
eben als ihn ein feindlicher Cavallerist durchbohren wollte, durch
einen jenem Gegner glücklich beigebrachten Hieb gerettet.

Major Graf Karl Kinsky erhielt für sein ausgezeichnet wie
derholt tapferes Benehmen nachträglich in der Promotion von
11. Mai 1796 das Ritterkreuz des Maria Theresien-Or

dens. Nebst diesem hatten sich die Rittmeister Graf Bubna, Theumern und Laborde durch besondere Bravour bemerkbar gemacht; die beiden letzteren wurden verwundet. Von der Mannschaft hatten sich hervorgethan und wurden mit silbernen Tapferkeits-Medaillen belohnt: der Corporal Irschikowsky und Gemeiner Kopp, welche den Lieutenant Reichel des Regiments heraushieben; — dann die Gemeinen Krutschels und Budowatz, welche den blessirten und bereits gefangenen Lieutenant Victoris retteten, und dabei selbst verwundet wurden. Ausser den drei genannten verwundeten Offiziers betrug der Gesammt-Verlust des Regiments in dieser Affaire: 23 Mann und 36 Pferde.

Hierauf der Berennung von Mannheim beigezogen, deren Einnahme durch Capitulation am 23. November erfolgte, rückte das Regiment am 2. Dezember zum Corps des GM. v. Meszaros bei Kaiserslautern. Einige Abtheilungen desselben wohnten am 5. Dezember dem Scharmützel bei Zweibrücken und Eschbach bei, und hatten nebst dem verwundeten Rittmeister Besan einen Gesammt-Verlust von 9 Mann und 13 Pferden.

Vom 10. bis 13. Dezember war das Regiment an den Gefechten um den Besitz von Schopp, Landstuhl und Trippstadt betheiligt. Lieutenant Plüchel, welcher hiebei verwundet wurde, hatte sich durch sein muthiges tapferes Benehmen, wodurch er mit 50 Chevauxlegers den weit stärkern feindlichen Vortrab aufhielt, ebenso wie Oberst von Stipsicz durch umsichtige Führung des Regimentes in der Relation eines besondern Lobes würdig gemacht. Der Verlust des Regiments in diesen Gefechten betrug an Todten und Verwundeten 40 Mann und 55 Pferde.

Auch am 18. und 20. Dezember nahm das Regiment an den Ereignissen bei Schopp und Landstuhl Theil, und wird besonders das an jenem Tage bewiesene entschlossene Benehmen des Oberstlieutenants Stahl, Majors Graf Kinsky und Oberlieutenants Pulszky des Regiments vom GM. Meszaros gerühmt. Für die in diesem Feldzuge sich ausgezeichnete Mannschaft erhielt das Regiment 1 goldene und 9 silberne Medaillen. Nach dem Waffenstillstande vom 26. Dezember rückte das Regiment in und bei Vaichingen an der Enz in Cantonirung.

Diese veränderte es im Laufe des Winters mehrmalen, und kam dadurch im Jänner 1796 nach Jllingen, am 18. Februar in die Umgegend von Bühringen, am 9. Mai in Wielach, den 22. aber in und bei Mosbach zu stehen.

Nach Aufhebung des Waffenstillstandes kam das Regiment am 29. Mai bei Neustadt an der Hardt ins Lager, passirte am 8. Juni mit dem Corps des FML. Hotze den Rhein, und traf zur Verstärkung der Nieder-Rheinischen Armee am 12. im Lager bei Homburg ein.

Am 15. wohnten 4 Escadrons des Regiments dem Gefechte von Wetzlar bei, und die 2 übrigen Escadrons nahmen am 19. an dem Treffen bei Kircheip Theil. Vom Regimente, welches

am letztern Tage an Todten und Verwundeten 15 Mann und
29 Pferde verlor, erwarb sich Corporal Benesch durch sein
muthvolles und energisches Benehmen die silberne Tapferkeits-Medaille, indem er 40 Versprengte des Regimentes
sammelte, sich an eine österreichische Hussaren-Escadron anschloss,
und neuerdings in den Feind einhieb.

Am 5. Juli war das Regiment in Eilmärschen bei Dürmers-
heim angelangt; Abtheilungen desselben kämpften am 9. Juli
im Verein mit der Avantgarde der Colonne des FZM. Graf
Sztaray bei Maltsch und Rothenfoll und hatten hiebei 8 Mann
und 16 Pferde an Todten und Verwundeten verloren.

Beim Rückzuge der österreichischen Heeres-Abtheilung wurde
das Regiment am 13. Juli dem Corps des GM. Fürst Liechtenstein zugetheilt.

Im Gefechte bei Studtgart am 18. Juli warf Major Graf
Kinsky mit 3 Schwadronen des Regiments und 2 von Waldek-
Dragoner (jetzt Cürassier Nr. 10) durch einen kühnen Flanken-
angriff den Feind bis in die Vorstädte jener Stadt zurück. Das
Regiment hatte in diesem Gefechte im Ganzen 26 Mann und
20 Pferde verloren; in jenem bei Kannstadt am 21. aber nur 3
Mann und 6 Pferde. In dieser Zeit hatte sich Rittmeister Graf
Bubna des Ortes Schwieberdingen bemächtigt, welches er aber,
wegen der bedeutenden feindlichen Uebermacht nicht behaupten
konnte. Bei dieser Expedition war Oberlieutenant Barzer geblieben, der übrige Verlust dieser Abtheilung des Regiments bestand
in 9 Mann und 8 Pferden. Während des Marsches am Neckar
wurden Theile des Regiments häufig in kleinere Gefechte verwickelt, so am 1. August bei Löbingen, am 2. bei Aalen, am
3. bei Heidenheim. In diesen Gefechten hatte das Regiment,
nebst dem Oberlieutenant Graf Wratislaw, der in feindliche
Gefangenschaft gerieth, an Todten, Verwundeten und Vermissten
23 Mann und 16 Pferde verloren.

Am 15. August in den Gefechten bei Bopfingen und Kirchheim waren 4 Escadrons des Regiments anwesend. L'eutenant v.
Plächel war mit seinem Zuge in letzteren Ort eingedrungen,
hieb den grössten Theil der daselbst aufgestellten Franzosen nieder,
und machte 2 Offiziers mit 70 Mann gefangen. Auch Rittmeister Schneller des Regiments (dessen späterer Inhaber) war mit
seiner Escadron dem Feinde auf dem sogenannten Sandberg in
die Flanke gekommen, und bewirkte die Flucht desselben, welchen
Rittmeister Graf Bubna in seiner rechten Flanke lebhaft verfolgte.
Es wird in diesem Gefechte besonders die Thätigkeit des Regiments unter Oberst von Stipsicz, sowie die Bravour des Rittmeisters Graf Bubna, des Oberlieutenants Marschner, Adjutant des
GM. Fürsten Liechtenstein und des Lieutenants Plächel vom
GM. Fürsten Liechtenstein gerühmt.

Am 11. August waren 4 Escadrons des Regiments an d
Recognoszirung betheiligt, welche Fürst Liechtenstein von Nördling

aus unternahm, dieselben hieben in die feindlichen Plänkler ein, streckten viele nieder und machten 46 Gefangene. Am selben Tage hatte Lieutenant Plächel die Franzosen in Bopfingen überfallen, und wieder 3 Offiziere und gegen 100 Mann gefangen, den Rest theils niedergemacht, theils versprengt. Der Verlust des Regiments in den beiden Tagen des 5. und 11. August bestand zusammen aus 12 Mann und 12 Pferden.

Rühmlichste Erwähnung in der Relation erwarben sich Oberst von Stipsicz und Lieutenant Plächel. — Am 13. August beim Uebergang bei Donauwörth war das Regiment am 22. im Gefechte bei Teining. Rittmeister Theumern hatte ein lebhaftes Vorpostengefecht bestanden, wobei sich Wachtmeister Lämlein auszeichnete, indem er durch einen Rückzug gegen Daswang, dem Feinde in den Rücken fiel. Auch hatte Lämlein den Rittmeister Theumern, dem sein Pferd unterm Leibe erschossen wurde, muthvoll gerettet. Er erhielt die silberne Tapferkeits-Medaille. — Im Gefechte bei Neumarkt am 23. August war es Rittmeister Schneller, welcher mit den vordersten Leuten seiner Escadron dem Feinde rasch entgegensprengte, den grössten Theil niedermachte, und ihm viele Gefangene abnahm.

An diesem Tage hatte sich auch Corporal Andorka bei Vertheidigung einer Brücke über die Pegniz verdient gemacht, und erhielt die silberne Tapferkeits-Medaille. In der Schlacht bei Amberg am 24. August waren einzelne Abtheilungen des Regiments thätig. Lieutenant Plächel griff mit 50 Chevauxlegers den feindlichen Nachtrab an, machte eine grosse Anzahl Gefangene, und erbeutete 60 Pferde, 8 Wägen und einen Munitionskarren. —

An diesem und den vorhergehenden Tagen (22., 23. und 24. August) hatte das Regiment einen Verlust im Ganzen von 19 Mann und 29 Pferden.

Am 27. August war Rittmeister Theumern mit einem aus 200 Pferden zusammengesetzten Commando, worunter auch eine Abtheilung des Regiments von Hochstädt gegen Bamberg am Main gezogen. Um über den Feind verlässliche Nachrichten zu erhalten, sandte er in mehreren Richtungen kleine Abtheilungen aus. Eine derselben unter Oberlieutenant Kopp stiess auf einen feindlichen Artillerie-Zug, jagte ihm 27 gefüllte Munitionskarren ab, und nahm die ganze Bedeckung gefangen. Corporal Mayerhofer des Regiments, welcher mit 16 Mann die Avantgarde bildete, drang in Bamberg ohne Zeitverlust auf den Feind ein, überfiel die französische Hauptwache, streckte einen Theil derselben nieder und nahm die übrigen gefangen. Als die Haupttruppe anlangte, war der Feind schon in gänzlicher Verwirrung, und wurde mit einem Verluste von 20 Todten und 2 gefangenen Offiziers mit 80 Mann in die Flucht geschlagen; auch wurden mehrere österreichische Kriegsgefangene und Geiseln, welche der Feind von Amberg mitgenommen hatte, befreit. In Anerkennung dieser Waffenthat wurde diesem Streif-

Commando von der churpfälzischen Regierung eine Gratifikation von 100 Louisdor zugemittelt. Corporal Mayerhofer, bereits mit der silbernen Medaille decorirt, erhielt die goldene.

Am 29. August bei Forchheim wurde durch eine entschlossene und rasche Attaque der beiden Rittmeister Schneller und Vornet des Regiments ein feindliches Detachement aufgerieben, 12 Offiziere nebst 300 Mann gefangen, und viele Wägen sammt Pferden erbeutet. Ausser den beiden vorbenannten Rittmeistern bezeichnete GM. Fürst Liechtenstein noch die Rittmeister Bósan und Graf Bubna, sowie den Lieutenant Plächel, als' durch ihre vorzügliche Bravour hervorragend.

Am 1. November war es dem Rittmeister Bésan auf einem Streifzug gegen Ochsfurt gelungen, einem Adjutanten des französischen Generalen Moreau mit äusserst wichtigen Depeschen aufzufangen, und auch einen feindlichen Fuhrwesenstransport aus 40 Mann und 68 Pferden bestehend, gefänglich einzubringen. Ein anderes Detachement des Regiments unter Oberlieutenant Graf Stürgkh nahm bei Berg am rechten Mainufer zwei mit 180 Rekonvaleszenten beladene Schiffe am 2. September dem Feinde weg, und endlich ein drittes Detachement des Regiments unter Lieutenant Plächel hob unweit Repperndorf eine feindliche Sappeur-Compagnie nebst 100 Artillerie-Pferden auf.

Nachdem schon Tags zuvor 5 Escadrons unter Oberst von Stipsicz durch ihr geschicktes Manövriren gegen die feindliche Uebermacht sich behauptet hatten, nahm das Regiment am 3. September an dem glänzenden Cavallerie-Gefechte in der Schlacht bei Würzburg Theil (bei Euersfeld), wo sich Rittmeister Schneller durch besondere Tapferkeit abermals auszeichnete. Der Gesammt-Verlust des Regiments bestand an diesem Tage aus 31 Mann und 49 Pferden.

Am 6. September bestand Lieutenant Schroll mit seinem Zug ein lebhaftes Scharmützel bei Aschaffenburg, in welchem ihn Cadet Jermann, als er verwundet vom Pferde stürzte, mit den Gemeinen Pinkowa und Mikesch aus den Feinden heraushieb, wofür Cadet Jermannn mit der silbernen Tapferkeits-Medaille belohnt wurde.

Im Gefechte bei Hanau am 7. September hatte sich Oberlieutenant Graf Jlleshaszy um 16. September Oberlieutenant Graf Heinrich Hardegg bei Giessen besondere Belobung erworben. Dieser Leztere hatte zwei in Unordnung gebrachte österreichische Grenadier-Bataillons mit einer Abtheilung des Regiments gegen einen dreifach überlegenen Feind degagirt, und den bereits gefangenen Generalen von Schellenberg mit vielen Grenadieren wieder befreit, wofür Graf Hardegg, ausser seiner Rangstour, zum Rittmeister im Regiment befördert wurde.

Ende September befand sich das Regiment unter FML. Hotze am Ober-Rhein. Eine der glänzendsten Unternehmungen kann jene gelten, welche Rittmeister Graf Bubna als Comman-

dant, mit dem Rittmeister Heinrich Graf Starhemberg und Oberlieutenant Emanuel Graf Mensdorff und etwa 100 Pferden (sämmtlich vom Regimente) ausführte. Graf Bubna liess mit eben so
viel Kühnheit als List sein kleines Häuflein von mehreren Seiten
zugleich, als wären es Vorläufer einer bedeutenden Macht, vor
der geschlossenen Stadt Kron-Weissenburg erscheinen. Seine drohende Aufforderung bewog die Besatzung eiligst zu entweichen,
indess die Bürgerschaft mithalf die verrammelten Thore zu sprengen. Graf Bubna behauptete sich 24 Stunden in dem Platze,
befreite mehrere Standespersonen, die aus den deutschen Rhein-
ländern vom Feinde fortgeschleppt worden waren, und brachte
bei seiner Rückkehr nach Schweigenheim 6 feindliche Fahnen,
den französischen General-Lieutenant Mayer, welcher die Landes-
Bewaffnung organisiren wollte, nebst einer Zahl von Gefangenen mit, die jene seiner eigenen Mannschaft weit überstieg.

Rittmeister Graf Bubna wurde auf diese neue glänzende
Waffenthat mittelst Bericht des GM. Fürst Liechtenstein höchsten
Orts zur Belohnung vorgeschlagen. Der Gesammt-Verlust des De-
tachements bestand nur in einem verwundeten Mann nebst 3
Pferden. —

Am 5. October nahm Oberlieutenant Rapp in der Gegend von Türkheim einen feindlichen Rittmeister nebst 5 Mann
gefangen, und am 11. bestand dieser Offizier mit einem Commando entsendet, bei Weidenheim ein lebhaftes Scharmützel mit
dem Feinde, nahm 11 Mann gefangen, und erbeutete 7 Pferde.
Am 20. October kam das Regiment in Cantonirung nach West-
heim und Schweigenheim, und bezog am 30. die Winterquartiere in der Umgegend von Neckarau. —

Am 15. October war eine Escadron des Regiments dem
fliegenden Corps des Major Graf Kinsky zugetheilt, welches am
19. an dem Siege bei Emendingen Theil nahm. An die Mannschaft dieses Regiments waren im Verlaufe des Feldzugs 1796
für bewiesene Auszeichnung 3 goldene und 11 silberne Tapferkeits-Medaillen verliehen worden.

Vom 18. bis 23. April 1797 stand das Regiment im Centrum
der kaiserlichen Armee am Rhein, rückte im Juli nach Mon-
zingen in Cantonirung und wurde im September dem Parade-
Lager bei Neckar-Gröningen beigezogen, allwo es bei den stattgehabten Productionen des Beifalls des Herzogs von Würtemberg und der vollen Zufriedenheit des commandirenden FML.
Baron Staader sich erfreute. Anfangs October rückte dasselbe
nach Böblingen, dann abermals nach Menzingen, sodann in die
Gegend bei Thürheim im Schwarzwalde, im November nach
Buchau, und von da in die Friedens-Station Brüx in Böhmen.
Im Jänner 1798 daselbst angelangt, wurde das Regiment in
Folge der neuerlichen Kriegsrüstungen im Mai d. J. nach Oberösterreich beordert, wo es in und bei Auroldsmünster im Inn-
viertel eine Cantonirung bezog. Im Juni wurde das Regi-

ment zum 12. leichten Dragoner-Regiment übersetzt, und erhielt dunkelgrüne Collets mit lichtblauen Aufschlägen. Im August und September war dasselbe im Uebungslager bei St. Martin, wo es die Ehre hatte, zur besondern Zufriedenheit Sr. k. k. Hoheit des Erzh. Carl zu manövriren.

Bei Wieder-Ausbruch des Krieges 1799 rückte das Regiment am 4. März zum Reserve-Corps über Neumarkt an der Iller, kämpfte bereits am 21. im Gefechte bei Ostrach, verlor hiebei 7 Mann und 9 Pferde an Todten und Verwundeten, und war am 25. in der Schlacht bei Stockach. Anfangs Mai ward das Regiment in das Corps des FML. Hotze eingetheilt, und kam am 25., als es eben ein Lager beziehen wollte, unvermuthet in jenes hartnäckige Treffen bei Frauenfeld in der Schweiz gegen den französischen General Massena. Ungeachtet der grossen Uebermacht, gegen die das Regiment auf der Stelle zu kämpfen hatte; ungeachtet der wüthenden Angriffe, welche der Feind auf dasselbe wiederholter Malen und von allen Seiten her machte; ungeachtet des mörderischen Kanonen- und Musketenfeuers, durch welches derselbe sich den Weg in die Linie des Regimentes bahnen wollte; — focht es dennoch mit so kaltblütiger Entschlossenheit, dass es den Feind mehrmal mit Vortheil attaquirte, die Angriffe des Gegners immer mit Nachdruck empfing, und auch dann, wenn es den überlegenen Kräften weichen musste, ihm noch in der rückgängigen Bewegung kraftvoll und entschlossen widerstand, und bedeutenden Verlust zufügte. Nachdem der Feind über einen Theil der österreichischen Infanterie Vortheile errungen, wendete Massena seine Kraft gegen dieselbe, um die österreichische Linie zu durchbrechen. Hier stand ihm das Regiment (damals Kinsky-Dragoner) entgegen. Massena hatte einen in der rechten Flanke benachbarten Wald mit 500 Zürcher Bauern besetzt, welche sich durch den sumpfigen Boden geschützt glaubten. Dieser Terrain war für Reiter beinahe ungangbar. Daher sassen mehrere Züge des Regiments, besonders die von der Majors-Division von ihren Pferden ab, füllten die Lücke aus, und kämpften an den durch Gesträuche und Sümpfe unwegsamen Stellen. Die übrigen attaquirten wechselweise zu Pferd beide mit unwiderstehlicher Tapferkeit. Die Zürcher vertheidigten jenen Wald auf das Hartnäckigste. Das Regiment hatte schon viel gelitten, bis es endlich den Wald von Feinden gereinigt, und dadurch die rechte Flanke der österreichischen Truppen gesichert hatte. Der Corporal Howath, und die Dragoner Franz Socher und Johann Urban hatten nicht nur 15 gefangene österreichische Infanteristen befreit, sondern auch 7 Mann von der französischen Bedeckung gefangen. Der Wachtmeister Heinrich Lämlein (in diesen Blättern bereits erwähnt) commandirte wegen Abgang der Offiziere einen Zug. Er liess seine Mannschaft absitzen, und vertrieb mit derselben zu Fuss die in den Gärten aufgestellten französischen Infanteristen. Wachtmeister ᴠ-ᴠ---

trug seinen schwer blessirten, vom Feinde umrungenen Offizier aus dem Handgemenge. Als Krämer diesen in Sicherheit gebracht hatte, gab er ihm sein eigenes Pferd, und schloss sich den Plänklern der Infanterie an. Diese führte er muthvoll gegen die nächste feindliche Truppe, und vertrieb dieselbe aus ihrer vortheilhaften Stellung. Die Dragoner Wenzel Illiek, Wenzel Zawaszil und Johann Kutschera retteten Kanonen aus des Feindes Händen. — Wachtmeister Lämlein und Corporal Howath, welche beide schon mit der silbernen Medaille decorirt waren, erhielten so wie Wachtmeister Krämer die goldene, ausser diesen 3 goldenen Medaillen wurden noch 15 silberne unter die brave Mannschaft des Regiments, worunter auch die genannten Gemeinen Socher, Illick, Zawaszil und Kutschera vertheilt, wie überdiess 4 Geldbelohnungen. — Der namhafte Verlust des Regiments betrug an Todten: Rittmeister und Maria Theresien-Ritter Johann Baum v. Appelshofen, Oberlieutenant Graf Illeshaszy und Lieutenant Graf Dezasse nebst 22 Mann und 84 Pferden; an Verwundeten: die Rittmeister Graf Traun und Rapp, die Oberlieutenants Graf Mensdorff und Graf Xavier Traun, die Lieutenants Marschner, Graf Gallenberg und Pfeiler nebst 109 Mann und 135 Pferden, endlich an Vermissten 32 Mann und 33 Pferde; was im Ganzen die bedeutende Totalsumme von 10 Offiziers, 163 Mann und 252 Pferden beträgt. —

Am 27. Mai wohnten 4 Escadrons des Regiments dem Gefechte bei Winterthur bei, in dessen Relation der Major Schneller rühmlichst erwähnt wird. Am 5. Juni waren Abtheilungen des Regiments im Gefechte bei Zürch; am 25. d. M. aber kam das ganze Regiment bei Regensdorf in's Lager, und war am 17. August bei der Vorrückung Sr. k. k. Hoheit des Erzh. Carl nach Dettingen an der Aar. Am 1. September ging dasselbe mit der Armee in's Lager bei Tuttlingen, stand vom 5. bis 12. October im zusammengesetzten Corps des FML. Graf Sztaray, und nahm am 18. d. M. an der Eroberung von Mannheim Theil. An diesem Tage schwamm Oberlieutenant Plächel freiwillig mit 60 Mann bei Mannheim über einen Arm des Neckar, fiel 5000 Franzosen, welche bereits viele Gefangene von den Infanterie-Regimentern Erzh. Carl (Nr. 3) und Ferdinand (Nr. 2) gemacht hatten, in die Flanke, warf sie mit vieler Bravour zurück, und befreite nicht nur diese Gefangenen, sondern hielt auch den Feind so lange auf, bis das Regiment Erzh. Carl Zeit gewinnen konnte, einen Theil dieses feindlichen Corps abzuschneiden und demselben den nämlichen Unfall zu bereiten. Der tapfere Oberlieutenant Plächel wurde hiebei schwer verwundet. — Nebst diesem Offizier hatten sich Major Schneller, die beiden Rittmeister Theuern und Vittoris gleichfalls an diesem Tage ausgezeichnet, ebenso Wachtmeister Weber, und die Dragoner Hoffalt und Solkop, welche letztere beide die silberne Tapferkeits-Medaille erhielten. Ausser dem erwähnten Oberlieutenant

Plächel hatte das Regiment 10 Mann und eben so viele Pferde an Todten und Verwundeten verloren. Ende October bezog das Regiment die Winterquartiere bei Rafz, und versah auf dem Cordon zwischen Schafhausen und Kaiserstuhl Vorposten-Dienste. Oberlieutenant Anton Plächel des Regiments erhielt in Folge seiner vielfachen ausgezeichneten Leistungen im Laufe der letzten Feldzüge nachträglich in der Promotion vom 18. August 1801 über einstimmigen Capitelbeschluss das Ritterkreuz des Maria Theresien-Ordens, musste aber seiner vielen Blessuren halber die Reihen jener heldenmüthigen Reiterschaar verlassen, als deren eine der schönsten Zierden er lange geglänzt hatte *).

Im Feldzuge 1800 war ein Theil des Regiments am 11. Mai bei dem Corps des FML. Grafen Nauendorf bei Schafhausen. — In der Schlacht bei Engen am 3. Mai kämpften 4 Escadrons des Regiments, die Majors-Division im Corps Sr. k. Hoheit des Erzh. Ferdinand. Als besonders ausgezeichnet erscheint abermals der Rittmeister Heinrich Graf Hardegg des Regiments in der betreffenden Relation. Der Verlust des Regiments in dieser Schlacht betrug: Lieutenant Taschenberg, 10 Mann 25 Pferde an Todten; Rittmeister Vittoris, die Oberlieutenants Graf Traun und Pistoris, 20 Mann nebst 39 Pferden an Verwundeten; 16 Mann und 17 Pferde an Vermissten. —

Am 5. Mai war das Regiment in der Schlacht bei Mösskirch, wo sich besonders Major von Schneller mit seiner Division hervorthat. Der Verlust desselben war gering und belief sich nur auf 4 Mann und 14 Pferde. —

Am 9. Mai im Treffen bei Biberach hatte das anwesende Regiment an Todten und Verwundeten 38 Mann und 65 Pferde. Rittmeister Carl Baron Tettenborn des Regiments erscheint unter den Ausgezeichneten jenes Tages.

Am 16. Mai im Gefechte bei Pfauenstädten unter FML. Baron Lindenau hatte das Regiment nur 4 Mann und 7 Pferde verloren. Am 5. Juni im Treffen an der Iller befreite Corporal Schütterer 2 österreichische Offiziers und 80 Mann Gefangene, wofür er mit der goldenen Tapferkeits-Medaille ausgezeichnet wurde. Am 18. Juni im Gefechte bei Rohr verlor das Regiment 2 Mann, und am 21. in jenem bei Sandheim 21 Mann 15 Pferde. Im Corps des GM. Graf Ignaz Gyulay, in der Arriere-Garde, war das Regiment am 23. Juni im Treffen bei Neresheim, und wurde in der betreffenden Relation sehr ehren-

*) „Oberlieutenant Plächel hatte im Laufe der Feldzüge von 1792—1799 mit ei-„gener Hand 31 Mann erlegt; durch kluge und tapfere Anführung wurden „theils durch ihn selbst, theils auf seine Veranlassung 12,083 Mann gefangen, „720 Pferde erbeutet, 3400 Mann und 200 Pferde aus feindlicher Gefangen-„schaft befreit, und 46 Kanonen und 41 Munitionskarren erobert; Vortheile, „die er mit seinem Blute erkaufte, da er nicht weniger denn 12mal verwundet „wurde." — Geschichte des Maria Theresien-Ordens und seiner „Mitglieder von Dr. J. Hirtenfeld, Wien 1857.

254

voll erwähnt. Die Gemeinen Worliczek und Wanitschek hatten
sich an diesem Tage durch besondere Bravour die silberne
Medaille erworben. — Der Verlust des Regiments an Todten, Verwundeten und
Vermissten betrug 35 Mann 44 Pferde. — Am 26. Juni war
dasselbe im Treffen bei Neuburg. Nach dieser Affaire erhielt
Rittmeister Baron Tettenborn vom General Gyulay den Auftrag,
mit einer Abtheilung Dragoner und Hussaren die österreichischen
Truppen, welche gegen Landshut zogen, in der Flanke zu decken,
und die Brücke über die Isar zu zerstören, welches Unternehmen er auch mit vieler Umsicht ausführte. In Freisingen
behauptete Tettenborn sich 9 Tage, indem er den Feind über
seine eigentliche Stärke geschickt zu täuschen wusste, und als
er endlich gezwungen war, der Uebermacht zu weichen, wandte
er sich gegen München. Dort angekommen, setzte er mit einer
geringen Anzahl seiner Reiter durch die reissende Isar, warf
sich auf die Bedeckung eines französischen Convois unter General Lecourbe, schlug diesen in die Flucht, und kehrte mit
Beute und Gefangenen auf das andere Ufer zurück. — Das Regiment hatte sich nun mit der Armee an den Inn gezogen,
kam bei Dorffen auf Vorposten zu stehen, und bezog am 20.
Juli die Cantonirung bei Auroldsmünster. — Am 3. Dezember
in der Schlacht bei Hohenlinden war das Regiment in der
IV. oder linken Flügel-Colonne des FML. Graf Riesch, Division Gyulay, Brigade des GM. Stahl mit dem ausrückenden
Stande von 600 Pferden eingetheilt, es verlor an diesem Tage
16 Mann und 29 Pferde, Oberlieutenant Graf Wratislaw wurde
verwundet, Oberlicutenant Zepitz gefangen. — Rittmeister Baron
Tettenborn verliess erst am späten Abend das Schlachtfeld und
deckte an der Spitze seiner Reiter fechtend den Rückzug des
linken Flügels. Am 9. kämpfte das Regiment unter FML. Graf
Gyulay bei Rosenheim, und am 13. schlug sich die Oberst-Division durch eine beherzte Attaque bei Wals an der Saale
mitten durch die feindliche Uebermacht. Bei dieser Gelegenheit
hatte sich Corporal Krauss, welcher mit 16 Dragonern einem
österreichischen Streif-Commando zu Hülfe eilte, besonders ausgezeichnet, und erhielt die silberne Medaille. Während des weitern Rückzuges der Armee durch Oesterreich war das Regiment
am 19. im Gefechte bei Schwandorf, und am 21. in jenem
bei Kremsmünster, bis es am 25. bei Petersdorf in Nieder-
Oesterreich eine Cantonirung bezog.

Im Jänner 1801 wurde dasselbe zur Deckung des Haupt-
Quartiers zu Schönbrunn nach Penzing verlegt, wo es 1 goldene, 6 silberne Tapferkeits-Medaillen nebst 4 Geldbelohnungen für seine brave Mannschaft erhielt. Nach dem definitiven Friedens-Abschlusse zu Lunneville marschirte das Regiment nach Böhmen, wo es die Stabs-Station Saaz bezog. 1802
wurde es zum Chevauxlegers-Regimente mit der Nummer 5,

weissen Röcken, lichtblauen Aufschlägen und gelben Knöpfen, unter gleichzeitiger Erhöhung seines Standes durch eine an das Regiment abgegebene Division des aufgelösten Dragoner-Regiments Coburg übersetzt.

Im Feldzuge 1805 bildete das Regiment einen Theil der Avant-Garde der deutschen Haupt-Armee, und war Anfangs October zur Beobachtung des rechten Donau-Ufers von Tutlingen gegen Riedlingen ausgedehnt aufgestellt. 4 Escadrons kamen später nach Ulm, und Oberst Graf Kinsky mit der andern Hälfte des Regiments nach Vorarlberg und Tirol zum Corps des FML. Baron Jellacic. — Nach dem Gefechte bei Ulm am 14. October wurde Rittmeister Baron Tettenborn mit 2 Escadronen des Regiments, an welche sich 2 Züge Rosenberg-Chevauxlegers (jetzt Uhlanen Nr. 10) angeschlossen, zur Vorhut jener Truppe bestimmt, welche die folgende Nacht unter dem Erzherzoge Ferdinand d'Este gegen Geislingen durchbrach. Ueber Gmund nach Aalen mit zweckmässigster Vorsicht Tags darauf seine Abtheilungen führend, rückte Tettenborn am 17. über Bopfingen, Jaxheim und Wesel gegen Wallerstein, und war kaum auf die dortigen Höhen gelangt, als er von allen Seiten feindliche Truppen sich zusammenziehen sah, wo jede einzelne Abtheilung schon an Zahl seine Avant-Garde übertraf. Mit der grössten Klugheit und Entschlossenheit griff nun Tettenborn mehrere feindliche Abtheilungen an, und verhinderte ihre Vereinigung. Das Corps konnte nun ungehindert diese Ortschaften passiren. Ebenso hatte am selben Tage der Oberlieutenant Anton Puchner des Regiments ein um Nördlingen cantonirendes französisches Corps erst im Kloster Kirchheim überfallen und nach Gefangennehmung einer grossen Anzahl französischer Cürassiere die Vereinigung der verschiedenen Abtheilungen dieses Corps mit grossen Opfern verhindert, wodurch der Marsch des Erzherzog Ferdinand d'Este wesentlich erleichtert wurde.

Zwischen Amberg und Waldmünchen bestand Rittmeister Tettenborn gleichfalls einige glückliche Nachhut-Gefechte. Nachdem aber der französische General Baraguay d'Hilliers am 8. November mit mehr als 8000 Mann gegen ihn anrückte, sah sich Tettenborn zum Rückzuge nach Böhmen genöthigt, wohin ihm der Feind auf dem Fusse folgte. Rittmeister Tettenborn rief nun das Landvolk zwischen Klentsch und Pilsen zu seinem Beistande, liess die Sturmglocken läuten, und ergriff nun gegen den ihm weit überlegenen Feind selbst die Offensive. Dieser durch diess kühne Unternehmen und die Heftigkeit des Angriffs erschreckt, zog sich Anfangs bis Klattau, bis er bald darauf Böhmen gänzlich räumte. Für diese Thaten und seine wiederholte Tapferkeit erhielt Rittmeister Carl Baron Tettenborn nach erfolgtem Frieden im April 1806 das Ritter-Kreuz des Maria Theresien-Ordens. In dem Zeugnisse des FML. Carl Fürsten Schwarzenberg, der Tettenborn die Führung der Avant-Garde anvertraut hatte, heisst es, dass Tettenborns bekannte Fähigkeiten und erprobte Bravour Ver

anlassung waren ihm diesen wichtigen Auftrag zu ertheilen, dass
der Fürst in ihm einen der allerausgezeichnetsten Offiziere der
Armee erkenne, und dass, wenn der äusserst schwierige Rückzug
des Erzh. Ferdinand einer Aufmerksamkeit gewürdigt werde, Tettenborn ein grosser Theil des glücklichen Ausgangs zuzuschreiben
sei. 4 Escadrons des Regiments hatten somit im Corps des Erzherzog
Böhmen erreicht, und waren der Gefangenschaft bei Ulm entgan-
gen. — Bei der andern Hälfte des Regiments im Jellacicschen
Corps, der bei der Capitulation von Bregenz, ein gleiches Schicksal drohte, war es vorzüglich das energische Auftreten des Rittmeister Emanuel Graf Mensdorff des Regiments, welches die Obersten
Graf Kinsky und Wartensleben (von Blankenstein-Hussaren Nr. 6)
bewog sich durch einen kühnen Nachtmarsch der bereits abgeschlossenen Capitulation zu entziehen, und nicht mit dem oben
erwähnten Corps in Gefangenschaft zu gerathen. Rittmeister Graf
Mensdorff's zweckmässigen Anordnungen als Colonnenführer und
Avant-Garde-Commandant wurde es gedankt, dass diese Escadrons
des Regiments sowie jene dort anwesenden von Blankenstein-Hussaren Böhmen im Rücken des Feindes marschirend, glücklich erreichten. Das Regiment hatte in diesem ganzen Feldzuge nur den
geringen Verlust von 10 Todten, unter der Mannschaft wurden 5
goldene, 1 silberne Medaille und 12 Dukaten in Gold als
Belohnungen für bewiesene Tapferkeit vertheilt.

Das Regiment bezog 1806 die Friedens-Station Pardubitz in
Böhmen, wurde noch im selben Jahre zu dem an der preussisch-
böhmischen Grenze aufgestellten Neutralitäts-Cordon bestimmt, und
nach Gabel und Umgegend verlegt, von wo es 1808 wieder nach
Pardubitz abrückte.

Bei Ausbruch des Feldzugs 1809 war das Regiment
zum IV. Armee-Corps des FML. Fürsten Rosenberg in die detachirte Brigade des GM. Bar. Peter Vecsey eingetheilt, welche Anfangs
April bei Schärding ihre Aufstellung hatte. Am 23. April im Treffen
bei Regensburg gehörte das Regiment zu jenen Cavallerie-Abtheilungen, welche die eben so gefahr- als ehrenvolle Bestimmung
hatten, den Rückzug der Armee zu decken. Die Brücken, auf
welchen der Uebergang über die Donau geschah, waren so weit
von einander entfernt, und die Strecke, die vor dem Feinde auf
diese Art gesichert werden sollte, war so ausgedehnt, dass die zur
Deckung jenes Rückzugs bestimmten Cavallerie-Regimenter unmöglich geschlossen bleiben konnten, sondern einzeln aufgestellt, jedes
nach Zulassung des Terrains für sich wirken musste. Die Franzosen wollten die rechte Flanke dieser österreichischen Reiterei gegen
Regensburg hin umgehen, und stiessen dort auf das diesseitige
Regiment. Der Inhaber FML. Graf Klenau selbst, und der Brigadier GM. Baron Vecsey führten nun mit dem Regimente mehrere schöne Angriffe aus, und schlugen Anfangs die feindlichen
Reiter. Doch diese ordneten sich bald wieder, erhielten Verstärkung, und warfen die Chevauxlegers zurück. Das Regiment

sammelte sich aber schnell, und rückte sogleich wieder zum Angriffe vor. Aber der französische General Montbrun war so eben mit der leichten feindlichen Reiterei von Abbach angekommen, fiel dem Regimente in die rechte Flanke, und brachte dasselbe nach tapferer Gegenwehr zum Weichen. An diesem Tage hatte das Regiment starke Verluste erlitten; Rittmeister Wenzel Baron Escherich, Oberlieutenant Josef Frank und Lieutenant Franz Graf Wratislaw blieben todt, Rittmeister Joseph Baron Drosde und Oberlieutenant Franz Baron Fleissner wurden verwundet, ersterer durch Wachtmeister Eckel aus den Händen des Feindes befreit. Nebst den genannten Offizieren waren 114 Mann theils todt, theils blessirt. — FZM. Graf Kollowrath belobt das Regiment in seinem Berichte vom 26. April wegen seines vorzüglich tapfern Verhaltens bei Regensburg.

Unter dem Handgemenge der beiderseitigen Cavallerie zogen die letzten österreichischen Reiter-Regimenter, als das diesseitige nebst Erzherzog Ferdinand und Stipsicz-Hussaren (jetzt Nr. 3 und 10) durch das Jakobs-Thor, durch die Stadt Regensburg und über die steinerne Brücke, und setzten den weitern Rückzug mit der Armee über die Ober-Pfalz, Böhmen, Nord-Oesterreich fort, bis sie Mitte Mai im Marchfelde das linke Donau-Ufer erreichten.

Am 21. und 22. Mai in der Schlacht bei Aspern hatte das Regiment seine Eintheilung bei der II., vom G. d. C. Graf Bellegarde befehligten Colonne, welche am 21. Mittags vorwärts Hirschstetten aufmarschirte, und das Dorf Aspern vor ihrer Fronte hatte. Als Kaiser Napoleon 44 Escadrons seiner zwischen Aspern und Esslingen aufmarschirten Reiterei gegen die Bataillons-Massen der 2. und 3. österreichischen Colonne, und zugleich gegen das links neben der 3. Colonne stehende Cavallerie-Reserve-Corps vorrücken liess, schickte der G. d. C. Graf Bellegarde das diesseitige Regiment und Vincent-Chevauxlegers (jetzt Dragoner Nr. 2) in die linke Flanke der französischen Reiterei. Doch diese beiden Regimenter vermochten es nicht die grosse Uebermacht aufzuhalten, und mussten in den zwischen der 2. und 3. Colonne vorhandenen Zwischenraum zurückweichen. Der auf dem linken Flügel der 1. Colonne stehende Oberst Baron August Vecsey hielt mit Kienmayer-Hussaren die jene beiden Regimenter verfolgende französische Cavallerie durch einen kühnen Flanken-Angriff in ihrem Vordringen auf. An dem wirksamen Gliederfeuer der Infanterie, welche die französischen Cürassiere bis auf 20 Schritte herankommen liess, prallte dieser feindliche Angriff ab, und die französische Cavallerie wich in Verwirrung gebracht zurück. Nun warf sich General Baron Peter Vecsey mit 2 Escadrons des Regiments auf die Fliehenden, hieb kraftvoll ein, und jagte sie bis zu ihrer Infanterie, die sich nun ebenfalls zurückzog. Auch am 22. hatte das Regiment theils mit Vincent-Chevauxlegers vereint mit abwechselnden Glücke mehrere Attaquen ausgeführt.

17

An beiden Tagen dieser blutigen Schlacht hatte das Regiment bedeutenden Verlust erlitten und zwar im Ganzen 13 Offiziers, 113 Mann und 135 Pferde theils als todt oder verwundet zu beklagen. Unter den erstern waren Oberstlieutenant Ferdinand Graf Lippe, der von einer Kanonenkugel tödtlich getroffen, und sterbend vom Wachtmeister Schubert noch den Händen des Feindes entrissen wurde und Lieutenant Obyrne nebst 24 Mann und 44 Pferden, unter den letztern: Oberst Graf von Mayer, die Rittmeister Nikolaus Baron Selby, Nikolaus Graf Colloredc-Mels und Johann Baron Wasseige, die Oberlieutenants Heinrich Lämlein und Franz Baron Pöllnitz, die Lieutenants Philipp Bieneberg, Ludwig Graf Zedwitz, Alexander von der Marwitz und Freidenfels nebst 89 Mann und 91 Pferden. — G. d. C. Graf Bellegarde belobt in seiner Relation das tapfere Benehmen des Major Johann Kopp des Regiments. — Der oben erwähnte Wachtmeister Schubert erhielt die silberne Medaille.

In der Schlacht bei Wagram am 5. Juli war das Regiment im 1. Armee-Corps des G. d. C. Grafen Bellegarde eingetheilt. Rittmeister Baron Tettenborn des Regiments wurde vom Inhaber FML. Graf Klenau zur Recognoszirung mit seiner Escadron nach Aderklaa entsendet, um über die Räumung dieses Ortes vom Feinde bestimmte Nachrichten einzuziehen. Rittmeister Tettenborn entledigte sich dieses Auftrags mit vieler Umsicht und Entschlossenheit, nahm mehrere feindliche Offiziere, worunter einige vom Generalstabe des Prinzen von Ponte-Corvo gefangen, und besetzte das mit sächsischen Blessirten angefüllte Dorf bis zur Ankunft des 1. Armee-Corps.

Am 6. wurde das im Marsche gegen Bisamberg begriffene Regiment nebst Schwarzenberg-Uhlanen vom Feinde angegriffen und zurückgeworfen, jedoch durch eine entschlossene Attaque des Obersten von Flachenfeld mit seinem Regimente Fürst Moriz Liechtenstein Cürassier (N. 6) degagirt, und die drei genannten Cavallerie-Regimenter schlugen nun gemeinschaftlich die Feinde zurück, wodurch einige hart bedrängte österreichische Infanterie-Abtheilungen wieder Luft bekamen. Das Regiment hatte an diesen beiden Tagen einen Gesammt-Verlust von 4 Offizieren, 62 Mann und 106 Pferden; hievon waren 4 Mann 55 Pferde todt, die Rittmeister Ferdinand Storr und Albert Graf Festetics, der Oberlieutenant Leopold Baron Ottoling und Lieutenant La Roche, nebst 41 Mann und 39 Pferde verwundet, 17 Mann und 12 Pferde vermisst. —

Unter fortwährenden Gefechten ging der Rückzug des Regiments bis Znaim vor sich, wo es am 11. Juli an dem dortigen Treffen noch Theil nahm, und 15 Mann nebst 85 Pferden verlor.

Rittmeister Puchner war mit 190 auserlesenen Reitern in des Feindes Flanke detachirt worden, welchen Auftrag er zur vollsten Zufriedenheit löste. Die offizielle Relation über die letzten Gefechte des Rückzuges vom 6. bis 9. Juli belobt vom Regimente:

den Oberstlieutenant Johann Kopp, Major Ludwig Durand und die beiden Rittmeister Nikolaus Baron Selby und Heinrich Baron Wimmer. — Nachträglich erhielten 6 Mann die silberne Medaille und 5 Geldbelohnungen für ihre Leistungen im verflossenen Feldzuge. Das Regiment erhielt Ende d. J. die Friedensstation Saaz in Böhmen.

Im Feldzuge 1813 hatte das Regiment am 26. und 27. August bei Dresden die erste grössere Affaire zu bestehen und verlor 24 Mann und 28 Pferde an Todten und Verwundeten. Der Major Max Graf Nesselrode wurde von einer Musketenkugel am Kopfe tödtlich verwundet und starb wenige Tage darauf; dem Oberlieutenant Guttstedt ward durch eine Kanonenkugel ein Fuss weggerissen. —

Am 15. September unternahm Rittmeister Puchner des Regiments mit seiner Escadron (Oberstlieutenants 1.) und 2 Compagnien Gränzern von Eichwald bei Teplitz eine Recognoszirung nach Dippoldiswalde, bestand ein rühmliches Gefecht und überbrachte die nothwendigen Auskünfte über des Feindes Stellung. — Rittmeister Baron Wasseige wurde mit seiner Escadron (der 1. Majors 2.) dem Streifzuge des GL. Thielemann zugewiesen, sowohl dieser als Oberlieutenant Panosch von Kreuzinfeld hatten sich hiebei ausgezeichnet, und werden in der Relation vorzüglich angerühmt. Bei Merseburg war der Oberlieutenant Graf Brühl des Regiments mit seinem Zuge abgesessen und hatte die Brücke über die Saale mit Sturm genommen. —

Das Regiment hatte seine Eintheilung im III. Armee-Corps des FZM. Ignaz Graf Gyulay, Division des FML. Graf Crenneville, und Brigade des GM. Hecht erhalten, — und verblieb in dieser bis zur Beendigung des Feldzugs von 1814.

Bei der Vorrückung nach Sachsen hatte sich im Gefechte bei Windischleuba Wachtmeister Franz Zitta des Regiments durch einen kühnen Flankenangriff ausgezeichnet, der Cadet Josef Pino von Friedenthal nahm in demselben Gefechte die Brücke bei dem Dorfe Rositz, wodurch viele feindliche Cavalleristen gefangen wurden, wofür Cadet Friedenthal die silberne Tapferkeits-Medaille erhielt. —

Am 18. Oktober in der Schlacht bei Leipzig hatte das Regiment 10 Mann nebst 22 Pferden als todt und verwundet zu beklagen; am 18. November bei Hochheim wurden Rittmeister Wenzel Braunhofer und Oberlieutenant Adam Eckel verwundet, nebst diesen beiden Offizieren zählte das Regiment 7 Mann nebst 23 Pferde als todt und verwundet. — Der Rittmeister Franz Graf Schlick des Regiments befand sich als Ordonnanz-Offizier bei Sr. Majestät dem Kaiser, und zeichnete sich vorzüglich bei Leipzig aus, wo er an der Spitze einer Abtheilung russischer Dragoner zweimal französische Reiterei zurückwarf, und jene gefährliche Kopfwunde erhielt, die ihm sein rechtes Auge kostete. Vom 19. September an bis zum Anlangen am Rhein war Rittmeister Puchner

17 *

mit der Oberstlieutenants 1. Escadron und einer zweiten von Levenehr-Dragoner (1860 reduzirt) dem Corps des Ataman Platoff
zugetheilt; er überfiel am 22. eine feindliche Abtheilung bei Frauenstein, erzielte am 28. bei Altenburg und Zeitz durch Niederwer-
fung einer feindlichen Infanteriemasse und Vertreibung der fein-
lichen Reiterei den Rückzug des feindlichen Flügels, und durch
das Eindringen in Zeitz, wobei 2 Kanonen erobert wurden, die
Möglichkeit der weiteren Verfolgung der Franzosen bis an die
Saale. Der Oberlieutenant Johann Graf Nostitz eroberte eine der
beiden Kanonen, der Oberlieutenant Graf Karschitzki war mit
seinem Zuge abgesessen und hatte das Fabriksgebäude gestürmt,
wobei sich Corporal Anton Gasche besonders auszeichnete. —
      Am 4. Oktober fiel Rittmeister Puchner durch Chemnitz
mit einer russischen Batterie und seinen 2 Schwadronen dem
französischen General Lauriston, der einen Theil des Klenau'schen
Corps angegriffen, in den Rücken.
      Am 10. im Gefechte bei Naumburg rettete Corporal Anton
Gasche den Corporal Benetzky und mehrere Chevauxlegers aus
der Gefangenschaft, wofür er die silberne Medaille erhielt.
Beim Angriff auf Mackleburg am 13. verlor die Oberstlieutenants
1. Escadron 14 Mann und 17 Pferde als todt, bei Weissenfels
waren die Oberlieutenants Johann Graf Nostitz und Lieutenant
Heinrich Graf Clam-Martinitz verwundet worden.
      Am 16. Oktober unternahm Rittmeister Puchner, um die
Rallirung der Cavallerie der Verbündeten zu erleichtern, eine
glückliche Attaque und deckte am 18. den Uebergang der Sachsen. —
      Am 13. hatte er den beim Uebergange über die Pleisse
tödtlich verwundeten russischen General Fürsten Kutaschef in
Sicherheit gebracht. Alle diese Leistungen, insbesondere die
tapfere That bei Altenburg und Zeitz, verschafften dem Ritt-
meister Anton Puchner das Ritterkreuz des Maria Theresien-Ordens, welches er durch Capitelbeschluss von 1815
nachträglich erhielt, sowie auch den k. russischen St. Georgs-
und Wladimir-Orden, beide IV. Classe. — Mit letztern Orden
IV. Classe wurden noch folgende Offiziere des Regiments betheilt:
Rittmeister Josef Baron Wasseige, die Oberlieutenants Johann
Graf Nostitz und Josef Molhard. — In der Relation über das
Gefecht bei Zeitz wird Rittmeister Franz Graf Kesselstadt des
Regiments, wegen seines tapfern Verhaltens, angerühmt. Unter
die Mannschaft wurden für Tapferkeit im Feldzuge 1813 eine
goldene, 9 silberne Medaillen, 6 k. russische Georgskreuze 5.
Classe und 7 Geldbelohnungen vertheilt.
      Am 20. Dezember 1813 überschritt das Regiment mit dem III.
Armee-Corps bei Basel den Rhein, und bildete am weitern Vor-
marsch, abwechselnd mit Rosenberg-Chevauxlegers die Avant-
garde desselben.
      Am 10. Jänner 1814 stand das III. Armee-Corps bei
Port sur Saone und am 18. besetzte es Langres.

Am 24. Jänner war das Regiment im Treffen bei Bar sur Aube und hatte einen Gesammt-Verlust von 1 Offizier, 30 Mann und 47 Pferden erlitten. Todt waren 14 Mann und 24 Pferde, verwundet Oberlieutenant Karl Dolp, 11 Mann und 18 Pferde, vermisst 5 Mann, 5 Pferde.

In der Schlacht bei Brienne am 1. und 2 Februar wurde eine Division des Regiments bei der Eroberung Unienvilles durch das III. Armee-Corps zum Angriffe verwendet, während der Rest mit der Division Crenneville in Vandoeuvres aufgestellt blieb.

Am 2. bei der Verfolgung des Feindes durch das Städtchen Lesmont verjagte der Rittmeister Adam Mayer des Regiments mit seiner Escadron durch die Hauptstrasse bis an die Brücke der Aube einen Theil der feindlichen Nachhut. — Die offizielle Relation belobt vom Regimente den Major Peter Chevalier Martin, den Rittmeister Adam Mayer, den Oberlieutenant Johann Flöck, und den dem Generalstabe zugetheilten Lieutenant Ferdinand Baron Simbschen wegen ihrer vorzüglichen Verwendung. Der Verlust des Regiments betrug an Todten und Verwundeten 12 Mann und 14 Pferde. — Unter den bedeutendern Affairen dieses Feldzugs für das Regiment war das Gefecht am 23. Februar bei Troyes. An diesem Tage war die Vorpostenkette der Divisionen Graf Crenneville und Fürst Moriz Liechtenstein durch eine bedeutende feindliche Uebermacht (Cavallerie des französischen Generallieutenants Roussel und Infanterie-Corps des General Gerard) angegriffen worden. Die Cavallerie der beiden vorgenannten österreichischen Divisionen stellte sich hinter Torvilliers quer über die Strasse in zwei Treffen auf, die überlegene französische Reiterei griff sie nun mit grösster Heftigkeit an, wurde jedoch durch das wirksame Feuer der österreichischen Cavallerie-Batterien eine kurze Zeit in ihrem Vordringen aufgehalten. Da rückte ihr die Cavallerie der Division Liechtenstein rasch entgegen, wurde jedoch von der Ueberzahl des Gegners geworfen, die nachrückenden Regimenter der Division Crenneville, Klenau-Chevauxlegers und Rosenberg führten ebenfalls mehrere glänzende Attaquen aus, mussten aber zuletzt gleichfalls weichen. Auf das schnellste hatte sich aber die gesammte Cavallerie der beiden österreichischen Divisionen wieder geordnet, um zu einem neuen Angriff vorzugehen. Die französische Reiterei, welche plötzlich in ihrer rechten Flanke sich durch die vom FML. Graf Nostitz abgeschickte Cürassier-Brigade Seymann bedroht sah, zog sich bis unter die Höhen von Mongueux zurück, womit das Gefecht beendet war.

Wachtmeister Franz Zitta des Regiments hatte an diesem Tage den Oberstlieutenant Graf Stürgkh des Regiments, welchem sein Pferd erschossen worden, indem er demselben sein eigenes Pferd gab, von wahrscheinlicher Gefangenschaft gerettet, ebenso auch den vom Feinde umgebenen Lieutenant Johann Scotti des

262

Regiments herausgehauen, für welche Aufopferung Zitta die goldene Medaille erhielt. —
Der Verlust des Regiments an diesem Tage war bedeutend und belief sich im Ganzen auf 2 Offiziere, 64 Mann und 71 Pferde, darunter waren todt geblieben Lieutenant Ferdinand Alesch, 5 Mann und 19 Pferde; verwundet Lieutenant Baron Franz Ennis, 23 Mann und 16 Pferde, gefangen und vermisst 36 Mann und 36 Pferde. — Major Nikolaus Baron Selby des Regiments befehligte die aus verschiedenen Reiter-Abtheilungen zusammengesetzte Nachhut der Division Crenneville und hielt mit Tages-Anbruch des 24. die Orte Grandes-Vacheries, Vaudes und Saint Parre besetzt, wo er mit den Truppen des Marschalls Macdonald und den Reitern des General Valmy heftige Vorpostengefechte zu bestehen hatte, zurückgedrängt und von der leichten Division des Fürsten Moriz Liechtenstein aufgenommen wurde. —

Im Treffen bei Bar sur Seine am 2. März verfolgte eine Escadron des Regiments die französische Nachhut bei Virey. Bei der weitern Vorrückung gegen Paris war das Regiment am 20. März in der Schlacht bei Arcis, ebenso in den Gefechten bei Sommepuis und Vitri anwesend, und hatte einen angestrengten Patrouillen- und Vorpostendienst zu versehen.

Nach kurzen, häufig gewechselten Cantonirungen trat das Regiment am 8. Mai seinen Rückmarsch zuerst in die Friedensstation Saaz in Böhmen an, nach kurzem Aufenthalte daselbst nach Gabel, von wo es am 2. April 1815 wieder gegen Frankreich aufbrach und seine Eintheilung zum 1. Armee-Corps des FZM. Grafen Colloredo-Mannsfeld erhielt. Dieses Corps marschirte am 26. Juni bei Basel über den Rhein, und hatte auf der Strasse von Belfort mehrere hitzige Vorpostengefechte zu bestehen, so am 29. Juni bei Chavanne und am 4. Juli bei Orvilliers, in welch letzterm das Regiment 2 Mann und 7 Pferde verlor, und dessen gute Haltung in der Relation belobt wurde. Dasselbe erhielt nun abwechselnde Cantonirungen in Frankreich, bis es Ende September in das grosse Armee-Lager von Dijon abrückte, wo es im ersten vom Erzherzog Ferdinand d'Este befehligten Treffen in der Brigade des GM. Baron Villata seine Aufstellung hatte. — Nach Beendigung dieses Lagers rückte das Regiment über Deutschland nach Böhmen in die Friedensstation Saaz.

Im April 1818 marschirte dasselbe zur Aufwartung in die Residenzstadt Wien, wo es daselbst, sowie in Salzburg, Wels und im Marchfelde untergebracht war.

Im Frühjahre 1820 rückte es nach Alt-Arad in Ungarn, im September d. J. zum grossen Cavallerie-Lager nach Pesth, und von da in die Stabsstation Pecsvar. Im Februar 1821 erhielt das Regiment seine Bestimmung nach Italien, wo dasselbe an der Expedition gegen Piemont und der spätern Besetzung dieses Landes durch k. k. Truppen Theil nahm. Zuerst in Alessandria gelegen, kehrte das Regiment bald in das lombardisch-venetianische Königreich zurück und von da 1823 in die Stabsstation Ujpecs im Banat. Dasselbe erhielt 1831 die Stabsstation Essegg in Slavonien, 1836 aber Troppau in Schlesien, von wo es am 1. Mai 1841 zur Aufwartung in der Residenzstadt Wien einrückte und nach zweijährigen Garnisonsdienst daselbst 1843 die Stabsstation Wels in Oberösterreich bezog. 1845 wurde eine Division nach Bregenz in Vorarlberg detachirt. —

Bei Ausbruch des Feldzuges 1848 in Italien rückte das Regiment über Tirol dahin ab; 4 Escadrons erhielten ihre Eintheilung zum I. vom FML. Graf Wratislaw befehligten Armee-Corps in die Division des GM. Erzherzog Ernst und die Cavallerie-Brigade Graf Schaffgotsche; 4 Escadrons hingegen waren in Tirol geblieben und die Brigaden der Obersten von Melczer und Baron Zobel vertheilt, und standen Mitte April eine Division in Trient, eine Escadron zugsweise in San Michele, Salurn, Neumarkt und Brannzoll, eine Escadron aber war in Vorarlberg zur Beobachtung der Schweizergränze zurückgeblieben. Diese Abtheilungen mussten den verschiedenen Infanterie-Streif-Commanden einzelne Leute zutheilen.

Am 22. und 23. April waren bei den Streifungen in das Val Saguna Arsa und Valdi Ledro 6 Züge des Regiments den Streif-Commanden des Oberst Baron Zobel von Kaiser-Jäger und des Major von Lindenhain von Grossherzog Baden-Infanterie zugewiesen. Im Monate Mai waren diese 4 Escadrons in folgender Art vertheilt, eine in Vorarlberg, eine in Roveredo, eine in Trient, und eine in Volargne und hatten einen starken Ordonnanz- und Patrouillendienst zu leisten. —

Am 22. Juli in den Gefechten bei Spiazzi und Rivoli waren 6 Züge des Regiments bei der Colonne des GM. von Matiss en Reserve. —

Ende Juli waren 3 Escadrons des Regiments zur Cernirung der Festung Peschiera unter Commando des Obersten Baron Zobel, des Oberstlieutenant Baron Hohenbruck und Major Brassier (letztere beide von Erzherzog Ludwig-Infanterie Nr. 8) bei Cavalcaselle, bei Pacengo und am rechten Ufer des Gardasees (bis zum Mincio) aufgestellt. — Während dieser Belagerung am 28. Juli fand eine Abtheilung des Regiments Gelegenheit zur Auszeichnung. —

Eine 2 bis 300 Mann starke feindliche Abtheilung, welcher nebst einiger Cavallerie auch 2 Geschütze beigegeben waren, wollte die Belagerer in ihren Erdarbeiten hindern. Da unternahm der Lieutenant August Besnard des Regiments mit seinem Zuge einen Angriff, welcher mit solcher Raschheit ausgeführt wurde, dass die feindliche Reiterei nach einem kurzen Choc umkehrte und nebst der Infanterie mit Zurücklassung einer Kanone sammt Karren in wilder Flucht dem schützenden Festungsthore zueilte.

Es wurden bei dieser Attaque mehrere feindliche Reiter

unter denen 2 Offiziere, von den Chevauxlegers zusammengehauen. Als jedoch diese letztern von den Geschützen des Dampfschiffes in die Flanke genommen, und schon ganz nahe an die Festung gekommen waren, mussten sie sich wieder zurückziehen, welchen Moment der Feind zur Rettung seiner auf der Strasse gebliebenen Kanonen benützte. Nebst dem Lieutenant Besnard hatte sich bei dieser Attaque Wachtmeister Scheiner des Regiments ausgezeichnet, und erhielt die grosse silberne Medaille, die beiden Genannten werden in der offiziellen Relation belobt. Der Zug hatte durch die flankirenden Kartätschenschüsse des Dampfers an Todten 1 Corporal, an Verwundeten 3 Gemeine nebst mehreren Pferden verloren. —

Die in der Cavallerie-Brigade Schaffgotsche eingetheilten 4 Escadrons des Regiments machten die Vorrücknug gegen Mailand mit selber, ohne Gelegenheit zur besonderer Selbstthätigkeit erhalten zu können.

Die offizielle Relation des FM. Grafen Radetzky belobt vom Regimente den Oberst Carl Graf Cavriani, den im Hauptquartier des FM. kommandirten Oberlieutenant Anton Haizinger, den Lieutenant August Besnard und Georg Graf Stockau, welcher als Ordonanzoffizier verwendet, im Gefechte bei Vicenza am 10. Juni freiwillig zu Fuss sich an die Spitze der Stürmenden stellte. Der Verlust des Regiments in diesem Feldzuge betrug im Ganzen nur 4 Mann an Todten und Verwundeten.

Im Feldzuge 1849 war gleichfalls nur eine kleine Abtheilung des Regiments am 31. März und 1. April bei dem Aufstande in Brescia in der Brigade des GM. Graf Nugent in's Gefecht gekommen. — Die Relation belobt den Oberlieutenant Heinrich Baron Mundy. Es erhielten Tapferkeits-Medaillen: Wachtmeister Jellinek die goldene, Cadet Franz von Karst die grosse silberne, die Corporalen Lämmel, Herold, Schabata die kleine silberne, und der Gemeine Jablonsky eine Belobung. —

Das Regiment selbst hatte seine Dislocation in Verona, von wo es Anfangs April auf den ungarischen Kriegsschauplatz beordert, bis Laibach marschirte, und von da mittelst Eisenbahn bis Wiener Neustadt befördert wurde, von wo es Ende Mai gegen Eisenstadt in Ungarn aufbrach.

Das Regiment erhielt nun seine Eintheilung in die Cavallerie-Brigade des GM. Baron Simbschen des I. Armee-Corps. Am 16. im Gefechte bei Zsigard war eine Escadron des Regiments der Brigade des GM. Pott zugewiesen, und machte im Verlaufe des Gefechtes im Verein mit 3 Escadrons Max Auersperg-Cürassier Nr. 5 eine entschlossene Attaque, diese 4 Escadrons warfen die feindliche Reiterei sammt ihrer Batterie und drangen unaufhaltsam vor, der linke Flügel des Feindes wandte sich zur Flucht. Nur zwei Honved-Bataillons, eine Hussaren-Abtheilung und eine Batterie hielten noch Stand, und bedrohten die in der Verfolgung begriffenen Chevauxlegers und Cürassiere in deren rechter Flanke. GM. Pott welcher diess Cavallerie-Gefecht leitete, brachte eine Fussbatterie mit einer Escadron Cürassiere unter Major Graf Coudenhove (von Cürassier Nr. 5) herbei, um die 'feindlichen Bataillons zu vertreiben, während die übrigen Escadrons sich auf die Batterie und die Hussaren warfen und sie in die Flucht jagten. Die Escadron des Regiments unter Anführung ihres tapfern Commandanten Rittmeister August Müller eroberte 2 Kanonen sammt Pulverkarren. — Im Gefechte bei Nyarasd am 20. Juni warfen sich 2 Escadrons des Regiments mit 2 von Civalart-Uhlanen mit solchem Ungestüm dem Feinde entgegen, dass er nicht nur in die Flucht gejagt, sondern ihm auch 2 Geschütze abgenommen und 30 Gefangene gemacht wurden *).

Im Treffen bei Pered am 21. jagten eine Escadron des Regiments und eine Division Civalart-Uhlanen 6 bis 8 feindlichen Hussaren-Escadrons entgegen, warfen deren vorderste Abtheilung mit Verlust zurück. FML. Baron Burits und GM. Baron Lederer folgten mit 4 Escadrons Cürassiere rasch nach und zwangen nach zweimaliger Attaque, wobei sie durch eine russische Batterie unterstützt wurden, die ganze feindliche Reiterlinie zum Rückzug hinter Pered. Für ihr tapferes Verhalten in den Gefechten bei Zsigard, Nyarasd und Pered erhielten folgende Offiziere des Regiments den Ausdruck der allerhöchsten Zufriedenheit Seiner Majestät: Oberst Alexander Graf Mensdorff, Oberstlieutenant Wilhelm Faber, die Rittmeister Mathias Pluchowsky, Franz Wirth, August Müller, die Lieutenants Vincenz Niesner, Max Fürst Lobkowitz und Moriz Graf Strachwitz. —

In der ersten Schlacht bei Komorn am 2. Juli hatte die Cavallerie-Brigade Simbschen bei Beginn des Kampfes aus der vorgeschobenen Stellung im Kastell vor dem Donaubrückenkopfe gegen die rückwärtigen Höhen sich zurückgezogen. Oberst Graf Alexander Mensdorff des Regiments bildete mit 4 Schwadronen desselben den linken Flügel der Brigade. Bald darauf fuhr eine feindliche Cavallerie-Batterie unter Bedeckung mehrerer Hussaren-Divisionen in die rechte Flanke auf, eröffnete ihr Feuer auf die österreichische Cavallerie Batterie und zwang diese mit der Bedeckung — eine Division Kaiser Uhlanen Nr. 4 — etwas zurückzuweichen. Oberst Graf Mensdorff hatte diess kaum bemerkt, als er seine 2 Divisionen, ohne einen Befehl abzuwarten, nach dem bedrohten Punkte dirigiren und im, Vorrücken zwei Treffen formiren liess. Während er der im zweiten Treffen stehenden zweiten Majors-Division befahl, als Reserve zu folgen, führte er das erste Treffen die Oberstlieutenants-Division in der Ziehung durch einen Erdrand gedeckt auf 300 Schritte vor, der in Thätigkeit stehenden feindlichen Batterie vorbei, und

---

*) Die Chevauxlegers hatten eine Haubitze erobert.

erschien rasch einschwenkend einer links neben der Batterie aufgestellten Hussaren-Division gegenüber, die er sofort attaquirte
und trotz ihres entschlossenen Entgegenrückens über den Haufen
warf. Das Unerwartete dieses Angriffes machte es den nachrückenden Chevauxeg ers möglich, die Batterie, die nach Abgabe
einiger Kartätschenschüsse schleunigst abfuhr zu ereilen, und aus
der Mitte der sie umringenden und entschlossen vertheidigenden
Hussaren 5 bespannte Geschütze und eben so viel Munitionskarren zu erobern. Das zweite Regiment der Brigade Simbschen
— Kaiser-Uhlanen, — warf sich nun seinerseits auf die andere
dritte Hussaren - Division, trieb sie in die Flucht und
erbeutete die 6. Kanone mit dem Munitionskarren. Der Verlust
dieser Batterie war für den Feind sehr empfindlich; er blieb
auf diesem Theile des Schlachtfeldes längere Zeit in Unthätigkeit, und dem General Benedek wurde durch diesen glücklichen
Umstand die Besetzung des Weinberges bei O'Szöny und die
Vorbereitung zum weitern Vorrücken gegen den Ort wesentlich
erleichtert. — Gegen 7 Uhr Abends, im weitern Verlaufe dieser
Schlacht, hatte der Feind Harkály in Besitz und entwickelte
8 bis 10 Hussaren-Escadrons, um die rechte Flanke des ersten
Armee-Corps (FML. Graf Schlik) anzufallen.

Schon früher hatte GM. Baron Simbschen aus seiner
erhöhten Stellung bei den Weingärten von O'Szöny das Heranrücken feindlicher Cavallerie-Massen bemerkt, und war mit 4
Escadrons des Regiments, 6 Escadrons Kaiser-Uhlanen und einer
Batterie rasch in der Richtung gegen den Acser-Wald vorgerückt, um jene feindliche Reiterei in Flanke und Rücken zu
fassen. Während seine Batterie auffährt, attaquirt GM. Simbschen
mit 8 Escadrons divisionsweise die Hussaren und zwingt sie in
bedeutender Unordnung zurückzujagen und unter ihren rückwärtigen Batterien Schutz zu suchen.

In diesem Augenblicke marschirte auch die russische Division des Generallieutenant Paniutine bei Puszta Harkaly auf,
welches die feindlichen Vortruppen bei diesem konzentrischen
Angriffe sogleich räumen. Das erste österreichische Armee-Corps
durch die rechtzeitigen Reiter-Angriffe der Brigade Simbschen
und das Erscheinen der russischen Division degagirt, rückte nun
in gleicher Höhe mit den Russen wieder vor. Die Brigade
Simbschen hatte sich auf dem rechten Flügel der russischen
Division formirt, zog noch eine Escadron des Regiments nebst
einer Cavallerie - Batterie und die bei den Russen zugetheilte
Division vom Regimente Erzherzog Johann Dragoner (jetzt Cürassier Nr. 9) herbei, und bereitete sich einem neuen viel kräftigeren Angriffe zu begegnen, denn die feindliche Cavallerie 24
Hussaren-Escadrons unter persönlicher Führung des Insurgenten
Führers Görgey, rückten vor, um die Brigade Simbschen rechts
zu überflügeln. GM. Baron Simbschen lässt aber dem Feinde
keine Zeit sich zu entwickeln, wirft ihm das diesseitige

Regiment entgegen, und lässt indessen die 6 Escadrons Uhlanen und 1 Escadron Dragoner eine Oblique formiren. Die ersten Abtheilungen des Regiments müssen zwar der bedeutenden Uebermacht weichen, ziehen sich aber seitwärts zurück, um den vorrückenden Uhlanen Raum zu geben, und nun stürzt sich Alles mit solchem Ungestüm auf die Hussaron, dass diese geworfen, in wilder Flucht gegen die Festung zurückjagen. Bei einer dieser Cavallerie-Attaquen soll Görgey durch den Säbelhieb eines Unteroffiziers des Regiments verwundet worden sein. — Der Oberlieutenant Carl Fürst Liechtenstein des Regiments war im dichtesten Melée, von jugendlichem Muth und Kampfeshitze vorwärts getrieben, schwer blessirt, doch von den Chevauxlegers aus der Mitte der auf ihn eindringenden Hussaren herausgehauen worden. — Das Regiment bezog nun mit der Cavallerie-Division Bechtold das Feld-Lager bei Mocsa. — Laut Armee-Befehl des FZM. Baron Haynau de dato Igmand den 10. Juli wurde der Oberarzt Dr. Babitzky des Regiments für sein muthvolles und verdienstliches Wirken in der Schlacht von Komorn öffentlich belobt.

In der 2. Schlacht von Komorn am 11. Juli liess FML. Baron Bechtold zuerst die leichte Brigade Simbschen gegen den bedrohten Punkt bei Csem abrücken, und folgte später mit der schweren Brigade Lederer. Die Brigade Simbschen kam gleichzeitig mit der russischen Division Paniutine an und schloss sich sogleich an diese an, ihren rechten Flügel formirend. Inzwischen war das Gefecht daselbst bereits durch das IV. österreichische Armee-Corps zum Stehen gebracht, und die Gefahr beseitigt worden. Ein Angriff der österreichische Division Herzinger, vereint mit den Russen, verfolgte nun den zurückweichenden Feind. Nur der Schutz ihrer Hussaren rettete die feindliche Infanterie vor Vernichtung; die Cavallerie-Brigade Simbschen übernimmt nun die weitere Verfolgung. — Auf dem linken Flügel seiner Schlachtlinie hat indessen der Feind um den Rückzug seiner Infanterie zu decken, alle seine verfügbaren Cavallerie-Abtheilungen zwischen den O-Szönyer-Weingärten und der Babolnaer Strasse zusammengezogen, und in bedeutende Massen formirt. Während sich nun die in der Verfolgung begriffenen Regimenter Fürst Liechtenstein-Chevauxlegers und Kaiser-Uhlanen (Nr. 4) zum Angriffe bereiten, war auch die schwere Brigade Lederer rechts neben ihnen vorgezogen worden. Die Cavallerie-Division schreitet zum Angriffe. Es entwickelt sich nun zwischen diesen an Zahl ziemlich gleichen Massen ein hartnäckiges Reiter-Gefecht mit wiederholten schönen Attaquen, bis endlich die feindliche Linie in ihrer linken Flanke überflügelt, und in die Flucht gejagt wird. — Das Regiment hatte an diesem Kampfe einen wichtigen und rühmlichen Antheil genommen. — Die beiden Majors des Regiments Adolph Jop und Albert Baron Bülow erhielten für ihre ausgezeichneten Leistungen in den beiden Schlachten von Komorn die Allerhöchste Zufriedenheit Seiner Majestät des Kaisers. —

Das Regiment bezog mit der Cavallerie-Division Bechtold wieder das Feldlager bei Mocsa, von wo es mit dieser am 17. aufbrach, und über Banhida-Bicske und Bia am 20. Juli in Pesth einrückte. — Schon am 9. Juli war der Rittmeister Müller des Regiments mit seiner Escadron dem Streif-Commando des Major Wussin von Kaiser-Uhlanen Nr. 4 (siehe dieses) zugetheilt worden; dieses Commando war am 11. um 5 Uhr Nachmittags, ohne auf Widerstand zu stossen, in Ofen eingetroffen.

Das siegreiche Vorrücken der österreichischen Haupt-Armee machte das Regiment in der Cavallerie-Division Bechtold bei der 2. Marsch-Colonne, in der Richtung über Kecskemet und Szegedin mit, und bildete abwechselnd mit Kaiser-Uhlanen die Avant-Garde jener Colonne. Am 5. August in der Schlacht bei Szöreg hatte es sich wieder neuen Ruhm erworben. In dieser wurde Oberst Graf Mensdorff mit 4 Escadrons des Regiments, als die Cavallerie Division Bechtold durch 2½ Batterie unterstützt längs dem Damme und an diesem gestützt gegen die feindliche Reiterei auf Szt. Ivan vorrückte, zur Deckung des Rückens diesseits des Dammes aufgestellt. Der Raum zwischen der sich rechtsziehenden Division Bechtold und dem Damme vergrösserte sich aber jeden Augenblick, so dass die 15 Cavallerie-Geschütze ihn nicht hinreichend zu decken vermochten. Diesen Umstand benützte rasch der Feind, indem er sich mit 3 Hussaren-Regimenter auf die Batterien wirft, und längs des Dammes ein viertes Regiment vorrücken lässt, um diesem Angriff Nachdruck zu geben. Gelingt es diesem letztern feindlichen Regimente durchzubrechen, so sind die österreichischen Batterien ohne allen Zweifel verloren. Da übersetzt Oberst Graf Mensdorff mit seinen 4 Escadronen in Divisionsfronte den hohen Damm, und attaquirt mit solcher Entschlossenheit und Kraft, dass die Hussaren geworfen und verfolgt ihre Absicht, die österreichische Cavallerie-Division abzuschneiden vereitelt sehen. — Mittlerweile stand die Oberstlieutenants-Division des Regiments bei den, am Anschlusse des Dammes an die Theiss liegenden Wald von Szt. Ivan neben einer dort aufgestellten k. russischen Truppen-Abtheilung, als der Haupt-Angriff des Feindes auf die österreichische Batterie gerichtet wird, und 4 Escadrons Hussaren gegen diese heranjagen. Diese Bewegung erfolgt bei der eintretenden Dämmerung so rasch und unerwartet, dass die Hussaren bereits in die Bedeckung einer Batterie einhauen. Da warf sich mit Schnelligkeit und eben noch zur rechten Zeit der tapfere Oberstlieutenant Faber des Regiments mit seiner Division den Hussaren entgegen, und rettete durch seine entschlossene kräftige Attaque die österreichische Batterie, unter gleichzeitiger thätiger Mitwirkung des auf Kanonenbedeckung stehenden Rittmeister De Butts mit einer Escadron Kaiser-Ferdinand-Cürassiere. —Noch in später Nacht bezog nach beendetem Kampfe das Regiment bei Szt. Ivan ein Lager, und rückte Tags darauf mit der Cavallerie-Division (nunmehr Graf Wallmoden) gegen Porgany und Keresztur vor, hatte Theil an dem Reiter-Gefechte bei Czátad am 8. August und an der siegreichen Schlacht bei Temesvar am 9. Im Verlaufe derselben, als 6 bis 8 Hussaren-Escadrons über den Nyaradbach setzten, und sich zum Angriffe auf die österreichischen Batterien, welche sie zu überflügeln drohen, bereiten, beordert, FZM. Bar. Haynau die leichte Cavallerie-Brigade Simbschen zum Angriffe, welche zugleich durch 4 Escadrons Kaiser-Ferdinand-Cürassiere verstärkt wurde, da mehrere Abtheilungen derselben auf Kanonen-Bedeckung commandirt waren. GM. Baron Simbschen rückt in drei Treffen vor, deren erstes die Uhlanen, das zweite das diesseitige Regiment und das dritte die Cürassiere bilden. — Die feindlichen Hussaren rückten mit Entschiedenheit zum Angriffe vor, während vom jenseitigen Ufer des Nyarad-Baches die Brigade Simbschen sehr heftig beschossen wurde. Das Regiment unterstützte mit gewohnter Tapferkeit die mit vieler Bravour unternommene Attaque der voraneilenden Uhlanen, und beide vereint warfen die kühnen Gegner gleich im ersten Anreiten über den Bach zurück, wenden sich hierauf gegen die Batterie, nehmen 3 Geschütze und jagen die andern in die Flucht. Doch die Verfolgung des Feindes wurde durch das heftige Feuer mehrer schon zu nahe herangefahrener Batterien gehindert, ja die Brigade Simbschen ist genöthigt, aus derselben Ursache die eroberten Geschütze im Stiche zu lassen, zog sich bei dem bald darauf erfolgten Aufmarsch der österreichischen Geschütz-Reserve aus dem feindlichen Feuer zurück, und formirte sich vor Bessenova am linken Flügel der russischen Division Paniutine. Bei der spätern Vorrückung von Bessenova reinigte das als Avant-Garde voreilende Regiment die Fläche jenseits des Nyarad-Baches. Nach der Entscheidung der Schlacht folgte die Cavallerie-Brigade Simbschen dem siegreichen Feldherrn FZM. Baron Haynau in die Festung Temesvar. Der Oberlieutenant Carl Caravaggio des Regiments hatte in dieser Schlacht einen Fuss verloren. —

Am 10. August stand das Regiment mit der Cavallerie-Division Wallmoden im Lager vor Giroda zunächst der Strasse von Lugos. Am 15. rückte die genannte Division und mit ihr das Regiment bis Lugos, um von dort den Feind weiter zu verfolgen. Das Regiment kam am 19. nach Caransebes, am 19. nach Zagazsen, von wo eine Abtheilung desselben Russberg besetzte, 3 Züge waren der bis gegen Mehadia vorrückenden Avant-Garde des Oberstlieutenants Mertens (von den Jägern) zugetheilt, welche am 22. bei Teregova auf eine Abtheilung Honveds stiess, sie angriff und in die Flucht jagte. — Nach der nunmehrigen Beendigung dieses Feldzuges erhielt das Regiment die Friedens-Station Theresiopel angewiesen. Für ihre Aus nung vor dem Feinde wurden folgende Offiziere des Regiments mit kaiserlich-österreichischen und russischen Orden dekorirt und zwar: Oberst Alexander Graf Mensdorff-Pouilly mit dem Militär-Verdienst-Kreuze, den k. russischen St. Wladimir-Orden III. Classe, und vermöge Capitelbeschluss von 1850 nachträglich für seine glänzende Waffenthat bei Komorn mit dem Ritter-Kreuze des Maria Theresien-Ordens; Oberstlieutenant Wilhelm Faber mit dem Ritter-Kreuze des Leopold-Ordens, dem Orden der eisernen Krone III. Classe, dem Militär-Verdienst Kreuze und den k. russischen Wladimir-Orden III. Classe.

Major Adolf Jop mit dem Militär-Verdienst-Kreuze und dem k. russischen St. Annen-Orden II. Classe.

Die Majors Albert Baron Bülow und Franz Wirth mit dem Militär-Verdienstkreuze, letzterer nachträglich noch den Orden der Eisernen Krone III Classe.

Rittmeister August Müller mit dem Militär-Verdienstkreuze und dem k. russischen St. Annen-Orden III. Classe mit der Schleife.

Rittmeister und Adjutant Sr. Majestät Alexander Karst v. Karstenwerth mit dem Militär-Verdienstkreuze und dem k. russischen Wladimir-Orden IV. Classe mit der Schleife.

Oberlieutenant Karl Fürst zu Liechtenstein mit dem Orden der Eisernen Krone III. Classe und dem russischen Wladimir-Orden IV. Classe mit der Schleife.

Das Militär-Verdienstkreuz erhielten noch die Rittmeister Anton Gröber, Anton Jankovics de Csalma, August von Waldegg, die Oberlieutenants August Besnard, Gustav Rästle, Arthur Baron Kast, und die Lieutenants Vincenz Niesner und Moriz Graf Strachwitz.

Unter die brave Mannschaft des Regiments waren goldene und silberne Medaillen zahlreich vertheilt worden, der Schematismus von 1852 weist damals noch die beträchtliche Zahl von 68, darunter 5 goldene, 7 grosse und 56 kleine silberne Medaillen aus, ebenso hatte das Regiment mehrere k. russische St. Georgskreuze 5. Classe erhalten. Unter den mit Medaillen Decorirten befanden sich ausser der vorgenannten Zahl die Cadeten Franz Karst mit der goldenen, Josef Graf Nimpsch mit der grossen silbernen und Stabstrompeter Anton Chaule mit beiden.

Im Oktober 1849 erhielt das Regiment seine Bestimmung nach Galizien, wohin es über Munkacz und Ober-Ungarn abrückte und die Stabsstation Zolkiew bezog.

Am 23. April 1850 beging das Regiment eine erhebende Feier zu Lemberg, wo nämlich vom kommandirenden G. d. C. Baron Hammerstein die Brust seines tapfern Commandanten des glänzenden Reiterführers bei O'Szöny, Obersten Graf Mennsdorff mit dem Ritterkreuze des Maria-Theresien-Ordens und nebstdem jene von 29 wackern Reitern des Regiments mit goldenen und silbernen Medaillen geschmückt wurde. — 1851 wurde der Stab

des Regiments nach Lancut und Umgegend, 1852 nach Pod-
gorce verlegt. 1854 gehörte das Regiment zu der in Galizien
aufgestellten Armee des G. d. C. Graf Schlick und wechselte
häufig seine Dislocationen, bis es im Juli 1855 die Stabsstation
Graz in Steiermark angewiesen erhielt, von wo es im Herbste
1857 nach Kesthely in Ungarn abrückte. —
Mit 6. Mai 1851 war das Regiment zum Uhlanen-Regiment mit
der Nummer 9 übersetzt worden, nachdem es im Dezember eine
zwar nicht in's Leben getretene Adjustirung mit dunkelgrünen
Röcken und Pantalons nebst bleichrothen Aufschlägen erhalten.

Im Mai 1859 war das Regiment bis Parendorf und Ungarisch-Altenburg vorgeschoben worden, und im Juli d. J. erhielt
es seine gegenwärtige Stabsstation Theresiopel in Ungarn, wo
es 1860 seine 4 Division auflöste und 1861 durch längere Zeit
eine Division in Croatien detachirt hatte.

Maria Theresien-Ordens-Ritter.

1790 Oberst Johann Fürst Liechtenstein, (siehe Inhaber bei Hussaren Nr. 7.)
1794 Oberst Joseph v. Stipsicz v. Ternowa, (siehe Inhaber bei Hussaren Nr. 10.)
1794 Oberstlieutenant Johann Baum v. Apelshofen, † vor dem Feinde im Gefechte
   bei Frauenfeld 1799.
1796 Major Carl Graf Kinsky, (siehe Inhaber bei Cürassiere Nr. 12.)
1801 Oberlieutenant Anton von Pläohel, † als Oberlieutenant der Trabanten-Garde
   zu Wien am 21. Mai 1852.
1806 Rittmeister Carl Baron Tettenborn, † als grossherzoglich badischer General-
   Lieutenant und Gesandter zu Wien am 9. Dezember 1845.
1813 Rittmeister Anton von Puchner, 1850 Commandeur, als 2. Capitain der 1.
   Arcieren-Leib-Garde, G. d. C., Inhaber des 3. Infanterie-Regiments am 28.
   Dezember 1852.
1850 Oberst Alexander Graf Mensdorff-Pouilly, gegenwärtig FML., Inhaber des
   73. Infanterie-Regiments, Statthalter und Commandirender-General in Galizien
   und der Bukowina.

Inhaber.

1649 Oberst Johann de la Corona.
1653 Oberst Peter v. Buschiere, † 1661.
1661 GM. Jakob Freiherr v. Gerhardt, † 1676, geblieben bei der Einnahme von
   Demin.
1676 G. d. C. Johann Valentin Graf Schultz, † 1686.
1686 Oberst Johann Jakob Graf Kiesl, † 1689
1689 FM. Johann Ludwig, Graf Rabuttin-Bussy, † 1716.
1716 Oberst, 1723 GM. Amadé Graf Rabuttin-Bussy.
1727 GM. Peter Graf Watterborn.
1731 FM. Carl Joseph Fürst Bathiany, † 1772.
1773 FM. Joseph Graf Kinsky-Chinitz und Tettau, MTOR., † zu Wien am 7. Februar 1804.
1804 G. d. C. Johann Graf Klenau, MTO.-Cmdr., † zu Brünn am 6. Okt. 1819.
1822 G. d. C. Andreas v. Schneller, † zu Oedenburg am 16. März 1840.
1840 G. d. C. Karl Fürst zu Liechtenstein, I. Obersthofmeister Sr. Majestät des
   Kaisers und Oberst sämmtlicher Garden.

Oberste.

1640 Johann de la Corona, zugleich Inhaber
1653 Peter v. Buschlére, zugleich Inhaber
1661 Jakob Freih. v. Gerhardt, zugleich Inhaber, 1675 GM.

} sämmtlich Regiments-
Commandanten.

272

1676 Johann Valentin Graf Schulz, später GM., zugleich Inhaber
1683 Friedrich Graf Castel, 1686 GM.
1686 Johann Jakob Graf Kiesl, zugleich Inhaber
1688 Johann Graf Rabuttin-Bussy, 1689 GM. und Inhaber
1700 von Gräven
1716 Amadé Graf Rabuttin-Bussy, zugleich Inhaber, 1723 GM.
1723 N. von Du Mesnil, 1730 abgängig
1730 N. Dufort, 1738 GM.
1738 N. Graf Schellard, 1740 abgängig
1740 Ignaz Baron Bechinie, 1744 GM.
1744 Christoph Graf Schallenberg, 1754 GM.
1755 Andreas Graf Vitzthum, 1759 GM.
1759 Heinrich Hartenberg, 1767 pensionirt.
1767 Alexander Graf Erdödy, 1770 GM.
1770 Johann Graf Saurau, 1773 quittirt.
1773 Ferdinand Johann Graf Harrach, 1778 GM.
1779 Lothar Baron Bubenhofen, 1788 GM.
1783 Joseph Halnes, 2. Oberst, 1788 Regts.-Comdt., 1790 GM.
1790 Johann Fürst zu Liechtenstein, MTOR., Regts.-Comdt., 1794 GM.
1790 Anton Baron Schubirz, 2. Oberst, 1791 transferirt zu Uhlanen Nr. 1.
1794 Joseph von Stipsicz, MTOR., Regts.-Comdt., 1797 GM.
1797 Albert Stahel, 1800 GM.
1801 Carl Graf Kinsky, MTOR., 1806 GM
1806 Joseph von Mayer, 1809 GM.
1809 Raban Baron Spiegel, 1812 transferirt zu Hussaren Nr. 4.
1812 Johann von Kopp, 1820 GM.
1814 Ludwig Graf Wratislaw, 2 Oberst, 1815 General-Adjutant Sr. k. k. Hoheit des Erzh. Carl.
1820 Paul Baron Wernhardt, MTOR., 1826 GM.
1826 Dominik Graf Stürgkh, 1832 pensionirt mit Gen.-Charakt.
1832 Alois Chevalier Rossi, 1836 pensionirt
1836 Joseph Fürst Lobkowitz, 1844 GM.
1844 Carl Graf Cavriani, Regts.-Comdt., 1848 GM.
1849 Friedrich Graf Zedwitz, Regts.-Comdt., 1849 zum Kriegs-Ministerium commandirt, 1850 GM.
1849 Alexander Graf Mensdorff-Pouilly, Regts.-Comdt., 1850 MTOR. und GM.
1850 Franz Baron Roden, Regts.-Comdt., 1858 GM.
1856 Carl Baron Boxberg, 2. Oberst, 1858 Regts.-Comdt., 1862 GM.
1860 Alexander Karst v. Karstenwerth, 2. Oberst, 1862 Regts.-Comdt.

sämmtlich Regimts.-Commandten.

Regiments-Comandten.

Regiments-Comandten.

Oberstlieutenants.

1640 Peter v. Buschlére, 1653 Oberst, 1642 Graf Strassoldo.
1653 Jakob Freiherr v. Gerhardt, 1661 Oberst.
1661 von Hagen.
1673 von Sotier.
1688 Baron Orlick, † vor dem Feinde bei Widdin am 14. October 1689.
1697 von Gräven, 1700 Oberst.
1700 bis 1788 unbekannt.
1788 Johann Fürst Liechtenstein, 1790 Oberst.
1790 N. Baron Hochberg, 1793 pensionirt.
1793 Johann v. Gosztonyi, 1795 pensionirt.
1795 Albert Stahel, 1797 Oberst.
1797 Carl Kinsky, MTOR., 1801 Oberst.
1800 Andreas Schneller, 1801 Oberst bei Hussaren Nr. 10.
1801 Joseph Theymern, 1805 Oberst bei Cürassier Nr. 2.
1805 Joseph von Mayer, 1805 Oberst.
1805 Emerich Besan, 1807 Oberst bei Dragoner Nr. 2.
1807 Ferd. Graf Lippe, † vor dem Feinde am 21. Mai in der Schlacht bei Aspern.

1809 Johann von Kopp, 1812 Oberst.
1810 Ferdinand Fürst Kinsky, MTOR., 1812 Oberst bei Uhlanen Nr. 2
1810 Paul Baron Taxis, 1811 Oberst bei Cürassier Nr. 4.
1812 Ludwig Graf Wratislaw, 1814 Oberst.
1812 Dominik Graf Stürgkh, 1826 Oberst.
1826 Alois Chevalier Rossi, 1832 Oberst.
1832 Wilh. Baron Haxthausen, † zu Ruma am 14. Juni 1834.
1834 August Chevalier Lehnhoff, 1838 pensionirt.
1838 Franz Baron Fleissner, 1840 pensionirt mit Oberst-Charakter.
1840 Carl Graf Cavriani, 1844 Oberst.
1844 Valentin Baron Wodniansky, 1849 Platz-Oberst zu Oedenburg.
1849 Wilh. Faber, 1849 Oberst bei Uhlanen Nr. 2.
1849 Friedrich Freudhofer v. Steinbruck, 1850 pensionirt mit Oberst-Charakter.
1850 Adolph Jop, 1852 pensionirt.
1852 August Graf Schallenberg, 1854 pensionirt mit Oberst-Charakter.
1854 Leopold Popovich, 1856 pensionirt.
1856 Carl Müller v. Neckarsfeld, 1856 transferirt zu Uhlanen Nr. 2.
1858 Alexander Karst v. Karstenwerth, 1860 Oberst.
1858 Carl Baron Simbschen, 1858 transferirt zu Uhlanen Nr. 8.
1860 Carl Chevalier Crouy, Flügel-Adjutant des Kriegs-Ministeriums, FZM. Graf
     Degenfeld, 1862 zum Regimente eingerückt.

Majors.

1790 Joseph von Stipsics, 1793 Oberstlieutenant und General-Adjutant Sr. Majestät
     des Kaisers.
1792 Johann von Gosztonyi, 1793 Oberstlieutenant.
1793 Albert Stahel, 1795 Oberstlieutenant.
1795 Carl Graf Kinsky, 1796 MTOR., 1797 Oberstlieutenant.
1797 Andreas Schneller, 1800, Oberstlieutenant.
1797 Wenzel Baron Olnhausen, 1799 Oberstlieutenant beim Generalstab.
1800 Joseph von Mayer, 1805 Oberstlieutenant.
1801 Johann Piccard v. Grunthal, 1802 transferirt zu Chev.-Leg. Nr. 6. (Uhlanen
     Nr. 10).
1802 Franz Müller, 1804 Oberstlieutenant beim Hofkriegsräthlichen Militär-Depar-
     tement.
1804 Emerich Bosan, 1805 Oberstlieutenant.
1805 Jakob Gontard. 1806 pensionirt mit Oberstlieutenants-Charakter.
1805 Heinrich Graf Hardegg, 1807 Oberstlieutenant bei Uhlanen Nr. 3.
1806 Ferdinand Graf Lippe, 1807 Oberstlieutenant.
1807 Paul Baron Taxis, 1810 Oberstlieutenant.
1807 Johann von Kopp, 1809 Oberstlieutenant.
1809 Dominik Graf Stürgkh, 1812 Oberstlieutenant.
1809 Ludwig Durand, 1811 pensionirt.
1809 Carl Baron Tettenborn, 1810 transferirt zu Hussaren Nr. 5.
1812 Max Graf Nesselrode, † an einer bei Dresden erhaltenen Wunde am 26. August
     1813.
1812 Nikolaus Baron Selby, † am 6. October 1813.
1813 Peter Chevalier Martyn, MTOR., 1820 Oberstlieutenant bei Cürassier Nr. 4.
1814 Johann von Erben, 1815 transferirt zu Dragoner Nr. 2.
1815 Joseph Baron Wasseige. 1821 pensionirt.
1815 Eugen Graf Falkenhain, 1820 transferirt zu Uhlanen Nr. 4.
1816 Celestin von Spini, 1819 pensionirt.
1820 Alois Chevalier Rossi, 1826 Oberstlieutenant.
1821 Adam Mayer, † zu Szt. Miklos im Banat am 14. October 1824.
1824 Anton Tomaschek, 1827 pensionirt.
1826 Wilhelm Baron Haxthausen, 1832 Oberstlieutenant.
1827 August Chevalier Lehnhoff, 1834 Oberstlieutenant.
1832 Franz Stein, 1833 pensionirt.

18

274

1833 Franz Baron Fleissner, 1838 Oberstlieutenant.
1834 Carl Baron Moltke, 1837 Oberstlieutenant bei Chev.-Leg. Nr. 1. (Uhlauen Nr. 6)
1837 Valentin Baron Wodniansky, 1844 Oberstlieutenant.
1838 Anton von Lichtenstern, 1839 pensionirt.
1839 Franz Panosch v. Kreuzinfeld, 1841 pensionirt.
1841 Joseph Lange, 1844 pensionirt.
1844 Joseph Chevalier Desloges, 1846 pensionirt.
1846 Wilh. Faber, 1849 Oberstlieutenant.
1847 Rudolph Baron Weiss-Hartenstein, 1848 pensionirt.
1848 Friedrich Freudhoffer v. Steinbruck, 1849 Oberstlieutenant.
1848 Adolph Jop, 1850 Oberstlieutenant.
1849 Adolph Baron Bülow, 1852 Oberstlieutenant bei Uhlanen Nr. 10.
1849 Mathias Pluhowsky, † 1849.
1849 Franz Wirth, 1850 transferirt zur Arcieren-Leib-Garde.
1850 Anton Gröber, 1853 pensionirt.
1850 Leopold Popovich, 1854 Oberstlieutenant.
1853 Carl Müller v. Neokarsfeld, 1856 Oberstlieutenant.
1853 Carl v. Trembalski, 1856 pensionirt.
1854 Carl Baron Simbschen, 1858 Oberstlieutenant.
1856 Heinrich Baron Stregen zu Glauburg, 1859 Vice-Commandant der Central-Equitation zu Wien, 1860 Oberstlieutenant bei Uhlanen Nr. 11.
1856 Leopold Ritter Herbert von Herbot, 1858 transferirt zu Uhlanen Nr. 5.
1858 Carl Brasseur v. Kehldorf, 1861 pensionirt.
1858 Franz Baron Ensch, 1860 transferirt zu Uhlanen Nr. 3.
1859 Maximilian Graf Mac-Caffry, 1859 transferirt zu Uhlanen Nr. 12.
1859 Carl Baron Roden, 1862 pensionirt.
1860 Cäslaus Ritter v. Bzowski v. Janota, 1862 pensionirt.
1862 Anton Heizinger.
1862 Thomas Zietkiewicz, 1862 pensionirt.

Uniformirung des Regiments.

Weisse Czapka scharlachrothe Aufschläge, dunkelgrüne Uhlanka und Pantalons, weisse Knöpfe.

Uhlanen-Regiment Nr. 10 Graf Clam-Gallas.

Dieses Regiment wurde 1798 aus den vierten Divisionen der Dragoner-Regimenter Coburg (1801 reduzirt) und Latour (jetzt Nr. 2), dann aus den emigrirten französischen Hussaren-Regimentern Saxe und Bercheny, mit dem Stande von 3 Divisionen als 13: leichtes Dragoner-Regiment errichtet, und zählte 62 Offiziere, 6 Stabspartheien, 31 Primaplanisten und 1296 Mann vom Wachtmeister abwärts. Unter der Mannschaft befanden sich 6 mit der goldenen und 28 mit der silbernen Medaille decorirte Individuen. Als Adjustirung erhielt das Regiment dunkelgrüne Röcke (Collets) mit dunkel oder pompadourrothen Aufschlägen, weissen engen Hosen und weissen Knöpfen. Im Juni 1798 stand diess Regiment in der Gegend von Eggenfelden in Baiern, lagerte im Oktober bei Vilsbiburg, kantonirte Anfangs Dezember bei Mühldorf am Inn, von wo es am 24. d. M. bei Donaustauf nächst Regensburg die Winterquartiere bezog.

Im Mai 1799 wurde das Regiment zum Corps des FML. Graf Sztaray eingetheilt, und rückte mit diesem an den Ober-

Rhein, wo es bei allen Gefechten dieses Feldzugs gegen die Franzosen thätigst mitwirkte. Bei der Vorrückung der Armee in der Nähe von Eppingen angekommen, bildete das Regiment die Avantgarde, an deren Tête die Oberst 2. Escadron unter Rittmeister von Müller marschirte. Oberlieutenant Olp hatte den Befehl erhalten, mit seinem Zuge vorzurücken und gegen die feindliche Cavallerie zu plänkeln, wobei ihm Rittmeister Graf D'Ambly mit einem Zuge unterstützen sollte. Der Feind wurde bis zu einem Verhau zurückgedrängt, hinter welchem auf einer von einem breiten Graben umgebenen Wiese viele feindliche Infanterie aufgestellt war. Corporal Bade des Regiments mit 8 Dragonern vorgeschickt, fand einen kleinen Uebergang über den Graben, den er mit seiner Mannschaft einzeln überschritt, den überlegenen Feind mit Muth angriff, aber in die Gefahr gerieth, mit seinen Tapfern abgeschnitten und gefangen zu werden; da setzte Stellvertreter Frank mit 6 Dragonern über den Graben, welchen Rittmeister Graf D'Ambly, von einer kleinen Anhöhe die Gefahr bemerkend mit einem Zuge umritt, und beide attaquirten ohne Zögerung den überlegenen Feind. Wachtmeister Moser war der Erste gegen die französischen Infanteristen vorgesprengt, die so ausser Fassung gebracht waren, dass sie auf Aufforderung dieses Wachtmeisters die Waffen wegwarfen und sich kriegsgefangen ergaben. Wachtmeister Moser erhielt in der Folge die silberne Tapferkeits-Medaille. Im selben Momente überfiel der zweite Oberst Graf Fresnel mit einer Abtheilung des Regiments bei Kehl ein feindliches Cavallerie-Detachement von 60 Mann und hob dasselbe mit all' seinen Pferden auf.

Im Auftrage dieses Obersten hatte Rittmeister von Sück in derselben Zeit das 3. französische Hussaren-Regiment in dessen Lager bei Leimen, unweit Heidelberg überfallen, 100 Mann niedergehauen, den Rest versprengt, mehrere Gefangene gemacht und 60 Pferde erbeutet, wobei er nur 3 Blessirte, darunter einen Offizier bei seiner Abtheilung zählte.

Im Juni haben Rittmeister Szombathely und Oberlieutenant Wunderbaldinger des Regiments einen feindlichen Posten zwischen Gamshorst und Muckersdorf so rasch überfallen, dass von dieser ein Offizier nebst mehreren Dragonern und Infanteristen nebst 21 Pferden gefangen wurden, der Rest jenes Postens aber eiligst die Flucht ergriff. Bei der, vom FML. Graf Sztaray gegen Ende Juni anbefohlenen Recognoszirung des in der Gegend von Hasslach aufgestellten Feindes wurde das Regiment vom GM. Graf Merveld sehr zweckmässig verwendet, der Feind aus Hasslach sowie aus der Gegend von Offenburg vertrieben, und diese Stadt von den österreichischen Truppen unter Merveld besetzt. Bei dieser Unternehmung wurde das 10. und 23. französische Cavallerie-Regiment beinahe ganz aufgerieben, und 1 Oberst, 6 Offiziere und 240 Reiter gefangen. Der Wachtmeister Christian Federkeil des Regiments hatte aus eigenem Antriebe das Γ

Wissloch angegriffen, welches von 300 Franzosen besetzt war. Er hieb 13 derselben zusammen, verjagte die übrigen, und gab dadurch zum guten Erfolge des gleichzeitigen Haupt-Angriffes den grössten Ausschlag, wofür er mit der **goldenen Tapferkeits-Medaille** belohnt wurde. Der Regiments-Commandant Oberst von Egger und Oberstlieutenant von Auer haben sich bei dieser Gelegenheit sowohl durch umsichtige Führung ihrer Dragoner, als durch ihre persönliche Bravour hervorgethan.

Am 4. Juli griffen die Franzosen den österreichischen Posten bei Renchen und Gamshorst an. Das Regiment wurde hier von seinem Obersten von Egger vortrefflich geführt und focht mit wahrem Heldenmuth; die Franzosen wurden bis Bischofsheim zurückgetrieben.

Ende August hatte der Feind ein Detachement nach Bruchsal gesendet, um daselbst eine grosse Contribution zu erpressen.

Oberst Graf Fresnel kam mit einer Division des Regiments eben dort an, und befreite dadurch diesen Ort vor der Brandschatzung.

Am 18. September in dem Gefechte bei Mannheim und der Erstürmung der Neckarauer Schanzen nennt die Relation nebst den stürmenden Infanterie-Regimentern auch die vom Oberst Graf Fresnel befehligten Escadrons des Regiments, welche zur Unterstützung der Sturm-Colonnen bestimmt, sich ganz besonders ausgezeichnet hatten.

Am 3. November im Treffen bei Lochgau, als die Franzosen eben Miene machten, ihren Rückzug anzutreten, befahl GM. Fürst Hohenlohe den Angriff von Seite seiner Brigade, welche aus dem Regimente nebst nur schwachen Escadrons der Cürassier-Regimenter Anspach (1801 reduzirt) und Erzherzog Franz (Nr. 2) bestand. Die französische Cavallerie war hier der österreichischen wenigstens um das Dreifache überlegen, und dennoch wurde erstere im Momente ihres Abschwenkens attaquirt überrascht, geworfen und zerstreut; mit solchem Nachdrucke hatte die österreichische Reiterei sie angegriffen.

Die auf verschiedenen Punkten vertheilte französische Infanterie bildete sich nun schnell in einzelne Quarrées und Massen, die zum Theil durch Wälder und Gebüsche geschützt waren. Sie vertheidigte sich hartnäckigst gegen die österreichische Cavallerie, wurde aber dennoch überwältigt und niedergehauen. Besonders zeichneten sich bei diesen wiederholten Reiter-Attaquen 4 durch den tapfern Obersten von Egger geführte Escadrons des Regiments aus, drangen durch Defiléen und alle Terainhindernisse vor, und warfen sich auf den Feind mit so unwiderstehlichem Nachdrucke, dass er mehr als 1200 Leichen am Kampfplatze zurückliess. Gefangen wurden 17 Offiziere und 697 Mann. Unter den zahlreichen Verwundeten befanden sich auch die französischen Generäle Ney und Lorket. Der Rest des Feindes suchte sein Heil in der Flucht, und wurde bis an die Defiléon

hinter Brackenheim, welche ihn schützend aufnahmen, verfolgt.
Oberst Egger hatte an diesem Tage mit seinen Dragonern fünf
glänzende Attaquen ausgeführt und die Verfolgung Ney's so
lange fortgesetzt, als es die Entfernung von der Haupttruppe erlaubte. Die Relation des GM. Fürst Hohenlohe rühmt den Muth
und die Ausdauer seiner sämmtlichen Truppen; unter den Offizieren, welche wegen vorzüglicher Auszeichnung belobt wurden,
befanden sich vom Regimente: Oberst von Egger, der ein Pferd
unterm Leibe verlor, die beiden Rittmeister Belloute und Sück,
welch letzterer mit seiner Schwadron ein feindliches Quarrée
über den Haufen warf.

Am 9. und 16. November bestand Oberst von Egger mit
einem Theile des Regiments bei Hofheim neuerdings glänzende
Gefechte. Am letzteren Tage drängte er, nur von 3 Banater-
Grenz-Compagnien unterstützt, 4000 Franzosen von Defilée zu
Defilée mehrere Stunden weit zurück. —

Am 2. Dezember ordnete FML. Graf Sztaray seine Colonnen zum Angriff auf die die Reichsfestung Philippsburg blocki-
renden Franzosen. GM. Fürst Hohenlohe wurde mit seiner Brigade
gegen Sinzheim beordert und zur Erleichterung dieses Vorrückens Oberst Rakittievics mit 3 Compagnien Deutschbanater und
2 Escadrons des Regiments gegen Weiler geschickt.

Am 3. Dezember wurde der Feind von allen Colonnen
Sztaray's in seine Hauptstellung bei Wissloch gedrängt und dieser
Ort von den Avantgarden derselben besetzt. Es entwickelte sich
nun ein harter Kampf, die Franzosen nahmen den Ort wieder
und vertheidigten ihn auf das Hartnäckigste, bis sie endlich Nachmittags zum Rückzuge über Baierthal nach Leimen gezwungen
wurden, wo die einbrechende Nacht das Gefecht beendete. An
diesem Tage hatten 2 Escadrons des Regiments mit einer von
Herzog Albert Cürassier (Nr. 3) bei den Fleschen vor Wissloch
ein hart bedrängtes Bataillon des Infanterie-Regiments Baron Wenkheim (Nr. 35) gegen das Einhauen der französischen Cavallerie
geschützt, diese angegriffen, geworfen und bis in die Stadt verfolgt. — Im Laufe dieses Monats bezog das Regiment die Winterquartiere, nachdem es im Feldzuge 1799 an Todten, vom
Wachtmeister abwärts 41 Mann ; an Gefangenen den Oberstlieutenant
von Rainharz (am 3. Dezember bei Wissloch) und 20 Mann, und
an Vermissten 4 Mann verloren hatte.

Anfangs 1800 stand das Regiment in Cantonirung am
Ober-Rhein, und hatte im Laufe der Monate Mai und Juni an
den in Schwaben und Baiern vorgefallenen Gefechten und Treffen
seinen rühmlichen Antheil, so hatte Rittmeister Sück am 19. Juni
im Vereine mit dem Rittmeister Horvath von Vecsey-Hussaren
(Nr. 4) die Stadt Wangen überfallen, einen feindlichen Courier
aufgehoben und reiche Beute gemacht. Nach dem Parsdorfer
Waffenstillstande rückte das Regiment im September in die Cantonirungsstation Horasdowitz in Böhmen, doch nach ku

von da nach Ober-Oesterreich, wo es in der nun von Sr. k. k. Hoheit dem Erzherzog Johann befehligten Armee, nach Aufkündigung des Waffenstillstandes von Seite der Franzosen, am 25. November den Inn überschritt.

Am 3. Dezember in der Schlacht von Hohenlinden war dasselbe mit dem ausrückenden Stande von 885 Mann und Pferden in der ersten rechten Flügel-Colonne der Division Sr. k. Hoheit des Erzherzog Ferdinand, der Brigade des GM. Wöber eingetheilt. — Während des Rückzuges deckte das Regiment durch seine kräftigen Attaquen, unter Führung seines tapfern Obersten Grafen Civalart, bei dem Dorfe Buch die Division des Erzherzogs Ferdinand, und warf die ersten feindlichen Linien zurück. Corporal Becker, welcher bei dieser Gelegenheit einen vom Feinde hart verfolgten General, dessen Pferd schwer verwundet war, durch Abtretung seines Dienstpferdes rettete, und selbst aber zu Fuss seine Abtheilung zu erreichen suchte, erhielt die silberne Medaille.

Das Regiment hatte in diesem Feldzuge verloren an Todten, 44 Mann; an Gefangenen den Regiments-Adjutanten Schäffer, Oberlieutenant Kirschberg, die Lieutenants Graf Tessionaire, Graf Briffe und 46 Mann und 83 Mann an Vermissten.

Anfangs 1801 war das Regiment zu Langenrohr in Niederösterreich kantonirt, später in Sitzendorf, von wo es im April die Friedensstation Brandeis in Böhmen bezog. Im Dezember d. J. erhielt dasselbe 412 Mann des eben aufgelösten Dragoner-Regiments Coburg, aus welchen im Februar 1802 die 2. Majors-Division errichtet, und das Regiment zum 6. Chevauxlegers-Regiment mit dem Stande von 4 Divisionen übersetzt wurde; als solches erhielt es nun weisse Röcke mit schwarzen Aufschlägen und gelben Knöpfen. — Der Stab ward nun nach Klattau verlegt, von wo jedoch das Regiment am 9. August d. J. in das Salzburgische marschirte und mit dem Stabe nach Lauffen zu stehen kam, jedoch schon am 17. Jänner 1803 wieder nach Klattau abrückte.

Im September 1804 war das Regiment im Lustlager von Gbell. Den Feldzug 1805 machte das Regiment in Deutschland mit, und stand vor Eröffnung der Feindseligkeiten von Kniebeiss bis Pforzheim gegen Aalen vereinzelt aufgestellt. Ungeachtet dessen aber leitete der Regiments-Commandant Oberst Graf Civalart es so geschickt und zweckmässig ein, dass er nicht nur nach dem Uebergange der Franzosen über den Rhein deren Colonnen Märsche kotoyirte, sondern auch, als die Feindseligkeiten zum endlichen Ausbruche kamen, sofort das Regiment zu konzentriren wusste.

Am Tage des Angriffs auf die österreichische Stellung bei Ulm, den 11. Oktober, machte Oberst Graf Civalart den FML. Baron Mack, in Gegenwart des FML. Fürsten Schwarzenberg den Vorschlag, wie man den Feind dadurch umgehen und in Rücken kommen könne, wenn man die Cavallerie um den Wald von Morizen,

die Infanterie aber durch denselben führe, welcher Vorschlag nicht
nur angenommen, sondern auch so glücklich in Ausführung gebracht
wurde, dass die Franzosen wesentliche Nachtheile erlitten. Am
selben Tage stand Rittmeister Sück mit der Oberstlieutenants-Division des Regiments, einer Compagnie Tiroler-Jäger und einer halben
Batterie vor Haslach, auf der Strasse von Albeck gegen Elchingen
auf Vorposten, als der französische General Ney mit drei Truppen
Divisionen gerade auf diesen Punkt den lebhaftesten Angriff unternommen hatte. Ohne einen Verlust zu erleiden, zog sich Sück in
die ihm angewiesene Aufstellung auf den rechten Flügel der
österreichischen Armee zurück. Unmittelbar vor der Front dieses
Flügels lag das Dorf Heffingen, welches die beiden Infanterie-Regimenter Riese und Reuss Plauen (jetzt Nr. 15 und 17) besetzt
hielten. Der Feind richtete alle seine Kräfte auf diesen wichtigen
Punkt, und nachdem er sich nach längerem Widerstande der vorliegenden Gebüsche bemeistert hatte, brachte er jene beiden Regimenter zum Weichen. Diess hatte der tapfere Rittmeister Sück
kaum bemerkt, als er mit seiner Division, unterstützt von der Oberst
1. Escadron des eigenen Regiments und einer Division Hohenlohe
Dragoner (jetzt Cürassier Nr. 10) sich auf den Feind warf, ein
links vom Orte auf den Anhöhen gelegenes, von diesem besetztes
Gebüsch umging, und den Feind nicht nur zwang diese das Thal
beherrschenden Höhen, sondern auch eine auf demselben placirte
Batterie zu verlassen; die Infanterie, durch dieses Beispiel angeeifert, bemächtigte sich wieder der kurz vorher verlorenen Stellung.
Da aber das bis an die Donau sich erstreckende Heffingen, und
jene vorliegenden Anhöhen den Schlüssel zu der Position von Ulm
bildeten, so ruhten die Franzosen nicht, und suchten um jeden
Preis Meister derselben zu werden.

Mit erneuerter Kraft erfolgte ein zweiter feindlicher Angriff;
die Gebüsche und die Anhöhen gehen auf's Neue verloren. Rittmeister Sück ist aber jetzt wieder mit seiner muthigen Reiterschaar
bei der Hand; seine Attaquen allerdings von beträchtlichem Verluste begleitet, nöthigen den Feind zur wiederholten Räumung der
gewonnenen Stellung, und die verfolgten Bataillone von Riese
und Reuss Infanterie gewinnen durch Sücks Heldenmuth Zeit sich
zu sammeln und besetzen zum zweiten Male die Höhen und das Dorf.

Noch einmal, zum dritten Male, dringen die Franzosen in
Heffingen und in die bis an die Donau reichenden Gebüsche ein,
da fasst Sück den Entschluss das Dorf zu tourniren, die dahin zur
Unterstützung eilende feindliche Reiterei anzugreifen, und deren
bereits vorgedrungene Abtheilung abzuschneiden. Muthig und glücklich wird auch diese letzte Attaque ausgeführt, der Feind zum
Weichen gebracht, und die verlorenen Vortheile bleibend gewonnen. Sück eilt nun den Fliehenden nach, und zwingt sie mit Zurücklassung vieler Gefangenen und einiger Kanonen zum gänzlichen
Rückzuge. Wohl waren diese Gefechte hartnäckig, wohl zählte
Sücks Division allein über 50 Todte und Verwundete, a'

280

der Erfolg war gross, da er das Schicksal des Tages entschied und
lohnend für Suck, dem der Ritterkreuz des Maria Theresien-
Ordens im Capitel 1806 einstimmig zuerkannt wurde. Auf Befehl
des Oberst Graf Civalart griff Rittmeister Suck mit der Oberstlieutenants-Division am 15. in der Ebene zwischen Langenau und
Albeck eine feindliche Infanterie - Halbbrigade an, und nahm sie
grösstentheils gefangen. —

Als sich das Corps des FML. Wernek, nach der ersten feindlichen Aufforderung zur Uebergabe, am 16. im Angesichte zweier
feindlicher Truppen-Divisionen nach Heidenheim zurückzog, und
in der Art unerwartet von einem an Cavallerie überlegenen Corps
unter Murat angegriffen wurde, dass die Arriere-Garde geworfen,
die Infanterie-Colonnen zerstreut. ein grosser Theil derselben gefangen, und Werneks Truppen vielleicht schon an diesem Tage
aufgelöst und gefangen worden wären, hatte Oberst Graf Civalart
drei Divisionen des Regiments aus eigenem Antriebe dem Feinde
entgegengeführt, und durch mehrere entschlossene Attaquen nicht
nur von der ferneren Verfolgung abgehalten, und den zerstreuten
Colonnen zu ihrer Formirung die nöthige Zeit verschafft, sondern
auch dadurch die Möglichkeit herbeigeführt. dass das Corps das
in seinem Rücken gelegene Defilée bei Herbrechtingen gewinnen konnte.

Am 18. Oktober, dem Tage der Capitulation des FML. Werneks bei Trochtelfingen gelang es dem Oberst Graf Civalart, sein
Regiment im Angesichte des Feindes glücklich und mit geringem
Verluste in das Anspach'sche Gebiet zu führen, obgleich er von
dem nummerisch überlegenen Murat auf das Lebhafteste verfolgt
wurde. Ihm hatten sich auch FML. Prinz Hohenzollern, G M. Me-
csory und Oberst Hertellendy von Palatinal-Hussaren angeschlossen;
und die Rettung des Regiments von der Gefangenschaft war allein
der entschlossenen und einsichtsvollen Führung des Obersten Graf
Civalart zu danken. Als Murat das Corps des Erzherzogs Ferdinand bei Eschenau unerwartet angriff, die Arriere-Garde durch
die Uebermacht des Feindes geworfen und verfolgt wurde, so
dass das Hauptquartier keine Zeit gewinnen konnte sich zu retten,
formirte Oberst Graf Civalart sein im Marsche befindliches Regiment schnell zum Angriffe, und attaquirte den die Arriere-Garde
verfolgenden Feind, welcher mit derselben zugleich in Eschenau
eingedrungen war, viermal mit seltener Unerschrockenheit und
Entschlossenheit. Hiedurch verschaffte er nicht nur den geworfenen
Abtheilungen die Gelegenheit sich wieder zu railliren, sondern
auch der rückwärts im Füttern begriffenen Cavallerie Zeit zum
Aufzäumen und Sammeln, um seinen Angriff unterstützen zu können. Wenn der Erfolg bei so oft wiederholten und durch die
übrige Cavallerie unterstüzten Angriffen dennoch misslang, so
war diess nur der grossen Ueberlegenheit des Feindes zuzuschreiben, welcher das Corps mit 9 Regimentern Cavallerie nicht nur
in der Fronte, sondern auch in beiden Flanken drängte, indess

der Erzherzog Ferdinand ihm kaum mehr als 12 Schwadronnen entgegenstellen konnte. Die mehrfällig wiederholten Anstrengungen, welche bis in die späteste Nacht dauerten, vermochten zwar nicht zu verhindern, dass das Corps endlich geworfen wurde; trotzdem gelang es nur Civalarts Thätigkeit und Ausdauer, der mit seinen braven Chevauxlegers den Nachtrab führte, den Erzherzog mit der Hand voll Tapfern vor der nahen Gefahr einer Gefangenschaft zu bewahren, obgleich Civalart von den feindlichen Reiterschaaren lebhaft verfolgt, durch mehrere auf den Helm erhaltene Hiebe schwer betäubt vom Pferde stürzte. Endlich war die flüchtende Truppe soweit in Sicherheit, dass sie den Marsch nach Eger ohne besondere Hindernisse fortsetzen konnte, welchen der tapfere Oberst Graf Civalart mit dem Regimente und einigen schwachen Abtheilungen von Latour-Dragoner (jetzt Nr. 2) als Arriere-Garde deckte. —

Auch bei der Delogirung des Feindes aus Stecken nächst Iglau am 5. Dezember hatte Oberst Graf Civalart mit einigen Abtheilungen des Regiments thätigst mitgewirkt. — In diesem Feldzuge waren folgende Offiziere des Regiments in feindliche Kriegsgefangenschaft gerathen: am 15. Oktober der Oberlieutenant Graf Bouquoi; am 20. Oktober: der Rittmeister Bonnairs, die Oberlieutenants Graf Wrbna, Carly und Graf D'Ambly, die Lieutenants von Zadubski, Kunz und Flammerdinghe; vermisst wurde Oberlieutenant Gavenda. — Die in Schwaben, an der Grenze Tirols auf Vorposten stehende, detachirte 1. Majors-Division des Regiments unter Major Graf Chotek war vom Regimente abgeschnitten worden, doch gelang es dem tapfern und umsichtigen Commandanten derselben nach beschwerlichen Märschen sich nicht nur mit dem Regimente in Böhmen wieder zu vereinen, sondern auch den FML Franz Baron Jelacic, der sich über Vorschlag des Major Graf Chotek ihr anschloss, vor Gefangenschaft zu retten. Das Offiziers-Corps des Regiments, aus so mancher Gefahr gerettete Zeugen der Ansichten und Handlungen ihres tapfern Obersten Graf Civalart, suchte an seiner Statt geltend zu machen, was er geleistet und legte in einem Gesuche an Se. Majestät den Kaiser die allerunterthänigste Bitte nieder, dem Grafen Civalart den Maria Theresien-Orden zu verleihen. „Das Offiziers-Corps würde sich eines Verbrechens schuldig fühlen, wenn es nicht das Wort für seinen hochverdienten Commandanten führen würde," so hiess es in dem vorgelegten Gesuch: „Seine Auszeichnung, seine Belohnung ist Auszeichnung und Belohnung für das ganze Regiment, in ihm und mit ihm allein wird es geehrt, und um dieses zu erreichen, ist das Offiziers-Corps in Nothwendigkeit gesetzt, den vorgeschriebenen Weg zu verlassen, und in einem das einmüthige Handeln bekundenden Zeugniss seine Bitte vorzulegen." Diese Bitte, bei welcher auch die Form der Geltendmachung nachsichtiger beurtheilt werden muss, ehrt das Offiziers-Corps, wie dessen ritterlichen Comman-------gleich hoch, und die im Capitel von 1806 einstimmige Z---

nung des Ritterkreuzes des Maria Theresien-Ordens an den Regiments-Commandanten Obersten Carl Graf Civalart war deren anerkennende Gewährung.

Im Jänner 1806 bezog das Regiment die Friedensstation Brandeis in Böhmen, und erhielt im Laufe dieses Jahres statt der schwarzen Aufschläge dunkelrothe.

Bei Beginn des Feldzugs 1809 war das Regiment mit 8 Escadrons im VI. vom FML. Baron Hiller befehligten Armee-Corps, in der Division des FML. Baron Vincent und der Brigade des GM. Hofmeister, später Nordmann eingetheilt, und setzte sich im März aus Böhmen nach Ober-Oesterreich in Marsch. Nachdem der Haupttheil der österreichischen Armee am 10. April den Inn überschritten hatte, und an die Isar vorgerückt war, wurde am 15. Major Baron Scheibler des Regiments mit 3 Escadrons Chevauxlegers und einigen Infanterie-Compagnien nach Mosburg geschickt, wo er die abgetragene Brücke über die Isar herstellen liess, und seine Vorposten bis über die Amper vorschob.

Scheibler rückte am 16. nach Gamelsdorf, am 17. nach Pfaffenhofen vor. Die übrigen 5 Escadrons des Regiments kamen mit dem VI. Armee-Corps an diesem Tage bei Mosburg an, wo selbes am 18. stehen blieb.

Am 19. schlug sich Major Scheibler bei Pfaffenhofen mit der Avantgarde des Corps Oudinot, und zog sich sodann auf die Höhen hinter Pfofenhausen zurück. FML. Baron Hiller kam mit dem VI. Armee-Corps Abends bei Mainburg an.

Am 20. April kam das Regiment während dem Gefechte nächst Rohr bei Rottenburg an, und nahm dort einige geworfene und vom Feinde verfolgte österreichische Escadrons auf. FML. Baron Vincent sollte nun mit 4 Infanterie-Regimentern und 4 Escadrons des Regiments nach Rohr abrücken, kam aber schon bei Rottenburg mit den vordringenden feindlichen Colonnen in's Gefecht. Am 21. machte FML. Baron Vincent mit dem Regimente die Arriere-Garde des VI. Corps. Bei Tages-Anbruch wurde das Regiment von der französischen Cavallerie angefallen. Es wies mehrere Angriffe standhaft zurück, setzte nach jedem den Rückmarsch im Schritte fort, schlug sich fortwährend mit kaltem Blute und nahte so über Ergoltingen der Stadt Landshut.

Der Zusammenfluss der retirirenden Truppen, Geschütz, Trains und Bagagen hatto bei Altdorf die Strasse nach Landshut so verstopft, dass die Truppen kaum durchdringen, und über die Brücke der Isar nach dem jenseitigen Ufer gelangen konnten, wo FML. Hiller sich aufstellen wollte. FML. Baron Vincent suchte auf dem linken Ufer mit dem Regimente und den ihn zur Unterstützung gesandten anderen Truppen die französischen Colonnen aufzuhalten, mit welchen Kaiser Napoleon selbst Altdorf und Ergoltingen nahte. Durch seine ruhige feste Haltung hatte das Regiment (damals Fürst Rosenberg Chevauxlegers) geraume Zeit die französischen Colonnen in Entfernung gehalten. Aber es

stand auf morastigem Boden, und konnte, wenn der übermächtige
Feind plötzlich auf der Strasse hervorbrach, sich weder schnell
bewegen, noch angreifen, noch dann mehr das rückwärtige Defilée
durchschreiten. Daher liess FML. Vincent das Regiment in einzelnen Zügen allmälig zurück über die Brücke durch die Stadt
gehen, und stellte es dann am rechten Ufer wieder auf. Nach
dem Treffen bei Landshut setzte die nun selbstständige Armee
des FML. Baron Hiller ihren Marsch gegen den Inn fort.

Am 23. April Abends nahm das Regiment an der neuen
Vorrückung Theil, welche FML. Baron Hiller begann, und die
mit der Niederlage des französischen Marschall Bessières bei
Neumarkt am 24. endete. FML. Baron Vincent führte das Regiment nach Arbing, einen zwischen Neu-Otting und Eggenfelden
gelegenen Dorfe, und setzte am 24. die Bewegung in dem wald-
bedeckten durchschnittenen Terrain in der rechten Flanke der
ersten Colonne gegen die Roth fort. Er suchte die Aufmerksamkeit des Feindes auf sich zu ziehen, und dadurch Hillers Unternehmungen auf Neumarkt zu erleichtern, und liess daher durch
seinen aus dem Regimente gebildeten Vortrapp die nächsten
feindlichen Posten, auf welche derselbe stiess, angreifen und zurückwerfen. Nach dem Siege bei Neumarkt kehrte FML. Baron
Hiller mit der Armee wieder hinter den Inn zurück, und rückte
mit derselben über Lambach, Wels, Linz und Krems ins Marchfeld.

Am 2. Mai hatte bei Efferding ein Gefecht stattgefunden, in
welchem der Gemeine Anton Dirnberger des Regiments den
mit seinem erschossenen Pferde gestürzten Major Baron Scheibler
mit grösster Bravour gegen die andringenden Feinde vertheidigte,
am selben Tage hatte er auch den schwer blessirten und bereits
gefangenen Oberlieutenant Marquis Coulange des Regiments aus
der Mitte der Feinde herausgehauen, und sich überdiess bei Wiedereroberung zweier schon vom Feinde genommenen österreichischen Kanonen besonders ausgezeichnet. Dirnberger erhielt
in Folge dieser Tapferkeit die silberne Medaille. —

Im Treffen bei Ebelsberg am 3. Mai deckte FML. Baron
Vincent mit dem Regimente und 2 Infanterie - Regimentern die
Brücke an der Traun, und den Uebergang der noch von Linz
herabrückenden österreichischen Truppen. Dann folgte Vincent
fechtend denselben über die Brücke, stellte sich jenseits neben
dem II. Reserve-Corps bei dem Orte Aston auf, und half dadurch den ferneren Marsch der Armee Hillers decken. Rittmeister Gavenda des Regiments war während des Rückzugs über die
Traun mit den zweiten Flügel der II. Majors- 1. Escadron, nebst
mehreren andern Cavallerie-Abtheilungen in der Ebene gegen
Wels entsendet. Dieselben wurden durch eine 4000 Mann starke
feindliche Cavallerie-Truppe verfolgt und von den Ihrigen abgeschnitten, — mussten daher in die hochangeschwollenen Wogen
der Traun sich stürzen, um das jenseitige Ufer schwimmend zu
erreichen, da bereits die eine Hälfte der Traunbrücke v

französischen Colonnen verspert war. Der Gemeine Lehmann, welcher der Erste das muthige Beispiel gegeben, wurde mit der silbernen Tapferkeits-Medaille belohnt. Am 11. Mai langte das Regiment in der Division Vincent am Spitz vor Wien an. In der Schlacht von Aspern stand das Regiment in der V. Colonne, am rechten Flügel. Diese Colonne nahm am 21. Mai Stadt Enzersdorf und Nachmittags griff deren Infanterie Esslingen an. Bei der Vorrückung gegen diesen Ort bildete die II. Majors-Division des Regiments unter Commando des Major Sück die Avantgarde der V. Colonne. Da sie rasch vorrückte, und viel früher als die Infanterie bei genanntem Dorfe anlangte, so wurde sie aus demselben durch ein lebhaftes Tirailleurfeuer empfangen, wodurch die Division einige Verluste an Todten und Verwunde ten erlitt. Diesem Einhalt zu thun, befahl FML. Fürst Rosenberg der 1. Escadron dieser Division die feindlichen Plänkler zu attaquiren, und in das Dorf Esslingen, obgleich hinter demselben bedeutende feindliche Cavallerie-Massen standen, zurückzudrängen, was von selber auch unter Commando des Rittmeister Kuniowski, der hiebei seinen Heldentod fand, mit vieler Bravour bewirkt wurde. Das Regiment wie die übrigen Cavallerie-Abtheilungen dieser Colonne hielten in der Ebene sich bereit, um die stürmenden Bataillone zu decken, und bei sich bietender Gelegenheit zum Angriffe selbst mitzuwirken. — Nachdem derselbe misslungen war, stellte sich die V. Colonne wieder zwischen Stadt Enzersdorf und Esslingen auf.

Am Morgen des 22. wurde der Angriff auf Esslingen von der IV. und V. Colonne fruchtlos wiederholt. Da brach die junge Garde aus Esslingen vor, deren ungestüme Angriffe aber mit Entschlossenheit zurückgewiesen wurden. Gegen Mittag unternahm die IV. und V. Colonne, vereint mit dem Grenadier-Corps einen abermaligen Angriff auf Esslingen, mit welcher die Schlacht endete,

In der Relation wird der Major Baron Scheibler und Rittmeister Carl Kaiser des Regiments unter den Helden von Aspern genannt. Das Regiment hatte an beiden Schlachttagen die Rittmeister Kuniowski und Carl Kaiser nebst 6 Mann und 23 Pferde als todt zu beklagen; 6 Offiziere, 36 Mann und 40 Pferde waren verwundet, und 8 Mann nebst 8 Pferden vermisst. Die beiden schwer verwundeten Offiziere als Rittmeister Schmiedl und Oberlieutenant Worasitzki wurden von dem Divisions-Trompeter Josef Jakob mit vieler Bravour aus des Feindes Händen befreit.

Dem Cadeten Kessler, welcher am zweiten Schlachttage kommandirt war, der Infanterie den Befehl zum Sturmangriff zu überbringen, wurde unterwegs das Pferd erschossen. Ungeachtet dessen vollführte dieser Cadet nicht nur zu Fuss seinen Auftrag, sondern schloss sich beim Sturm der Infanterie-Abtheilung an. Der Gemeine Havacz, noch Rekrut, wurde an diesem Tage verwundet; nicht nur dass er auf dem Verbandplatz befohlen werden musste, kehrte er kaum verbunden sogleich wieder zu seiner Abtheilung zurück, der er als Beispiel treuer und muthvoller Pflicht-Erfüllung bis zum Ende der Schlacht vorleuchtete. Divisions-Trompeter Jakob, Cadet Kessler (später zum Offizier befördert) und Gemeiner Hlawacz erhielten sämmtlich die silberne Tapferkeits-Medaille.

In der Schlacht bei Wagram am 5. und 6. Juli war das Regiment unter den Befehlen des G. d. C. Fürsten Johann Liechtenstein, und mit den Dragoner-Regimentern Erzherzog Johann, Knesevich und Riesch (jetzt Cürassier Nr. 9, 11 und 12) wie auch dem Hussaren-Regimente Blankenstein (Nr. 6) gegen Glinzendorf aufgestellt, wo es bald zum mörderischen Feuer kam. Am zweiten Schlachttage den 6., eilte das Regiment zur Unterstützung der bei Aderklaa angegriffenen Artillerie und Infanterie vor, rettete im Verein mit Kronprinz-Cürassier (Nr. 4) die vom Feinde bedrohten Geschütze, und warf zwei feindliche Cavallerie-Regimenter zurück. Kurz nach dieser Attaque hatte das Regiment und die nun neben ihm stehenden Cürassier-Regimenter Kronprinz und Hohenzollern (Nr. 4 und 8) durch eine aufgefahrene feindliche Batterie sehr gelitten, wobei das Regiment seinen würdigen und tapfern Obersten Grafen Josef Chotek vor der Fronte durch eine Kanonenkugel verlor, und dem Oberlieutenant Baron Wrazda ein Fuss zerschmettert wurde. Wachtmeister Holtsche nahm die Leiche seines Obersten vor sich aufs Pferd und passirte so die ganze Fronte des Regiments. Oberstlieutenant von Zadubski war in feindliche Gefangenschaft gerathen. —

In der Relation wird der Major Wenzel Fürst Liechtenstein des Regiments unter den Ausgezeichneten genannt. — Die nächstfolgenden Tage machte das Regiment, unter wiederholten Gefechten den Rückzug nach Mähren mit. —

Nach abgeschlossenem Wiener Frieden erhielt dasselbe die Stabsstation Klattau in Böhmen, wo es im Oktober 1810 nach Niederösterreich marschirte. Der Stab mit 2 Divisionen kam nun nach Himberg und Umgegend, die Oberstlieutenants und 2. Majors-Division wurde nach Ober-Oesterreich verlegt.

Im April 1811 kam der Regimentsstab nach Inzersdorf, die Oberst 1. Escadron und 1. Majors-Division nach Wien, die Oberstlieutenants-Division blieb in Oberösterreich, und der Rest in der Umgegend von Wien.

Im Juli 1811 bezog das Regiment die Stabsstation Kecskemeth in Ungarn, von wo es am 17. April 1813 nach Böhmen in Marsch gesetzt wurde, wo anfänglich der Stab in Chlumetz, im Juni in Böhmisch-Leippa, und im Juli in Willowitz stand.

Am 10. August bezog das Regiment das Lager bei Jahnsdorf. Die II. Majors-Division aber war in Kecskemeth zurückgeblieben, hatte an dem nächsten Feldzuge nicht Theil genommen, und war im September nach Niederösterreich abgerückt. Bei Ausbruch des Feldzuges 1813 erhielt das Regiment seine Eintheilung zum III. Armee-Corps des FZM. Graf Gyulay, in der Division des FML. Graf Cren-

ville, Anfangs in der Brigade des GM. Trenk, später in jener
des GM. Grimmer. — Dasselbe überschritt am Morgen des 22.
August die sächsische Grenze, drückte die feindlichen zu weit
vorgeschobenen Posten zurück, langte am 25. Nachmittags 4 Uhr
bei Dresden an, postirte sich beim Dorfe Kuschwitz, und stellte,
nachdem die zuerst angelangte österreichische Truppe auf der
Westseite Dresdens war, die Posten bis unter die Mauern dieser
Stadt, wobei es nur zu einzelnen Patrouillen-Gefechten mit dem
Feinde kam.

Am 26. Früh wurden mehrere Abtheilungen des Regiments
mit dem Feinde handgemein. An diesen beiden Tagen hatte das
Regiment einen Verlust von 3 Mann und 13 Pferden an Todten;
6 Mann und 8 Pferde an Verwundeten. — Am 27. griffen die
Franzosen das Corps des FZM. Grafen Gyulay an, und drängten den linken Flügel zurück, wobei das Regiment wieder
einige Verluste erlitt.

Am 28. wurde der Rückzug nach Böhmen über Dippolds-
walde angetreten. Daselbst wurde nebst mehreren andern Cavallerie-Abtheilungen, auch die Oberstlieutenants-Division des
Regiments unter Commando des Rittmeister Wunderbaldinger zur
Arriere-Garde bestimmt. Diese Division machte auf die Nachmittags angerückte französische Cavallerie eine Attaque, um der
links aufgestellten k. russischen Infanterie Zeit zu verschaffen,
den vor sich liegenden Wald zu besetzen, zu behaupten, und so
den weitern Rückzug zu decken. Bei dieser Attaque hatte die
Division einige Verluste an Todten und Verwundeten. Von diesem Tage ging das Regiment über die Grenze wieder nach
Böhmen und langte am 4. September zu Jahnsdorf an.

Am 10. marschirte dasselbe über Töplitz nach Eichwald,
besetzte nebst einer k. preussischen Truppen-Abtheilung Unter-
Zinnwald, das Jägerhaus und Voitsdorf und hatte im Angesichte
des Feindes die Vorposten aufgestellt. Von der Oberst 1. Escadron, welche unter Commando des Rittmeisters Van Göthem,
beim Jägerhause stand, wurde auf Befehl des GM. Hächt, der
Lieutenant Frank entsendet, um das bei Wolfsgrund befindliche
feindliche Lager zu recognosziren. Den erhaltenen Auftrag vollführte Lieutenant Frank mit viel Geschick und machte hiebei
einige polnische Lanziers unter den Augen der feindlichen Vedetten, hinter deren Rücken er sich auf Umwegen geschlichen
hatte, zu Gefangenen. —

Am 11. griff der Feind die Preussen an, und drängte
sie zurück, als die Oberstlieutenants-Division des Regiments durch einen raschen Seitenangriff denselben zurückschlug,
dabei aber einige Mann und Pferde einbüsste. Bis 26. September verblieb das Regiment in dieser Stellung bei Zinnwald, wo
es divisionsweise den Vorpostendienst bestritt.

In den fast täglich daselbst vorfallenden Gefechten machte
das Regiment während dieser Zeit 2 Offiziere und 90 Mann zu

Gefangenen. — Am 1. October ging die Division Crenneville zum zweiten Male über die sächsische Grenze, langte am 4. früh bei Gross-Waltersdorf an, und übernahm dort die Vorposten. Am 6. und 8. wollte der Feind durch dichten Nebel begünstigt, einige Posten des Regiments aufheben, wurde jedoch vorbereitet empfangen und geworfen, wobei einige Mann der 1. Majors 2. Escadron in des Feindes Hände fielen; am letztern Tage hatte die Avant-Garde des Regiments 17 Feinde zu Gefangenen gemacht, und überschritt am 11. die Mulde. In der Nacht vom 12. auf den 13. October liess FZM. Graf Gyulay die sächsische Stadt Naumburg durch den Rittmeister Joseph Zadubski des Regiments mit einer Escadron und 2 Infanterie-Compagnien überfallen. Rittmeister Zadubski kam ganz unbemerkt bis an die, mit Ringmauern umgebene Stadt, deren Zugänge verbarikadirt waren. In dem Augenblicke, in welchem ein Bauernwagen durch eines der verrammelten Thore eingelassen wurde, gelang es dem Rittmeister in dasselbe einzudringen. Die Thorwache wurde niedergemacht, die Besatzung, welche sich auf dem Markte gesammelt hatte, überwältigt, der Rest derselben warf sich in das Stadt-Haus, musste sich aber nach einiger Gegenwehr ergeben. Rittmeister Zadubski hatte in diesem Gefechte 4 Offiziere und 400 Mann gefangen, und 8 Offiziere nebst 200 Mann von den alliirten übrigen Truppen, worunter allein gegen 150 Preussen aus der Kriegs-Gefangenschaft befreit. Bei Ueberrumpelung dieser Stadt eilten die Kriegs-Gefangenen herbei, baten um Waffen, und es wurden auch die braven Preussen vom Rittmeister Zadubski mit den Carabinern, *Ladstöcken und Patronen seiner Escadron bewaffnet, wo sie sodann das Unternehmen der Chevauxlegers wacker unterstützten. —.

Während der Schlacht bei Leipzig war das Regiment bei Lindenau aufgestellt, ohne hervorragenden Antheil an derselben zu nehmen, und nur die Oberstlieutenants-Division hatte am 16. 2 Pferde verwundet, 2 Mann nebst 3 Pferden vermisst; am 18. gerieth Oberlieutenant Hübl in feindliche Kriegs-Gefangenschaft. Die Relation des FZM. Graf Gyulay belobt vorzugsweise den Oberlieutenant Schlager des Regiments. Rittmeister Wunderbaldinger wurde wegen Auszeichnung unmittelbar nach der Schlacht mittelst Armee-Befehl zum Major ausser seiner Rangstour befördert. —

Am 19. griff die 1. Majors 2. Escadron der Brigade des GM. Baron Scheither zugetheilt, die feindliche Arriere-Garde an, und hatte hiebei einige Verluste; am 21. verfolgten mehrere Abtheilungen des Regiments den Feind unter fortwährenden Kämpfen, und suchten hauptsächlich den Pass von Kösen zu umgehen, bei welcher Gelegenheit es dem Oberlieutenant Frank gelang, viele Gefangene zu machen. Am Morgen des 22. bestand die Oberstlieutenants-Division des Regiments, welche den F˙⁻ ˙ verfolgte, bei Eckartsberg ein unglückliches Gefecht mit de`

ben, in welchem sie 1 Mann und 9 Pferde todt, 6 Mann und
10 Pferde verwundet zählte. Nachmittags attaquirten die Oberstlieutenants 1. und 1. Majors 1. Escadron abermals den Feind,
und erlitten durch dessen wiederholte Infanterie-Dechargen einigen Verlust. An diesem Tage war der Corporal Andreas Haas
des Regiments mit 6 Mann auf Patrouille gegen Freiberg geschickt. Er stiess auf 30 feindliche Infanteristen, welche 2 Pulverkarren mit sich führten, griff sie an, und nahm diese Truppe
sammt den Karren gefangen. Am 9. November wurde das Regiment bei der Einnahme
von Hochheim, welches vom Feinde besetzt war, thätigst verwendet, machte mehrere Attaquen, und war einem starken Kanonenfeuer ausgesetzt. Während der Vorrückung der Colonnen des
III. Armee-Corps gegen diesen Ort entdeckte FML. Graf Crenneville, dass der Feind den Graben, den er frisch um die Stadt
gezogen, auf ungefähr 20 Schritte noch nicht beendet hatte. —
Diesen Umstand benützend, nahm Graf Crenneville eine Abtheilung des Regiments, drang unter dem heftigsten Kartätschen- und
Kleingewehrfeuer über die unvollendete Grabenstrecke, umging die
Stadt bis zum Mainzer-Thore, und hauptsächlich diesem kühnen
Vorgehen des FML. Graf Crenneville, und der entschlossenen
Haltung jener Abtheilung des Regiments war die Einnahme von
Hochheim zu danken. An dieser schönen Affaire, sowie auch bei
der weitern Verfolgung des Feindes gegen Kassel, hatte das
Regiment bedeutende Verluste gehabt, darunter den tödtlich ver-
wundeten Oberstlieutenant Graf Wurmbrandt, der nach wenig
Tagen in Folge dessen starb. —

Am 21. Dezember überschritt das Regiment mit dem III.
Armee-Corps bei Basel den Rhein, und wurde bis zur Ankunft
der Infanterie, welche noch zurückgeblieben war, zur Cernirung
von Hünningen verwendet. Die 1. Majors-Division unter Major
Fürst Carl Auersperg besetzte Neudorf und Bourgliever (Buglibre).
Die Feinde, welche aus der Festung Mangel an Infanterie bemerkten, machten einen Ausfall, rückten bis Neudorf vor, und drückten
den hier stehenden Posten unter Begünstigung des Terrains zurück.
Da die Behauptung dieser Stellung jedoch wichtig, das Terrain
für Cavallerie aber ungünstig war, so liess Major Fürst Auersperg eine Escadron absitzen, und sich zu Fuss formiren, einige
wohl angebrachte Carabiner-Dechargen auf den vorgedrungenen
Feind abgeben, und dann durch einen Angriff mit den Säbel in
der Faust denselben bis unter die Kanonen der Festung zurückjagen. Für diess umsichtige und tapfere Benehmen wurde Fürst
Auersperg ausser der Tour zum Oberstlieutenant befördert, und die
Ausgezeichnetsten von der Mannschaft erhielten goldene Tapferkeits-Medaillen, so wie der Wachtmeister Johann Hawell, welcher
mit seinem abgesessenen Zuge die Brücke von Neudorf erstürmte,
und da der Feind bedeutend verstärkt wiederkehrte und durch seine
Uebermacht die Chevauxlegers zurückdrückte, diese Brücke zum

zweiten Male nahm und den bereits abgeschnittenen Oberlieutenant Heinz durch eine kühne Attaque degagirte. Am 31. Dezember wurden die Oberstlieutenants 2., und 1. Majors 2. Escadron des Regiments der Division des FML. Baron Bianchi, welcher eine Bewegung gegen Besançon ausführte, zugetheilt, und machten durch eine erfolgreiche Attaque gegen die französischen Dragoner einigen hart bedrängten österreichischen Infanterie-Abtheilungen Luft, bei welcher Gelegenheit sie einen Verlust von 1 Mann nebst 6 Pferden an Todten, 6 Mann und 4 Pferde an Verwundeten, und 4 Mann nebst 2 Pferden an Vermissten erlitten. Der Regiments-Caplan Dionys Thalson, welcher sowohl durch eifrigste geistliche Pflicht-Erfüllung als durch wiederholte persönliche Tapferkeit sich ausgezeichnet hatte, erhielt das silberne geistliche Verdienstkreuz.

Bei der Vorrückung auf Vesoul wurde die 1. Majors 1. Escadron des Regiments vom 1. bis 6. Jänner 1814 bei Einschliessung von Belfort verwendet. Auf dem Marsche nach Langres standen am 11. Jänner die 1. Majors 2. Escadron unter Rittmeister Schmiedl nebst 3 Grenz-Compagnien in und bei dem Dorfe Chatenay auf Vorposten. Um Mitternacht erfolgte ein feindlicher Ueberfall so plötzlich, dass die auf Vorposten stehenden Grenzer, trotz tapfern Widerstandes vom übermächtigen Gegner zum Rückzuge genöthigt wurden. Die Escadron des Regiments in 3 Scheuern im Orte untergebracht, sammelte sich nun schnell, eilte den Grenzern zur Unterstützung, und nöthigte den bis in die Mitte des Dorfes vorgedrungenen Feind sich bis an dem Eingange desselben zurückzuziehen. Tags darauf erneuerte der Feind seinen Angriff, indem er eine starke Cavallerie-Colonne vorrücken liess. Inzwischen war das Regiment, welches weiter rückwärts gestanden war, auch vorgerückt, und eine feindliche Escadron stiess auf den Rittmeister Zadubski, der mit der Oberstlieutenants 2. Escadron eine sehr schöne Attaque mit gutem Erfolge auf diese machte. Das Vorrücken weiterer Truppen nöthigte den Feind zum Rückzuge. —

Am 12. Jänner wurde die Oberstlieutenants 2. Escadron des Regiments bei dem Posthause von Langres im offenen Felde angegriffen, und bestand, im Verein mit einer Division Klenau Chevauxlegers (Uhlanen Nr. 9) ein Reitergefecht von mehreren Stunden. — Nachdem Langres kapitulirt hatte, wandte sich das III. Armee - Corps gegen Bar sur Aube und verhinderte die Franzosen an der Ueberschreitung dieses Flusses am 20. Februar, bei welcher Gelegenheit das Regiment nur den geringen Verlust von 2 Mann und 7 Pferden an Verwundeten, 5 Mann und 1 Pferd an Gefangenen, und 2 getödteten Pferden hatte. Schon mehrere Tage früher hatte das Regiment bei Vendoeuvres mehrere Gefechte mit dem Feinde bestanden.

Am 16. Februar wurde die über Pont sur Yonne, unter Bedeckung nach Cay instradirte Regiments-Bagage, im l

Orte, wo selbe übernachtete, von den Einwohnern dem Feinde verrathen und am frühesten Morgen überfallen, bei welcher Gelegenheit Oberlieutenant-Auditor Grünfeld, Lieutenant - Rechnungsführer Hoffmann, die ganze Wache, viele marode Pferde, sowie auch die dabei kommandirte Mannschaft gefangen wurden. Bei der spätern Vorrückung auf Troyes war eine Abtheilung des Regiments unter Rittmeister Kerner den k. würtembergischen Truppen zugetheilt. —

Am 23. Februar vor Troyes wurde die Vorpostenkette der leichten Division Fürst Moriz Liechtenstein von einer bedeutenden feindlichen Uebermacht angegriffen und zurückgedrückt, die nachrückende Cavallerie der Division des FML. Grafen Crenneville, das Regiment und Klenau Chevauxlegers führten mehrere glänzende Attaquen aus, nachdem sie sich auf der Ebene von Troyes formirt hatten, und nahmen die Regimenter Kaiser und O'Reilly Chevauxlegers (jetzt Uhlanen Nr. 6 und 8) auf, mussten aber endlich auch dem bedeutend überlegenen Gegner weichen. Das Regiment zählte an diesem Tage 4 Mann todt, den Rittmeister Federkeil nebst 18 Mann verwundet, 43 Mann nebst 49 Pferden vermisst; Lieutenant Wolf gerieth in feindliche Kriegs-Gefangenschaft. —

Am 24. wurde aus 4 Chevauxlegers-Regimentern eine Arriere-Garde zusammengesetzt, welche zu St. Bar aufgestellt war. Sie kam bald mit dem Feinde in's Gefecht, erlangte über denselben einige Vortheile und verschaffte hiedurch der Artillerie-Reserve Zeit sich zurückzuziehen. Doch eine Stunde später griff der französische Generallieutenant Roussel mjt weit überlegener Macht diese Arriere-Garde an, und diese wurde theils gefangen, theils versprengt. Von der I. Majors 1. Escadron des Regiments, welche bei dieser Arriere-Garde verwendet wurde, waren sämmtliche Unterofiiziere theils schwer, theils leicht verwundet worden und von der Mannschaft dieser Escadron kehrten nur 17 Mann und diese fast Alle blessirt zurück, so dass ein ganzer Ergänzungs-Transport, welcher für das Regiment am 6. März in Cereslor anlangte, nur zur Completirung dieser Schwadron verwendet werden konnte.

Am 28. Februar hatte das Regiment bei Riel les Saux ein kleines Vorpostengefecht. Nach dem allgemeinen Angriffe auf Bar sur Seine (am 2. und 3. März) verfolgte das Regiment den Feind über Sens und verblieb dann unter steter Bewegung bei Sens bis 16. März.

Am 17. standen 2 Escadrons desselben und 2 von Klenau Chevauxlegers bei Ville neuve le Roi an der Yonne auf Vorposten. Oberstlieutenant Fürst Carl Auersperg, welcher diese 4 Escadrons befehligte, erhielt vom FML. Graf Crenneville den Befehl, die Rückzugslinie des auf dem Marsche nach Dijon begriffenen feindlichen Corps des General Alix, welches seine Richtung geändert hatte, zu beobachten, wie überhaupt zuverläss-

liebe Nachrichten über dasselbe einzuziehen. Zu dieser schwierigen Unternehmung erbot sich freiwillig der Oberlieutenant Frank
des Regiments, welchem 30 Mann beigegeben wurden. Mit ausser-
ordentlichem Geschick, — als französischer Landmann verkleidet,
der sich für einen im Feldzuge 1795 in Gefangenschaft gerathenen Vetter des General Alix ausgab, wusste dieser kluge und
findige Offizier, nachdem er seine Leute in einiger Entfernung
zurückgelassen, und nur 2 ebenfalls als Landleute verkleidete
Chevauxlegers sich folgen liess, den Maire und Schulmeister des
Ortes Basson so zu täuschen, dass er alle gewünschten genaue-
sten Auskünfte über jenes 8000 Mann an Cavallerie und Infanterie nebst 6 Geschützen starke Corps, welches auf Umwegen
die französische Haupt-Armee zu erreichen strebte, erhielt und
somit seine Aufgabe glänzend gelöst hatte.

Am Abend des 18. März bezog das Regiment das Lager
bei Nogent, bei dem am 19. erfolgten Abmarsche desselben war
Oberlieutenant Frank mit seinem Zuge zurückgelassen worden,
um den Feind daselbst abzuwarten und dessen Marschrichtung zu
beobachten. Dieser kriegserfahrene Offizier, trotzdem dass er von
einem sehr überlegenen Feinde, wie auch von bewaffneten Einwohnern selbst angegriffen wurde, rettete sich und seine Mannschaft theils durch List, theils durch Tapferkeit aus der drohenden Gefahr der Gefangenschaft, und brachte bei seinem Einrücken
die sichere Nachricht von der Ankunft des Feindes in Nogent
und Pont sur Seine.

Am 20. März in der Schlacht bei Arcis machte die 1.
Majors 2. Escadron eine Attaque in die vom Feinde stark besetzte Stadt, wobei sie durch das Kleingewehrfeuer einen Verlust
von 5 Verwundeten hatte. Am selben Tage war die Oberstlieutenants-Division des Regiments, unter den beiden Rittmeistern Legedics und Zadubski einer russischen Batterie reitender
Artillerie zugetheilt, und wirkte so erspriesslich, dass Se. Majestät
der Kaiser von Russland, welcher hievon Augenzeuge war, der
Division über ihr Wohlverhalten den Ausdruck seiner vollen Zufriedenheit noch am Schlachtfelde zu überschicken sich veranlasst fand.

Am 23. März bedrohte das III. Armee-Corps bei La Ferté
die rechte Flanke der feindlichen Stellung; eine halbe Escadron
des Regiments musste bei Vignory die Strasse gegen Joinville
beobachten, und am 24. war das Regiment, welches die Avant-
garde des III. Corps bildete, bei Vatry auf 2000 Mann starke
französische Cavallerie-Abtheilungen mit Geschütz gestossen; es
war diess die Vorhut eines 30000 Mann starken feindlichen Corps.
Nachdem das Regiment sich einige Stunden behauptet, und den
Feind beobachtet hatte, zog es sich unverfolgt auf Maisons zurück. — Am selben Tage wäre Oberlieutenant Frank, der zur
Einholung von Nachrichten über den Feind in einen Bauernhof
geritten war, bald in Gefangenschaft gerathen, da er dort

19*

4 Bauern angegriffen, ungeachtet seiner hartnäckigen Gegenwehr nahe daran war, zu erliegen. Corporal Scheibler, durch die lange Abwesenheit seines Zugskommandanten besorgt, war indessen hinzugekommen und rettete diesen Offizier, wofür er mit der silbernen Tapferkeits-Medaille belohnt wurde. —

Am 25. März in der Schlacht bei Fere Champenoise engagirte sich das Regiment, welches schon von Vatry aus fortwährend den Feind beobachtete, vor Tages-Anbruch mit ihm, und war bis Mittag im Gefechte, wo es dann auf Befehl des Armee-Commandanten aus der Schlachtlinie gezogen, und über diese Nacht zur Erholung in dem Dorfe Gourganson kantonirt wurde.

Am 30. bei Fort Vincennes nächst Paris plänkelten einige Züge des Regiments bis spät Abends, und hatten die Nacht hiedurch die Feldwachen bis an die Barrièren von Paris ausgestellt.

Nach mehreren kurzen Cantonirungen trat das Regiment im Sommer 1814 mit der übrigen Armee seinen Rückmarsch in die k. Erbstaaten an, und erhielt die Friedensstation Gyöngyös in Ungarn, wo es im Oktober einem bei Pest abgehaltenen Parade-Lager vor den drei alliirten Monarchen beiwohnte.

Im April 1815 wurde das Regiment nach Niederösterreich mit dem Stabe und einigen Escadrons in die Haupt- und Residenzstadt Wien, die andern aber in der nächsten Umgebung verlegt, von wo es im Juli nach Deutschland marschirte, jedoch nach mehrmals wechselnden Cantonirungen daselbst schon nach 8 Wochen seinen Rückmarsch antrat, mit der Bestimmung nach Galizien, wo es im November 1815 die Friedensstation Grodek nächst Lemberg bezog.

Theils in Folge des Ausbruchs der Revolution in Russisch-Polen, theils auch zur Ziehung des Cholera-Cordons verwendet, wurde das Regiment im Jänner 1831 in Marsch gesetzt, und blieb, obwohl es abwechselnd in Rzeszow und Tarnow dislozirt war, in fortwährender Bewegung, bis es im November d. J. die Stabsstation Lancut erhielt, von wo es im September 1832 wieder nach Grodek abrückte. Nach einer, mit der oben besprochenen kurzen Unterbrechung beinahe 25jährigen Dislocation zu Grodek, erhielt das Regiment die Bestimmung zur Aufwartung in die Residenzstadt Wien, und rückte daselbst am 15. Mai 1839 ein. — Nach zweijähriger Dienstleistung daselbst, zu welcher der in der ungarischen Garde dienende spätere Insurgentenführer Arthur Görgey damals dem Regimente zugetheilt war, bezog dasselbe im Mai 1841 die Stabsstation Gross-Topolcsan in Ungarn, von wo es im September 1842 und 1844 dem Exerzier-Lager zu Pest beiwohnte, und aus letzteren in die Stabsstation Gyöngyös abrückte, welche es jedoch schon im Spätherbste 1845 mit jener von Grosswardein verwechselte. Hier trafen das Regiment die Ereignisse des Jahres 1848 und es wurde gleich allen übrigen in Ungarn dislozirten Truppen im April d. J. unter die Befehle des neu kreirten ungarischen Kriegs-Ministeriums gestellt. — Doch bald zur Ablösung des in Wien stationirten Hussaren-Regiments Grossfürst Alexander Czesarewitsch bestimmt, trat es Mitte Juli mit 3 Divisionen seinen Marsch dahin an.

Die I. Majors-Division hingegen, unter Commando des Major von Krapf, musste auf Befehl des ungarischen Kriegs-Ministeriums in forcirten Märschen nach Temesvar zur Disposition des FML. Baron Bechtold abgehen.

Am 14. August traf der Regimentsstab mit der Oberst-Division, im Verlaufe der nächsten Tage die beiden andern Divisionen des Regiments in der Residenzstadt Wien ein, und es wurde das Regiment in der Josefstädter und Meidlinger Cavallerie-Caserne daselbst untergebracht. —

Am 6. Oktober ertönte um 5 Uhr Morgens das Allarmzeichen, und die Oberstlieutenants und II. Majors-Division des Regiments wurden zur Bedeckung des nach Ungarn bestimmten Grenadierbataillons Richter, welches sich weigerte dem Befehle zu folgen, zur Gumpendorfer-Kaserne zu marschiren befehligt. Hier war auch ein Bataillon Nassau Infanterie (Nr. 15) zur Begleitung des Grenadier-Bataillons aufgestellt, und als dieses durch unzählige Verführungsmittel zur Insubordination gebracht, durch den Volksandrang jetzt öfters gehindert, endlich in Marsch gesetzt wurde, schlossen die Abtheilungen des Regiments hinter dasselbe, um es bis zur Taborlinie zu begleiten. Die Oberstlieutenants-Division rückte bis zum Tabor, die II. Majors-Division hingegen blieb innerhalb der Linie aufgestellt, und beide Abtheilungen hatten zur Deckung der Flanken und des Rückens unserer Infanterie starke Patrouillen entsendet, da aufrührerische National-Garden die akademische Legion und eine Unzahl Proletariat dem Zuge theils gefolgt, theils bereits am Tabor aufgestellt waren, um den Abmarsch der Grenadiere zu hindern, wobei es zu einem lebhaften Kampfe kam, an dem jedoch mit Ausnahme einer Escadron Mengen Cürassier (Nr. 4) die übrige Cavallerie keinen Antheil nahm. Ein auf Patrouille abgesandter Zug der II. Majors 2. Escadron, unter Oberlieutenant Abel, wurde am Rückwege in der Taborstrasse durch einen Volkshaufen, Nationalgarden und Studenten aufgehalten und zur Streckung der Waffen aufgefordert, welches Ansinnen vom Oberlieutenant Abel zurückgewiesen und dieser freche Pöbel attaquirt wurde. Die Aufrührer gaben eine Decharge; Oberlieutenant Abel, von drei Kugeln tödtlich getroffen, dann 2 Corporals und 10 Gemeine stürzten, theils mehr, theils weniger verwundet; während der Rost der Chevauxlegers Bahn brach, und zu seiner Abtheilung gelangte. Oberlieutenant Abel und ein Chevauxleger starben des folgenden Tages im Spitale der barmherzigen Brüder, in dessen Nähe ihre Verwundung erfolgte, und wohin sie gebracht wurden. Eine andere Abtheilung des Regiments, unter Commando des Lieutenants Julius Baron Fleissner, welche beordert war, 2 Pulverkarren gegen den Donau-Arm zu transportiren.

wurde in der Leopoldstadt mit Steinen beworfen, musste sich durchschlagen, und erreichte nur mit Mühe ihre Bestimmung.

Als nun Nassau - Infanterie, von den Mobilgarden stark gedrängt, sich innerhalb der Linie zurückziehen musste, sprengte Hauptmann Jakobs des Generalstabes an die Abtheilungen von Mengen - Cürassier, und forderte sie auf, die nachdrängenden Proletarier zu attaquiren. Wachtmeister Zwakon des Regiments, der sich an der Tête der Colonne der Oberstlieutenants 1. Escadron befand, und diese Aufforderung hörte, nahm gleich 2 Züge dieser Escadron, rückte augenblicklich über die Linie vor und drängte die durch das Erscheinen der Cavallerie überraschte Mobilgarden zurück, für welch' energisches Benehmen der genannte Wachtmeister später zum Offizier befördert wurde. Ein Mann wurde hiebei leicht verwundet. — Die am Tabor befindlichen Truppen erhielten Befehl, sich auf das Josefstädter Glacis zurückzuziehen, wohin sich auch die Oberst - Division des Regiments mit einer Cavallerie-Batterie an die beiden andern Divisionen anschloss. Während dem nun erfolgten Kampfe in der innern Stadt und der grauenvollen Ermordung des Kriegsministers Grafen Latour war der grösste Theil der Wiener-Garnison, darunter 3 Divisionen des Regiments zwischen dem Franzens- und Burgthor aufgestellt, wo sie bis gegen Abend, zwar unter Waffen, aber durch höhern Befehl zur Unthätigkeit verurtheilt blieben. Lieutenant Graf Bulgarini hatte vom FML. Baron Csorich den Befehl erhalten, mit einem Zuge der Oberst 2 Escadron zur Abholung von Munition in das Neugebäude abzugehen. Auf dem Rückmarsche wurde aber derselbe trotz der Verstärkung eines andern Zuges unter Oberlieutenant Moldovan bei der Wiedner Brücke am Weitermarsche durch das bewaffnete Volk und Barikaden gehindert die 4 beihabenden Munitionswägen in die Heumarkt-Kaserne in Sicherheit zu bringen. Da das Proletariat die Kaserne umzingelte, so wurden Oberlieutenant Moldovan und Lieutenant Graf Bulgarini mit dem Auftrage betraut, sich in Civilkleidern bis zur Aufstellung des Regiments zu begeben, und sowohl diesen Vorfall als das Nichtanlangen der Munition zu melden.

Die beiden Offiziere vollführten mit Umsicht und Klugheit diesen Auftrag, und Lieutenant Graf Bulgarini begab sich in seiner Verkleidung noch am Hof und zum kaiserlichen Zeughaus und war dadurch in der Lage, dem Regimente sowie auch dem kommandirenden General FML. Graf Auersperg, welchem er durch Oberstlieutenant Graf Althann vorgeführt wurde, Bericht über die Vorfallenheiten in der innern Stadt zu erstatten, wie auch der abgeschnittenen Abtheilung des Regiments nächst der Heumarkt - Kaserne, sowie dem Regiments - Depot unter Lieutenant Klosowski in der Josefstädter-Kaserne Verhaltungsbefehle zu bringen. — Gegen Abend wurde das Regiment auf den kleinen Exerzierplatz vor dem Schwarzspanierhause postirt, und marschirte gegen 12 Uhr Nachts über das Glacis durch die Wiedner Heugasse zum obern Belvedere, wo es um das Wasserbassin lagerte. Die Infanterie wurde im fürstlich Schwarzenbergischen Garten gezogen, und FML. Graf Auersperg nahm im dortigen Palais sein Hauptquartier.

Am 7. Oktober rückte das Regiment vor die Linie, wo es bei den beiden Bahnhöfen kampirte, und hier bis zum 10. im angestrengtesten Dienste als Escortirungen von Pulvertransporten, zahlreiche Recognoszirungen, Patrouillen u. s. w. verblieb.

Am Abende desselben Tages wurde Lieutenant Julius Baron Fleissner mit einer zusammengesetzten Halb-Escadron des Regiments befehligt, sich mit der Armee des Banus von Croatien FML. Baron Jelacic in Verbindung zu setzen. Unter seiner kommandirten Mannschaft war auch der Oberst von Denkstein, Generaladjutant des Banus, als gemeiner Chevauxleger verkleidet. Dieses Commando kam 1 Uhr Nachts in Bruck an der Leitha an, von wo aus Oberst Denkstein mit Lieutenant Baron Fleissner zu Wagen in das Hauptquartier zum Banus nach Ungarisch-Altenburg sich verfügten und demselben die Nachricht vom Ausbruche der Wiener Revolution überbrachten, während das übrige Commando in Bruck zurückblieb. —

Am 8. Oktober war der Cadet Friedrich Bündsdorf des Regiments beordert worden von Belvedere aus über Meidling auf die Türkenschanze zu reiten, um dorthin einen Befehl, betreffs eines Pulvertransportes zu überbringen. Von dem dort commandirenden Artillerie-Stabsoffiziere erhielt dieser Cadet eine Meldung an FML. Graf Auersperg, mit der darin enthaltenen Bitte, eine Truppenabtheilung dem Pulvertransporte bis Meidling als Bedeckung entgegen zu senden. Als Cadet Bündsdorf mit dieser Meldung über Meidling zurückritt, bemerkte er, dass die Aufrührer die dortigen Wege mit Barikaden versperrten; er ritt daher noch einmal auf die Türkenschanze zurück, um darüber dem Stabsoffizier Meldung zu erstatten, damit der Pulvertransport durch Einschlagung eines anderen Weges der Gefahr abgeschnitten zu werden entgehen könne, nahm aber dann wegen der Dringlichkeit der Verstärkung den kürzesten Weg zum FML. Graf Auersperg über Meidling, wo derselbe mit den beihabenden 4 Mann einzeln im Cariere durch die noch offen gelassenen schwachen Oeffnungen der Barikaden glücklich passirte, bis auf einen leicht verwundeten Mann. FML. Graf Auersperg belobte Cadet Bündsdorf für seine Umsicht, mit welcher er die Umänderung des Marschplanes für den Pulvertransport veranlasste und diesen dadurch vor Schaden bewahrte. Lieutenant Graf Bulgarini wurde am 8. als Ordonanz-Offizier in das Hauptquartier des FML. Graf Auersperg kommandirt, und wegen seiner vorzüglichen Verwendung daselbst wiederholt belobt.

Die I. Majors-Division des Regiments war, wie bereits erwähnt, in Eilmärschen nach Temesvar abgerückt, um dort unter

Commando des FML. Baron Bechtold gegen die Serben verwendet zu werden. Zuerst in der Gegend von Gross-Beczkerek kantonirt, versah die Division später die Vorposten gegen das Perlaszer-Lager und die Theiss. Das erste Gefecht, welches ein Theil der Division, die I. Majors 2. Escadron mitmachte, war bei Neusina unter Commando des Major von Schiffner von Schwarzenberg Uhlanen, welcher mit verschiedenen Truppen-Abtheilungen die Serben mit grossem Verluste zurückschlug und am 7. August Neusina einnahm. Major Schiffner belobt in seiner Zuschrift an Major von Krapf des Regiments das tapfere und unerschrockene Benehmen der 1. Majors 2. Escadron, insbesondere deren Commandanten Rittmeister Baron Schluga und Corporal Mayer. Kurze Zeit nach diesem Gefechte wurde vom ungarischen Kriegsminister Meszaros eine Revue bei Ecska über die Truppen des Quabrigadier Oberst von Kiss (des 2. Hussaren-Regimentes König von Hannover), unter welchem die Division des Regimentes stand, gehalten. Bei Ankunft der Generalität spielte die Regiments-Musik von Hannover-Hussaren den Rackozy-Marsch statt der vorgeschriebenen Volkshymne.

Major Krapf begab sich zu dem, die Hussaren kommandirenden Major Graf Vecsey und verlangte mit Entschiedenheit das Spielen der Volkshymne, was denn bei der Defilirung der Chevauxlegers-Division zu seiner Genugthuung geschah.

Auch hatte Major Krapf mit seinen Offiziers den einstimmigen Beschluss gefasst, bei diesem Nationalkriege sich zwar dahin verwenden zu lassen, um Ungarn vor den Brandstiftungen und sonstigen Verwüstungen der Serben zu schützen, aber keineswegs sich gegen k.Grenztruppen zu schlagen.Dieser Beschluss wurde offen ausgesprochen und stillschweigend nahm ihn der Quabrigadier Oberst Kiss hin. Die vom ungarischen Ministerium angeordnete bedeutende Erhöhung der Gagen und Gebühren aller gegen die Serben verwendeten Truppen wurde schriftlich von sämmtlichen Offizieren der Division abgelehnt.

Unter diesen Verhältnissen beschloss das ungarische Ministerium die Division durch eine ungarische Truppe ablösen zu machen und ertheilte jener den erwünschten Befehl sich nach Gratz in Marsch zu setzen, welchen selbe über Grosskikinda, Theresiopel und Fünfkirchen antrat. —

An den Ufern der Donau fand Major von Krapf Grenztruppen, übersetzte unter deren Ziviroruf auf Kähnen diesen Fluss und schloss sich am 16. September bei Kolori der eben vorrückenden Armee des Banus FML. Baron Jelacic an.

Am 17. überschritt die Division, der Brigade Dietrich zugetheilt als Avantgarde der kroatischen Armee, wieder die ungarische Grenze, doch nach einigen Tagen wurde sie bei Föt getrennt, und zwar die 1. Escadron bildete die Avantgarde der Brigade Dietrich, die 2. jene der Brigade Schmidl, rückte am 27. September mit der kroatischen Armee nach einigen feindlicherseits gegebenen

Kanonenschüssen in Stuhlweissenburg ein, und versah nach dem
Gefechte bei Pakosd am 29. die Vorposten. Inzwischen veränderte
die kroatische Armee die anfänglich gegen Ofen bestimmte Richtung ihres Marsches, und nahm jene gegen Wien, über Moor,
Raab, Hochstrass, Wieselburg und Altenburg, überschritt am 8.
Oktober bei Bruck an der Leitha die österreichische Grenze, und
bezog am 9. bei Trautmannsdorf ein Lager. Major von Krapf, der
unter den schwierigsten Verhältnissen seinen Anschluss an die
kroatische Armee bewirkt hatte, erhielt für seine rühmlichen Leistungen den Eisernen Kron-Orden III. Klasse.

Fast die ganze Zeit schwer fieberkrank, verliess er nicht
einen Augenblick seine Division und diente ihr als leuchtendes Beispiel von Willenskraft, Ausdauer und Muth. Da man glaubte, dass
die ungarische Armee der kroatischen nachfolgen würde, so wurde
das ganze diesseitige Regiment unter GM. Baron Balthoser
der kroatischen Armee zugetheilt und nahm am 10. seine Stellung
zwischen Schwechat und dem Neugebäude, bezog jedoch noch am
selben Tage bei Ober-Laa ein Lager, von wo es den 11. Abends
nach Rannersdorf in Kantonements verlegt wurde.

Am 12. kehrte es wieder zum Armee-Corps des FML. Graf
Auersperg zurück, wurde in Erlaa und Atzgersdorf kantonirt, und
musste fortwährend Bereitschaften, Vorposten und Patrouillen unterhalten. Hier war auch die I. Majors-Division wieder zum
Regimente gestossen. Erwähnung verdient, dass sich dieser Division die Rittmeister Baron Riedesel von Mengen-Cürassier,
Ritter von Kleyle von König Würtemberg-Hussaren, ferner
die Oberlieutenants Baron Degrazia von Coburg-Hussaren,
Graf Kesselstadt von Liechtenstein-Chevauxlegers und der
Oberlieutenant Regiments-Adjutant Czekelius von Rosenfeld
von Grossfürst Alexander-Hussaren freiwillig angeschlossen und
die erspriesslichsten Dienste bis zur Einnahme Wiens geleistet hatten.

Am 14. wurde das Regiment in Inzersdorf, am 16. in Ober-
Laa und Roth-Neusiedel und am 17. wieder in Inzersdorf kantonirt, und zum angestrengtesten Dienste als Kanonenbedeckungen,
Bereitschaften und Patrouillen verwendet. Dasselbe, welches den
ganzen Generalstab und alle zugetheilten Offiziere beritten machte,
war hiedurch auf den geringen ausrückenden Stand von 670 Mann
reduzirt worden.

Am 28. Oktober ordnete der mit einer Armee aus Böhmen
angerückte FM. Fürst Windisch-Grätz den Angriff auf die in
offener Empörung befindlichen Hauptstadt Wien an. Das Regiment war bei Erstürmung derselben nicht thätig, sondern nur in
der Nähe der Matzleinsdorfer Linie aufgestellt, wo dasselbe Zeuge
des tapfern Vorgehens unserer Infanterie bei Erstürmung des
Matzleinsdorfer Friedhofes und der Südbahnhöfe war. Nur einzelne
Ordonnanzen begleiteten die Infanterie bei ihrem weitern Vor-----
Gegen Abend zog sich das Regiment wieder gegen Ir

zurück, wo es die Nacht hindurch lagerte. Dasselbe, welches bei
der Allarmirung am 6. Oktober seine sämmtlichen Magazine und
Offiziers-Bagagen sowie Monturen und Effekten der Mannschaft
zurücklassen musste, und nicht mehr an sich ziehen konnte, verlor bei Plünderung der Josefstädter-Kaserne durch die polnische
Legion und Mobilgarden den grössten Theil derselben, so dass
viele Offiziere um all' ihr Habe gebracht wurden.

Bei der am 31. Oktober erfolgten völligen Bezwingung
Wiens konnte das Regiment in seiner Gesammtheit nicht mit-
wirken, doch nahmen einzelne kleine Abtheilungen desselben an
dem Kampfe selbst dadurch Theil, dass sie als Kanonenbedeckungen demselben folgten und durch die Gassen und Vorstädte bis
auf die Glacis vorrückten, dann aber nach Einrückung der Infanterie in die Stadt Abends wieder zum Regimente einrückten. Oberlieutenant Julius Baron Fleissner, seit seiner Commandirung zum
Banus (am 7. Oktober) als Ordonanzoffizier in dessen Hauptquartier verblieben, hatte sich bei Erstürmung der ersten Barikaden auf der Landstrasse, die er freiwillig zu Fuss mitmachte,
durch sein tapferes und umsichtiges Benehmen derart ausgezeichnet, dass ihm in der Folge die Allerhöchste Zufriedenheit und
das Militär-Verdienstkreuz zu Theil wurde. Der im Hauptquartiere des FML. Graf Auersperg kommandirte Lieutenant Graf
Bulgarini, während der Einnahme Wiens der Brigade des Fürsten
Colloredo zugetheilt, machte auf Befehl seines Brigadiers einen
Ritt um die Linien der Stadt bis an die Donau und Roth-Neusiedel, um über das Vorrücken des I. (kroatischen) Armee-Corps
zu berichten, betheiligte sich zu Fuss bei Erstürmung des Hundsthurmer Friedhofes, erhielt einen Prellschuss am Helme, und
wurde im Berichte des Fürsten Colloredo mit ganz besonderem
Lobe erwähnt.

Das Regiment rückte nach der Einnahme der Vorstädte
an die Linienwälle, wo es durch 3 Tage die Hundsthurmer,
Matzleinsdorfer, Belvedere und Schönbrunner Linie besetzt hielt,
dann aber in die Kaserne nach Wien verlegt wurde. Die aufrührerische Hauptstadt gab dem Regimente das glänzendste Zeugniss
dadurch, dass unter seinen Capitulationsbedingungen auch die
enthalten waren: „Nassau, Latour Infanterie und Wrbna Chevauxlegers nicht mehr zur Wiener Garnison zu bestimmen." Das
Regiment wurde jetzt wieder auf den Kriegsstand kompletirt.
Bei Gelegenheit einer grossen Militär-Soirée im Sofienbadsaale
am 25. November brachte der Banus FML. Baron Jelacic unter
andern folgenden eine Abtheilung des Regiments
betreffenden und desshalb in diesen Blättern einge-
schalteten Toast aus, der beinahe wörtlich so lautet: „Meine
„Herrn! Erlauben Sie, dass ich Ihnen eine Geschichte erzähle.
„Im Feldzuge 1805 ereignete sich, dass mein Vater von den Fran-
„zosen umzingelt war, und keine Möglichkeit mehr sah, dem Tode
„oder der Gefangenschaft zu entgehen. In diesem wichtig-

„sten Augenblicke seines Lebens meldete sich bei ihm
„ein Major und machte ihm den Vorschlag, sich an ihm und
„seine Division anzuschliessen und durchzuschlagen. Es war diess
„Major Graf Chotek mit der I. Majors-Division von Fürst
„Rosenberg-Chevauxlegers. Mein Vater schloss sich an und
„wurde gerettet. — Und in dem wichtisteⁱ ⁾ Augenblicke
„meines Lebens, als ich den Krieg gegen Ungarn begann,
„aber gar keine Cavallerie hatte, denn die erst in der Errichtung
„begriffenen Banderial-Hussaren waren im vollsten Sinne des
„Wortes noch Sansculottes, meldete sich ein Major und trug mir
„seine Division und seine Dienste an. Es war diess abermals die
„I. Majors Division desselben Regiments, welche meinen
„Vater gerettet hatte, unter Befehl des Major von Krapf. Da
„fühlte ich deutlich, dass mein Glücksstern aufgegangen war, und
„mit inniger Freude nahm ich seine Dienste an. Später kamen
„noch das Regiment Hardegg-Cürassier und eine Division Kress-
„Chevauxlegers und nun hielt ich mich unüberwindlich. Es lebe
„daher mein alter Freund Krapf, Oberst Sedelmayer und Major
„Kaminski! —"

Der Dienst des Regiments in der Wiener Garnison war
sehr anstrengend, und dasselbe wurde zum Sicherheits-Dienst in
die Vorstädte Wiens und der Umgegend, welche jede Nacht
durch zahlreiche starke, von Offiziers geführte Patrouillen durch-
streift wurden, verwendet. Auch wurde eine mobile Colonne
unter Befehl des Major Graf Schallenberg des Regiments zur
Herstellung der Ruhe und Ordnung in einigen Ortschaften des
Kreises Viertel Unter - Manhardsberg nach Korneuburg entsendet, zu welcher das Regiment zusammengesetzte Commandos
beistellte, welche nach hergestellter Ordnung bald wieder
einrückten.

Am 15. Dezember begann die Haupt-Armee ihre Operationen gegen die ungarischen Insurgenten und gleichzeitig
rückte Oberst Baron Horwath mit einem Streif-Commando über
Wiener-Neustadt gegen die ungarischen Grenzörter vor. Zur
Unterstützung dieser letzteren Bewegung rückte Major Graf Schaffgotsche des Regiments mit der Oberst-Division desselben und
3 Oguliner-Grenz-Compagnien über Ebenfurth und Gross-Höflein
vor und stand den 16. Vormittags vor Oedenburg. Major Graf
Schaffgotsche hatte während dieses Vorrückens bei Tages-Anbruch
in Vucka Pordany 2 feindliche Offiziere nebst 26 Hussaren
gefangen genommen, und warf bei Klingenbach eine andere
Hussaren-Abtheilung, wo es beiderseits einige Todte und Verwundete gab. Eine Oguliner-Compagnie und eine Abtheilung Chevauxlegers unter Oberlieutenant Moldovan des Regiments hatte
sich bei dieser Gelegenheit hervorgethan, wofür auch in der Folge
der genannte Oberlieutenant das Militär-Vordienstkreuz, die
Gemeinen Enzersdorfer und Dietrich (letzterer schwer verwundet)
die silberne Tapferkeits-Medaille II. Classe erhielt.

Am 19. Dezember wurde von Wien aus ein, aus 2 Grenz-Bataillons, einer Infanterie-Division, 2 Raketten - Geschützen, wie der bereits in Oedenburg befindlichen Oberst-Division und der von Wien nachrückenden I. Majors-Division des Regiments bestehendes Streif-Commando gebildet, welches am 25. noch mit 2 Infanterie-Bataillons der II. Majors I. Escadron des Regiments und einer Fuss-Batterie verstärkt wurde. Dieses Streif-Commando hatte den durch die weitere Vorrückung des Obersten Baron Horwath entblössten Landstrich gegen Raab zu besetzen, die Gegend von Oedenburg, Güns, Steinamanger vor aufrührerischen Versuchen zu wahren, die Grenze Steiermarks und Oesterreichs zu decken, das Land zu entwaffnen, sowie endlich die Verbindung der österreichischen Haupt-Armee mit den Truppen des FZM. Graf Nugent zu erhalten. Den Befehl über dasselbe erhielt Oberstlieutenant Graf Althann des Regiments. Nach Rücklassung angemessener Besatzungen, und der Auflegung einer Contribution von 100000 fl. C. M. für die Stadt Güns, als Sühne für die dort schändlich ermordeten 50 Croaten, erreichte Oberstlieutenant Graf Althann am 28. Dezember Steinamanger, wodurch das Streif-Commando mit den Truppen des FZM. Graf Nugent in Verbindung trat. Lieutenant Krzyszanowski des Regiments, als Courier zu letztgenanntem General vom Oberstlieutenant Graf Althann am 25. aus Gross-Warisdorf abgesandt, wurde in Steinamanger vom Pöbel aufgehalten, und nur seinem energischen Auftreten und der Hülfe einiger gutgesinnter Bürger, vorzüglich des dortigen Postmeisters, gelang es seine Weiterreise gegen Körmend ungehindert fortzusetzen.

Major von Krapf erhielt den Auftrag, mit einem zusammengesetzten Commando, bei welchen die I. Majors-Division und der 2. Flügel der Oberst 2. Escadron eingetheilt waren, gegen Papa zu patrouilliren, und so lange als möglich die Verbindung mit der Colonne des Obersten Baron Horwath zu unterhalten. —

Am Schlusse des Jahres 1848 sehen wir das Regiment folgendermassen vertheilt: die Oberstlieutenants-Division und II. Majors 2. Escadron unter Oberst Klehe in Wien, die Oberst I. und der 1. Flügel der Oberst 2. Escadron als Besatzung in Steinamanger, der 2. Flügel der Oberst 2. und die I. Majors-Division gegen Pápá patrouilliren, die II. Majors 1. endlich halbescadronsweise in Oedenburg und Güns. Von der im letzten Orte zurückgebliebenen Besatzung wurde Lieutenant Bündsdorf des Regiments mit einer Abtheilung Infanterie kommandirt, die in der Umgegend von Güns befindlichen Bauern und Panduren, welche 1848 bei Ermordung der 50 Croaten thätig gewesen sind, aufzugreifen. Nach einer Thätigkeit von 14 Nächten gelang es dem genannten Offizier 86 derlei Individuen gefangen zu nehmen, welche vor das Kriegsgericht gestellt, durch den Auditor des Regiments abgeurtheilt, und 8 hievon in Oedenburg hingerichtet wurden. Sowohl Oberlieutenant - Auditor Freyer, als Lieutenant Bündsdorf wurden für ihre Thätigkeit und Umsicht vom Districts-Commando in Oedenburg öffentlich belobt. Bei der in Galizien befindlichen Depot-Escadron des Regiments hatte sich Corporal Sluha durch Aufhaltung einer treulosen eidvergessenen Hussaren-Abtheilung, sowie durch deren Gefangennehmung ausgezeichnet und wurde daher vom galizischen General-Commando öffentlich belobt.

Am 13. Jänner 1849 gelang es dem Oberstlieutenant Graf Althann mit dem obenerwähnten Streif-Commando des Major von Krapf durch nächtlichen Ueberfall, einen beim Kloster Bákony Bél versammelten Rebellenhaufen unter einem gewissen Vihár Andor und Mednyansky, nach einem zweistündigen Gefechte zu zersprengen, wobei dem Feinde 10 Mann getödtet, mehrere gefangen und sodann standrechtlich behandelt in Papa erschossen wurden. Bei dieser Gelegenheit wurden auf einer Puszta des feindlichen Commandanten von Essegg Grafen Bathyanyi 18 Gestütspferde erbeutet. Oberstlieutenant Graf Althann, der mit ausserordentlicher Thätigkeit und Umsicht das ihm anvertraute Streif-Commando geleitet hatte, erhielt für die bei dieser Gelegenheit dem Allerhöchsten Kaiserhause bewiesene Treue und Ausdauer das Ritterkreuz des Leopold-Ordens.

Am 5. Februar und 1. März 1849 rückten sämmtliche in Ungarn kommandirten Abtheilungen des Regiments, mit Ausnahme der I. Majors 2. Escadron, welche als Besatzung im Oedenburger Comitate unter Major von Krapf zurückgeblieben war, wieder in Wien beim Regimente ein, welches nun 7 Escadrons vereint hatte, wurden jedoch in Folge der spätern Kriegsereignisse bald wieder getrennt.

Am 13. März ging Oberstlieutenant Graf Althann mit seiner Division und der I. Majors 1. Escadron von Wien mittelst Eisenbahn bis Bruck an der Leitha, und dann in Eilmärschen die I. Majors 2. Escadron an sich ziehend nach Pest, wo beide Divisionen am 19. anlangten. —

Von Wien aus war am 13. Februar die Oberstlieutenants 1. Escadron unter Rittmeister Schmidt nach Pressburg entsendet worden, um daselbst Streifungen gegen die Schütt zu unternehmen und kehrte am 25. d. M. wieder zurück.

Schon am 19. März wurde von FM. Fürst Windisch-Grätz Rittmeister Baron Haan mit dem 2. Flügel der I. Majors 1. Escadron nach Hatvan entsendet, und über Paszto vorgeschoben, um zu beobachten, ob und wie stark der Feind etwa gegen das Eipel-Thal vordringe.

Am 27. vereinigte sich diese Abtheilung bei Romhány mit der Oberstlieutenants-Division des Regiments.

Am 20. März wurde Oberstlieutenant Graf Althann mit seiner Division von Pest aus nebst mehreren andern Truppen

nach Hatvan dirigirt.. Am 22. wurde die Oberstlieutenants-
2. Escadron unter Rittmeister von Fecondo auf Streif-Commando
gegen Lossonz befehligt, erhielt aber unterwegs bei Ferenye
den Befehl, sich nach Balassa Gyarmath zurückzuziehen, um
nicht von dem Feinde abgeschnitten zu werden. Durch einrü-
ckende Patrouillen verständigt, dass der Feind gegen Balassa-
Gyarmath vorrücke, musste dieselbe bei einer grimmigen Kälte
den Weg gegen Romhany über's Gebirge einschlagen, wo dieselbe nach 12stündigem Marsche eintraf. Erwähnenswerth ist, dass
der 4. Zug dieser Escadron, welcher die Arriere-Garde bildete,
beim Uebergang über das Gebirge in stockfinsterer Nacht die
Marsch-Direction verlor, und nur der Umsicht des Cadeten Geringer zu verdanken war, dass diese Abtheilung nach for-
cirtem Marsche vom Feinde umrungen, mit der Escadron sich
vereinigen konnte.

Bald darauf rückte die Truppen-Division des FML. Baron
Ramberg gegen Waitzen. Oberstlieutenant Graf Althann bildete
mit der Oberstlieutenants-Division und 1. Majors 1. Escadron nebst mehreren andern Truppen die Avant-Garde-Brigade.
Oberlieutenant von Lonyay bezog mit dem 2. Flügel der
Oberstlieutenants 2. Escadron am 9. April die Vorposten
ausserhalb Waitzen. Rückkehrende Patrouillen meldeten schon
zeitlich am Morgen des 10., dass im Feindeslager Truppenbewe-
gungen sichtbar seien, worauf Lieutenant Graf Bulgarini den
Auftrag erhielt, gegen Palota zu patrouilliren; in der Gegend
von Duna-Keszi angelangt, stiess dieser Offizier auf die feindliche
Vorhut, meldete sogleich diesen Vorgang, worauf mit einer Compagnie des 12. Jäger-Bataillons vereint die halbe Chevauxlegers-
Escadron gegen den Eisenbahn-Damm vorrückte, und diesen
gegen einen weit überlegenen Feind, worunter polnische Legionärs,
eine Stunde bis zum Heranrücken einer Unterstützung, welche
aus dem 1. Flügel der Oberstlieutenants 2. Escadron
unter Rittmeister Grünwald und einer halben Escadron Carl
Chevauxlegers bestand. Oberlieutenant von Lonyay und Lieutenant Graf Bulgarini machten nun zugsweise mehrere Attaquen
gegen eine aufgestellte Honved-Division und Hussaren, von ersterer waren sie mit heftigem Kleingewehrfeuer empfangen worden.
Bei dem späteren Rückzuge der k. k. Truppen von Waitzen
machte die Oberstlieutenants 1. Escadron des Regiments
die Arriere-Garde und nahm nochmals Stellung, während das
Gros der Truppen bis Szalka marschirte. Tags darauf wurde der
Rückzug hinter die Gran fortgesetzt. Die Mannschaft des Regiments hatte sich in dieser Affaire „muthvoll, entschlossen und dem
Wink ihrer Vorgesetzten gehorsam" bewiesen. Rittmeister Grünwald hatte sich durch sein tapferes Benehmen besonders hervorgethan, ebenso werden Oberlieutenant von Lonyay und Lieutenant Graf Bulgarini in der Relation des GM. Fürst Jablonowski
wegen ihrer ausgezeichneten Leistungen angerühmt. Der Verlust

der Oberstlieutenants-Division war gering: 2 Mann todt, 5 Mann blessirt, und 2 Pferde vermisst. Beim Rückzuge durch Waitzen fiel das Packpferd und die Bagage des Oberlieutenant v. Dobrowsky in die Hände des Feindes. —

Anfangs April verliess die Oberst-Division des Regiments unter Major Graf Schaffgotsche, den nach Ungarn abgesandten Verstärkungs-Truppen zugetheilt, die Wiener Garnison. Vom Regimente waren nun an der Gran, beim neugebildeten IV. Armee-Corps (FML. Baron Wohlgemuth) die Oberstlieutenants-Division und der 2. Flügel der 1. Majors 1. Escadron in der Brigade Strasdil, die Oberst-Division in der Brigade Herzinger. — An dem am 19. April stattgehabten Treffen bei Nagy-Sarlo haben die genannten Abtheilungen des Regiments, da sie bei den zum Kampfe gekommenen Brigaden eingetheilt waren, den thätigsten Antheil genommen, und es haben sich durch ihr tapferes Benehmen vorzüglich hervorgethan: Oberstlieutenant Graf Althann, die Rittmeister Baron Haan, dem sein Pferd unterm Leibe erschossen ward, Schmidt und Edler von Hye, welche sämmtliche in der Folge das Militär-Verdienst-Kreuz erhielten. Ebenso hatte sich Wachtmeister Zurkowski durch Tapferkeit ausgezeichnet, wofür er die kleine silberne Medaille erhielt. Cadet Borderaux nöthigte den als Ordonanz-Offizier beim GM. Fürst Jablonowski commandirten Lieutenant Baron Hackelberg des Regiments, der mit einem Auftrage versendet, zwischen den beiden Geschützfeuern mit seinem ermüdeten Pferde gestürzt war, sein noch frisches Dienstpferd zu besteigen, und so den Ritt fortzusetzen. In edler Bescheidenheit brachte Cadet Borderaux, als GM. Fürst Jablonowsky, bei welchem er sich als Ordonanz-Corporal befand, ihn für die silberne Medaille eingeben wollte, die Bitte vor, dieses Ehren-Zeichen erst bei einer andern Gelegenheit würdiger verdienen zu dürfen. FML. Baron Wohlgemuth belobte die Oberstlieutenants-Division und den 2. Flügel der 1. Majors 1. Escadron ihres tapfern Benehmens und der Ordnung wegen, mit der diese Abtheilungen den Rückzug des Armee-Corps deckten. Erwähnenswerth ist auch das ausdauernde Benehmen des Corporal Kadawi, welcher durch einen Granatensplitter verwundet, unverbunden mit seiner Abtheilung marschirte. Oberlieutenant Klehe, welcher im Verlaufe der Schlacht durch Uebergabe seines Pferdes den Oberst Ritter von Dreyhann vor wahrscheinlicher Gefangennehmung gerettet hatte, wurde mit einem Auftrage versendet, und auf diesem Ritte durch einen Zug Husaren abgeschnitten. Dieser kühne Offizier, und der ihm begleitende Gemeine Kaweczki zogen den Säbel, ritten durch die Husaren, setzten über einen 14 Schuh breiten Graben, und gelangten so an ihre Bestimmung. Oberlieutenant Klehe wurde für dieses unerschrockene Benehmen von Oberstlieutenant Graf Althann öffentlich belobt.

Inzwischen war Major von Krapf mit dem 1. Flügel der 1. Majors 1., und der ganzen 1. Majors 2. Escadron in

Pest geblieben, wo diese Abtheilungen zum Sicherheits-Dienst und starken Recognoszirungs-Patrouillen verwendet wurden. Auf einer derselben war Oberlieutenant von Gerzon in einem feindlichen Hinterhalt gerathen, und nur durch das kühne entschlossene Vorgehen des Corporalen Lobosz vor Gefangenschaft gerettet.

Am 17. April marschirte die 1. Majors-Division nach Mocsa, und von da durch die kleine Schütt nach Ungarisch-Altenburg, wo sie der Brigade des GM. Wyss zugetheilt wurde.

Am 15. April wurde von Wien die noch dort befindliche letzte Abtheilung des Regiments, nämlich die 2. Majors-Division unter Major Graf Schallenberg mit dem Regimentsstabe nach Ungarn in Marsch gesetzt, mit der Bestimmung sich an das Streif-Corps des FML. Baron Burits anzuschliessen, welches die unruhige Gegend von Stuhlweissenburg, Moor und dem Bakonyer-Wald in Ordnung zu erhalten hatte.

Am 21. traf die Division in Stuhlweissenburg ein und wohnte am 26. dem Treffen von Komorn bei, in welchem die Oberstlieutenants Thurneisen und Eduard Baron Fleissner mit ihren Zügen auf Kanonen-Bedeckung commandirt, sich im stärksten Feuer durch ihre Umsicht und kaltblütige Ruhe auszeichneten. Die Division machte die Reiter-Attaquen dieses Tages mit, in welchen sich Rittmeister-Auditor Edler von Schirnhofen von Erzherzog Johann-Dragoner an selbe angeschlossen hatte. Oberarzt Detr. Knapp zeichnete sich durch unerschrockenes selbstaufopferndes Wirken aus. Der 2. Flügel der Oberst 2. Escadron unter Lieutenant Pippan, welcher von der Brigade Herzinger über Gran zur Verbindung mit der Haupt-Armee in Pest entsendet, war, am Rückwege aber nicht mehr zu seiner Abtheilung gelangen konnte, schloss sich bei Komorn gegen Abend an die 2. Majors-Division an. Diese Abtheilungen des Regiments bildeten beim Rückzuge des 3. Armee-Corps über Puszta Major die Arriere-Garde des genannten Corps, welches in der Nacht hinter dem Czonczo-Bach Stellung nahm. Die 2. Majors-Division und der 2. Flügel der Oberst 2. Escadron hatten nun ihre Eintheilung in die Brigade Fiedler des 3. Armee-Corps erhalten. Tags darauf war dieses Corps nach der Puszta Szt. Janos gerückt, während mehrere Cavallerie-Abtheilungen eine Arriére-Gardestellung bei Acs nahmen. Unter diesen befand sich auch eine zusammengesetzte Halb-Escadron der 2. Majors-Division unter Oberlieutenant Eduard Baron Fleissner, welcher den grössten Theil eines, wegen Mangel an Bespannung zurückgebliebenen Brod-Transportes dadurch rettete, dass er bei seinem Einrücken in Szt. Janos so viel Brod als möglich auf den Pferden durch seine Mannschaft mitnehmen liess. Die 2. Majors-Division rückte über Raab in die kleine Schütt nach Altenburg, von wo sie zahlreiche Streif- und Recognoszirungs-Commanden unterhielt, worunter jene am 18. Mai unter Rittmeister Pach und eine zweite unter Oberlieutenant Baron Fleissner am 21. gegen Zamoly die wichtigsten waren. —

Am 2. Mai überfiel aus eigenem Antriebe Rittmeister Bar.
Haan mit einem Flügel seiner (1. Majors) 1. Escadron und 120
Jägern des 12. Bataillons bei Szered die Insurgenten, welche
im Begriffe waren, eine Brücke über die Waag zu schlagen.
Der Feind wurde zum schnellen Abbrechen der Brücke und
eiligen Rückzuge mit dem Verluste mehrerer Gefangenen genöthigt. Trotz des heftigen Geschütz- und Kleingewehrfeuers,
welches die Insurgenten vom jenseitigen Ufer unterhielten, hielt
sich Rittmeister Baron Haan so lange daselbst, bis die Brigade
Theissing eingetroffen war, und die Waag-Ufer besetzte. — Mitte
Mai 1849 war das Regiment vertheilt: beim 1. Armee-
Corps des FML. Grafen Schlick, 2. Majors 1. auf der kleinen
Schütt in der Brigade Fiedler, 2. Majors 2. in der Brigade Wolf
bei Altenburg, beim 2. Armee-Corps des FML. Bar. Csorich,
die 1. Majors bei Zsigard, anfänglich in der Brigade Wyss,
später Lederer und endlich Pott, 1. Majors 2. auf der grossen
Schütt in der Brigade Raischach, endlich beim 3. Armee-Corps
des FML. Fürst Edmund Schwarzenberg bei Sellye in der Brigade
Veigel die Oberst und Oberstlieutenants Division. — Beim
Ueberfalle auf das Dorf Nyarad bei Bös auf der grossen Schütt
in der Nacht des 29. Mai, unter Führung des General-Stabs-
Hauptmanns Döpfner, hatte sich Lieutenant Krzyszanowski mit
einer Abtheilung Freiwilligen der 1. Majors 1. Escadron „durch
seine Brauchbarkeit und Tapferkeit" besonders hervorgethan, und
wurde vom Brigadier GM. Baron Raischach, wie auch vom FML.
Baron Csorich im Corps-Befehle lobend erwähnt. In dieser Epoche
verdienten mehrere Gemeine kleine silberne Medaillen, so der
Rekrut Boyczuk, welcher gefangen, sich selbst ranzionirte, und
Gemeiner Ówzarezuk wegen bewiesenen besondern Muth und Treue.

Anfangs Juni concentrirte sich das ganze Regiment bei
Oedenburg, und erhielt seine Eintheilung in die Brigade Veigel
des 3. Armee-Corps.

Am 26. Juni hatte sich Lieutenant Borderaux durch freiwillige Recognoszirung bei Raab als Ordonnanz-Offizier des GM.
Wolf ausgezeichnet. Am 28. im Gefechte bei Szemere ward Major
Edler von Fecondo mit der 2. Majors-Division des Regiments
zur Umgehung des rechten feindlichen Flügels entsendet, während
Rittmeister Baron Haan mit der 1. Majors-Division den linken
Flügel des Feindes auf das tapferste durch eine Abtheilung Fiquel-
mont-Dragoner (unter Rittmeister Wilhelm Graf Westphalen) unterstützt, den linken feindlichen Flügel angriff. Den Rückzug des
Feindes deckten die Hussaren und 2 Schwadronen derselben versuchten längern Widerstand zu leisten, ja griffen sogar kühn die
ihnen am Fusse folgende 1. Majors-Division an, diese war
jedoch dem Angriffe rasch begegnet, und hatte nach kurzem Handgemenge die Hussaren geworfen und zerstreut. — Die zum Kampfe
gekommenen Abtheilungen des Regimentes zeichneten sich durch
ihre Tapferkeit aus.

20

Rittmeister Chevalier Rousseau war im Melée bereits von den Hussaren umrungen, wurde jedoch durch den Corporalen Elias Matkowski mit seltener Bravour herausgehauen, wofür dieser Unteroffizier in der Folge mit der goldenen Tapferkeits-Medaille und den k.russischen St. Georgs-Kreuze V. Classe decorirt wurde. Es erhielten noch für bewiesene Tapferkeit, die Wachtmeister Jundza und Ehm die grosse silberne, die Corporals Riegel, Partika und Zuk, die Gemeinen Katra, Karamen, Kaminski und Weubel die kleine silberne Medaille.

Während der Schlacht von Komorn am 2. Juli stand das 3. Armee-Corps bei Nagy-Jgmand, und rückte in den nächsten Tagen bis Ofen vor, wo es am 12. anlangte. Die Oberstlieutenants und 2. Majors-Division des Regiments bivouaquirten auf der Generals-Wiese, die Oberst Division wurde in der Vorstadt Wasserstadt bequartirt, und die 1. Majors-Division besetzte die Schranken.

Am 15. übersetzte das 3. Corps nach Pest, wo das Regiment an die Hatvaner-Strasse kam, und die Vorposten bezog. Oberlieutenant Klehe, während der Schlacht von Komorn (am 2. und 11. Juli) als Ordonanz-Offizier beim FZM. Baron Haynau, zeichnete sich in dieser Commandirung durch seine umsichtige und thätige Verwendung aus.

Die 2. Majors 1. Escadron unter Rittmeister Pach wurde nun zu den Besatzungs-Truppen von Pest und Ofen eingetheilt. Bei der weitern Vorrückung vou Pest gegen die Theiss zog das 3. Armee-Corps am 22. Juli von Pest aus über Soroksar nach Theresiopel, die rechte Flanke der directe gegen Szegedin vorrückenden Haupt-Armee deckend, mit der Aufgabe, die insurgirten Orte auf dieser Linie zu entwaffnen, und die Verbindung mit der Süd-Armee des FZM. Baron Jellacic durch Streif-Commanden aufzusuchen. — Zu diesem Zwecke eilte dem 3. Corps, am 21. Juli von Pest abgehend eine mobile Colonne voraus, welche aus der Oberst- und 1. Majors-Division des Regiments, einem Infanterie-Bataillon, dem 22. Jäger-Bataillon und einer Cavallerie-Batterie zusammengesetzt, unter Commando des Oberst Graf Althann, längs dem linken Donau-Ufer über Duna-Vecse nach Baja zog. Nachdem sich auf diesem weiten Wege nur einzelne Insurgentenhaufen gezeigt, aber sogleich zurückgezogen hatten, besetzte Oberst Graf Althann am 27. Baja mit seiner ganzen Colonne, nahm die Reste der zum Theil versenkten Donau-Brücke in Beschlag, fand 5 Dampfbote und endlich grosse Vorräthe an Getreide und Wolle aufgehäuft. Am 29. wurde diese Colonne in Melikut vom 3. Armee-Corps wieder eingezogen, und rückte mit diesem am 30. in Theresiopel ein. In diesem Orte verblieb Major Edler von Fecondo mit der 2. Majors 2. Escadron des Regiments und einem Infanterie-Bataillon als Besatzung, während das 3. Corps am 2. August Magyar Kanischa erreichte, von wo abermals ein Streif-Commando aus der Oberst 2. Escadron und der 1. Majors-Division des

Regiments, einem Jägerbataillon und einer halben Cavallerie-Batterie bestehend, unter Oberst Graf Althann längs der Theiss über Szenta und Földwar bis zu den Vorposten der Süd-Armee entsendet wurde, um das Theiss-Ufer von zurückgebliebenen Insurgenten zu reinigen.

Durch die am 6. August bei der weitern Vorrückung des III. Corps gegen Mokrin zur Durchsuchung dieses Ortes bestimmten zurückkehrenden Patrouillen wurde gemeldet, dass der Ort selbst vom Feinde stark besetzt, und Geschütze am Eingange postirt sein, — worauf Oberstlieutenant von Krapf den Rittmeister von Müller mit der Oberstlieutenants 2. Escadron gegen Mokrin vorzurücken beorderte, während er selbst mit dem Reste seiner beihabenden Truppen als Reserve auf der Hauptstrasse folgte.

Rittmeister von Müller ging mit dem 1. Flügel gegen Mokrin vor, woselbst die feindlichen Geschütze bei der Kirche aufgestellt waren, und detachirte den Oberlieutenant Graf Bulgarini mit dem 2. Flügel, mit dem Auftrage, den Ort zu umgehen und den Feind bei seinem Rückzuge sowohl anzugreifen, als auch dessen eingeschlagene Richtung zu beobachten.

Mit ungestümer Tapferkeit warf sich Rittmeister von Müller gegen die aufgestellte Batterie und ein Honved-Bataillon, und nachdem diese schon von dem kühnen Angriff überrascht, sich ohne einen Schuss zu machen, in die Flucht zurückzogen, verfolgte er sie mitten durch den Ort, nahm 1 Offizier, 1 Arzt und viele Honveds gefangen und erbeutete mehrere wichtige Schriften. Während der Vorrückung des 1. Flügels marschirte Oberlieutenant Graf Bulgarini in Trab und Galopp längs der Umfassung des Dorfes und stiess gegen den Ausgang desselben auf eine feindliche Division Hussaren und eine noch im Dorfe aufgestellte Infanterie-Abtheilung, die auf eine grosse Entfernung eine Decharche gab. — Mit vieler Kühnheit unternahm Oberlieutenant Graf Bulgarini eine Attaque in die Flanke der Hussaren, deren Erfolg durch die Gefangennehmung eines Offiziers nebst 10 Mann und der Erbeutung von 8 Pferden gekrönt wurde. Von den Chevauxlegers waren 8 Mann verwundet, während die Hussaren einen ungleich grössern Verlust zählten. Die einbrechende Nacht hemmte den Nachdruck der weitern Verfolgung des fliehenden Feindes. Oberstlieutenant von Krapf, der mit der Hauptruppe gefolgt war, belobte öffentlich das tapfere Benehmen der Oberstlieutenants 2. Escadron des Regiments, namentlich den Rittmeister Carl von Müller, die Oberlieutenants von Dobrowski und Graf Bulgarini, Lieutenant Geringer und die Corporale Kindl und Kadawy.

Das Streif-Commando des Obersten Graf Althann hatte am 6. August bei Mossovin das Hauptquartier des serbischen Generals Knicanin erreicht, wo es von demselben auf das Herzlichste bewillkommt, einige Tage stehen blieb, sodann nach Titel marschirte und nach Aufenthalt einiger Tage daselbst

20 *

garde der Süd-Armee gegen Temesvar zog, wo es am 15. August eintraf.

Ein gleiches Streif-Commando war unter Oberstlieutenant von Krapf von Oroszlamos aus, längs des linken Theiss-Ufers abwärts gesendet, und fand am 9. bei Melencze durch seine Vortruppen die Verbindung mit der Avantgarde der Süd-Armee des FZM. Baron Jelacic; dasselbe kehrte nun zum III. Corps zurück, zu welchem es am 15. August bei Budincs stiess und mit diesem die weitere Vorrückung gegen Siebenbürgen mitmachte. Dieses letztere Streif-Commando bestand aus der Oberstlieutenants-Division und der Oberst 1. Escadron des Regiments, einem Infanterie-Bataillon und einer halben Cavallerie-Batterie. Am 18. August war das III. Armee-Corps bis Dobra in Siebenbürgen vorgerückt, wo es von den Ueberresten der Insurgenten-Armee noch viele hundert Gefangene gemacht hatte. Oberstlieutenant von Krapf war mit den beihabenden 3 Escadrons des Regiments bis Deva vormarschirt, woselbst er durch 8 Tage ein Lager bezog und fortwährende Patrouillirungen zur Aufsuchung der zerstreuten Insurgenten unterhielt, wesshalb er bei seinem Rückmarsche durch Temesvar, wo sich das III. Armee-Corps sammelte, namentlich belobt wurde.

Von der in Pest zurückgebliebenen II. Majors 1. Escadron des Regimentes fand Oberlieutenant Eduard Baron Fleiss ner durch die umsichtige und energische Verfolgung, welche er mit einem Zuge Chevauxlegers und einem Zuge Infanterie, welche letztere auf Wägen fortgebracht wurde, gegen eine Bande Guerillas, die in den Gebirgen nördlich von Waitzen gegen Neograd ihr Unwesen trieb, eingeleitet hatte, wiederholte Gelegenheit zur Auszeichnung, in Folge dessen dieser umsichtige und tapfere Offizier das Militär-Verdienstkreuz erhielt.

Durch die anhaltende Verfolgung des Oberlieutenant Baron Fleissner zerstreute sich diese Bande in den Gebirgswäldern, nachdem sie ihre Gefangenen, einen Offizier und 2 Couriere, um leichter zu entkommen, freizugeben gezwungen waren. —

Oberlieutenant von Gerzon des Regiments, Ordonanzoffizier des GM. von Pott zeichnete sich bei allen Gefechten dieser Brigade vortheilhaft aus, insbesondere am 14. Juni beim Ueberfalle von Kuta, wo er die Colonne führte, und zu Fuss mit der Infanterie die feindlichen Posten angriff, — wie auch an der Zsitvabrücke am Rückzuge von Hétány, wo er selbst bei deren Zerstörung Hand anlegte; in Folge dessen erhielt Oberlieutenant Gerzon das Militär-Verdienstkreuz und den k. russischen St. Annen-Orden III. Classe mit der Schleife.

Der Regiments-Commandant Oberst Graf Althann, welcher fast immer als selbstständiger Commandant verwendet, seine ihm gestellten Aufgaben mit grosser Umsicht vollführte, erhielt am Schlusse des Feldzuges den Eisernen Kron-Orden II. Classe und den kais. russischen St. Wladimir-Orden III. Classe. Regiments-Caplan

Stanislaus von Tarnowski erhielt für seine aufopfernde Thätigkeit in den Feldspitälern das silberne geistliche Verdienstkreuz.

Von der Mannschaft erhielten noch ausser den bereits
betreffenden Orts Angeführten, folgende Individuen silberne
Tapferkeits-Medaillen II. Classe, als: Corporal Krzechki, die
Gemeinen Baczinski, Poharek, Halaker, Rubel und 1852 nachträglich Corporal Eisenwangen, welcher sich aus dem Spitale
zu Ofen als Reconvaleszent entlassen, bei der Vertheidigung dieses Platzes thätigst bei der Artillerie verwenden liess.

Im September 1849 marschirte das Regiment in die Friedensstation Pressburg, woselbst der Stab und eine Division, die
3 übrigen aber in diesem, dem Oedenburger und Wieselburger
Comitate dislozirt wurden.

Im März 1850 wurde der Regimentsstab nach St. Georgen
und im Juni d. J. nach Oedenburg verlegt. Ende August bezog
das Regiment eine neue Dislocation mit dem Stabe in Gross-
Topolcsan, von wo es im November zu der in Böhmen aufgestellten Armee aufbrach, und dort bei Przelauc und Bogdanec
Cantonirungen, mit der Eintheilung zum 9. Armee-Corps des
FML. Graf Schaffgotsche erhielt. Im Dezember d. J. wurde angeordnet, dass das Regiment wieder seine ursprüngliche Adjustirung, nämlich grüne Röcke und Pantalons mit dunkelrothen
Aufschlägen und weissen Knöpfen erhalten solle, welche Anordnung aber mit Ausnahme einiger auswärts kommandirten Offiziere
beim Regimente selbst, nicht ins Leben trat.

Ende Jänner 1851 wurde das Regiment aus Böhmen wieder
nach Ungarn in Marsch gesetzt, produzirte sich mit dem ungewöhnlich starken ausrückenden Stande von 80 bis 85 Rotten per
Escadron während seines Durchmarsches am 24. Februar auf
der Esplanade zwischen dem Burg- und Franzensthor der Haupt-
und Residenzstadt Wien vor Sr. Majestät dem Kaiser, Allerhöchst
welchem es vom Regiments-Inhaber FML. Graf Clam-Gallas
vorgeführt wurde. Durch seinen starken Stand, durch seine gute
Haltung und Manövrirfähigkeit erwarb sich das Regiment bei
dieser Gelegenheit die Allerhöchste Zufriedenheit Sr. Majestät.
Dasselbe bezog Anfangs März die Stabsstation Güns. —

Mit Allerhöchstem Befehlschreiben de dato 6. Mai 1851
wurde das Regiment zum 10. Uhlanen-Regiment übersetzt und erhielt die am Schlusse angegebene Uniformirung. —

Im September 1852 wohnte dasselbe in der Brigade des
GM. Graf Zedwitz den Uebungen des Pester-Lagers bei, aus
welchem es im Oktober in die Stabsstation Neuhäusel abrückte.

In Folge des Orientkrieges zwischen den Westmächten,
der Türkei und Russland wurde das Regiment im Juni 1854
nach Siebenbürgen in Marsch gesetzt und daselbst in Valaszut,
Thorda, Bayersdorf, mit dem Stabe in Bonzhida bequart'
14tägigem Aufenthalte daselbst marschirte dasselbe

Borgopass und die Bukowina nach Ost-Galizien, wo es in der Umgegend von Nadworna mit dem Stabe daselbst kantonirte. — Im Herbste 1854 trat das Regiment seinen Marsch über Delatyn nach Ungarn, und über Szigeth und Nagy Banya nach Siebenbürgen an, wo es als Stabsstation erst Elisabethstadt und später Mediasch bezog, und von da im Herbste 1857 nach Grosswardein in Ungarn abrückte.

Im Jahre 1859 wechselte das Regiment mehrmals seine Stationen, kam im Mai nach Czegled, im August nach Gyöngyös und Anfangs Oktober nach Saros Patak.

Rittmeister Wohlfartstetten des Regiments hatte als Adjutant des Regiments-Inhabers FML. Grafen Clam-Gallas, Commandanten des 1. Armee-Corps, dem Feldzuge 1859 in Italien gegen die Franco-Sarden, an der Seite seines Chefs beigewohnt.

In Folge der mit 1. März 1860 ins Leben getretenen neuen Organisation der k. k. Cavallerie, wurde das Regiment auf den Stand von 3 Divisionen herabgesetzt und gab seine 2. und 3. Escadron mit dem ganzen Mannschaftsstande an das neu errichtete freiwilligen Uhlanen-Regiment ab. Die bisherige 7. Escadron wurde nun die neue 3., die bisherige 8. Escadron die neue 2. Im Februar 1861 bezog das Regiment seine gegenwärtige Stabsstation Nyeregyhaza.

Maria Theresien-Ordens-Ritter.

1806 Oberst Carl Graf Civalart (siehe Inhaber bei Uhlanen Nr. 1).
1800 Rittmeister Jakob von Sück, † als Oberst zu Wien am 7. Dezember 1826.

Inhaber.

1801 G. d. C. Franz Fürst Rosenberg-Orsini, MTO-C., † zu Wien am 4. August 1832.
1832 FML. Simon Chevalier Fitzgerald, Festungs-Commandant, † zu Königgrätz am 17. August 1845.
1845 FML. Ladislaus Graf Wrbna-Freudenthal, Festungs-Commandant, † zu Verona am 21. Dezember 1849.
1850 G. d.C. Eduard Graf Clam-Gallas, MTO-R., Commandant des ersten Armee-Corps und commandirender General in Böhmen.

Oberste.

1798 Josef Egger, Reg.-Commandant, 1800 GM.
1799 Carl Graf Freanel, 2. Oberst 1799, transferirt zu den Kroatisch-slawonischen Hussaren (1801 reduzirt).
1800 Carl Baron Vincent, MTO-C., Reg.-Commandant, 1800 GM.
1800 Carl Graf Civalart, MTOR.,1808 GM.
1808 Josef Graf Chotek, † vor dem Feinde am 6. Juli 1809, in der Schlacht bei Wagram
1809 Carl Chevalier Latuillerie, 1815 pensionirt mit Generals-Charakter.
1815 Peter Baron Gasser, MTOR., 1819 pensionirt mit Generals-Charakter.
1819 Johann Chevalier Narboni, 1828 GM.
1828 Wilhelm von Lobenstein, 1833 GM.
1833 Herkules Graf d'Autouil 1835 pensionirt
1835 Carl Graf Wallmoden-Gimborn, 1842 GM.

Regim.-Comdtn.

1838 Johann Baron Hackelberg-Landau, 2. Oberst, 1842 Regiments-Commandant, 1846 GM.
1846 Simon von Klebe, Regiments-Commandant, 1849 pensionirt mit Generals-Charakter.
1849 Ferdinand Graf Althann-Regiments-Commandant, 1852 GM.
1852 Eugen Graf Wrbna-Freudenthal, Reg.-Commandant, 1859 GM.
1859 Wilhelm Graf Westphalen, Reg.-Commandant.

Oberst-Lieutenants:

1798 Stanislaus Auer, 1799 Oberst bei den slawonischen Gränz-Hussaren (1801 reduzirt).
1798 Franz Goguelae, 1800 Oberst bei Graf Bussy Jäger-Regiment zu Pferde, (1801 reduzirt)
1800 Werner Rainharz, 1800 transferirt zu Anspach-Cürassier Nr. 11, (1801 reduzirt).
1800 Karl Graf Civalart, 1800 Oberst.
1801 Johann Mayern, 1806 pensionirt mit Oberst-Charakter.
1802 Johann Bellôute, 1805 Oberst bei Dragoner Nr. 1. (Cürassier 9)
1805 Josef Graf Chotek, 1808 Oberst.
1808 Carl Chevalier de Latuillerie, 1809 Oberst.
1809 Ehrenreich Graf Wurmbrandt, † vor dem Feinde, am 9. November 1813 im Treffen bei Hochheim.
1813 Johann Chevalier Claudius, 1828 pensionirt mit Oberst-Charakter.
1813 Carl Fürst Auersperg, 1815 transferirt zu Cürassier Nr. 4.
1815 Thomas Buchia, 1816 pensionirt.
1828 Herkules Graf D'Anteuil, 1835 Oberst
1833 Carl Graf Wallmoden-Gimborn, 1835 Oberst
1835 Johann Baron Aichelburg, 1836 pensionirt.
1836 Johann Baron Hackelberg-Landau, 1838 Oberst.
1842 Simon Klebe, 1846 Oberst.
1846 Ignaz Graf Fuchs, 1847 pensionirt mit Oberst-Charakter.
1847 Ferdinand Graf Althann, 1849 Oberst.
1849 Maximilian von Krapf, 1852 Oberst bei Uhlanen Nr. 7.
1852 August Graf Schallenberg, 1852 transferirt zu Uhlanen Nr 9.
1852 Albert Baron Bülow, 1859 Oberst bei Dragoner Nr. 2 (jetzt Cürassier Nr. 10).
1859 Ludwig Bolberitz, 1859 transferirt zum Fuhrwesen-Corps.
1859 Otto Graf Wickenburg, bei Sr. k. k. Hoheit dem Erzherzoge Sigmund 1860 zum Regimente eingerückt.
1859 Ludwig Baron Hügel, 1861 pensionirt.

Majors.

1798 Werner Rainharz, 1800 Oberstlieutenant.
1798 Anton Hübele, 1801 pensionirt mit Oberstlieutenants-Charakter.
1798 Johann Mayern. 1801 Oberstlieutenant.
1801 Ignaz Graf Hardegg MTO-R., 1804 Oberstlieutenant bei Uhlanen Nr. 2.
1802 Johann Piccard v. Grünthal, 1805 Oberstlieutenant und General-Adjutant bei der Armee.
1805 Johann Altvater, 1805 transferirt zu Dragoner Nr 6 (jetzt Cürassier Nr. 12.)
1805 Joseph Graf Chotek, 1805 Oberstlieutenant
1805 Carl Chevalier Latuillerie, 1808 Oberstlieutenant.
1806 Carl Baron Scheibler, MTO-R., 1809 Oberstlieutenant bei Chevauxleg. Nr. 4 (Dragoner Nr. 2).
1807 Jakob Chevalier Sück, MTO-R. 1809 Oberstlieutenant bei Dragoner Nr. 1 (Cürassier Nr. 9).
1809 Eugen Graf D'Ambly, 1811 pensionirt.
1809 Johann von Claudius, 1813 Oberstlieutenant.
1809 Wenzel Fürst Liechtenstein, 1810 Flügel-Adjutant des FM. Fürst Schwarzenberg.

1810 N. Stor, 1811 pensionirt.
1812 Franz Graf Auersperg, 1813 Oberstlieutenant bei Cürassier Nr 6.
1813 Carl Wunderbaldinger, 1815 pensionirt.
1813 Herkules Graf d'Auteuil, 1828 Oberstlieutenant.
1814 Heinrich Baron Wimmer, 1816 transferirt zum Remontirung-Departement.
1816 Friedrich Baron Bechtold, 1825 transferirt zu Dragoner Nr. 6 (Cürassier Nr.12)
1825 Franz Kohlmannhuber, 1826 pensionirt.
1826 Alois Graf Gaisruck, 1831 Oberstlieutenant bei Dragoner Nr. 4 (1860 redurirt).
1828 Carl Edler von Ballarini, 1832 Oberstlieutenant bei Dragoner Nr. 1 (Cürassier Nr. 9).
1831 Carl Graf Wallmoden-Gimborn, 1833 Ob-rstlieutenant.
1832 Johann Baron Alchelburg, 1835 Oberstlieutenant.
1833 Franz Witzigmann, 1837 transferirt zu Cürassier Nr. 2.
1833 Adolf Prinz zu Schwarzburg-Rudolstadt, supernumerär, 1836 transferirt zu Chevauxl. Nr. 7 (Uhlanen Nr. 11).
1835 Jakob Parodi, 1841 pensionirt mit Oberstlieutenants-Charakter.
1837 Simon Klebe, 1842 Oberstlieutenant.
1840 Ignaz Graf Fuchs, 1846 Oberstlieutenant.
1841 Ferdinand Ritter v. Dreihann, 1845 Oberstlieutenant bei Dragoner Nr. 22 (Cürassier Nr. 9).
1842 Theobald Baron Boyneburg, 1845 pensionirt.
1845 Josef Graf Rosenberg-Orsini, 1847 pensionirt.
1845 Ferdinand Graf Althann, 1847 Oberstlieutenant.
1847 Maximilian von Krapf, 1849 Oberstlieutenant
1847 August Graf Schallenberg, 1852 Oberstlieutenant.
1848 Hugo Graf Schaffgotsche, 1849 Oberstlieutenant bei Hussaren Nr. 1.
1848 August Baron von der Haydte, supernumerär 1849 transferirt zu Dragoner Nr. 5
1849 Anastasius Fecondo, Edler v. Fürchtenthal 1850 pensionirt.
1849 Eugen Baron Haan, 1850 pensionirt
1150 Rudolf Hye v. Hyeburg 1854 Oberstlieutenant bei Uhlanen Nr. 12.
1850 James Bärtling, 1850 transferirt zu Hussaren Nr. 12.
1851 Franz Schmidt, 1851 transferirt zu Dragoner Nr. 3 (Cürassier Nr.11.
1851 Leopold Baron Henninger, 1852 pensionirt.
1852 Ludwig Bolberitz, 1859 Oberstlieutenant.
1852 Wilhelm Liedemann, 1855 pensionirt.
1854 Adolf Du Mesnil de Rochemont, 1858 pensionirt.
1855 Anton Graoh, 1856 transferirt zu Uhlanen Nr. 4.
1856 Otto Graf Wickenburg, 1858 bei Sr. k. k. Hoheit dem Erzherzoge Sigmund kommandi-t, 1859 Oberstlieutenant.
1858 Ludwig Baron Hügel, 1859 Oberstlieutenant.
1858 Carl v. Bernd, 1862 Oberstlieutenant bei Dragoner Nr. 1.
1859 Anton Ritter von Orzechowski, 1850 pensionirt.
1859 Arnold Alexandrowicz.
1862 Otto Baron Elrichshausen.

Uniformirung des Regiments:

Lichtblaue Czapka, dunkelgrüne Uhlankas und Pantalons, scharlachrothe Aufschläge, weisse Knöpfe.

Uhlanen-Regiment Nr. 11 Kaiser Alexander II. v. Russland.

Dieses Regiment wurde 1814, nach Wiedererlangung der italienischen Provinzen als erstes Cavallerie-Regiment dieser Nationalität in der k. österreichischen Armee errichtet, und dessen Ergänzung mit Mannschaft aus dem lombardisch-venetianischen Königreiche anbefohlen. Es wurden gleich bei dessen Errichtung

sowohl Offiziere als Mannschaft von den übernommenen Resten
der französisch-italienischen Armee in dasselbe eingereiht, und
so bestand der Stamm-Cadre dieses Regiments, aus einem grossen Theile der auf den Schlachtfeldern Napoleons geschul-
ten alten Soldaten. Dieses neue Regiment, welches sich als
siebentes den bestandenen 6 Chevauxlegers-Regimentern anreihte,
wurde den berühmten Reiterführer bei Leipzig, FML. Grafen
Johann Nostitz verliehen, und erhielt als Aufstellungsplatz die
Stadt Crema in der Lombardie, wo unter seinem Obersten Grafen
Alberti und dem Brigadier GM. Baron Vlasits dessen Organisation mit solcher Umsicht und solchem Eifer betrieben wurde,
dass dasselbe bei dem im Jahre 1815 neuerdings erfolgten Ausmarsche bereits in der Cavallerie-Reserve des FML. Graf Kinsky
bei der Armee in Ober-Jtalien eingetheilt wurde. Bald darauf
wurde es jedoch in das Innere der Monarchie gezogen, und in
die Cavallerie-Division Spleny und die Brigade des GM. Prinzen
Ferdinand Hessen-Homburg, mit dem Stabe zu Güns in Ungarn
eingetheilt. 1816 wurde der Stab des Regiments nach Moor
verlegt, von wo dasselbe 1821 zur Aufwartung in die Residenzstadt Wien bestimmt wurde, und von da 1822 in die Stabsstation
Ungarisch-Brod in Mähren abrückte. 1830 marschirte es nach
Radkersburg in Steiermark, und die Oberstlieutenants-Division
wurde nach Salzburg detachirt. 1832 bezog das Regiment die
Stabsstation Moor in Ungarn, 1836 Kecskemeth und 1847 abermals Moor. Während dieser Zeit nahm es an allen bei Pest abgehaltenen grösseren Cavallerie-Uebungen thätigen Antheil. Da
kamen die Ereignisse der Jahre 1848 und 1849, welche für das
Regiment eine Epoche glänzenden kriegerischen Ruhmes werden sollten.

Im Sommer 1848 war das Regiment gleich allen übrigen
in Ungarn befindlichen Truppen unter die Befehle des neu
creirten ungarischen Kriegs-Ministeriums gestellt, welches grosse
Erwartungen von einer Truppe hegte, deren Landsleute gerade in
offener Revolution und Kriege, von einem meineidigen Fürsten
unterstützt gegen ihren rechtmässigen Herrscher aufgestanden
waren; aber bald sollte es in diesen Berechnungen bitter ent-
täuscht werden, und eben von diesem Regimente einen hervorragenden Beweis wahrer Soldaten-Treue und strengen Pflichtgefühls
erhalten. Im Herbste jenes Jahres, als die gesetzlosen, perfiden
Absichten jenes Sonder-Ministeriums nicht mehr zu verkennen
waren, wurde von dem gesammten Offiziers-Corps der einstimmige
energische Entschluss gefasst und der Mannschaft mitgetheilt,
von jener Behörde keine Befehle mehr anzunehmen, und sich
der eben vorrückenden Armee des Banus von Croatien FML.
Baron Jelacic anzuschliessen.

Dem vortrefflichen Geiste, der festen Haltung des Offiziers-
Corps, der Treue und Entschlossenheit der Mannschaft dieses eben
so schönen als tapfern Reiter-Regimentes, war dessen

in jener damals so verhängnissvollen und verwirrten Zeit zu danken. — Das Verhalten der ersten Majors Division unter ihrem Commandanten Major von Kaminsky und den beiden Escadrons-Commandanten Grafen Albert Alberti und Josef von Kliment gab den Ausschlag. Dieselbe war erst gegen den Banus, und als sie sich dessen weigerte, gegen die Serben vom ungarischen Ministerium beordert worden, schloss sich aber zu Marczaly an die eben vorrückende Armee des Banus, welchem Beispiele zu Wieselburg auch die drei anderen Divisionen des Regiments folgten. Mit dieser stand das Regiment Ende Oktober vor Wien, und nahm Theil an dem Treffen bei Schwechat.

Bei der am 14. Dezember allgemeinen Vorrückung der Armee des FM. Fürsten Windisch-Grätz gegen die ungarischen Insurgenten hatte das Regiment nachstehende Eintheilung erhalten: 3 Escadrons waren einzelnweise in den Infanterie-Brigaden des GM. Fürst Colloredo, Baron Carl Lederer und des Obersten Fürsten Jablonowski, sämmtlich des II. Armee-Corps, 5 Escadrons hingegen in der Cavallerie-Brigade des GM. von Parrot, Division des GM. Fürst Franz Liechtenstein im Armee-Reserve-Corps eingetheilt, später erhielten 2 Escadrons die Bestimmung zur Brigade des GM. Fürst Lobkowitz in der Division des FML. von Simunich.

Jedoch wurde dem Erforderniss der Umstände gemäss diese Eintheilung des Regiments im Laufe des Winter-Feldzuges mehrmals geändert. Die zwei Escadrons in der Division Simunich hatten Theil an der Einnahme von Tyrnau, und den Gefechten bei Windschacht und Schemnitz im Jänner 1849.

Am 25. Dezember 1848 griff Rittmeister Kugtatscher, welcher mit einer halben Escadron die Avantgarde der Division Ramberg (vom II. Armee-Corps) formirte, bei Zámoli vor Raab 3 Züge feindlicher Hussaren rasch an, wobei ein schwer verwundeter Hussaren-Offizier und 9 Mann gefangen, wie auch mehrere Beute-Pferde gemacht wurden. Oberlieutenant Blundel des Regiments hatte sich an diesem Tage durch seine kaltblütige Bravour bemerkbar gemacht.

Im Verlaufe des Jänners 1849 wurde eine Escadron des Regiments zur zeitweiligen Besetzung Waitzens, eine zweite aber zum Streif-Corps des Obersten Baron Horwath bestimmt.

Am 3. war Rittmeister Friederici des Regiments mit seiner Escadron vom Commandanten des 2. Armee-Corps FML. Graf Wrbna von Bia nach Török Balint abgesandt, und von dort die Verbindung mit dem Armee-Corps des Banus FML. Baron Jelacic aufzusuchen. Die Escadron kam jedoch nicht weiter, als bis in die Nähe von Kis Torbagy, wo sie durch Verhaue vielfacher Strassen, Abgrabungen u. dgl. in ihrem Weitermarsche aufgehalten, und zum Umkehren veranlasst wurde. Görgey hatte nämlich Tags vorher durch hunderte von Bauern diesen Weg als den directesten zur Unterstützung des Banus, von Bia aus

ränzlich unpraktikabel machen lassen. In der Schlacht von
Kapolna am 26. Februar gerieth die Geschütz- und Munitions-
Reserve mit der sämmtlichen Bagage des 2. Corps durch einen
feindlichen Choc von 10 bis 12 Hussaren-Schwadronen, welche
die ihnen entgegengerückte 2. Majors-Division Civalart Uhlanen
geworfen hatten, und unsere Schlachtlinie zu durchbrechen
drohten, in grösste Gefahr.

In diesem entscheidenden Momente brach Oberst Graf
Montenuovo des Regiments mit 3 Zügen seiner wackern Chevauxlegers in die Flanke des Feindes vor, jagte den zehnfach überlegenen Feind mit bedeutendem Verluste in die Flucht, und hatte
somit die drohende Gefahr abgewendet. Diesen entscheidenden
Angriff belohnte Sr. Majestät der Kaiser dem tapfern Obersten
mit dem Ritterkreuze des Leopold-Ordens.

In der offiziellen Relation werden ausser diesem noch der
Major Graf Alberti, die Rittmeister von Fischer und von Ziegler belobt. FM. Fürst Windisch-Grätz übergab nun dem Oberst
Graf Montenuovo eine Brigade (aus einer Division des Regiments,
einer von Civalart-Uhlanen und einer von Max Auersperg-Cürassier bestehend) und beorderte ihn zur Verfolgung des Feindes.
Am 28. erscheint Graf Montenuovo der Cürassier-Brigade
des GM. Graf Deym als Retter in der Noth. Vor Maklai aufgestellt, hatte er die gemessene Weisung, diesen Posten nicht
zu verlassen, und unter keinem Vorwande ein Gefecht einzuge-
hen. Da hört er von Mezö Kövesd Kanonendonner und folgt
diesem auf eigene Verantwortung. Er kommt in dem Augenblicke an, als die Cürassier-Brigade Gefahr läuft, gesprengt zu
werden, und ihre sämmtlichen Geschütze zu verlieren. Ohne
Reserve und Unterstützung, nach dem Verluste von 3 Geschützen,
mehreren Munitionskarren, zahlreicher Mannschaft und Pferden,
findet er sie bereits geworfen, und von geordneten feindlichen
Reitermassen rasch verfolgt. Ein kräftiges Wort an seine Reiter
richtend, wirft sich nun Montenuovo dem Feinde entgegen, —
zwingt ihn zum Rückzug und nimmt ihm die eroberten Geschütze
wieder ab.

Am folgenden Tage kämpft Oberst Graf Montenuovo bei
Egerfarmas, und am 6. März bei der Einnahme von Poroszlo.
Am 5. April im Gefechte bei Hatvan hatten die Oberst-
lieutenants-Divisionen von Civalart-Uhlanen und Kress-Chevauxlegers nebst 2 Raketen-Geschützen die Avantgarde bildend, die
feindlichen Vortruppen nach Hatvan zurückgedrängt, worauf
3 Divisionen Hussaren aus diesem Ort debouchirten und zum
Angriffe vorrückten. Die Oberstlieutenants Division Civalart-Uhlanen
unter Rittmeister Baron Wimmer attaquirte tapfer die Fronte
der Hussaren, gerieth aber durch die feindliche Uebermacht in
Unordnung. In diesem Augenblicke schwenkte die etwas rechts
gestandene Oberstlieutenants-Division des Regiments unter persönlicher Führung des Obersten Grafen Montenuovo in

Haltung im Carriere links, und stürzte sich in die linke Flanke
der Hussaren mit seltener Bravour. Die Hussaren, welche die
guten Klingen dieser braven Italiener schon früher kennen ge-
lernt, geriethen, ob dieses unerwarteten Angriffs in nicht geringe
Bestürzung. Ein Theil der Hussaren kehrte um, die anderen erwar-
teten den Choc der Chevauxlegers in grösster Stille, ihre Säbel
mechanisch zur Abwehr der Hiebe vorhaltend. Aber die Chevauxlegers führten beim Zusammenstosse eigentlich keine Hiebe, man
sah mehr ein Stechen, ein Hinschlachten. Es war dies eine der
schönsten Attaquen, die im Laufe dieses Feldzugs ausgeführt
wurden. —

Die geworfenen Hussaren geriethen noch auf der Hátvaner
Brücke in eine gefährliche Stockung, welche die flinken Chevauxlegers und Uhlanen trefflich zu benützen wussten. 53 Hussaren
fielen todt zur Erde, 23 schwer Verwundete und 17 Gefangene
brachte man nach Gödöllö.

Die Uhlanen und Chevauxlegers zählten gleichfalls mehrere
blessirte. Unter den Ausgezeichneten des Regiments werden in
der offiziellen Relation erwähnt: Oberst Graf Montenuovo, Rittmeister Kugtatscher, Oberlieutenant Graf Waldek und Oberlieutenant Regiments-Adjutant Ludwig Pulz.

Am folgenden Tage im Treffen bei Jsaszeg hielt Oberst
Graf Montenuovo mit 3 Escadrons des Regiments, einer von Max-
Auersperg-Cürassier (Nr. 5) und einer halben Cavallerie-Batterie
durch anderthalb Stunden den Wald bei Gödöllö gegen die anstürmenden feindlichen Bataillone unter den heftigsten Granaten-
Feuer, attaquirte gegen Abend an der Spitze seiner 3 Chevauxlegers-Escadrons wiederholt in Flanken und Rücken zwölf feindliche Escadronen, und warf sie jedesmal mit Verlust zurück. Als
ausgezeichnet nennt die offizielle Gefechts-Relation den Oberst
Graf Montenuovo, Major Graf Alberti und Lieutenant Bar. Decken
des Regiments.

An allen vom 8. bis 22. April auf dem Rakos vorgefallenen Gefechten, nahm Oberst Graf Montenuovo mit Abtheilungen
des Regiments Theil. Am 10. April im Treffen bei Waitzen,
war eine Schwadron des Regimentes unter Rittmeister Rudolf
Brudermann anwesend, und hatte beim Rückmarsche der Truppen
die Arriere-Garde zu formiren.

Am 24. April hatte der FZM. Baron Welden den allgemeinen Rückzug der Armee gegen die westliche Grenze Ungarns
angeordnet, die drei Armee-Corps waren im Verlaufe des folgenden Tages in den ihnen zugewiesenen Stellungen vor dem
Komorner-Brückenkopfe eingetroffen, nur die Arriere-Garde des
3. Corps 5½ Escadrons des Regiments, welche nun nebst einer
Cavallerie-Batterie die Brigade ihres Obersten Graf Montenuovo
formirten, waren zwischen Kocs und Banhida, wegen zu grosser
Ermüdung der Pferde und Mannschaft zurück, und hatte den
Befehl erhalten, bei Puszta-Törmönd zu bivouaquiren. Auf dem

Marsche dahin (am 26.) wurde ein sehr heftiger und lobhafter Canonendonner hörbar, den selbst die Sachverständigsten für das gewöhnliche Bombardement der Festung Komorn hielten, daher die Brigade ohne besondere Beschleunigung den angeordneten Marsch bis gegen Puszta-Törmönd fortsetzte. Hier angelangt, liess jedoch Oberst Graf Montenuovo nicht, wie angeordnet wurde, die Brigade lagern, sondern schickte vorerst 2 Offiziere mit kleinen Abtheilungen im scharfen Tempo zur Recognoszirung über die vorliegenden Höhen in der Richtung gegen Komorn ab. Ohne die Meldung dieser beiden Offiziere abzuwarten, rückte er auf die Mittheilung des mittlerweile freiwillig herbeigeeilten Hauptmanns Ludwig Fischhof von Baron Haynau-Infanterie Nr. 57, dass FML. Simunich mit einer grossen Streitmacht Görgey's ein hartnäckiges Treffen bestehe, aus eigenem Antriebe und auf eigene Verantwortung gegen den Befehl bei Puszta-Törmönd zu bivouaquiren, über Mocsa so schnell als möglich in der Richtung des aufsteigenden Geschützrauches vor, und gelangte durch Hügelreihen gedeckt, unbemerkt dem heftig vordringenden Feinde in die linke Flanke, und theilweise in den Rücken. Eben waren unsere Truppen der Uebermacht weichend, gegen Acs und Puszta-Harkaly im Rückzuge und ihr rechter Flügel durch zahlreiche, rasch anrückende feindliche Cavallerie der Art bedroht, dass ein Aufrollen der ganzen Linie von dieser Seite, und eine höchstgefährliche Umgehung gegen Babolna zu befürchten stand. Auf das Kräftigste durch das lebhafte Feuer der Cavallerie-Batterie Nr. 3 unterstützt, attaquirte Oberst Graf Montenuovo bei Puszta-Csem an der Spitze der beiden Escadrons der 1. Majors-Division mit vorzüglicher Bravour 3 Regimenter Hussaren, sprengte eine Infanteriemasse nach zwei Dechargen derselben auf die 1. Majors 1. Escadron auseinander, und brachte dadurch die feindlichen Treffen auf dieser Seite in Bestürzung, Unordnung und zum Weichen. Gleichzeitig wurde auf Anordnung des FML. Graf Schlick ein nicht minder herzhafter Angriff mit 12 Escadronen auf des Feindes linken Flügel ausgeführt, und durch diese beiden Attaquen die Verbindung des Schlick'schen mit dem Corps des FML. Simunich erreicht. Letzterer das Schwanken des Feindes benützend, liess nun auf der ganzen Linie die Offensive ergreifen, worauf sich der Gegner mit theilweiser Flucht unter die Kanonen der Festung zurückzog.

Das Regiment erlitt an diesem Tage einen Verlust von 1 Mann und 4 Pferde an Todten; den Oberlieutenant Roderich Graf Solms-Sonnenwalde, 2 Mann und 7 Pferde an Verwundeten, und 2 Pferde an Vermissten.

In der Relation des Corps-Commando werden vom Regimente als Ausgezeichnet genannt, nebst dem Obersten Grafen Montenuovo, die beiden Majors Graf Alberti und Baron Boxberg, die Rittmeister Mangelberger und Klimont, der verwundete Oberlieutenant Graf Solms und der Oberlieutenant Regiments-Adjutant Ludwig Pulz, welcher den schwer verwundeten am Boden liegenden Obersten Kisslinger von Max Auersperg-Cürassier mit seltener Kühnheit in Sicherheit gebracht hatte.

Zwei Escadrons des Regiments waren dem Streif-Commando des Major Grobois von Baron Koudelka Infanterie Nr. 40 zugetheilt, welches die Gegend an der Rabniz, so wie Oedenburg und Kapuvar zu beobachten und zu decken hatte.

Im Sommer-Feldzuge 1849 stand das Regiment im 1. Armee-Corps unter G. d. C. Graf Schlick, und hatte mit Kaiser-Chevauxlegers (jetzt Uhlanen Nr. 6.) in der Division des FML. Fürst Lobkowitz, Cavallerie-Brigade des GM. von Ludwig seine Eintheilung. Es nahm in dieser thätigen Antheil an den Vorposten-Gefechten bei Hochstrass, dem Gefechte am 30. Juni bei Acs, jenem bei O-Szöniy, Puszta-Herkaly und im Acser Walde am 2. Juli, wo die Brigade eine feindliche Batterie mit ihrer Bedeckung in ihr Lager zurückjagte, und die Verbindung des 1. mit dem rechts gegen O-Szöny stehenden IV. Armee-Corps eröffnete, ferner an der Schlacht bei Komorn am 11. Juli, und dem Gefechte bei Mako am 4. August. — In jenem von Vinga und Dreispitz am 10. August bildete eine Escadron des Regiments mit 3 Geschützen die Vorhut, während Oberstlieutenant Graf Alberti mit einer andern Escadron und 2 Geschützen die Deckung des linken Flügels des Graf Schlick'schen Corps übernahm, und mit vieler Umsicht und Zweckmässigkeit den Feind in seiner rechten Flanke beschäftigte. Mittlerweile rückte Major Baron Boxberg mit seiner Division und 4 Geschützen über Uj Bodrog, warf die sich ihm entgegen stellenden feindlichen Hussaren-Abtheilungen über den Haufen, und brachte viele Gefangene ein. —

Alle diese Waffenthaten des Regiments im Sommer-Feldzuge 1849, ergänzen dessen schon im Beginne der Campagne 1848 so glänzend erkämpften Ruhm in würdiger Weise, und dies Regiment hatte den Ruf eines der gefürchtesten Reiter-Regimenter des kaiserlichen Heeres im Lager der ungarischen Insurgenten zu sein, welcher auser seiner ausgezeichneten Bravour und Tapferkeit auch grösstentheils seiner bereits weiter oben bezeichneten Fecht-Art, welche vorzugsweise im Stiche bestand, zuzuschreiben war.

Für seine an der Spitze dieses tapfern Regiments ausgeführten heldenmüthigen Leistungen erhielt der noch am Schlusse des Feldzugs zum GM. beförderte Oberst Graf Montenuovo das Militär-Verdienst-, und in der Promotion vom 26. März 1850 das ihm von Ordens-Capitel zuerkannte Ritter-Kreuz des Maria Theresien-Ordens. — Ausser diesem Commandanten des Regiments wurden nachstehende Offiziere desselben wegen ihrer vorzüglichen Dienstleistungen in diesem Feldzuge mit k. österreichischen Orden ausgezeichnet und zwar:

Mit dem Ritter-Kreuze des Leopold-Ordens und dem Militär-Verdienst-Kreuze: der Oberstlieutenant Albert Graf Alberti de Poya.

Mit der eisernen Krone III. Classe: die beiden Rittmeister Heinrich Fischer Edler von Ehrenborn und Ludwig Pulz.

Mit dem Militär-Verdienst-Kreuze: Major Jakob Mangelberger, die Rittmeister Heinrich Fischer Edler von Ehrenborn, Johann Hoffmann, Franz Kleinheins, Friedrich Ziegler v. Klipphausen, Gustav Graf Waldeck und Roderich Graf SolmsSonnenwalde. — Unter die wackern Chevauxlegers wurden mehr als 30, theils goldene theils grosse und kleine silberne Tapferkeits-Medaillen vertheilt, so wie einige k. russische St. GeorgsKreuze V. Classe.

Das Schreiben Sr. k. Hoheit des Herrn Inhabers Grossfürst Thronfolger Alexander Czesarewitsch von Russland an den mittlerweile zum General avanzirten Grafen Montenuovo, aus Anlass der vorschriftsmässigen Einsendung der Rangs- und Eintheilungs-Liste des Regiments, ist für das Regiment zu ehrenvoll, um es unerwähnt zu lassen, und lautet:

„Herr General-Major Graf Montenuovo!

Ihr Schreiben vom 30. August d. J. nebst den Rangs- und Eintheilungs-Listen des Offiziers-Corps vom Chevauxlegers-Regimente Meines Namens habe ich erhalten. Für deren Zusendung vielmals dankend, bitte ich Sie zugleich, Mein Herr Graf, wie Ihre wackern Kriegs-Genossen die Versicherung zu empfangen, dass ich es mir zur Ehre rechne, Chef eines Regimentes zu sein, welches unter Ihrer durch militärisches Talent, wie muthvoller Hingebung sich auszeichnenden Leitung in den jüngsten hartnäckigen Kämpfen einen glänzenden Kriegs-Ruhm erntete, und aller schwierigen Verhältnisse ungeachtet in Treue ausharrte, wie Pflicht und Ehre solches geboten.

Ich verbleibe Ihnen wohlgeneigt

Alexander, m. p".

Rittmeister Fürst Alexander Auersperg und Oberlieutenant Friedrich Graf Westphalen des Regiments, hatten schon während des Feldzuges 1848 in Italien freiwillige Dienste geleistet. Ersterer als Ordonanz-Offizier dem dortigen 1. Armee-CorpsCommando (FML. Graf Wratislaw) zugetheilt, wurde in der offiziellen Relation belobend angeführt; Letzterer hingegen dem Dragoner-Regimente König Ludwig von Baiern Nr. 2 (jetzt 10. Cürassier-Regiment) zur Dienstleistung zugetheilt. In den Gefechten bei Volta wurde Oberlieutenant Graf Westphalen durch einen Schuss und 4 Lanzenstiche schwer verwundet, und hatte sich,

bereits von piemontesischen Lanziers umringt, mit seltener Geistesgegenwart und Bravour, durch den Dragoner Pichler kräftigst
unterstützt, seiner bedeutenden Verwundung ungeachtet herausgehauen. —

Nach geendetem Feldzuge 1849 erhielt das Regiment die
Friedens-Station Saros-Patak, 1850 aber Miskolz in Ungarn. —
Bei der im Dezember 1850 anbefohlenen grünen Uniformirung
sämmtlicher Chevauxlegers-Regimenter veränderte das Regiment
seine bisherigen weisse Rock- und blaue Pantalons-Farbe in
grün, unter Beibehaltung seiner karmoisinrothen Aufschläge und
weissen Knöpfe.

Im Sommer 1851 bezog das Regiment die Stabs-Station
Gyöngyös, und wurde im Mai d. J. vermöge allerhöchsten Be-
fehlschreiben vom 6. j. M. zum Uhlanen-Regimente mit der
Nummer 11 übersetzt, als welches es seine gegenwärtige am
Schlusse angegebene Uniformirung erhielt.

Im September 1852 war das Regiment im grossen Caval-
lerie-Lager bei Pest, und zwar im 1. Cavallerie-Corps des FML.
Fürsten Franz Liechtenstein in der Division des FML. Baron
Moltke, und Brigade des GM. Baron Simbschen eingetheilt.

Am 20. September bei der grossen, auf der Hutweide
nördlich von der Üllöer-Strasse abgehaltenen Revue ward dem
Regimente die hohe Ehre zu Theil, Sr. k. k. Hoheit dem Regiments-Inhaber Grossfürst Thronfolger Alexander Czesarewitsch
von Russland (gegenwärtigen Kaiser) an seiner Tête zu sehen,
und von diesem Sr. Majestät den Kaiser von Oesterreich vorgeführt zu werden. — Aus diesem Lager marschirte das Regiment im October nach Nieder-Oesterreich, wo es mit dem Stabe
nach Mistelbach, im Mai 1853 aber nach Enzersdorf in's Marchfeld verlegt wurde.

Im Herbste 1853 während des grossen Lagers zu Olmütz
wurde dasselbe nach Wien gezogen, wo auch der Stab mit einer
Division in der Leopoldstädter Cavallerie-Caserne, die übrigen 3
Divisionen aber in der nächsten Umgegend untergebracht, noch
über den Winter 1854 verblieben. Bei den Vermählungs-Feierlichkeiten Sr. Majestät des Kaisers hatte das Regiment den
Ehrendienst zu versehen, und eine Division desselben unter dem
Oberstlieutenant Fürsten zu Windisch-Grätz eröffnete den feierlichen Einzug der kaiserlichen Braut, Ihrer k. Hoheit der Herzogin Elisabeth von Baiern in die Haupt- und Residenzstadt
Wien am 24. April 1854. Kurz darnach rückte das Regiment
zu dem in Galizien unter Befehl des FML. Graf Clam-Gallas
aufgestellten 2. Cavallerie-Corps, und erhielt seine Dislozirung
bei Lancut und Umgegend. — Im Juli 1855 wurde dem Regimente die Friedens-Station St. Georgen bei Pressburg zugewiesen. — Rittmeister Friedrich Graf Westphalen wurde der 1856
nach Syrien und Arabien abgegangenen Mission des Obersten
Rudolf Brudermann zum Ankauf von Pferden zugetheilt, eben-

so stellte auch das Regiment zu einer gleichartigen Mission des Obersten Eugen Schindlöcker nach Persien zur Wartung und Transportirung der angekauften Pferde ein angemessenes Commando von unberittener Mannschaft bei, welches grösstentheils mit persischen Medaillen decorirt zurückkehrte. Rittmeister Graf Westphalen erhielt für seine ausgezeichnete Verwendung in jener Mission den Orden der e i s e r n e n K r o n e III. Classe.

Im September 1857 war das Regiment im grossen Cavallerie-Lager bei Parendorf nächst Bruck an der Leitha, in der Division des FML. von Veigel, Brigade des GM. Graf Sternberg, von wo es Anfangs October in seine frühere Stabs-Station St. Georgen zurückkehrte.

Im Mai 1859 wurde das Regiment zu dem, in Folge des Ausbruchs des italienisch-französischen Krieges neu formirten 2. Cavallerie-Corps Sr. k. k. Hoheit des FML. Erzherzog Ernst bestimmt, und rückte in der Brigade des GM. Grafen Neipperg nach Mähren, von wo es aber nach zweimonatlicher Cantonirung wieder nach Ungarn in seine noch gegenwärtige Stabs-Station Tolna marschirte.

In Folge der im Präliminar-Frieden zu Villa-Franca am 12. Juli stipulirten Abtretung der lombardischen Gebietstheile wurde dem Regimente anbefohlen, seine lombardische Mannschaft in ihre Heimath zu entlassen, und vermöge Allerhöchster Entschliessung vom 17. August 1859 die Herabsetzung seines Standes auf 4 Escadrons oder 2 Divisionen bestimmt. Bei der am 1. März 1860 in's Leben getretenen neuen Organisirung der Cavallerie wurde das Regiment durch Anher-Uebersetzung einer Division des Uhlanen-Regiments Kaiser Franz Joseph Nr. 4 auf den Stand von 3 Divisionen gebracht, und dessen nunmehrige Ergänzung aus G a l i z i e n anbefohlen.

Maria Theresien-Ordens-Ritter.

Inhaber.

1814 FML. Johann Graf Nostitz-Rhineck, MTOR.-Cdr., †zu Prag am 22. Okt. 1840
1840 FML. Carl Baron Kress von Kressenstein, wurde 1849 2. Inhaber.
1849 Se. k. Hoheit Alexander Czesarewitsch, Grossfürst und Thronfolger v. Russland, seit
1855 aber als Alexander II Kaiser v. Russland.

Zweiter Inhaber.

1849 G. d. C. Carl Baron Kress v. Kressenstein, † zu Wien im Februar 1856.
1856 FML. August Baron Eynatten, † zu Wien am 8. März 1860.
1860 FML. Adolf Baron Schönberger, Truppen-Divisionär.

Oberste.

1814 Bartholomäus Graf Alberti de Poya, Regts.-Comdt., 1825 GM.
1826 Johann Edler von Ré, Regts.-Comdt., 1832 GM.
1829 Carl Fürst zu Liechtenstein, 2. Oberst, 1830 transferirt zu Hussaren Nr. 10

21

322

1832 Carl Baron Stürmer, Regts.-Comdt., 1839 GM.
1840 Adolf Prinz Schwarzburg- Rudolstadt, Regts.-Comdt., 1846 GM.
1847 Anton Walz, Regts.-Comdt., 1849 pensionirt.
1849 Albert Wilhelm Graf Montenuovo, Regts.-Comdt., 1849 GM., 1850 MTOR.
1849 Albert Graf Alberti de Poya, Regts.-Comdt., † zu Miskolcz am 5. April 1852.
1851 Anatolius Baron Leykam, 2. Oberst, 1852 Regts.-Comdt., 1858 GM.
1858 Victorin Fürst zu Windisch-Grätz, Regts.-Comdt., 1861 transferirt zu Uhlanen Nr. 4.
1861 Eduard Graf Wickenburg, Regts.-Comdt.

Oberstlieutenants.

1814 Michael von Civrany, 1820 pensionirt mit Oberst-Charakter.
1814 Johann Chevalier Rè, 1826 Oberst.
1826 Christian Appel, 1827 General-Adjutant bei Sr. Majestät dem Kaiser Franz
1827 Franz Graf Lamberg, 1829 Oberst bei Uhlanen Nr. 2.
1831 Carl Baron Stürmer, 1832 Oberst.
1832 Julius de Foscolo, † am 10. Juli 1838.
1838 Adolf Prinz Schwarzburg-Rudolstadt, 1839 Oberst.
1839 Paul de Chizzola, 1842 Oberst und Premier-Wachtmeister der italienischen Leib-Garde.
1842 Carl Graf Grünne, 1843 Oberst bei Hussaren Nr. 2.
1842 Anton Walz, General-Commando-Adjutant in Ungarn, 1847 Oberst.
1844 August Baron Lauingen, 1848 transferirt zu Chevauxleg. Nr. 1. (Uhlanen Nr. 6).
1848 Joseph Bukowsky von Stolzenberg, 1849 pensionirt.
1849 Albert Graf Alberti de Poya, 1849 Oberst.
1849 Friedrich Baron Boxberg, 1851 Oberst bei Cürassier Nr. 4.
1852 Victorin Fürst zu Windisch-Grätz, 1858 Oberst.
1858 Eduard Graf Wickenburg, 1861 im Mai Regts.-Comdt., und im November Oberst.
1860 Heinrich Baron Stregen, 1861 pensionirt.
1861 Friedrich von Ziegler zu Klipphausen.

Majors.

1814 Jakob von Zorzi, 1822 pensionirt.
1814 Bartholomäus Chevalier Scotti, 1823 pensionirt.
1814 Alois Chevalier Rossi, 1820 transferirt zu Chevauxlegers Nr. 5, (Uhlanen Nr. 9
1815 Ernst von Schröer, 1819 transferirt zum Remontirungs-Department.
1822 Christian Appel, 1826 Oberstlieutenant.
1823 Franz Graf Lamberg, 1827 Oberstlieutenant.
1826 Leopold Baron Sahlhausen, 1830 pensionirt.
1827 Carl Baron Stürmer, 1831 Oberstlieutenant.
1830 Julius de Foscolo, 1832 Oberstlieutenant.
1831 Franz Graf Schaffgotsche, 1832 Oberstlieutenant bei Dragoner Nr. 5, (jetzt Nr. 1.)
1832 Ferdinand Seemann, 1835 pensionirt.
1832 Johann Graf Palffy, 1836 Oberstlieutenant bei Hussaren Nr. 4.
1835 Carl Baron Eckarth, 1838 Oberstlieutenant bei Chevauxlegers Nr. 2, (Uhlanen Nr. 7.)
1837 Adolf Prinz zu Schwarzburg-Rudolstadt, 1837 Oberstl. bei Chevauxlegers Nr. 2 (Uhlanen Nr. 7).
1837 Paul de Chizzola, 1839 Oberstlieutenant.
1838 Johann Piatti, Ritter v. Tirnowitz, † am 3. Mai 1839.
1838 Friedrich Reale, 1841 pensionirt.
1839 Anton Walz, General-Commando-Adjutant in Ungarn, 1842 Oberstlieutenant.
1839 Camillo Graf Nimptsch, 1840 transferirt zu Chevauxl. Nr. 2. (Uhlanen Nr. 7.)
1840 August Baron Lauingen, 1844 Oberstlieutenant.
1841 Wilhelm Baron Foullon, 1845 pensionirt.
1844 Ludwig v. Kaminski de Burzymucha, 1848 Oberstlieutenant bei Dragoner Nr. 1, jetzt Cürassier Nr. 9.

1845 Ludwig Schwelger v. Dürnstein, 1848 transferirt zu Cürassier Nr. 2.
1848 Albert Graf Alberti de Poja, 1849 Oberstlieutenant.
1848 Friedrich Baron Boxberg, 1849 Oberstlieutenant.
1849 Josef von Kugtatscher, 1850 pensionirt.
1849 Jakob von Manglberger, 1850 transferirt zur Gensdarmerie.
1849 Josef von Kliment, 1858 pensionirt mit Oberstlieutenants-Charakter.
1849 Rudolf Brudermann, 1854 Oberstlieutenant bei Hussaren Nr. 9.
1849 Victorin Fürst zu Windisch-Grätz, 1852 Oberstlieutenant.
1852 Franz von Kostyan, 1852 transferirt zu Uhlanen Nr. 7.
1852 Eduard Graf Wickenburg, 1858 Oberstlieutenant,
1854 Carl Graf Khuen-Belassy, 1857 pensionirt.
1855 Friedrich von Ziegler zu Klipphausen, 1861 Oberstlieutenant.
1857 Friedrich von Berres Edler von Perez, 1857 transferirt zu Uhlanen Nr. 12
1857 Wenzel Benischko Ritter von Dobroslaw, 1859 pensionirt.
1858 Johann Pulz.
1859 Gustav Graf Waldeck.

Uniformirung des Regiments.

Karmoisinrothe Czapka, dunkelgrüne Uhlanka und Pantalons, scharlachrothe Aufschläge, weisse Knöpfe.

Uhlanen-Regiment Nr. 12, König Franz II. beider Sicilien.

Mit Allerhöchstem Befehlschreiben vom 4. März 1854 wurde die Errichtung dieses Regiments angeordnet; die Bildung eines Stamm-Cadres durch Anhertransferirung vom Stabs- und Ober-Offiziers und Abgabe einer angemessenen Anzahl von Unterof-fiziers und Mannschaft der leichten Cavallerie-Regimenter, wie dessen jeweilige Ergänzung aus der Woywodina, Croatien und Slavonien bestimmt. Zum Inhaber wurde Se. Majestät König Ferdinand II. beider Sicilien ernannt, und als Aufstellungs-Platz die Stabs-Station Austerlitz in Mähren dem Regimente zugewiesen.

Im Juli 1855 rückte das bereits organisirte Regiment zur Aufwartung in die Residenzstadt Wien, im April 1856 wurde es in die Umgegend erst mit dem Stabe in Baden, später in Himberg verlegt.

Im August 1856 hatte dasselbe am Glacis der Residenzstadt Wien die feierliche Weihe seiner Standarten, am 18. Juni 1857 wohnte es daselbst der Säcular-Feier des Maria Theresien-Ordens bei, und war in den beiden Jahren 1856 und 1857 den bei Wien abgehaltenen Infanterie-Lagern divisionsweise zugetheilt. Nachdem das Regiment während des Parendorfer Lagers den Garnisons-Dienst von Wien versehen hatte, marschirte dasselbe im October 1857 nach Italien, wo es mit dem Stabe und 6 Escadrons nach Mailand, mit 2 Escadrons aber nach Pavia dislozirt wurde. Bei Gelegenheit einer Ausrückung am Castell-Platze zu Mailand war dies Regiment die letzte Truppe, der die Ehre zu Theil wurde, vor dem FM. Graf Radetzky zu defiliren, und wegen ihres guten Aussehens belobt zu werden. — Wenige Tage später im Jänner 1858 hatte es die schmerzliche Pflicht bei den Trauer-Feierlichkeiten zu Mailand, den irdisch'

21*

Ueberresten dieses grossen Feldherrn das Ehrengeleite zu geben. Im Winter 1859 bestritt das Regiment die Vorposten am Ticino. welchen Grenzfluss es bei dem Ende April erfolgten Ausbruch des italienisch- französischen Krieges mit 2 Divisionen im 5. Armee-Corps des FML. Graf Stadion, und mit 2 Divisionen im 2., des FML. Fürst Eduard Liechtenstein eingetheilt, überschritt. Das Regiment war grösstentheils divisions- oder auch escadronsweise in diesem Feldzuge den verschiedenen Infanterie - Brigaden der genannten Corps zugewiesen; später kamen 2 Divisionen zum 9. Corps des G. d. C. Grafen Schaffgotsche, während 2 beim 5. blieben.

In den Gefechten bei Frassinetto und Valenza am 3. und 7. Mai waren Abtheilungen des Regimentes gegenwärtig, ein Streif-Commando desselben kam bis Serravallo, dem Mittelpunkte zwischen Genua und Alessandria, ohne aufgehalten zu werden. Erst in Serravalle stiess es auf Zuaven, welche dem Corps des französischen Marschall Baraguay angehörten, und kehrte ohne auch nur einen Mann zu verlieren, über Tortona nach Voghera zurück, wo man es bereits verloren glaubte.

Am 20. Mai im Treffen bei Montebollo waren die 2. Division des Regiments unter Major Baron Appel, und die 1. Escadron unter Rittmeister Ludwig Müller, der Brigade des GM. Prinz Alexander von Hessen zugewiesen. Diese Brigade hatte am frühen Morgen bei Vacarizza den Po überschritten, und marschirte über Castelleto nach Calcababbia, um die rechte Flanke der beiden Armee-Divisionen Urban und Paumgarten, welche zur Recognoszirung gegen Montebollo und Voghera vorgerückt waren zu decken. Von Calcababbia aus erhielt Major Baron Appel den Auftrag, auf den verschiedenen südwärts letztgenannten Ortes gegen Casinanuova und Genestrello führenden Strassen mit der 3. Escadron Streifungen vorzunehmen. In der Höhe von Casone de Lausi stiess dieses Streif-Commando schon auf eine 50 Mann starke piemontesische Chevauxlegers - Abtheilung. Wachtmeister Anton Keilwerth des Regiments warf sich mit seiner kaum halb so starken Avant-Garde, über Befehl des Major Appel auf den Feind, während die übrigen Züge auf dem Felde östlich der Strasse aufmarschirten, um die feindliche Reiterei in die Flanke zu fassen, und von ihrer geraden Rückzugs-Linie abzuschneiden. Die Attaque des 1. Zuges unter Wachtmeister Keilwerth war aber mit solcher Schnelligkeit und Bravour ausgeführt, dass der Feind mit dem Verluste mehrerer Tödten und Verwundeten in schleuniger Flucht westlich der Strasse gegen Lazareto sich zurückzog. Hier aufgestellte feindliche Infanterie-Abtheilungen hemmten die weitere Verfolgung. Einem über Casa-Durano in die linke feindliche Flanke entsendeten Zuge der Uhlanen gelang es einem feindlichen Offizier und einen Gemeinen vor der Fronte ihrer Abtheilung gefangen zu nehmen, und 6 Pferde zu erbeuten. In Folge des weitern Kampfes bis

Montebello rückte Major Appel mit der 3. Escadron gegen die nördlich von Casinanuova führende Eisenbahn, um sich in Verbindung mit den bereits retirirenden Truppen der Brigade Gaal zu setzen, und nach Umständen durch Abreissung einiger Eisenbahnschienen allenfalsige Nachschübe neuer feindlicher Verstärkungen von Voghera und Tortona aus zu vereiteln. Heftiges Kleingewehrfeuer hier gedeckt aufgestellter feindlicher Infanterie-Bataillone, durch welches Rittmeister William Baron Hammerstein und 1 Corporal schwer verwundet wurden (sind beide kurze Zeit darauf im Feldspitale zu Pavia ihren Wunden erlegen), vor allem aber die bedeutende numerische Ueberlegenheit des Gegners veranlassten Major Appel die Escadron aus dem Schussbereiche wieder zurückzuziehen, jedoch durch fortwährende Demonstrationen in der linken Flanke desselben den Feind vor jedem entschiedenen Vorgehen gegen die Brigade Gaal abzuhalten. Als nach 6 Uhr Abends die Brigade des GM. Prinz Hessen mit der 1. und 4. Escadron des Regiments am Kampfplatze erschien, löste die Cavallerie glücklich die ihr zu Theil gewordene Aufgabe die rechte Flanke derselben vor einer Umgehung zu schützen, wie sie auch später den Rückzug der Brigade deckte, und die Verbindung mit dem Gros der operirenden Truppen, welches nach Casteggio zurückgegangen war, ununterbrochen unterhielt.

Um 5 Uhr früh hatte am 21. Mai die Brigade des Prinzen Hessen den Brückenkopf bei Vacacariza wieder erreicht. Major Baron Appel sagt in seiner Relation: „Das Verhalten sämmtli-„cher Herrn Offiziere, Chargen und Mannschaft bei dieser Affaire, „wo zum ersten Male eine Standarte vom Regimente „Sicilien Uhlanen die Feuertaufe erhielt, verdient Alles Lob" insbesondere wird das entschlossene umsichtige Vorrücken des Rittmeister Baron Hammerstein gegen den Eisenbahndamm angerühmt, so wie die Bravour des Wachtmeister Keilwerth und der beiden Gemeinen Turcic und Kollar (die sich bei der Attaque der Avant-Garde die Ersten auf den Feind gestürzt hatten); erstere beiden erhielten die grosse, letzterer die kleine silberne Medaille. Die 3. Escadron hatte 4 verwundete Pferde. Wachtmeister Anton Appiano der 1. Escadron des Regiments, welcher den Rückzug eines in der Plänklerkette befindlichen Bataillons Culoz Infanterie decken sollte, war vom GM. Prinz Hessen beauftragt, in Ermanglung von Hornisten und Tambours, die Plänklerkette abzureiten, und selber den Befehl zum Rückzuge zu überbringen. Dieser Wachtmeister vollzog nicht nur mit besonderer Entschlossenheit seinen Auftrag, sondern er rettete 2 verwundete Offiziere des genannten Bataillons vor feindlicher Gefangenschaft, indem er ungeachtet des heftigsten feindlichen Feuers einen nach dem andern auf sein Dienstpferd aus der Gefechtslinie zurück in Sicherheit brachte. Diesem edlen Beispiele folgten die Uhlanen Johann Wischinka und Josef C

und entrissen beide im grössten Kugelregen, einige verwundete
Soldaten jenes Bataillons auf gleiche Art der Gefangenschaft.
Diese drei Braven erhielten die silberne Tapferkeits-Medaille
I. Classe. — In Folge ihrer ausgezeichneten Verwendungen
an jenen Tagen erhielten folgende Offiziere des Regiments nachstehende Belohnungen: Major Johann Baron Appel und Rittmeister Johann Graf Zichy die Allerhöchste Anerkennung, die
Rittmeister William Baron Hammerstein und Friedrich Binder
das Militär-Verdienstkreuz.

Im Treffen bei Palestro am 31. Mai war die 5. Escadron unter Rittmeister Pippan anwesend, und es erhielten 3
Mann die kleine silberne Medaille. In der Schlacht von Magenta am 4. Juni hatten einige Abtheilungen des Regiments
Gelegenheit zur Auszeichnung. Major Friedrich von Berres mit
der 4. Division des Regiments hatte an diesem Tage die Aufgabe
erhalten, die rechte Flanke der nach Bufalora vorgeschobenen
Brigade des GM. von Baltin zu decken.

Die dem genannten Major angewiesene Reservestellung war
nahe der Casina nuova di Bufalora.

Kurz daselbst angelangt, wurde von den in der rechten
Flanke der Uhlanen-Division abgesendeten Patrouillen die Annäherung der feindlichen Tirailleurs gemeldet, und gleichzeitig
war immer heftiger und deutlicher in dieser Richtung das Feuer
des Feindes zu vernehmen. Da fasste Major Berres den Entschluss, die mittlerweile im heftigsten Kampfe engagirte Brigade
Baltin vor der ihrer Flanke drohenden Gefahr, seiner Aufgabe
eingedenk, durch sogleiches energisches Einschreiten zu schützen.
Sämmtliche Schützen der Division, unter Rittmeister Graf Wallis,
rückten eiligst als Verstärkung nach der bedrohten Seite, während
Major Berres mit der Division der feindlichen Bewegung in
der Richtung gegen Mesara, trotz aller zur Entwicklung für
Cavallerie en Front sich entgegenstellenden Terrainhindernisse,
folgte. Der Feind durch das Erscheinen der Cavallerie auf dem
sonst coupirten Boden und deren vielseitiges zerstreutes Hervorbrechen aus der Cultur überrascht, zog sich alsbald gegen
Cugione hin, zurück. Selbst die französischen Berichterstatter
erwähnen anerkennend dieses überraschende Erscheinen der Uhlanen,
deren entschlossene Vorrückung eine Zeitlang an das Vorhan-
densein grosser Reiter-Abtheilungen hinter sich glauben machte,
und desshalb einen Stillstand im feindlichen Flankenangriffe
über Marcallo auf Magenta bezweckte. Diese sowohl combinirte
Diversion des Major von Berres, welche überdiess nicht in seinem
Auftrage lag, verzögerte die feindliche Besitznahme Marcallo's
und ermöglichte somit allein die Effectuirung des Rückzuges der
Brigade Baltin auf Magenta. — Nun war es aber hohe Zeit für
die Uhlanen, ihren Rückzug anzutreten; denn bereits hatte der
Feind zwischen der vorgerückten Division und der in Bufalora
kämpfenden Brigade Baltin sich einzukeilen begonnen, und die

Uhlanen schon in ihrem Rücken beschossen. — In diesem Gefechts-Momente erhielt Major Berres die Nachricht, dass feindliche Cavallerie sich von der Cultur begünstigt, bis vor Bufalora einschlich und daselbst die Stellung der Brigade Baltin, deren Rückzug bald erfolgen dürfte, beunruhige. In Anbetracht dieser Erfahrung liess Major von Berres den Rittmeister Graf Moltke mit der 8. Escadron in gerader Linie auf Bufalora abbrechen, und disponirte den Rittmeister von Einem mit dem 2. Flügel der 7. Escadron als Verbindung für die 8. Escadron und zugleich zur Beobachtung der feindlichen Vorrückung. — Die 3. Division des Regiments war dieser ganzen Vorrückung als Reserve gefolgt. Die 8. Escadron durchstreifte nun das Terrain gegen Bufalora, fand jedoch nur auf der Strasse gegen diesen Ort feindliche Plänkler, die von den Uhlanen rasch zurückgedrängt wurden, bei welcher Gelegenheit sich die Gemeinen Grubecic und Marekovics durch ihre Tapferkeit bemerkbar machten. Nachdem Rittmeister Graf Moltke die Ueberzeugung gewonnen hatte, dass keine eigenen Truppen sich ausserhalb Magenta mehr befanden, und die Escadron bereits in der Front und den beiden Flanken beschossen ward, zog er sich auf Magenta zurück, wo er zur Division einrückte. Bei diesem Rückzuge der 8. Escadron hatte sich besonders der Wachtmeister Josef Sallas durch sein entschlossenes umsichtiges Benehmen, wodurch er wesentlich zu dessen geordneter Richtung beitrug, hervorgethan. — Gleich bei seiner Abrückung von der Division hatte Rittmeister Graf Moltke den Oberlieutenant von Nordwalden mit dem 1. Zuge zur Flankendeckung der Division, in Plänkler aufgelöst, disponirt. — Im Laufe des Gefechts wurde dieser Zug von den feindlichen Tirailleurs stark beschossen, und zugleich in der rechten Flanke von einer halben Escadron französischer Hussaren angegriffen; Oberlieutenant von Nordwalden sammelte schnell seine Uhlanen und warf jene feindlichen Reiter zweimal zurück. Das Vordringen der französischen Truppen gegen Magenta, und die allmälige Räumung dieses Ortes von den eigenen bewog der genannten Oberlieutenant seinen Rückzug gegen Marcallo anzutreten. Inzwischen war Oberlieutenant Nordwalden mit seinem Zuge von seiner Escadron durch feindliche Abtheilungen abgeschnitten worden. Da griff jener tapfere Offizier eine westlich von Marcallo lagernde französische Infanterie-Division und eine halbe Schwadron Chasseurs d'Afrique mit seinen Uhlanen ungestüm an, und trieb selbe zurück, wobei der Gemeine Martin Laja bereits eine Fahne erobert hatte, die ihm jedoch von der überlegenen feindlichen Infanterie wieder entrissen ward; ausserdem hatten die Uhlanen einige Beutepferde gemacht. Nun aber wurden die Uhlanen durch das plötzliche Debouchiren einer 70 bis 80 Mann starken, feindlichen Reitertruppe in ihrem Rücken zur Umkehr gezwungen, — Oberlieutenant von Nordwalden griff auch diese an, schlug sich durch, und erreichte selbst durch die Cultur von d'

lichen Cavallerie verfolgt noch glücklich die Escadron, musste
aber die genommenen Beutepferde dem Feinde überlassen. Der
Verlust des Zuges bestand in 7 Mann 5 Pferden an Todten,
nebst 4 verwundeten Pferden. — Ausser den bereits erwähnten
Gemeinen Laja haben sich von diesem Zuge noch ausgezeichnet
Corporal Georg Mathekovic, welcher einen feindlichen Infanterie-
klumpen sprengte, mehrere desselben niederhieb und sodann,
nachdem sein Pferd durch 11 Bajonettstiche verwundet war, im
heftigsten Kugel - Regen auf das Pferd eines erschossenen Cameraden übersprang, und von Neuem gegen mehrere Chasseurs
anritt, deren einen er vom Pferde hieb. Gemeiner Subettin,
der mehrere feindliche Reiter niederstach; Zugsführer Steiner,
der gleichfalls einige Chasseurs niederhieb und die Gemeinen
Schuster und Dudek, welche mehrere Beutepferde machten.
  Am Ausgange von Magenta dem Bahnhofe zu hatte die
4. Division nochmals Stellung genommen, — und ihre Aufgabe,
die Deckung des Rückzuges der vom Feinde hart bedrängten
Brigade Baltin, glänzend gelöst. Für das entschlossene unauf-
geforderte Einschreiten in das Gefecht bei Bufalora, während
der Schlacht von Magenta, von Seite des Majors von Berres,
der im coupirtesten Terrain, auf die überraschendste Weise einer
feindlichen Umgehung Cavallerie entgegenzuführen verstand, und
mit der grössten Ausdauer vom Beginne bis zum Schlusse der
Schlacht wesentlich zum geordneten Rückzuge der Brigade Baltin
mitwirkte, wurde diesem umsichtigen tapferen Stabsoffizier der
Eiserne Kronorden III. Classe verliehen. Von der 4.
Division erhielten noch Oberlieutenant Georg von Nordwalden
das Militärverdienstkreuz, Corporal Georg Mathekovic und
Gemeiner Martin Laja die goldene, 1 Mann die grosse und 4
die kleine silberne Medaille, unter welch letztern Corporal
Hefner, der dem Major Berres, während des Abreitens der feindlichen
Plänklerkette mit grösster Kaltblütigkeit folgte, und als mehrere
Chasseurs d'Afrique gegen jenen Stabsoffizier anritten, auf diese
losjagte und einen derselben niederhieb. — Im Laufe der
Schlacht hatte die 6. Escadron, unter Rittmeister Baron Witzleben den Auftrag erhalten, den Feind in der Richtung gegen
Trecate aufzusuchen. Bei dieser Gelegenheit wurde der Wachtmeister Franz Riffner mit 6 Rotten beauftragt, eine Seitenpatrouille zwischen Magenta und Trecate nach vorwärts zu machen;
derselbe stiess bald auf überlegene französische Infanterie und
zog sich, von dieser mit einem heftigen Kugelregen empfangen
auf Magenta zurück. Auf offenem Felde erblickte er eine,
halbe Batterie im Momente des Aufprotzens, welche aber von
den zahlreichen stürmenden feindlichen Schwärmen sich zurück-
ziehend, ein in einem Graben gestürztes Geschütz ohne Bespannung zurückgelassen hat. In aller Eile raffte nun Wachtmeister Riffner einige rückgebliebene sich zurückziehende Infanteristen zusammen, sass selbst mit 3 Uhlanen ab und brachte

unter anhaltendem heftigen feindlichen Feuer die schon verloren gegebene Kanone nach Magenta in Sicherheit, für welche That Riffner die silberne Medaille I. Classe erhielt. — Ausser den bereits genannten Offiziers erhielten vom Regimente noch folgende, welche mit ihren Abtheilungen den einzelnen Infanterie-Brigaden zugetheilt, sich beim Rückzuge ausgezeichnet hatten, nachstehende Auszeichnungen: Rittmeister Ludwig Müller den Orden der Eisernen Krone III. Classe; Rittmeister Bela von Schönberger, die Oberlieutenants Alexius Fabianics und Josef Lommer das Militär-Verdienstkreuz.

Am 21. Juni hatte Major Baron Appel des Regiments den Befehl erhalten, mit 3 Zügen der 3. Escadron, unter Rittmeister Carl Baron Skrbensky, und einen der 4. unter Rittmeister von Medvey, nebst einer Escadron Kaiser-Hussaren und 2 Geschützen das südlich vom Gardasee zwischen der Chiese und dem Mincio gelegene Hügelland zu recognosziren. Am Abende dieses Tages bezog das Commando bei Pozzolengo das erste Bivouac. Die durch die dortigen Ortsbewohner erhaltenen Nachrichten bestimmten den Major Baron Appel am 22. um 3 Uhr Früh gegen Rivoltella weiter aufzubrechen. Oberlieutenant Ritter von Kowalski des Regiments wurde von Montonaletto aus mit seinem Zuge über Venga gegen Rivoltella entsendet, fand San Zeno und Casolta stark vom Feinde besetzt, und wurde jenseits Venga mit heftigem Kleingewehrfeuer empfangen, worauf er sich, im Sinne der erhaltenen Instruction, auf das Gros des Streif-Commandos zurückzog. Die Uhlanen Hudjian und Szabotin hatten sich unmittelbar nach den ersten Schüssen mit vieler Entschlossenheit auf die nächsten feindlichen Vedetten geworfen und diese verjagt, beide erhielten die kleine silberne Medaille. Bei Castel Venzago hatte Major Baron Appel mit dem Feinde ein Gefecht zu bestehen, wobei aber hauptsächlich eine halbe Escadron Kaiser Hussaren (siehe II. Band Berichtigungen bei Hussaren Nr. 1) mitwirkte, und welches mit der fluchtartigen Räumung jenes Ortes von Seite des Feindes endete. Sogleich nach dessen dortiger Verbreitung unternahm Major Baron Appel persönlich, um sichere Kenntniss über die Richtungslinie des plötzlich dem Auge entschwundenen Feindes zu erhalten, eine äusserst gefährliche Recognoszirung mit 6 Freiwilligen der 3. Escadron des eigenen Regiments. Die Uhlanen Mathias Kollar, Marko Smargac, Milosch Andric, Misko Stedol, Jon Wukas und Corporal-Stellvertreter Heinrich Thanhofer legten mit Major Baron Appel in voller Carriere über Hügel und Thal die Distanz bis zur Arriere-Garde der Bersagliere zurück, zersprengten diese im kühnen Anlauf, worauf sie erst wieder auf Befehl des Major Appel in grösster Ordnung ihren Rückzug antraten. Kollar erhielt die grosse, die übrigen genannten die kleine silberne Medaille.

Unter den während des Streifzuges von Major Baron Appel
ausgesandten grösseren Recognoszirungs-Patrouillen machte Lieutenant Goldberger eine gegen Volta, Rittmeister von Medvey eine
gegen Castiglione della Stiviere, Rittmeister Graf Aichelburg gegen
Carpendolo, und Corporal-Stellvertreter Heinrich Thanhofer mit
8 Mann, eine gegen Castel Goffredo; letztere war bald auf eine
französische Cavallerie-Abtheilung beiläufig eine Escadron gestossen, welcher sie sich mit Entschlossenheit entgegenwarf, und den
Feind, der wahrscheinlich das Nachrücken einer grösseren Colonne
vermuthete, dadurch mit dem Verluste einiger seiner Leute zum
Rückzuge bestimmte. Die Uhlanen Für, Blasekowic und Adic
ihren tapfern Führer-Stellvertreter Thanhofer an der Spitze
hatten sich mit solcher Tollkühnheit auf die Avantgarde des
überlegenen Gegners geworfen, und dadurch eine derartige Verwirrung in dieser hervorgebracht, dass die nachfolgenden feindlichen Reihen sich in die Flucht ihrer Avantgarde mit fortreissen
liessen. Thanhofer erhielt die grosse silberne, die übrigen
drei genannten die kleine silberne Medaille. Die andern
weiter oben angeführten Patrouillen hatten mit Umsicht und Entschlossenheit ihre Aufgaben gelöst, und waren auf theils grössere
theils kleinere feindlichen Infanterie- und Cavallerie-Abtheilungen gestossen, ja selbe hatten das Lager bei Castiglione förmlich allarmirt,
aus welchem 3 aus allen Truppentheilen formirte, starke, französische
Colonnen sich in Bewegung setzten.

„Es scheint keinem Zweifel zu unterliegen,“ schreibt Major
Appel in seinem Schlussberichte, „dass der Feind zwischen Car-
penedolo, Castiglione, Montechiari, Lonato mit nach Desenzano
und Rivoltela vorgeschobenem linken Flügel marschire, indess
südlich der Linie Casalmoro — Volta so viel als Nichts von
ihm vorhanden ist.“ Die Schlacht von Solferino liefert den Beweis
von der Richtigkeit dieser Meldung.

Am 23. Juni ordnete Major Baron Appel den Rückmarsch
nach Goito an, und fand dort die über den Mincio vorrückende
1. Armee, deren Commandanten FZM. Graf Wimpfen, wie bei
seinem um 4 Uhr Nachmittags im Lager bei Volta erfolgten
Einrücken derselbe Sr. Majestät dem Kaiser selbst den aller-
unterthänigsten Rapport über seine gemachten Beobachtungen
abstattete. In seinem Berichte an das 2. Armee-Commando empfiehlt Major Appel vom eigenen Regimente den Rittmeister
Carl Baron Skrbensky zur Auszeichnung, und bittet um belobende
Anerkennung der Rittmeister Eduard von Medvey, Franz Graf
Aichelburg und Oberlieutenant Stanislaus Ritter von Kowalski
sowie er den Oberwundarzt Dr. Kremliczka, der sich schon
durch aufopfernde Berufsthätigkeit in der Schlacht von Magenta
ausgezeichnet hatte, zur Verleihung des goldenen Verdienst-
kreuzes empfiehlt.

Mit Allerhöchstem Armee-Befehl vom 7. Juli 1859 wurde
dem Major Baron Appel wegen Tapferkeit und Umsicht als

Streifkorps-Commandant der Eiserne Kronorden III. Classe
— dem Rittmeister Carl Baron Skrbensky das Militär-Verdienstkreuz und endlich dem Oberwundarzt Kremliczka für
seine Leistungen bei Rivoltella und Castel-Venzago das goldene
Verdienstkreuz Allergnädigst verliehen.

Nachdem dieses Streif-Commando über Allerhöchsten Befehl
in Volta übernachtet hatte, von wo die Abtheilungen des
Regiments am 24. zu dem bei Solferino kampironden V. Armee-
Corps wieder einrücken sollten, wurde es plötzlich durch einen
am Morgen des 24. hörbaren Kanonendonner von dem Beginne
einer Schlacht in Kenntniss gesetzt. Da brach Major Appel aus
eigenem Antriebe ungeachtet durch die alle Strassen bede-
ckenden, in die Schlachtlinie vorrückenden Truppen seinem
Marsche sich grosse Hindernisse in den Weg stellten, und er
den Befehl erhielt die Truppenmärsche der Infanterie nicht zu
beirren, um 10 Uhr Morgens mit den beihabenden Abtheilungen des
eigenen Regiments auf, gewann die Strasse bei Cavriana und
rückte auf derselben so schnell, es die Verstopfung durch das
in grösster Unordnung zurückkehrende Fuhrwerk erlaubte, vorwärts gegen die Schlachtlinie. Eine halbe Stunde vor Cavriania
strömten regellose Haufen von Infanterie-Mannschaft ohne Offiziere
zurück gegen Volta, so dass sich Major Appel veranlasst fand,
die Uhlanen mit gefällten Piken diesen Ausreissern in den
Weg zu stellen, und obgleich von der renitenten Mannschaft
gegen die Uhlanen mehrerer Schüsse gethan, ja selbst das
Pferd des Majors zweimal verwundet wurde, so gelang endlich
doch die Raillirung eines bedeutenden Theils der Infanterie, mit
denen nun der genannte Major eine Aufnahmsposition an einem
rechts von der Strasse gelegenen Rideau bezog. Als ungefähr
um 3 Uhr Nachmittag FML. Graf Clam-Gallas an der bezeichneten Stelle anlangte, meldete sich Major Appel bei diesem,
und bot sich zur Deckung des weitern Rückzuges an, zu
welchem Zwecke demselben noch eine Escadron von Haller-
Hussaren unter Rittmeister von Fekete zugewiesen wurde. Nachdem die gesammelte Infanterie ihren Abzug vollendet und dieselbe auf dieser Seite (Westfronte von Cavriana) vom Feinde
nicht weiter gestört wurde, begab sich Major Appel mit seinem
Commando zum FML. Baron Zobel, Commandanten des VII.
Armee-Corps, stellte sich diesem zur Verfügung und erschien
dann vorwärts eilend, zur Unterstützung der noch in erster
Linie fechtenden Armee-Division des FML. Prinz Hessen auf dem
Kampfplatze. Major Appel liess die Uhlanen-Escadron rechts von
der nach S. Cassiano führenden Strasse eine gedeckte Aufstellung
nehmen; Rittmeister Baron Skrbensky wurde zur Recognoszirung
eines in die linke feindliche Flanke führenden Gebirgsweges
entsendet, während Major Appel im heftigsten Kugel-Regen zur
Recognoszirung des vorliegenden Terrains vorgeritten war. Da
bemerkte er starke Schwärme feindlicher Tirailleurs,   ·ch

eines Defilées bemächtigten wollten, welches die Brigaden Wussin und Brandenstein von einander trennte. In diesem kritischen Momente führte Major Appel mit raschem Selbstentschluss einen Theil seiner Uhlanen zur Attaque vor. Diess eben so plötzliche als unerwartete Hervorbrechen der Uhlanen, und ihr Hurrah-Gescbrei ermuthigten diejenigen unserer Infanterie-Abtheilungen, welche schon im Zurückweichen begriffen waren, zur Umkehr und zur Markirung eines Sturmes auf den lebhaft drängenden Gegner, so dass dieser stärkere Cavallerie - Massen vermuthend, von seinem Drängen abliess und die Division des Prinzen Hessen sich abermals festsetzen konnte.

Die feindlichen Tirailleurs wichen vor dem Reiter-Anprall, während deren Sturmkolonnen auf den Berggruppen Quarrées formirten und ein heftiges Feuer eröffneten. Durch einen Flintenschuss im Gesichte schwer getroffen, stellte Major Appel den weitern Angriff erst ein, als er seine Aufgabe die heftigste Verfolgung von Seite des Feindes zu hemmen erreicht fand, und verliess den Kampfplatz nicht eher, als nach vollständiger Raillirung seiner Abtheilung, die dann noch unter Commando des Rittmeister Carl Baron Skrbensky an den Arriere-Garde-Gefechten des VII. Corps Theil nahm. Die Rittmeister Eduard von Medvey und Franz Graf Aichelburg hatten sich an die Spitze ihrer vorsprengenden Abtheilungen gesetzt, die Mannschaft zu todesmuthiger Kampflust durch ihre eigene hervorragende Bravour hingerissen, und beim Rückzuge ihren schwer verwundeten Stabsoffizier in ihre Mitte genommen, um selben mit ihren Körper von weiteren Verwundungen zu schützen. FML. Prinz Hessen spricht sich in einem Zeugnisse mit folgenden Worten über die hier geschilderte, in einem so gefährlichen Momente, aus freiem Antriebe unternommene Waffenthat aus, „dass dieselbe nicht nur einen sehr günstigen Einfluss auf den Geist der Mannschaft ausübte, und ein ermunterndes Beispiel für die noch Stand haltenden Truppen war, sondern auch noch wesentlich dazu beitrug, den Rückzug der Division Prinz Hessen durch den Ort Cavriana zu decken." — Auf dem halben Wege nach Volta nahm Rittmeister Baron Skrbensky nochmals Stellung, um einige rückwärtige Abtheilungen des 1. Armee-Corps aufzunehmen, bezog um 11 Uhr Nachts bei Valeggio ein Lager und rückte am 25. Juni nach Terrione zum V. Armee-Corps ein. Der Verlust dieser Abtheilungen des Regiments war bei Castel Venzago 1 Mann und 1 Pferd verwundet; bei Solferino Major Baron Appel, 2 Mann und 2 Pferde verwundet, 1 Pferd todt und eines vermisst. — Major Baron Appel erhielt für Auszeichnung bei Solferino das Ritterkreuz des Leopold-Ordens; die Rittmeister Eduard von Medvey und Franz Graf Aichelburg das Militär-Verdienstkreuz. Die Auszeichnungen der Mannschaft sind bei den betreffenden Waffenthaten bereits angeführt.

Die übrigen Abtheilungen des Regiments haben bei den Infanterie-Brigaden zugetheilt, durch ein rechtzeitiges Eingreifen in den verschiedenen Gefechtsmomenten an dieser blutigen Schlacht Antheil genommen. — Major Graf Mac-Caffry hatte mit der 1. Division den Rückzug der Brigade Koller von Solferino gegen Pozzolengo zu decken. Anfänglich in Escadronsstaffeln aufgestellt, wurde die Division auf ihrem linken Flügel stark vom Feinde bedroht, und durch ein heftiges Geschützfeuer beunruhigt, ohne dass jedoch der Gegner aus seiner gedeckten Stellung zum Angriffe vorrückte.

Nachdem die obenerwähnte Brigade sich zurückgezogen hatte, trat auch die Division unter dem heftigsten Feuer mit kaltblütiger Ruhe in Zugs-Colonnen ihren Rückzug an.

Der Verlust derselben bestand in Todten 1 Mann; an Verwundeten 3 Mann und 2 Pferde. — Die 5. Escadron unter Rittmeister Pippan war der Brigade des GM. Baron Wimpfen in der Richtung gegen Medole zugewiesen, deren linke Flanke und Rücken sie sehr zweckmässig deckte, und gleichzeitig durch Patrouillen die Verbindung mit der links bei Castel Goffredo stehenden Cavallerie-Brigade unterhielt. Der 4. Zug dieser Escadron unter Oberlieutenant Julius Matzenauer war auf Geschützbedeckung kommandirt. Die 7. Escadron unter Rittmeister Dauscha Sperling, war der Brigade des GM. Baron Blumenkron zugetheilt. — Anfangs auf der Brughiera bei Guidizollo aufgestellt, wurde selbe später zur Bedeckung der Reserve-Batterie des XI. Armee-Corps verwendet. Lieutenant Adolf von Santa rettete mit dem Corporal Johann Zacaria, Stellvertreter Josef Kollert, den Uhlanen Marko, Peic, Blax, Sraga und Peter Scenta im Verein mit 4 Mann von Hesson-Infanterie, eine dem Feinde preisgegebene Kanone, deren Bespannungs-Pferde gefallen waren, ungeachtet des heftigsten feindlichen Feuers und aller Terrainhindernisse. Der Verlust dieser Escadron betrug 1 Mann 3 Pferde an Verwundeten, 1 Mann 1 Pferd gefangen, 4 Mann 3 Pferde vermisst und 2 todte Pferde. — Die 8. Escadron unter Rittmeister Graf Moltke war der Brigade des GM. von Fehlmaier zugetheilt.

Am frühen Morgen des 24. Juni erhielt die Escadron den Befehl, der schon gegen Medole vorgerückten Brigade zu folgen, welche sich aber bald darauf zurückzog, während die Uhlanen noch weiter vorrückten; diese fanden noch eine Batterie, die aber auch bald der Uebermacht weichen musste. Im selben Augenblicke sah Rittmeister Graf Moltke das Dragoner-Regiment Horvath vorgehen, an welches er sich nun mit seiner alle Verbindung entbehrenden Escadron anschloss, und bei diesem bis zu dessen spätern Rückzuge blieb. —

Von FML. Fürst Edmund Schwarzenberg nun beauftragt, das Gefecht der Brigade Hartung durch sein Vorgehen zum Stehen zu bringen, rückte Graf Moltke mit seinen Uhlanen bis in die Plänklerkette des 13. Jägerbataillons (jener Brigade) zweimal vor, und brachte später eine schon zurückweichende Infanterietruppe nochmals zum Stehen. Spät Abends noch zur Bedeckung, von indess auf einem andern Wege bereits zurückgegangenen Batterien bestimmt, blieb Rittmeister Graf Moltke, ohne Kunde über das Schicksal jener Batterien noch längere Zeit mit seiner Escadron stehen, und verliess erst auf wiederholten Befehl und von dem bereits erfolgten Zurückgehen jener Batterien benachrichtigt, einer der letzten das Schlachtfeld.

Der Verlust, der so vielfach verwendeten und dem feindlichen Feuer fast fortwährend exponirten Schwadron, war ziemlich bedeutend und betrug 5 Mann 11 Pferde an Todten, 4 Mann 1 Pferd an Verwundeten. Dem Corporal Mato Bogdanic war es auf einer Patrouille gelungen, in unmittelbarer Nähe des Feindes einen Convoi von 76 Säcken Weizen aufzufangen, welche er beim IX. Corps-Commando übergab.

Alle den verschiedenen Infanterie-Brigaden des IX. Corps zugetheilten Abtheilungen der 3. und 4. Division des Regiments schlossen sich, als jene Brigaden aus dem Kampfe gezogen wurden, stets den in der Schlachtlinie zurückgebliebenen Abtheilungen des III. Armee-Corps (FML. Fst. Edmund Schwarzenberg) an, und Rittmeister Baron Witzleben mit der 6. Escadron selbst auch dem Rückzug deckenden XI. Corps (FML. v. Veigl) und verliess erst spät Nachts das Schlachtfeld vor Guidizollo, um nach Goito zurückzugehen. —

Oberstlieutenant von Berres, welcher Behufs der Recognoszirung eines für Cavallerie geeigneten Terrains zum Angriffe der vorrückenden Chasseurs à cheval etwas vorgeritten war, — gerieth plötzlich in einen Haufen der feindlichen Reiter, seine Ordonanz war bereits vom Pferde gerissen als die Attaque einer Abtheilung von Preussen Hussaren, und einige wohlgezielte Schüsse der Jäger die Aufmerksamkeit der Gegner ablenkten, und jenem Stabsoffizier Gelegenheit gaben, sich durch einen kühnen Grabensprung zu retten, und seine Abtheilung wieder zu erreichen.

Ausser dem bereits erwähnten Major Baron Appel führt die offizielle Verlustangabe vom Regimente noch dessen Commandanten Oberst Carl Baron Sturmfeder, und den Oberlieutenant Carl Noe Edler von Nordberg als verwundet an.

Für Auszeichnungen in der Schlacht bei Solferino wurden nebst den betreffenden Ortes schon Genannten folgende Offiziere des Regiments mit Orden betheilt; und zwar mit dem Orden der Eisernen Krone III. Classe: Rittmeister Bela von Schönberger; mit dem Militär-Verdienstkreuze: die Rittmeister Adam Graf Moltke und Johann Graf Zichy, die Oberlieutenants: Thomas O'Mahoni, Julius Matzenauer, Carl Noe Edler von Nordberg wie endlich Adolf von Santa. — Die Allerhöchst belobende Anerkennung erhielten Rittmeister Friedrich

Binder und Oberlioutenant Josef Lommer. — 5 Mann wurden mit der grossen, 5 Mann mit der kleinen silbernen Medaille für bewiesene Bravour in dieser Schlacht betheilt.

Unter so rühmlichen Auszeichnungen hatte der erste Feldzug dieses Regiments geendet, welches im Venetianischen verblieb, wo es gegenwärtig die Stabsstation Padua hat. — In Folge der mit 1. März 1860 ins Leben getretenen neuen Organisation der k. k. Cavallerie hatte das Regiment seine 4 Division aufgelöst. In diesem Jahre geruhte Se. Majestät der Regiments-Inhaber König Franz II. beider Sicilien dem Regiments-Commandanten wie sämmtlichen Stabs-Offiziers Allergnädigst den k. sicilianischen Orden von König Franz zu verleihen. Mittelst Armeebefehl Nr. 47 und Allerhöchsten Befehlschreiben vom 21. Mai 1860 geruhten Se. Majestät der Kaiser dem Majoren Johann Freiherrn von Appel des Regiments „für seine ganz ausgezeichneten Leistungen in der Schlacht bei Solferino" das Ritterkreuz des Maria Theresien-Ordens allergnädigst zu verleihen, welches 1861 auch Sr. Majestät der Regiments-Inhaber König Franz II. beider Sicilien für Allerhöchst dessen heldenmüthige Vertheidigung der Festung Gaeta erhielt. — Aus gleichem Anlass verehrte das Offiziers-Corps des Regiments diesem Monarchen als seinen Inhaber einen prachtvollen Ehrensäbel.

Maria Theresien-Ordens-Ritter.

1860 Major Johann Baron Appel (siehe Majors).
1861 Se. Majestät, der Regiments-Inhaber, König Franz II. beider Sicilien.

Inhaber.

1854 Se. Majestät, König Ferdinand II. beider Sicilien, † am 23. Mai 1859.
1859 Se. Majestät König Franz II. beider Sicilien, 1861 MTO-R.

Zweiter Inhaber.

1854 FML. August Baron Lederer, Oberlieutenant der ersten Arzieren-Leibgarde.

Oberste.

1854 Ferdinand Wussin, Regimts.-Commandant, 1859 GM.
1859 Carl Baron Sturmfeder, Regimts.-Commandant, 1863 Premier-Wachtmeister der Arzieren-Leibgarde.

Oberstlieutenants.

1854 Ferdinand Wussin, Regimts.-Commandant, 1854, Oberst.
1854 Rudolf Hye, Edler von Hyeburg, † zu Baden, am 26. Dezember 1856.
1857 Eugen Baron Simbschen, 1859 pensionirt, nachträglich mit Oberst-Charakter.
1859 Carl Baron Sturmfeder, 1859 Oberst.
1859 Friedrich Berres, Edler von Perez, 1863 Regimts-Commandt.

Majors.

1854 Eugen Baron Simbschen, 1857 Oberstlieutenant.
1854 Oswald Baron Wendt, 1857 quittirt mit Oberstlieutenants-Charakter.
1854 Carl Baron Sturmfeder, 1859 Oberstlieutenant.
1857 Josef Wagner, 1858 pensionirt.
1857 Friedrich Berres, Edler von Perez, 1859 Oberstlieutenant.
1858 Johann Baron Appel, 1860 MTO-R.
1859 Maximilian Graf Mac Caffry.
1859 Ludwig Müller, 1860 transferirt zu Uhlanen Nr. 8.
1859 Julius Baron Schnecki von Trebersburg, 1862 transferirt zu Uhlanen Nr. 4.

Uniformirung des Regiments.

Karmoisinrothe Czapka, dunkelgrüne Uhlanka und Pantalons, scharlachrothe Aufschläge, gelbe Knöpfe.

Uhlanen-Regiment Nr. 13. Graf Trani, Prinz beider Sicilien.

Vermöge Allerhöchstem Befehlsschreiben vom 17. Jänner 1860 wurde die Errichtung dieses Regiments als „Freiwilligen Uhlanen-Regiment" angeordnet. Dasselbe wurde mit 1. März jenes Jahres aus den vierten Divisionen der Uhlanen-Regimenter: Graf Civalart Nr. 1, Fürst Schwarzenberg Nr. 2, E. H. Ferdinand Maximilian Nr. 8 und Graf Clam-Gallas Nr. 10 zusammengesetzt und erhielt die Stabsstation Stockerau als Aufstellungsplatz.

Der Ergänzungsbezirk für dasselbe ist ganz Ost- und West-Galizien und die Bukowina. Zweck und Verwendung dieser Truppe war ursprünglich jener der freiwilligen Hussaren-Regimenter und wurde daselbst bereits besprochen.

Die Ausübung der Inhabersrechte war anfänglich dem Armee-Ober-Commando übertragen; im Mai 1861 aber erhielt es die weiter unten angeführten Inhaber. In Folge Allerhöchster Entschliessung vom 7. Juli 1862 erhielt das Regiment obige Benennung, und löste seine vierte Division auf. Ende 1862 wurde der Stab nach Enns in Oberösterreich verlegt.

Inhaber.

1861 Se. k. k. Hoheit Ludwig Graf Trani, Prinz beider Sicilien MTO-R.

Zweiter Inhaber:

1861 FML. Hermann Graf Nostitz-Rineck, MTO-R. und Cavallerie-Divisionär.

Oberste.

1860 Ludwig Pulz, Regimts.-Commandant.

Oberstlieutenants:

1860 Ludwig Pulz, Regimts.-Commandant, 1860 Oberst.
1860 Wladimir Graf Logothetty, 1862 pensionirt.
1862 Maximilian Ritter v. Rodakowski.

Majors.

1860 Wladimir Graf Logothetty, 1860 Oberstlieutenant.
1860 Maximilian Ritter v. Rodakowski, 1862 Oberstlieutenant.
1860 Adolf Ritter von Wislocki.
1860 Adolf Czekellus von Rosenfeld.

Uniformirung des Regiments.

Tatarka (Conföderatka) grapproth mit Adlerfeder; Uhlanka
und Hose, lichtblau; Aufschläge, Kragen und Passepoil grapproth
Mantel dunkelbraun, hohe Stiefel, gelbe Knöpfe.

Vermöge in Folge Allerhöchster Entschliessung Sr. k. k.
Majestät de dato 29. September 1862 erlassenen Circular-Verord-
nung vom 4. Oktober 1862 GK. Nr. 3365 des hohen Kriegs-
ministeriums wurde bei sämmtlichen k. k. Cavallerie-Regimentern
eine namhafte Reduction angeordnet, wornach die im 1. Bande
Seite 38 angegebenen Bestimmungen über Friedens- und Kriegsstand der k. k. Cavallerie wesentliche Umänderungen erlitten. —
Die Hauptpunkte der Reduction sind: Die Cavallerie
formirt 29 leichte und 12 schwere Regimenter. Jedes leichte
besteht im Frieden aus dem Stabe und 6 Escadronen, jedes
schwere aus dem Stabe und 5 Escadronen. Jedes Regiment
bildet nur 2 Divisionen, aus 3 oder 2 Escadronen. In der Kriegs-
bereitschaft oder beim Ausmarsche gegen den Feind formirt das
leichte Regiment 5 Feld- und 1 Depot-, das schwere Regiment 4 Feld- und eine Depot-Escadron, zu welcher, nach Ermessen des Regiments-Commandanten jede beliebige Escadron
des Regiments bestimmt werden kann. Die bei allen Escadronen
bestehenden zweiten Rittmeister haben künftig zu entfallen, dagegen werden im Stande des Stabes eines leichten Regiments
drei zweite Rittmeister, in jenem eines schweren zwei zweite
Rittmeister, eingetheilt, welche nach Ermessen des Regiments-Commandanten mit besondern Dienstleistungen zu betrauen, oder aus-
hilfsweise als Escadrons-Commandanten zu verwenden sind. Bei
dem Ausmarsche eines Regiments in's Feld ist jedesmal ein zweiter Rittmeister bei der Depot-Escadron zur Dienstleistung einzu-
theilen, während mit einem leichten Regimente 2 dieser Rittmeister, und mit einem schweren einer mit dem Stabe ausmarschiren.
Jedes leichte Cavallerie-Regiment führt eine, jedes schwere
zwei Standarten.
Der Stand eines schweren Cavallerie-Regiments
ist nach dem, in der citirten Verordnung weiter enthaltenen Bestimmungen folgender:
Der Stab: im Frieden 1 Oberst, 1 Oberstlieutenant, 1
Major, 2 Rittmeister, 1 Regiments-Caplan, 1 Auditor, 1 Adjutant,
1 Regiments-Arzt, 2 Ober-, 3 subalterne Aerzte, 1 Thie----

22.

Rechnungsführer, 1 Wachtmeister, 1 Stabs-, 2 Divisions-Trompeter, 1 Profoss, 2 Standartführer, 1 Büchsenmacher, 14 Offiziersdiener, 3 Offiziers-, 5 Mannschafts-Pferde, also in Summa 38 Mann 8 Pferde. — Im Kriege kommen 1 zweiter Rittmeister, 2 subalterne Aerzte, 2 Offiziersdiener weniger; dagegen 1 Proviantoffizier, 10 Fahrgemeine, 1 Mannschafts-Pferd, 20 Zugpferde mehr, somit in Summa 44 Mann 29 Pferde.

Der Stand einer Feld-Escadron eines schweren Cavallerie-Regiments ist im Frieden: 1 Rittmeister, 2 Ober-, 2 Unterlieutenants, 2 Wachtmeister, 4 Führer, 8 Corporale, 1 Escadrons-Trompeter, 120 Gemeine, diese sämmtlich beritten (mit Ausnahme des ersten Rittmeisters der kein Dienstpferd erhält) hingegen unberitten 1 Kurschmidt, 1 Riemer, 12 Gemeine, 5 Offiziers-Diener, also in Summa 159 Mann, 139 Pferde. Im Kriege hingegen um 10 berittene und 1 unberittenen Gemeinen mehr, mithin 170 Mann 149 Pferde. — Die Depot-Escadron hat um 1 Rittmeister und 1 Offiziersdiener mehr als die Feld-Escadron im Kriegsstande, daher 172 Mann und 150 Pferde. — Der Stand eines schweren Regiments im Frieden beträgt daher im Ganzen 833 Mann, 703 Pferde; im Kriege hingegen 896 Mann 775 Pferde.

Der Stand eines leichten Cavallerie-Regiments ist folgender:

Der Stab im Frieden um einen zweiten Rittmeister, 1 subalternen Arzt, einen Wachtmeister, einen Offiziersdiener mehr als jener eines schweren Regiments, einen Standartführer aber weniger daher in Summa 41 Mann, 8 Pferde. Im Kriege einen zweiten Rittmeister, 2 subalterne Aerzte, 1 Offiziersdiener weniger, dagegen 1 Proviantoffizier, 12 Fahrgemeine, 2 Mannschafts-Pferde und 24 Zugpferde mehr, daher in Summa 50 Mann 31 Pferde.

Der Stand einer Feld-Escadron eines leichten Regiments ist im Frieden um 2 berittene Gemeine stärker als in jener bei einem schweren, mithin 161 Mann 141 Pferde. Im Kriege um 8 berittene und 1 unberittenen Gemeinen stärker als im Frieden, mithin 170 Mann, 149 Mann. Die Depot-Escadron eines leichten Cavallerie-Regiments hat um 1 zweiten Rittmeister und 1 Offiziers-Diener mehr als die Feld-Escadron im Kriegsstande daher 172 Mann 150 Pferde.

Der Stand eines leichten Cavallerie-Regiments im Frieden beträgt daher im Ganzen: 1007 Mann und 854 Pferde, im Kriege hingegen 1072 Mann, 929 Pferde.

———————

Das 8. Cürassier-Regiment Prinz Carl von Preussen, wurde in Folge Allerhöchsten Befehl auf Grund der demselben: im Jahre 1619 A. H. verliehenen Privilegien von dieser Reductions-Massregeln ausgenommen, und in Folge Allerhöchster Entschliessung vom 23. Oktober 1862 Nachstehendes angeordnet:

1. Das genannte Regiment hat im Frieden aus dem Stabe und 6 Escadronen, im Kriege aus dem Stabe, 5 Feld-Escadronen und 1 Depot-Escadron zu bestehen.

2. Die Escadronen formiren 2 Divisionen im Frieden und Kriege.

3. Der im Sinne dieser Allerhöchsten Entschliessung im Frieden und Kriege herabgesetzte Stand besteht: Im Frieden der Stab aus 1 Obersten, 1 Oberstlieutenant, 1 Major, 3 Rittmeister 2. Classe, 1 Regiments-Caplan, 1 Auditor, 1 Adjutant, 1 Regiments-Arzt, 2 Ober-, 4 subalterne Aerzte, 1 Thierarzt, 1 Rechnungsführer, 1 Wachtmeister, 1 Stabs-, 2 Divisions-Trompeter, 1 Profoss, 2 Standartführer, 1 Büchsenmacher, 15 Offiziersdiener, 4 Offiziers-, 5 Mannschafts-Pferde, daher in Summa 41 Mann 9 Pferde.

Die Escadron aus 1 Rittmeister, 2 Oberlieutenants, 2 Wachtmeister, 4 Führer, 8 Corporale, 1 Escadrons-Trompeter, 100 berittene Gemeine, 1 Kurschmid, 1 Riemer, 5 Offiziers-Diener, in Summa 137 Mann, 119 Pferde.

Im Kriege hat der Stab einen Rittmeister, 2 subalterne Aerzte und 1 Offiziersdiener weniger, dagegen 12 Fahrgemeine und 24 Zugpferde und Mannschaftspferde mehr, wornach er im Ganzen aus 50 Mann und 34 Pferden besteht, die Escadronen welche ausmarschiren zählen im Ganzen 685 Mann, 595 Pferde. — Die zu errichtende Depot-Escadron 172 Mann 150 Pferde.

4. Uebrigens sind die sonstigen nach Durchführung der neuen Organisation in dienstlicher und taktischer Beziehung für sämmtliche Cavallerie-Regimenter der k. k. Armee geltenden Vorschriften für dieses Regiment massgebend.

_____

22*

Berichtigungen.

Seite.

53 Zeile 19 von oben, Piélstiker statt Rielstiker.
75 Zeile 14 von oben, Wersohéz statt Werchez.
78 Zeile 11 von oben, Miltiz statt Militz.
79 Beim Regiments-Inhaber FM. Fürst Schwarzenberg MTO-GK. statt MTO-R.
99 Beim Inhaber Sr. k. k. Hoheit FM. Erzherzog Carl, MTO-GK. statt MTO-R.
113 bei Oberst Baron Zesner † 8. Juni 1849, statt 13.
115 Zeile 3 von unten, Ahsbahs, statt Ahsbhs.
132 Zeile 17 von oben, Refort, statt Refort.
152 Zeile 12 von oben Provencheres statt Bovencheres.
154 Zeile 7 von unten, jenem, statt jedem.
156 Zeile 6 von oben ist um 6 zu streichen.
174 bei Oberst Leopold Baron Ludwigsdorf ist 1806 statt 1886 vorzusetzen.
176 bei Major Leopold Lingg ist Linggenfeld statt Lingyenfeld zu setzen.
178 Zeile 16 von oben, Ogyloi, statt Olgiloy.
203 Zeile 19 von oben, Hunyad statt Hunynad.
213 Zeile 13 von unten, Mrosziuk statt Mroszink.
221 Zeile 13 von unten, Sobweden statt Schwerden.
258 Zeile 9 von oben ist „Graf" zu streichen.
259 Zeile 10 von unten, am 8. November statt 18.
298 Zeile 16 von oben, am 31. statt am 7.
302 Zeile 15 von unten ist nach dem Worte „bestand" einzuschalten: Stand hielt.
305 Zeile 15 von oben nach ist Majors einzuschalten L
331 Zeile 20 von oben, Cavriana statt Cavriania
331 Zeile 24 von unten, statt mehrere mehrerer.
336 Zeile 8 von unten ist beim Inhaber Sr. k. Hoheit statt k. k. Hohelt zu setzen.

Inhalt.

DATE DUE			

Druck:
Customized Business Services GmbH
im Auftrag der KNV-Gruppe
Ferdinand-Jühlke-Str. 7
99095 Erfurt